KV-392-814

LIBRE PENSÉE ET LITTÉRATURE CLANDESTINE

Collection dirigée par Antony McKenna

5

L'HISTOIRE DES SÉVARAMBES

Dans la même collection

1. BERNARD MANDEVILLE, *Pensées libres. Sur la Religion, Sur l'Église, et Sur le Bonheur national.* Édition critique par Paulette Carrive et Lucien Carrive.
2. BAVEREL-CROISSANT, Marie-Françoise. *La Vie et les œuvres complètes de Jacques Vallée des Barreaux (1599-1673).*
3. BONAVENTURE DES PÉRIERS. *Cymbalum Mundi.* Édition critique par Max Gauna.
4. *Examen critique des apologistes de la religion chrétienne. Attribuable à Jean Lévesque de Burigny.* Édition critique par Alain Niderst.
5. VEIRAS, Denis. *L'Histoire des Sévarambes.* Édition critique par Aubrey Rosenberg.

Denis VEIRAS

L'HISTOIRE DES SÉVARAMBES

Édition critique
par
Aubrey ROSENBERG

PARIS
HONORÉ CHAMPION ÉDITEUR
7, QUAI MALAQUAIS (VIe)
2001

www.honorechampion.com

Remerciements

Cette édition a bénéficié des conseils précieux de plusieurs personnes mais surtout de ceux de David W. Smith, d'Antony McKenna, et d'A. J. Veenendaal.

Diffusion hors France : Editions Slatkine, Genève
www.slatkine.com

ISBN : 2-7453-0426-7

INTRODUCTION

LA VIE DE DENIS VEIRAS

Nous devons reconnaître d'emblée que ce que nous savons de la vie et du caractère de l'auteur supposé de l'*Histoire des Sévarambes* (1677-1679) nous vient de quelques sources irrécusables, mais s'appuie surtout sur des preuves indirectes et sur des conjectures[1]. On a attribué l'ouvrage à Pierre Bayle, à Leibniz, à Simon de La Loubère, à August Pfeiffer, à Johan Gregor Pfeiffer, à Algernon Sidney, à Isaac Vossius et, le plus souvent, à Denis Veiras, qui en fut presque certainement l'auteur. Quant à ce dernier, nous ne savons, avec une certitude absolue, si son nom s'écrivait Veiras, Vairas, Veras, Verras, Vairasse, Veyrasse (il en existe probablement d'autres orthographes qui nous ont échappé)[2], ni si c'est le même homme qui s'appelait le sieur D. V. d'Allais et que d'autres appelaient Alletz, Dales, Dallié, d'Ally et Dally, ni si c'est lui qui écrivit *The History of the Sevarites or Sevarambi* (1675), qui, traduit

---

1 Pour des discussions de l'identité de l'auteur, voir *Gentleman's Magazine* New Series (1844), XXI, p. 355*); Notes and Queries* (1851), III, p. 4, 72, 147, 374; IV, p. 43; l'introduction à Denis Veiras, *Eine Historie der neu=gefundenen Völcker Sevarambes gennant 1689. Mit einem Nachwort, Bibliographie und Dokumenten zur Rezeptionsgeschichte*, hrsg. von Wolfgang Braungart und Jutta Golawski-Braungart (Tübingen 1990 i.e. Deutsche Neudrucke, Bd. 39), p. 4, ainsi que leur discussion des sources et de la réception du roman (*passim*). Selon M. Winter, *Compendium Utopiarum*, p. 116, le troisième volume de Johann Gregor Pfeiffer (G. A. Auletes, pseud.), *Graziani Agricolae Auletis sonderbahre Reise in unbekandte Länder...* (1721-1722), que nous n'avons pas vu, est consacré à l'*Histoire des Sévarambes (Von der Reise in den Staat der Sevaramber*).

2 Le «Supplément» au *Grand dictionnaire historique* de Moréri, vol. III, 1689, p. 1103, attribue les Sévarambes à Denys Vairas. Nous suivons la tradition en écrivant Veiras, qui est l'orthographe que l'on trouve inscrite sur la page de titre d'un livre de 1683, donné par Veiras à un des ses amis, voir E. von der Mühll, *Denis Veiras et son Histoire des Sévarambes 1677-1679*, Paris 1938, p. 10, n. 12); Jean Le Clerc affirme que, d'après John Locke, c'est ainsi qu'il écrivait son nom (*Bibliothèque choisie*, 1712, XXV, p. 402; voir aussi vol. XXVI (1713), p. 460-61). Nous suivons la tradition également en écrivant Sévarambes, Sévarias, etc., quoique, dans le roman lui-même, l'«e» dans les noms propres associés avec ce peuple imaginaire ne porte pas d'accent aigu.

peut-être par Veiras lui-même, constitue le premier volume du roman français. Les dates de sa naissance et de sa mort nous sont inconnues et, comme dans le cas de beaucoup de réfugiés huguenots de la deuxième moitié du XVIIe siècle qui menaient une vie errante et aventurière, ce qui s'est passé entre ces dates inconnues est bien obscur.

*
* *

La première biographie de Veiras, fautive mais importante parce que contemporaine, date de 1689 et se trouve dans le journal mensuel (1688-1690) de Christian Thomasius (1655-1728), qui, au cours de sa discussion détaillée du roman français, rapporte, au sujet de son auteur, beaucoup de renseignements qu'il avait reçus d'un ami non identifié[3]. Quelques années plus tard, Jean Le Clerc se réfère au roman, qu'il attribue à «un Provençal, nommé Veiras, que feu Mr. Locke avait connu particulièrement» (voir n. 2). Dans son *Dictionnaire historique* (1758), Prosper Marchand consacre un long article («Allais») à Veiras et à son ouvrage, ajoutant de nouveaux renseignements à ceux fournis par l'ami de Thomasius et par Le Clerc. En 1859, les frères Haag puisent chez Marchand leur article, «Veirasse (ou Vayrasse, surnommé d'Alais)»[4]. Au XXe siècle, G. Ascoli trouva, à la bibliothèque Bodléienne d'Oxford, quelques documents relatifs à Veiras et prétendit découvrir des éléments autobiographiques dans le roman même. F. Lachèvre, ainsi que T.E. Lavender et E. von der Mühll (voir n. 2.), y souscrivirent. Ce dernier, dans son étude magistrale, fut le premier à situer l'auteur et son roman dans leur contexte historique et politique[5]. Plus récemment, M. Rolland a su exploiter des sources manuscrites dans les archives; R. Trousson a fourni une préface perspicace à une réimpression de l'édition originale, et les éditeurs de la réédition de la traduction allemande, publiée pour la première fois en 1689 (voir n. 1), ont apporté de nouvelles précisions à l'histoire de sa vie et au contexte historique, ainsi que d'excellentes discussions et analyses relatives aux sources, à l'interpré-

---

3 *Freymüthiger jedoch vernunfft = und gesetzmässiger Gedancken uber allerhand, fürnemlich aber neue Bücher* (Halle 1689), p. 949-1005.

4 Eug. et Em. Haag, *La France protestante* (Paris 1846-1859, IX, p. 456-58.

5 G. Ascoli, «Quelques notes biographiques sur Denis Veiras, d'Alais», dans *Mélanges Lanson* (Paris 1922), p. 165-77; F. Lachèvre, *Les Successeurs de Cyrano de Bergerac* (Paris 1922), p. 167-78; T. E. Lavender, *The Histoire des Sévarambes of Denis Veiras*, diss. (Harvard University 1937).

tation et à la réception du roman[6]. Nous résumerons l'essentiel de toutes ces recherches.

*

* *

Denis Veiras naît à Alais (aujourd'hui Alès, dans le Gard) entre 1635 et 1640, d'une famille protestante appartenant à la petite bourgeoisie. Il s'engage, à l'âge de seize ans, dans les armées impériales et est stationné dans le Piémont, où il passe deux ans, avant d'être envoyé en Catalogne, où il fait la guerre pendant trois ans[7]. A son retour, il quitte l'épée pour la robe et obtient le grade de docteur en droit vers 1660. Mais, ne voyant aucune possibilité d'avancement, à cause de sa religion, il se rend en Angleterre, entre 1660 et 1665, sous le nom de Portail[8]. Au cours de cette dernière année, pendant la deuxième guerre entre l'Angleterre et la Hollande, il se trouve sur le bateau du duc d'York (1633-1701), futur Jacques II, ministre de la Marine depuis 1659, qu'il a peut-être déjà rencontré dans le Piémont. En Angleterre, d'après une lettre de Croissy, l'ambassadeur de France en Angleterre[9], il s'attire l'affection de nombreux ministres de la Cour anglaise, notamment du duc de Buckingham[10], qui est au centre des intrigues de la Cour dirigées contre Charles II et contre l'Église catholique. C'est probablement à cause de son association avec Buckingham que Veiras est banni d'Angleterre, mais il réussit à y retourner sous le nom de Veyras et à reprendre, sous la protection du duc, ses activités clandestines[11].

---

6 M. Rolland, «Denis Veiras. Notice biographique» dans *Bulletin de la Société de l'histoire du protestantisme français* (avril-juin 1977), p. 273-84; Denis Vairasse, *Histoire des Sévarambes*, avec une préface de Raymond Trousson (Genève 1979).

7 Les campagnes dans le Piémont et en Catalogne eurent lieu pendant les années 1650 et se terminèrent avec le traité des Pyrénées en 1659.

8 S'agit-il d'Alexander Portall, «a pestilent French incendiary», emprisonné à Chepstow Castle, qui devait comparaître devant le tribunal, le 27 juin, 1662? Voir le *Calendar of State Papers, Domestic* (1661-1662), p. 420.

9 Charles Colbert, marquis de Croissy (1626-1696), frère du célèbre Colbert, fut ambassadeur en Angleterre de 1668 à 1674.

10 George Villiers, deuxième duc de Buckingham (1628-1687), fut ministre de 1669 à 1674. Il accompagna le duc de York pendant les batailles navales de 1665.

11 «[...] m'étant enquis de ce Veyras [...], j'ai su [...] qu'il était le camarade de [Roux de] Marsillya, ausi méchant que lui, employé dans les mêmes affaires [...]; il est du même pays, et était autrefois ici, servant sous le nom de Portail, depuis s'étant intrigué dans les cabales et ayant parlé contre le Roi d'Angleterre et le gouvernement; il fut condamné à un banissement perpetuel, nonobstant lequel il est revenu sous le nom de Veyras [...]. Le même homme qui m'a donné cet avis [...] m'a dit que le voulant faire arrêter, et ayant su que le comte d'Ossory [=0rrery]b le protégeait

Pendant son deuxième séjour en Angleterre, Veiras fait la connaissance de Samuel Pepys et, peut-être, de John Locke, qui, à cette époque, est médecin d'Anthony Ashley Cooper, premier comte de Shaftesbury (1621-1683), et précepteur de son petit-fils, Ashley (1671-1713), le futur philosophe[12]. Le comte de Shaftesbury, avec Clifford, Buckingham, Arlington et Lauderdale, sont tous ministres du gouvernement qui prend le pouvoir après la chute du Grand Chancelier, le comte de Clarendon, en 1667, et qui est connu sous le nom de Cabal (1667-1674)[13]. Vers 1670, d'après une lettre de Veiras à Pepys[14], il fait la connaissance d'un aventurier, nommé Scott[15], qu'il reverra, en 1672, aux Pays-Bas, où il se rend avec Arlington et Buckingham et où il participe avec les troupes anglaises à la troisième guerre entre l'Angleterre et la Hollande. Lorsque Buckingham, dénoncé comme comploteur, tombe en disgrâce, en 1674, Veiras est obligé de se sauver en France, où, du moins pour la période entre 1674 et 1683, nous disposons de renseignements assez fiables sur sa vie. En effet, c'est la période de la com-

---

auprès du duc de Buckingham, il avait voulu en parler au duc, mais que l'un de ses domestiques [...] lui avait dit de n'en rien faire, que Veyras était fort bien avec le duc, et que lorsqu'il ordonnait à ses gens de dire à ceux qui le viennent voir qu'il n'y est pas, il en exceptait toujours celui-là, avec lequel il était quelquefois deux heures entières enfermé». Lettre de Croissy à Lionne, du ler juillet 1669. Voir F. Ravaisson, *Archives de la Bastille* (Paris 1874), VII, p. 328-30. Hugues de Lionne, marquis de Berni (1611-1671), fut responsable, dès 1661, de la politique étrangère de Louis XIV.

a. Claude Roux, sieur de Marcilly (1623?-1669), intriguait en Angleterre contre Louis XIV. Arrêté en Suisse en mai 1669, il fut embastillé et exécuté un mois plus tard. Voir Haag (*op. cit.*), IX, p. 59-62; Ravaisson (*op. cit.*), VII, p. 305-32; A.-D. Rabinel, *La Tragique histoire de Roux de Marcilly* (Toulouse 1969).

b.Sur Roger Boyle, comte d'Orrery (1621-1679), voir K. M. Lynch, *Roger Boyle, First Earl of Orrery* (Knoxville 1965).

[12] Samuel Pepys (1633-1703), mémorialiste et futur secrétaire de la marine d'Angleterre. C'est probablement grâce à John Locke (1632-1704), le célèbre philosophe anglais, que le jeune Shaftesbury fit la connaissance de Bayle et de Le Clerc. Lorsque Locke séjournait à Paris (1677-1678), il habitait, tout comme Veiras, le faubourg Saint-Germain, au-dessus d'un apothicaire. Peut-être qu'ils vivaient dans la même maison.

[13] Thomas Clifford, comte de Chudleigh (1630-1673); Henry Bennett, comte d'Arlington (1618-1685); John Maitland, deuxième comte et premier duc de Lauderdale (1616-1682). Cabal est un mot formé par les initiales des noms de ces cinq ministres. Edward Hyde, comte de Clarendon (1609-1674), disgrâcié en 1667, se retira en France. Voir M. Lee Jr., *The Cabal* (Urbana 1965).

[14] Voir l'Appendice.

[15] Sur John Scott (1630?-1696), voir le *Dictionary of American Biography* (New York 1935), XVI, p. 494-95.

position de ses trois ouvrages – *Histoire des Sévarambes* (1677-1679), *Grammaire méthodique* (1681), avec un abrégé en anglais intitulé *A Short and Methodical Introduction to the French Tongue* (1683) – dont les pages de titre, les dédicaces et les privilèges (voir la section sur les éditions) fournissent des détails précieux sur ses activités, ses relations et ses mouvements. C'est à cette époque qu'il commence à s'appeler d'Allais. Ses relations avec Pepys et Scott, qu'il revoit en France, nous révèlent des aspects de ses activités politiques et de sa situation financière. Un extrait du journal de Latour, ancien élève de Veiras[16], ainsi que la lettre à Pepys, nous apprennent que John Scott avait été au service de Buckingham avant la disgrâce de ce dernier. En 1674, essayant de gagner sa vie comme maître de langues à Paris et se trouvant souvent gêné, Veiras revoit Scott, avec qui il a des rapports très amicaux et qui l'emploie comme traducteur, le rémunérant de façon généreuse[17]. En 1678, pour se venger de Pepys, qui l'a accusé d'espionnage, Scott réussit à l'impliquer dans le «complot papiste[18]» en l'accusant d'avoir envoyé des secrets maritimes en France afin de détrôner Charles II et de saper les fondements du protestantisme. En 1679, Pepys est enfermé à la Tour de Londres. Désireux de se justifier, il demande à son beau-frère, Balthasar Saint-Michel, de rendre visite à Veiras afin d'obtenir son témoignage contre Scott. Selon celui-ci, Saint-Michel offre 2 000 livres à Veiras pour ce témoignage. Après quelques hésitations, Veiras, sans doute à court d'argent, fait une déposition contre son ami[19]. Cette même année, Veiras est employé comme précepteur des comtes de Wittgenstein pendant leur séjour à Paris, mais il est renvoyé et remplacé après très peu de temps[20]. Sans doute, la perte de cet emploi et la

---

[16] Voir l'Appendice.

[17] Dans *A Journal of all that hath passed between myself and Colonel Scott from my first waiting on him in England*, John Joyne décrit Veiras comme un «broken-down Paris writing master» (Cambridge, Pepysian MS. 2881, Mornamont I, p. 285-328).

[18] Il s'agit de la prétendue découverte d'un complot ourdi par des jésuites qui voulaient assassiner Charles II. Voir J.-P. Kenyon, *The Popish Plot* (Harmondsworth 1974).

[19] Sur les rapports entre Scott et Pepys, et les tentatives de ce dernier pour justifier ses actions, voir A. Bryant, *Samuel Pepys, the Years of Peril* (Cambridge 1935), et *The Letters of Samuel Pepys and his Family Circle*, éd. Helen Truesdell Heath (Oxford 1955), où on trouve de nombreuses mentions de Veiras sous le nom de Dally ou Dailly.

[20] Il s'agit de Jean Rou (1638-1711) qui, dans ses *Mémoires* (éd. Francis Waddington (Paris 1857), raconte que: «M. Claude [il s'agit de Jean Claude (1619-1687) le célèbre théologien protestant] me proposa [un poste] auprès de trois comtes allemands, à qui il avait lui-même donné pour gouverneur depuis deux ou trois mois le

nécessité de gagner de l'argent ont joué un rôle dans sa décision de dénoncer Scott.

Nous savons peu de choses de la vie de Veiras après 1683. Après la Révocation de l'Édit de Nantes, il s'est peut-être réfugié pendant quelques années en Hollande[21]. Toutefois, en 1696, nous le retrouvons à Alais où, à l'imitation de son compatriote, Pierre-Paul Riquet (1604-1680), créateur du canal du Midi, à qui Veiras dédie les deux premières parties de son *Histoire des Sévarambes*, il rédige un projet pour rendre navigable le Gardon[22].

*

* *

L'attribution du roman à Denis Veiras est fondée sur les indices suivants. La dédicace que l'on trouve au début de la première partie de la première édition française (1677) est signée D.V.D.E.L., et l'auteur est désigné de la même façon dans le privilège inséré à la fin de la préface. Or, la *Grammaire méthodique de la langue française* (1681) est signée D.V. d'Allais, et l'adresse de l'auteur figurant à la page de titre de cet ouvrage est la même que celle qu'on lit sur la page de titre du dernier tome du roman. Suivant l'affirmation de Le Clerc que l'auteur des *Sévarambes* venait d'Allais, ville du Languedoc (art. cit.), Marchand déclare que les lettres «D.V.D.E.L.» signifient Denis Veiras d'Allais en Languedoc. Le roman raconte les aventures du capitaine Siden (anagramme de Denis), et de Sévaris, qui devient le législateur Sévarias,

---

fameux auteur du petit roman intitulé *Histoire des Sévarambes*; mais ce dernier s'étant très mal gouverné lui-même, M. Claude [...] me confia ce poste [...] et cela au grand chagrin de mon prédécesseur congédié; il ne parlait pas moins que de faire une insulte publique à Mademoiselle Claude, et de m'assassiner». Voir l'introduction de la réédition allemande (*op. cit.*), p. 17-18, 66-68.

21 Une lettre de Constantin Huygens, écrite en 1686, fait mention d'un «d'Ally» à La Haye, et d'un autre homme, «de Verrasse», mais sans indication permettant de confirmer que l'un ou l'autre est notre auteur. Marchand (art. cit.) prétend connaître «actuellement dans ces provinces des personnes qui ont appris le français de d'Allais, et à qui il a donné son *Histoire des Sévarambes*, et ses autres écrits, en qualité d'auteur». Et il nomme particulièrement un M. Bloom, «ancien Bourguemaitre de Grave». Il s'agit, sans doute, de Jeremias Blom, qui fut maintes fois, de 1690 à 1723, ou magistrat municipal (*schepen*) ou bourgmestre (*borgemeester*) de Grave.

22 En 1860, grâce à ce projet, sa ville natale l'honore d'une rue: «Rue Vayrasse: en mémoire d'un compatriote, grammairien estimé, auteur en même temps d'un projet de canalisation du Gardon présenté aux états de Languedoc en 1696». Cette inscription ne contient aucune mention d'un ouvrage utopique. Voir M. Rolland, (art. cit.), p. 283-84.

(anagrammes approximatifs de Veiras ou de Vairasse). Quant à *The History of the Sevarites or Sevarambi...Written by One Captain Siden* (1675), dont la traduction constitue le premier volume du roman français, Veiras, comme traducteur professionnel, comme auteur de l'abrégé de la *Grammaire méthodique* (1683), probablement parfaitement bilingue, aurait pu écrire et traduire le roman anglais.

UNE LISTE PRÉLIMINAIRE DES ÉDITIONS DE L'*HISTOIRE DES SÉVARAMBES* AU XVIIe ET AU XVIIIe SIÈCLES

Le premier volume des *Sévarambes* fut publié en anglais en 1675. Ce volume fut réimprimé en 1679 avec un deuxième en anglais, qui, lui, n'était probablement pas du cru de Veiras, car il ne figure pas dans la première édition française du roman complet (5 volumes, 1677-1679). Les deux volumes en anglais furent réimprimés en 1700. L'édition anglaise de 1738 est une traduction faite sur l'édition française. La première édition française fut suivie de cinq autres (1682, 1702, 1715, 1716, et une édition sans date), et de plusieurs éditions abrégées dont deux en 1787. L'« édition » datant de 1734 n'est qu'une variante de celle de 1715. L'ouvrage fut traduit en hollandais (1682, 170l), en allemand (1689, 1717, 1783 et une sans date), et en italien (1730). Dans diverses bibliographies des œuvres de Veiras, on mentionne d'autres éditions en français (1693, 1707, 1722, 1740), en hollandais (1683), en allemand (1714), et en italien (1728), mais nous n'avons pas encore réussi à les retrouver. D'après son titre, *Von der Reise in den Staat der Sevaramber*, le troisième tome de Johan Gregor Pfeiffer (G. A. Auletes, pseud.*), Graziani Agricolae Auletis sonderbahre Reise in unbekandte Länder...* (1721-1722)[1], comportait une édition, un abrégé ou une adaptation du roman, mais nous n'en avons pas encore localisé un exemplaire. Néanmoins, le nombre total d'éditions que nous avons identifiées atteste sa popularité[2]. La réputation du roman de Veiras, mais non pas nécessairement le roman lui-même, profita du succès des *Voyages de Gulliver* (1726), dont le troisième tome en anglais (1727), faussement

---

1 Voir M. Winter, *Compendium utopiarum* (Stuttgart 1978), p. 116.

2 Quatre éditions du roman de Veiras ont paru dans la deuxième moitié du XXe siècle : en russe (Deni Veras, *Istorija Sevarambov*. Perevod s francuzskogo E. Dmitrievoj. Kommentarii F. B. Suvaevoj. Vstupitel' naja stat' ja V. P. Volgina (Moskva 1956) ; en allemand (Denis Veiras, *Eine Historie der Neu=gefundenen Völcker Sevarambes genannt 1689. Mit einem Nachwort, Bibliographie und Dokumenten zur Rezeptionsgeschichte*, hrsg. von Wolfgang Braungart und Jutta Golawski-Braungart (Deutsche Neudrucke, Bd. 39, Tübingen, 1990) ; en français (Denis Veiras, *Histoire des Sévarambes*, éd. Michel Rolland (Amiens 1994) ; et en japonais *Utopie des Lumières* dirigée par Kyo Nozawa et Yuzi Ueda (Tokyo 1996). Une édition en anglais, par John Christian Laursen, est en chantier.

attribué à Swift et traduit pendant tout le XVIIIe siècle en français (1728, 1730, 1741, 1762, 1765, 1767, 1773, 1777, 1778), en hollandais (1728), en allemand (1728, 1731, 1746) et en espagnol (1800), traite en grande partie des voyages de Gulliver aux pays des Sévarambes. Ce troisième tome anonyme se fonde essentiellement sur l'édition originale (1675) et sa suite (1679), et il est facile d'y relever les emprunts ; la suite du roman de Veiras y figure d'une manière très vague et superficielle.

Puisque nous n'avons pas vu assez d'exemplaires des *Sévarambes* pour en établir une bibliographie définitive, nous ne donnons ci-dessous que les détails essentiels à l'identification préliminaire des éditions.

ABRÉVIATIONS[3]

AR	Bibliothèque de l'Arsenal, Paris
BCUL	Bibliothèque cantonale et universitaire, Lausanne
BL	British Library, Londres
BMA	Bibliothèque municipale, Amiens
BMB	Bibliothèque municipale, Besançon
BMBo	Bibliothèque municipale, Bourges
BML	Bibliothèque municipale, Lyon
BMLH	Bibliothèque municipale, Le Havre
BMN	Bibliothèque municipale, Nantes
BMO	Bibliothèque municipale, Orléans
BMR	Bibliothèque municipale, Reims
BMRe	Bibliothèque municipale, Rennes
BMT	Bibliothèque municipale, Toulouse
BMVa	Bibliothèque municipale, Valenciennes
BMV	Bibliothèque municipale, Versailles
BNF	Bibliothèque nationale de France, Paris
BNM	Biblioteca nacional, Madrid
BPUN	Bibliothèque publique et universitaire, Neuchâtel
BUAP	Bibliothèque universitaire, Aix-en-Provence
BUP	Bibliothèque universitaire, Paris
BUPo	Bibliothèque universitaire, Poitiers
CKB	Kongelige Bibliotek, Copenhague
CLU	William Andrews Clark Memorial Library, Los Angeles
CSmH	Huntington Library, San Marino
CtY	Yale University, New Haven

3 Pour les bibliothèques nord-américaines, nous avons utilisé les abréviations que l'on trouve dans le *National Union Catalog*.

DeU	University of Delaware, Newark
DLC	Library of Congress, Washington
DSB	Deutsche Staatsbibliothek, Berlin
HAW	Herzog August Bibliothek, Wolfenbüttel
HKB	Koninklijke Bibliotheek, La Haye
HLF	Hessische Landesbibliothek, Fulda
ICN	Newberry Library, Chicago
IU	University of Illinois, Urbana
KU	University of Kansas, Lawrence
LHBM	Bibliothèque municipale, Le Havre
LU	Universitätsbibliothek, Leipzig
MB	Boston Public Library
MBAt	Boston Athenaeum
MdBJ	Johns Hopkins University, Baltimore
MH	Harvard University, Cambridge
MiU	University of Michigan, Ann Arbor
MnU	University of Minnesota, St. Paul
NcD	Duke University, Durham
NjP	Princeton University, New Jersey
NLA	National Library of Australia, Canberra
NLH	Niedersächsische Landesbibliothek, Hanovre
NLNZ	National Library of New Zealand, Wellington
NLS	National Library of Scotland, Edinburgh
NN	New York Public Library
NNC	Columbia University, New York
NNPM	Pierpoint Morgan Library, New York
NRU	University of Rochester, New York
OC	Christ Church, Oxford
ONV	Osterreichische Nationalbibliothek, Vienne
OT	Taylor Institution Library, Oxford
P	University of Pennsylvania Library, University Park
RPJCB	John Carter Brown Library, Brown University, Providence
SBM	Bayerische Staatsbibliothek, Munich
SKB	Kungliga Biblioteket, Stockholm
SLNSW	State Library of New South Wales, Sydney
SLV	State Library of Victoria, Melbourne
WLS	Württembergische Landesbibliothek, Stuttgart

ÉDITIONS ANGLAISES

1A. *The History of the Sevarites or Sevarambi*, London, Henry Brome, vol. 1 : 1675 ; vol. 1 et 2 : 1679. Vol. 1 fut publié en 1675. Ensuite, il fut réimprimé en 1679 avec une page de titre cartonnée et un deuxième volume.

THE / HISTORY / OF THE / *Sevarites* or *Sevarambi :* / A / Nation inhabiting part of the third / CONTINENT, / Commonly called, / *Terræ Australes Incognitæ.* / WITH / An Account of their admirable / GOVERNMENT, RELIGION, / CUSTOMS, and LANGUAGE. / [filet] / Written / By one Captain *Siden,* / A Worthy Person, / Who, together with many others, was / cast upon those Coasts, and lived / many Years in that Country. / [filet] / *LONDON,* / Printed for *Henry Brome*, at the *Gun* at the West / End of St. *Pauls* Church-Yard. 1675

THE / HISTORY / OF THE / *Sevarites* or *Sevarambi*: / A / Nation inhabiting part of the third / CONTINENT, / Commonly called / *Terræ Australes Incognitæ.* / WITH / A further Account of their admirable / *Government*, *Religion*, *Customs*, and *Language.* / [filet] / Written by one Captain *Siden,* / A Worthy Person, / Who, together with many others, was cast / upon those Coasts, and lived many years / in that Country. / [filet] / The Second Part more wonderful and de- / lightful than the First. / [filet] / *LONDON,* / Printed by *J. M.* for *Henry Brome*, at the *Gun* at the West / End of St. *Pauls* Church-yard. 1679.

Vol. 1 : 8°. A^8 a^4 B-H^8 I^4) ; [*24*] 1-114 [*6*]. (I2-4 contient : A Catalogue of Some Books, Printed for, and sold by H. Broome).

Vol. 2 : 8°. A^4 B-K^8; [*8*] 1-140 [*4*].

BL, CLU, ICN, LHBM, MH, MiU, NLNZ, NLS, NNC, OB, OC, SLNSW.

1B. Une réimpression des deux volumes avec une page de titre cartonnée. La bibliographie publiée dans University Microfilms, Ann Arbor, Michigan, cite par erreur le nom de Whitlock au lieu de Whitwood comme éditeur de cette réimpression.

THE / HISTORY / OF THE / *Sevarites* or *Sevarambi*: / A / Nation inhabiting part of the third / CONTINENT, / Commonly called, / *Terræ Australes Incognitæ.* / WITH / An Account of their admirable / [en caractères gothiques] Government, Religion, Customs, [fin gothiques] / and [en caractères gothiques] Language. [fin gothiques] / [filet] / Written / By one Captain *Siden,* / A Worthy Person, / Who, together with many others, was / cast upon those Coasts, and lived / many Years in that Country. / [filet] / In Two Parts Compleat. / [filet] / *London*, Printed for *W. Whitwood* at the *Rose* and / *Crown* in *Little-Brittain.* 1700.

IU, SLNSW.

2. *The History of the Sevarambians*, London, John Noon, 1738.

THE / HISTORY / OF THE / *SEVARAMBIANS:* / A / People of the South-Continent. / IN FIVE PARTS. / CONTAINING / An Account of the GOVERNMENT, / LAWS, / RELIGION, MANNERS, / and LANGUAGE of that NATION. / Translated from the MEMOIRS of / CAPTAIN *SIDEN*, / Who lived fifteen Years amongst them. / [vignette de fleurons] / *LONDON:* / Printed for JOHN NOON, at the *White-Hart* near / *Mercer's Chapel, Cheapside.* / [filet] / MDCCXXXVIII.

8°. A^8 a^4 $B\text{-}2D^8$; [*24*] 1-412 [4]; dans les quatre dernières pages l'on trouve un catalogue de « Books printed for John Noon ».

BL, DLC, ICN, IU, MiU, NLA, NNC, OB, SLNSW.

Extraits, abrégés et adaptations

TRAVELS / INTO SEVERAL / Remote NATIONS / OF THE / WORLD. / [filet] / *By Captain* LEMUEL GULLIVER. / [filet] / VOL. III. PART II. / A Voyage to SEVARAMBIA, &c. / [filet] / *LONDON:* / Printed in the Year MDCCXXVII.

8°. A^4 $B\text{-}L^8$; [*8*] [1] 2-159 [1].

MiU, OB.

ÉDITIONS FRANÇAISES

1. *L'Histoire des Sévarambes*, Paris, Claude Barbin (vols. 1-2, 1677), Étienne Michalet, (vols 3-5, 1678, 1677 [1679 dans quelques exemplaires], et 1679). Les cinq volumes de cette édition se trouvent reliés de diverses façons. Le texte des deux premiers volumes, jusqu'à la page 83 du deuxième, est une traduction de l'édition anglaise de 1675.

L'HISTOIRE / DES / SEVARAMBES ; / PEUPLES QUI HABITENT / une partie du troisiéme Continent, / communément appellé / LA TERRE AUSTRALE. / Contenant un compte exact du Gouvernement, / des Mœurs, de la Religion, & du langage de / cette Nation, jusques aujourd'huy inconnuë aux / Peuples de l'Europe. / *Traduit de l'Anglois.* / PREMIERE [SECONDE] PARTIE. / [vignette de fleurons] / A PARIS, / Chez CLAUDE BARBIN, au Palais, sur le / second Perron de la Sainte Chapelle. / [filet] / M. DC. LXXVII. / *Auec Priuilege du Roy.*

Vol.1 : 12°. $á^8$ $é^4$ $í^8$ $ó^4$ $ú^4$ $A\text{-}S^{8.4}$ T^8 V^4[—V3-4]; [*56*] 1-236.

Vol.2 : 12°. $A\text{-}Y^{8.4}$ Z^2; [1-2] 3-268 ; erreur de pagination : 288 au lieu de 188.

Feuilles liminaires : titre (I, á1^r, verso en blanc) ; épître dédicatoire – A / MONSIEUR / RIQUET, / BARON / DE BONREPOS. Signée D. V. D. E. L. (á2^r-é4^v) ; AU LECTEUR (í1^r-ú4^r) ; *Extrait du Priuilege du Roy* [le 13 février 1676, pour les deux premières parties]. *Achevé d'imprimer pour la premiere fois le 26 Ianvier 1677.* (ú4^r-ú4^v) ; texte (A1^r-V2^v).

HISTOIRE / DES / SEVARAMBES, / PEUPLES QUI HABITENT / une partie du troisiéme Continent, / communément appellé / LA TERRE AUSTRALLE. / Contenant un conte exact du Gouverne- / ment, des Mœurs, de la Religion, & du lan- / gage de cette Nation, jusques aujourd'uy / inconnuë aux Peuples de l'Europe. / *SECONDE PARTIE.* / Tome I. / A PARIS, / Chez l'Autheur ruë de Bussi, Faux-bourg S. / Germain. proche le petit Marché, entre un / Apotiquaire & un Patissier. / ET / Chez ESTIENNE MICHALET, ruë Saint / Iacques, à l'Image S. Paul, proche la Fon-/ taine S. Severin. / [filet] / M. DC. LXXVIII. / *Avec Privilege du Roy.*

Vol. 3 : $12^{o.}$ $á^{8}$ A-$2E^{8.4}$ $2F^{4}$; [*16*] 1-342 [2].

L'exemplaire de ce volume à la BMO contient la page de titre suivante:

L'HISTOIRE / DES / SEVARAMBES, / PEUPLES QUI HABITENT / une partie du troisiéme Continent, / communément appellé / LA TERRE AUSTRALE. / Contenant un conte exact du Gouvernement, / des Mœurs, de la Religion, & du langage / de cette Nation, jusques aujourd'huy in- / connuë aux Peuples de l'Europe. / Tome I. / [vignette de fleurons] / A PARIS, / Chez l'Autheur, au bas de la ruë du Four, / proche le petit Marché, Faux-bourg S. / Germain, attenant un Boisselier. / Chez THEODORE GIRARD, dans la grande / Salle du Palais, du côté de la Cour des / Aydes, à l'Envie. / Et chez ESTIENNE MICHALET, ruë Saint / Jacques, à l'Image S. Paul proche la / Fontaine S. Severin. / [filet] / M. DC. LXXVIII. / *Avec Privilege du Roy.*

La page de titre de l'exemplaire de la BMLH commence ainsi – SECONDE PARTIE / DE / – et continue comme ci-dessus.

Feuilles liminaires: titre (ál^{r}, verso en blanc); épître dédicatoire – A / MONSIEUR / RIQVET, / BARON / DE BONREPOS. Signée D. V. D. E. L. (á2^{r}-á6^{v}); AVERTISSEMENT (á7^{r}-á8^{v}); texte (A1^{r}-2F3^{v}); *Extraict du Privilege du Roy* [le 20 août 1677]. *Achevé d'imprimer pour la premiere fois le 18 Decembre 1677.* (2F4^{r}); *ERRATA* (2F4^{v}).

Erreurs de pagination: 56 au lieu de 65 dans plusieurs exemplaires, 172 au lieu de 127, 28 au lieu de 128 dans plusieurs exemplaires, 68 au lieu de 168 dans plusieurs exemplaires, 161-232 au lieu de 169-240 [160 au lieu de 180, 164 au lieu de 184], 592 au lieu de 295.

Erreurs de signature: V2 au lieu de T2, V4 au lieu de T4, 2F1 au lieu de 2F2.

HISTOIRE / DES / SEVARAMBES, / PEUPLES QUI HABITENT / une partie du troisiéme Continent, / communément appellé / LA TERRE AUSTRALE. / Contenant un conte exact du Gouvernement, / des Mœurs, de la Religion, & du langage / de cette Nation, jusques aujourd'huy in- / connuë aux Peuples de l'Europe. / *SECONDE PARTIE.* / TOME II. / [vignette de fleurons] / A PARIS, / Chez l'Autheur, ruë de Bussi, Faux-bourg / S. Germain, proche le petit Marché, entre / un Apotiquaire & un Patissier. / Et chez ESTIENNE

MICHALET, ruë Saint / Jacques, à l'Image S. Paul proche la / Fontaine S. Severin. / [filet] / M. DC. LXXVII. / *Avec Privilege du Roy.*

Vol. 4: 12° p1 A-2E$^{8.4}$ 2F^{8} 2G^{4}[—2G4]; [2] 1-358.

Erreurs de pagination: 122 au lieu de 124, 16 au lieu de 169 dans plusieurs exemplaires, 22 au lieu de 221 dans plusieurs exemplaires, 133 au lieu de 233, 389 au lieu de 239, 256 au lieu de 255, 236 au lieu de 256, 26 au lieu de 261, 267-285 au lieu de 265-283, 284 paginée à la droite, 286 au lieu de 287, 285 au lieu de 289 dans plusieurs exemplaires, 33 au lieu de 331 dans plusieurs exemplaires, 4 au lieu de 334 dans plusieurs exemplaires, 334 au lieu de 343. 288 et 285 au lieu de 290-291, 290-291 au lieu de 292-293, 292-293 au lieu de 294-295, et ainsi de suite.

CONCLUSION / DE / L'HISTOIRE / DES / SEVARAMBES, / PEUPLES QUI HABITENT / une partie du troisiéme Continent, / communément appellé / LA TERRE AUSTRALE. / Contenant un conte exact du Gouvernement / des Mœurs, de la Religion, & du langage / de cette Nation, jusques aujourd'huy in- / connuë aux Peuples de l'Europe. / *SECONDE PARTIE.* / Tome III. / [vignette de fleurons comme celle du vol. 4] / A PARIS, / Chez l'Autheur, au bas de la ruë du Four, / proche le petit Marché, Faux-bourg S. / Germain, attenant un Boisselier. / Chez ETIENNE MICHALET, ruë Saint / Jacques, à l'Image S. Paul proche la / Fontaine S. Severin. / Et au Palais. / [filet] / M. DC. LXXIX. / *Avec Privilege du Roy.*

Vol. 5: 12° p1 A-2P$^{8.4}$; [2] 1-4566.

Erreurs de pagination: 24 au lieu de 34, 86 au lieu de 84, 16 au lieu de 161, 223 au lieu de 225, 195 au lieu de 295, 368 au lieu de 398, 403 au lieu de 401.

AR, BMLH, BNF, MdBJ, MiU, SLNSW.

2. *L'Histoire des Sévarambes*, Bruxelles, Lambert Marchant, 1682, 4 vol. en 2 tomes.

L'HISTOIRE / DES / SEVARAMBES, / PEUPLES QUI HABITENT UNE / Partie du troisiéme Continent, / communement appellé / LA TERRE AUSTRALE. / *Contenant un conte exact du Gouvernement, des / Mœurs, de la Religion, & du Langage de / cette Nation, jusques aujourd'huy inconnuë / aux Peuples de l'Europe.* / Traduit de l'Anglois. / *PREMIERE PARTIE.* / [vignette de fleurons] / A PARIS, / Chez l'Autheur, au bas de la ruë du Four, proche / le petit Marché, Faux-bourg S. Ger- / main, attenant un Boisselier. / *ET SE VEND* / A BRUXELLES, / Chez LAMBERT MARCHANT, Libraire au / Bon Pasteur, au Marché aux Herbes. / M. DC. LXXXII. / [filet] / *Avec Privilege du Roy.*

Vol. 1: 12° a^{12} e^{6} A-K^{12}; [*36*] 1-239 [*1*].

L'HISTOIRE / DES / SEVARAMBES, / PEUPLES QUI HABITENT / une partie du troisiéme Continent, / communement appellé / LA TERRE AUSTRALE. / *Contenant un conte exact du Gouvernement, des / Mœurs, de la Religion, & du langage de cet / te Nation, jusques aujourd'huy inconnuë / aux Peuples de l'Europe. / SECONDE PARTIE.* / Tome I. / [vignette de fleurons] / A PARIS, / Chez l'Autheur ruë de Bussi, Faux-bourg S. Ger- / main, proche le petit Marché. / ET SE VEND / A BRUXELLES, / Chez LAMBERT MARCHANT, Libraire / au Bon Pasteur au Marché, aux Herbes. / M. D. C. LXXXI. / [filet] / *Avec Privilege du Roy.*

Vol. 2 : 12°· á[12] B-G[12]; [1-8] 9-168; (á5 et á6 signées A5 and A6 au début du texte).

HISTOIRE / DES / SEVARAMBES, / PEUPLES QUI HABITENT / une partie du troisiéme Continent, / communement appellé / LA TERRE AUSTRALE. / *Contenant un conte exact du Gouvernement, des / Mœurs, de la Religion, & du Langage de cet- / te Nation, jusques aujourd'huy inconnuë / aux Peuples de l'Europe. / SECONDE PARTIE.* / Tome II. / [vignette de fleurons comme celle du vol. 2] / A PARIS, / Chez l'Autheur ruë de Bussi, Faux-bourg S. Ger- / main, proche le petit Marché. / *ET SE VEND* / A BRUXELLES, / Chez LAMBERT MARCHANT, Libraire / au Bon Pasteur au Marché, aux Herbes. / M. D. C. LXXXI. / [filet] / *Avec Privilege du Roy.*

Vol. 3 : 12°· A-G[12]; [1-2] 3-166 [2].

CONCLUSION / DE / L'HISTOIRE / DES / SEVARAMBES, / PEUPLES QUI HABITENT UNE / Partie du troisiéme Continent, / communement appellé / LA TERRE AUSTRALE. / *Contenant un conte exact du Gouvernement, des / Mœurs, de la Religion, & du langage de / cette Nation, jusques aujourd'huy inconnuë / aux Peuples de l'Europe. / SECONDE PARTIE.* / Tome III. / [vignette comme celle du vol. 3] / A PARIS, / Chez l'Autheur, au bas de la ruë du Four, proche / le petit Marché, Faux-bourg S. Ger-/ main, attenant un Boisselier. / *ET SE VEND* / A BRUXELLES, / Chez LAMBERT MARCHANT, Libraire / au Bon Pasteur, au Marché aux Herbes. / M. D. C. LXXXII. / [filet] / *Avec Privilege du Roy.*

Vol. 4 : 12°· A-I[12]; [1-2] 3-216.

BNM, CKB, HAW, Lyon, MiU, NLA, NRU, SKB, SLNSW.

3. *Histoire des Sévarambes*, Amsterdam, Étienne Roger, 1702, 2 vol. en 1 tome.

[rouge 1, 3, 7, 12, 13, 18, et noir] HISTOIRE / DES / SEVARAMBES, / PEUPLES QUI HABITENT / une Partie du troisiéme Continent, / communément appellé / LA TERRE AUSTRALE. / *Contenant une Relation du Gouvernement, / des Mœurs, de la Religion, & du Lan- / gage de cette Nation, inconnuë jusques à / present aux Peuples de l'Europe.* / PRÉMIÉRE PARTIE. / [vignette d'un pot de fleurs] / A AMSTERDAM, / Aux dépens d'ESTIENNE ROGER, / Marchand Libraire, chez qui l'on trouve / un assortiment général de toute sor- / te de Musique. / M. D. C. C. II.

12°. A-N^{12} O^{12}[—O12]; [1-20] 21-333 [*1*].

[rouge et noir comme dans le vol. 1] HISTOIRE / DES / SEVARAMBES, / PEUPLES QUI HABITENT / une Partie du troisiéme Continent / communément appellé / LA TERRE AUSTRALE. / *Contenant une Relation du Gouvernement, / des Mœurs, de la Religion, & du Lan- / gage de cette Nation, inconnuë jusqu'à / present aux Peuples de l'Europe.* / SECONDE PARTIE. / [vignette comme celle du vol. 1] / A AMSTERDAM, / Aux dépens d'ESTIENNE ROGER, / Marchand Libraire, chez qui l'on trou- / ve un assortiment général de toute / sorte de Musique. / M. D. C. C. II.

12°. A-N^{12} O^{8}; [1-4] 5-303 [*25*].

BCUL, BPUN, CSmH, DLC, MH, MiU, OT, P, SBM, SKB, SLNSW.

4A. *Histoire des Sévarambes*, Amsterdam, Pierre Mortier, 1715-1716, 2 vol. en 1 tome. Voir aussi 4B (1734) ci-dessous.

HISTOIRE / DES / SEVARAMBES, / PEUPLES QUI HABITENT / une Partie du troisiéme Continent, / communément apellé / LA TERRE AUSTRALE. / *Contenant une Relation du Gouverne- / ment, des Mœurs, de la Religion, & / du Langage de cette Nation, inconnuë / jusqu'*à *present aux Peuples de / l'Europe.* / TOME PREMIER. / *Nouvelle Edition, corrigée & augmentée.* / [vignette de feuillage, de fleurs et de fruits] / A AMSTERDAM, / Chez PIERRE MORTIER, Libraire. / [filet] / M. DCC. XV.

12°. p1 *8 A-L^{12} M^{6}(—M6); [*18*] 1-273 [*1*].

HISTOIRE / DES / SEVARAMBES, / PEUPLES QUI HABITENT / une Partie du troisiéme Continent, / communément apellé / LA TERRE AUSTRALE. / TOME SECOND. / *Nouvelle Edition, corrigée & augmentée.* / [vignette comme celle du vol. 1] / A AMSTERDAM, / Chez PIERRE MORTIER, Libraire. / [filet] / M. D. CC. XVI.

12°. A-K^{12} L4; 1-247 [*1*].

Erreur de signature: A6 au lieu de B6

AR, BL, BMBo, BMN, BMR, BMRe, BMV, BUPo, DeU, MiU, NcD, NLA, RPJCB.

5. *Histoire des Sévarambes*, Amsterdam, Pierre Mortier, 2 vol. en 1 tome. Sans date. Un faux titre pour le « TOME SECOND ».

HISTOIRE / DES / SEVARAMBES, / PEUPLES QUI HABITENT / une Partie du troisiéme Continent, / communément appellé / LA TERRE AUSTRALE. / *Contenant une Relation duGouvernement, des / Mœurs, de la Religion, & du Langage / de cette Nation, inconnuë jusques à pre- / sent aux Peuples de l'Europe. / Nouvelle Edition Corrigée & Augmentée.* / TOME PREMIER. / [vignette de feuillage et de fleurs] / A AMSTERDAM. / [filet] / Chez PIERRE MORTIER, Libraire, / chez qui l'on trouve toute sorte de Musique.

[faux titre] HISTOIRE / DES / SEVARAMBES, / PEUPLES QUI HABITENT / une Partie du troisiéme Conti- / nent communément appellé / LA TERRE AUSTRALE. / *Contenant une Relation du Gouverne- / ment, des Mœurs, de la Religion, & du / Langage de cette Nation, inconnuë jusqu'à / present aux Peuples de l'Europe.* / TOME SECOND.

12°. p2 *8 A-R^{12} S^{2}; [20] 1-211 [212-214] 215-412.

BL, BML, BMRe, BNF, BNM, BUAP, MBAt, MH, OT, SLNSW.

6. *Histoire des Sévarambes*, Amsterdam, Étienne Roger, 1716, 2 vol. en 1 tome.

[rouge 1, 3, 7, 12, 13, 18, et noir] HISTOIRE / DES / SEVARAMBES, / PEUPLES QUI HABITENT / une Partie du troisiéme Continent, / communément appellé / LA TERRE AUSTRALE. / *Contenant une Relation du Gouvernement, / des Mœurs, de la Religion, & du Lan- / gage de cette Nation, inconnuë jusques / à present aux Peuples de l'Europe.* / Nouvelle Edition, reveuë & corrigée. / PREMIE'RE PARTIE. / [vignette de feuillage et de fruits pendants] / A AMSTERDAM, / Aux dépens d'ESTIENNE ROGER, / Marchand Libraire, chez qui l'on trouve / un assortiment général de Musique. / M. D. C C X V I.

12°. A^{12}(A12+A1-A11) B-O^{12}; [1-20] 21-333 [*3*]; A12 fut repliée pour servir de première feuille.

[rouge et noir comme dans le vol. 1] HISTOIRE / DES / SEVARAMBES / PEUPLES QUI HAPITENT / une Partie du troisiéme Continent / communément appellé / LA TERRE AUSTRALE. / *Contenant une Relation du Gouvernement, / des Mœurs, de la Religion, & du Lan- / gage de cette Nation, inconnuë jusqu'à / present aux Peuples de l'Europe.* / TOME SECOND. / [vignette comme celle du vol. 1] / A AMSTERDAM, / Aux dépens d'ESTIENNE ROGER, / Marchand Libraire, chez qui l'on trou- / ve un assortiment général de / Musique. / M. D. C. C. X. V. I.

12°. A^{12}(A12+A1-A11) B-O^{12} P^{6}; [1-4] 5-289 [290] 291-348.

AR, BMA, BMB, BMT, BMVa, BNF, BNM, BUP, DLC, ICN, IU, MiU, MnU, NcD, NN, SKB, SLNSW, SLV.

4B. *Histoire des Sévarambes*, Amsterdam, Desbordes, 1734, 2 vol. en 1 tome.

Une variante de l'édition de Mortier (1715) avec une page de titre cartonnée et la correction de l'erreur de signature.

HISTOIRE / DES / SEVARAMBES, / Peuples qui habitent une Partie du troisiéme / Continent, communément apellé / LA TERRE AUSTRALE. / *Contenant une Relation du Gouvernement, des Mœurs, de / la Religion, & du Langage de cette Nation, inconnuë / jusqu'à present aux Peuples de l'Europe.* / Nouvelle Edition, corrigée & augmentée. /

[vignette de fleurons] / A AMSTERDAM, / Chez HENRY DES-BORDES. / [filet] / M. D.CC. XXXIV.

Formule comme celle de 4A.

BL, BNF, MiU, OT.

Extraits, abrégés et adaptations

(a) *Voyages du capitaine Gulliver*, La Haye, Gosse et Néaulme, 1728.

[noir et rouge 3, 5, 7, 14 (excepté "Chez", "&")] VOYAGES / Du CAPITAINE / LEM. GULLIVER / EN / DIVERS PAYS / ELOIGNES. / *TOME TROISIEME.* / Contenant les Voiages de Brobdin- / gnag & des Sevarambes, & la / Clef des deux Tomes précédens. / [vignette] / *A LA HAYE* / [filet] / Chez P. GOSSE & J. NEAULME. / M. DCC. XXVIII. 336p.

Autres éditions à La Haye, Gerard Van der Poel, 1730, Jean Swart, 1741, 1762, 1765, 1767, 1773, 1777, 1778.

MiU.

(b) Dans la *Bibliothèque universelle des romans*, vol 55, 1787, 120p.

[titre en-tête] *HISTOIRE* / DES SÉVARAMBES, / PEUPLE *qui habite une partie du / troisième Continent, communément / appellé* Terre australe, *contenant / une Relation du Gouvernement, des / Mœurs, de la Religion & du Langage / de cette Nation, inconnue jusqu'*à / *présent aux Peuples de l'Europe.*

(c) Dans Garnier, *Voyages imaginaires, songes, visions, et romans cabalistiques*, vol 5, 1787, 518p.

[faux titre] HISTOIRE / DES / SEVARAMBES, / PEUPLES qui habitent une partie du / troisième continent, communément / appellé *la terre australe : / Contenant une relation du gouvernement, / des mœurs, de la religion, & du langage / de cette nation, inconnue jusqu'à présent / aux peuples de l'Europe.*

Des exemplaires de (b) et de (c) se trouvent dans les bibliothèques nationales et, en Europe, dans beaucoup de bibliothèques municipales et universitaires.

ÉDITIONS NÉERLANDAISES

Dans les deux éditions suivantes, ce n'est que dans le premier volume où il s'agit du roman de Veiras. Chaque volume est divisé en quatre parties avec une page de titre pour chaque partie.

1. *Historie der Sevarambes*, Amsterdam, Timotheus ten Hoorn, 1682.

HISTORIE / DER / SEVARAMBES, / Volkeren die een Gedeelte van / het darde Vast-land bewoonen, / gemeenlijk / ZUID-LAND / genaamd; / Behelzende een naauwkeurig verhaal van de Re- / gering, Zeden, Godtsdienst, en Taal, dezer tot / noch toe aan de Volkeren van Europa / onbekende Natie. / *Uit het Fransch in het Nederduitsch gebracht* / Door / G. v. BROEKHUIZEN. / *Vercierd met veele uitsteekende Kopere Figuuren.* / [vignette de fleurons] / t'AMSTERDAM, / *By Timotheus ten Hoorn*, Boekverkooper in de Nes, / by de Brakke Grond. 1682.

4°. A-2K^4 2L^4(—2L3-4) 3A-3M^4; [*16*] [1] 2-100 [101-102] 103-168 171-180 [181-182] 183-253 [*1*] [=252], ^{2}[1-2] 3-96.

BL, CKB, HKB, MiU, NLA, RPJCB, SBM, SLNSW.

2. *Historie des Sevarambes*, Amsterdam, Willem de Coup, Willem Lamsvelt, Philip Verbeek, Joannes Lamsvelt, 1701.

HISTORIE / DER / SEVARAMBES, / Volkeren die een Gedeelte van het / darde Vast-land bewoonen, gemeenlyk / ZUID-LAND / genaamd, / Behelzende een naauwkeurig verhaal van de Regeering / Zeden, Godtsdienst, en Taal, dezer tot noch toe / aan de Volkeren van Europa onbekende Natie. / Door S. de B. / In dezen Tweden Druk vermeerderd met een *nieuwe Reize* na / het gemelde Land, mitsgaders een zeer naauwkeuring *Jour- / naal wegens de Voyagie derwaarts gedaan in de Jaaren* 1696. / *en* 1697. *op ordre der Hollandsche Oost-Indische Maatschappy / door de Schepen de* Nyptang, *de* Geelvink, *en de* Wezel. / Vercierd met kopere Plaaten. / [vignette] / t'AMSTERDAM, / By WILLEM de COUP, WILLEM LAMSVELT, PHILIP / VERBEEK en JOANNES LAMSVELT, Boekverkoopers. 1701.

A-2Z^4; [*16*] 1-100 [101-102] 103-176 [177-178] 183-252 [253-254] 255-349[=345] [*7*].

HKB, MiU, NNPM, SLNSW.

Extraits, abrégés et adaptations

[rouge 1, 3, 5, 7, 9, 13 (excepté "By", "&") et noir] REYS / NA VERSCHEIDE VER AFGELEGENE / VOLKEREN / DER / WERELD, / DOOR / KAP: LEMUEL GULLIVER. / MET DE / SLEUTEL, / Op deszelfs vier Eerste Reyzen. / *Derde en laatste Deel.* / [vignette] / IN 's GRAVENHAGE, / By ALBERTS & VANDER KLOOT / [filet] / MDCCXXVIII.

391p.

MiU.

ÉDITIONS ALLEMANDES

1. *Geographisches Kleinod*, Sultzbach, Abraham Lichtenthaler, 1689.

Dans cette transcription nous avons remplacé les lignes diagonales du texte (censées représenter des virgules) par des virgules.

[en caractères gothiques excepté «Nation», «T.S.», «A. ROBERTS»,« 1689.»] Geophisches Kleinod, / Aus Zweyen sehr ungemeinen Edelgesteinen bestehend; / Darunter der Erste / Eine Historie der Neu=gefundenen Völcker / SEVARAMBES / genannt, / Welche einen Theil des Dritten festen Landes, so man sonsten das / Süd=Land, / nennet, / bewohnen; / Darinnen eine gantz neue und eigentliche Erzehlung von der / Regierung, Sitten, Gottes=Dienst, und Sprache dieser denen Eu- / ropæischen Völckern biss anhero noch unbekannten Nation enthalten: / Der Ander aber vorstellet, / Die Seltzamen Begebenheiten / Herren T. S. / Eines Englischen Kauff=Herrens: / Welcher von den Algierischen See=Räubern zum Sclaven ge- / macht, und in das Innwendige Land von / Africa, / geführet worden. / Sambt einer neuen Beschreibung des Königreichs Algier, / und aller merck=würdigen Städte und Plätze selbiger Gegend. Dabey auch mit / Erwähnung geschiehet von den vornehmsten Früchten desselben Landes und der / Lebens=Art und Sitten des Volcks: anfänglich durch den Autoren selbst geschrieben, / hernach in offentlichen Druck in Englischer Sprache heraus gegeben, / Durch / A. ROBERTS. / Anietzo in Hoch=teuscher Sprache mit vielen schönen / Kupfern denen Liebhabern mitgetheilet. / [filet] / In Verlegung des Ubersetzers. / Sultzbach, gedruckt bey Abraham Lichtenthaler, 1689.

4°. p^2 A-2Y4 a-m^4 n^2; [*4*] 1-175 178-362[=360] ^{2}[1] 2-100.

La deuxième partie raconte les aventures d'un marchand anglais, T. S. (Thomas Skinner?) en Afrique. Pour de plus amples renseignements, voir l'introduction à l'édition allemande de 1990, *op. cit.*, p. 41-53.

BL, DSB, HAW, HKB, MiU, NLH, SKB, WLS.

2. *A. Roberts Historie der Neu-gefundenen Völcker Sevarambes*, Nürnberg, Johann Friedrich Rüdigern, 1717.

[rouge, 1, 3, 6, 9, 14, 19, 21, 26, et noir; en caractères gothiques excepté «A. ROBERTS», «SEVERAMBES», «Nation» «T.S.», «1717.»] A. ROBERTS / Historie der Neu=gefundenen Völcker / SEVERAMBES, / Welche einen Theil des Dritten festen Landes, / so man sonsten das / Sud-Land, / nennet, / bewohnen; / Darinnen eine gantz neue und eigentliche Erzehlung / von der Regierung, Sitten, Gottes=Dienst, und / Sprache dieser denen Europäischen Völckern biss anhero / noch unbekanten Nation enthalten: / Deme beygefügt / Die Seltzamen Begebenheiten / Herrn T. S. / Eines Englischen Kauff=Herrens: / Welcher von den Algierischen See=Räubern zum Sclaven / gemacht, und in das Inwendige Land von / Africa / geführet worden. / Sambt einer neuen Beschreibung des Königreichs Algier, / und aller merckwürdigen Städte und Plätze selbiger Gegend. Dabey / auch mit Erwähnung geschiehet von den vornehmsten Früchten desselben / Landes, / und der Lebens=Art und Sitten / des Volcks. / [filet] / Nürnberg, bey Johann Friedrich Rüdigern. 1717.

4°· p^{2} A-2Y4 a-m^{4} n^{2}; [4] 1-175 178-362[=360], ^{2}[1] 2-100.

Une nouvelle édition fondée, page par page, sur celle de 1689, avec des changements orthographiques.

BL, CKB, HAW, IU, MH, MiU, NLA, SBM, WLS.

3. *Des Holländischen Capitain Siden*, Nürnberg, Johann Adam Stein, Gabriel Nicolaus Raspe, sans date.

[en caractères gothiques] Des Holländischen Capitain Siden / Reise / nach den unbekandten / Süd=Lande / wohin er / auf der Fahrt nach Batavia / durch Sturm verschlagen worden / und die Nation der / Sevarambes / entdecket hat. / Nebst den seltsamen Begebenheiten eines Englischen Kaufmanns / welcher in die Algierische Gefangenschafft gerathen / und in selbiger viele / Africanische Merckwürdigkeiten / beobachtet. / [double filet] / Nürnberg / bey Johann Adam Stein und Gabriel Nicolaus Raspe. [s.d.]

4°· p1 A-2Y^{4} a-m^{4} X^{4}[—X4]; [*1*] 1-175 178-362[=360] ^{2}[1] 2-100.

Une nouvelle édition avec des changements orthographiques. Quoique la page de titre ne porte pas de millésime, et malgré la constation dans l'édition allemande (1990, p. 206) que l'exemplaire de Wolfenbüttel (dont nous n'avons vu que la page de titre, porte la date de 1710, écrite à la main, Gabriel Nicolaus Raspe naquit en 1712, Johann Adam Stein mourut en 1739, et Raspe s'allia à la famille Stein en épousant leur fille en 1744. De 1744 à 1753, la maison s'appellait "Stein und Raspe". Raspe mourut en 1785. Voir l'*Allgemeine Deutsche Biographie*, XVII (1883), p. 324. Elle fut sans doute publiée vers le milieu du siècle, ou plus tard. C'est une nouvelle édition fondée sur celle de 1689, avec des changements orthographiques.

HAW, MiU, NLA, ONV, SBM, WLS.

4A. *Reise nach dem Lande der Sevaramben*, Göttingen, Johann Christian Dieterich, 1783.

[faux titre en caractères gothiques] Geschichte / der / Sevaramben. / [double filet] / Erster [Zweyter] Theil.

[en caractères gothiques excepté la date] Reise / nach dem Lande / der / Sevaramben / oder / Geschichte / der / Staatsverfassung, Sitten und / Gebräuche der Sevaramben. / Aus dem Französischen übersetzt / vom / Verfasser des Siegfried von Lindenberg. / [filet] / Erste [Zweyter] Theil. / [double filet] / Göttingen, / bey Johann Christian Dieterich. / 1783.

Vol. 1 : 8°· A-Y[8]; [1-5] 6-350 [2].

Vol. 2 : 8°· A-T[8] (—T8) ; [1-5] 6-302.

Suivi de : [mélange de caractères gothiques et romains] Johann Gottwerth Müller's / literarische Anmerkungen / über / die Geschichte der Sevaramben. / [double filet] / Eine Beylage / zur Uebersetzung dieses Buchs. / [double filet] / Prodest habere haeresium quoad fieri potest notitiam / accuratissimam ; solent enim plerumque reuiuiscere et / a Nouatoribus resuscitari. / MORHOF. *Polyh. T. III. L. V.* §. 19. / [vignette] / [double filet] / Göttingen, / bey Johann Christian Dieterich. 1783.

8°· a-b[8]; [1-3] 4-31 [*1*].

Ce supplément, relié à la fin du roman, fut probablement imprimé avec lui.

LU, NLA, NNC.

4B. *Geschichte der Sevaramben*, Itzehoe, Müller, 1783.

[faux titre en caractères gothiques] / Geschichte / der / Sevaramben. / [double filet] / Erster [Zweyter] Theil.

[en caractères gothiques excepté la date] Geschichte / der / Sevaramben / aus dem Französischen übersetzt / vom / Verfasser des Siegfried von Lindenberg. / [double filet] / Erster [Zweyter] Theil. / [vignette] / [double filet] / Itzehoe, bey Müller. / 1783.

Suivi de Johann Gottwerth Müller's etc.

Formule comme pour 4A.

4A et 4B sont sans doute deux impressions de la même édition.

HLF, MdBJ, ONV.

Extraits, abrégés et adaptations

[noir et rouge 4, 8, 10, 16, 19, 22 ; en caractères gothiques excepté "BROBDING-NAGG," « SPORUNDA, SEVERAMBIA, MONATAMIA, &c.&c.», « A.B.C.», « 1746.»] Des / Capitains / LEMUEL GULLIVER / Reisen, / in / unterschiedliche entfernte und unbekannte / Länder. / Dritter und Letzter Theil. / In sich haltend / Dessen zweite Reise nach BROBDING- / NAGG, und von dar nach SPO- / RUNDA, SEVERAMBIA, / MONATAMIA &c.&c. / Nebst / Des Hrn. Carolini, eines Venetianis. Edelmanns, / Schlüssel / oder Erklärung derer in beyden vorgehenden / Theilen beschriebenen vier Reisen. / Wegen ihrer Seltsamkeit, Anmuth und Zusammenhan- / gung mit denen vorigen aus dem Englis. ins Teutsche mit / Fleisz übersetzet, und nun zum drittenmahl aufgelegt. / [filet] / HAMBURG, / Gedruckt und verlegt von seel. Thomas von Wierings Erben, / im güldnen A. B. C. bey der Börse. 1746.

P. B. Gove (p. 268-9) cite une édition de 1728, que nous n'avons pas vue, qui porte la même page de titre mais qui conclut: Ist auch in Leipzig bey Philip Hertels Handlung zu bekommen.

MiU.

ÉDITION ITALIENNE

ISTORIA / DEI / SEVARAMBI / POPOLI CHE ABITANO / Una parte del terzo Continente co- / mumemente detto / LA TERRA AUSTRALE; / Continente una Relazione del Governo, / Costumi, Religione, e Linguaggio / di questa Nazione sin' ora igno- / ta a i Popoli d'Europa. / *Tradotta dal Francese.* / PARTE PRIMA. / [vignette] / IN VENEZIA, / Presso Sebastiano Coleti / *Con Licenza de' Superiori, e Privilegio.* / M. DCCXXX.

8°. A-Y^{8}Z^{12}; [1-2] 3-376.

KU, MB, MiU, SLNSW.

ANALYSE ET RÉCEPTION DU ROMAN

Bien que la structure de l'*Histoire des Sévarambes* soit complexe et subtile[1], les éléments essentiels du récit sont relativement simples. Le roman comporte cinq parties, dont seulement les trois dernières présentent un intérêt pour l'histoire de la libre pensée. La première relate la vie et les expériences du narrateur, Siden (Denis), en Europe, ainsi que ses voyages et ses aventures jusqu'à son naufrage près de la côte de la terre australe inconnue. Les survivants, renonçant à leur liberté individuelle, établissent une petite communauté hiérarchique sous la direction de

[1] Il existe nombre d'études des techniques narratives dans les utopies en général et dans le roman de Veiras en particulier. La plus importante est celle de P. Kuon, *Utopischer Entwurf und fiktionale Vermittlung: Studien zum Gattungswandel der literarischen Utopie zwischen Humanismus und Frühaufklärung* (Heidelberg 1986). Voir, aux pages 307-417, sa remarquable analyse de l'*Histoire des Sévarambes*. Parmi les autres études importantes, outre la vue d'ensemble de R. Trousson, *Voyages aux pays de nulle part; histoire littéraire de la pensée utopique* (deuxième édition revue et corrigée, Bruxelles 1979), on compte A. Petrucciani, *La Finzione e la persuasione: l'utopia come genere letterario* (Roma 1983), et J.-M. Racault, *L'Utopie narrative en France et en Angleterre 1675-1761* (Oxford 1991), pour qui le roman de Veiras est le «texte paradigme». Parmi les plus récents articles consacrés entièrement ou en partie au sujet de la technique narrative, citons: A. Rosenberg, «Digressions in imaginary voyages», dans *The Varied Pattern: Studies in the 18th century*, éd. Peter Hughes et David Williams (Amsterdam, Toronto 1971), p. 21-37; G. Benrekassa, «Le statut du narrateur dans quelques textes dits utopiques», *Revue des sciences humaines* 39 no. 155 (1974), p. 379-95; J. Chupeau, «Les récits de voyage aux lisières du roman», *Revue d'histoire littéraire de la France* 77 (1977), p. 536-53; L. Stockinger, «Realismus, mythos und utopie». Denis Vairasse: *L'Histoire des Sévarambes (1677-79)*», dans *Literarische Utopien von Morus bis zur Gegenwart*, ed. Klaus L. Berghahn et Hans Ulrich Seeber (Königstein 1983), p. 73-94; M.-Th. Bourez, «La Terre australe inconnue et l'Histoire des Sévarambes (1677) de Denis Veiras», dans *Le Voyage austral* (Grenoble 1984), p. 22-43; C. Imbroscio, «Du rôle ambigu du voyageur en utopie», dans *Requiem pour l'utopie: tendances autodestructives du paradigme utopique*, éd. Carmelina Imbroscio et Raymond Trousson (Paris, Pisa 1986), p. 123-33; P. Ronzeaud, «Le roman utopique: non lieu ou lieu du roman», *French Literature Series* 17 (1990), p. 98-108; N. Minerva, «Viaggi in utopia. Note su alcuni romanzi dei secoli XVII e XVIII», dans son *Utopia e...Amici e nemici del genere utopico nella letteratura francese* (Ravenna 1995), p. 41-64.

Siden, qu'ils désignent comme chef absolu[2]. La deuxième partie narre la découverte de la civilisation des Sévarambes, et les trois dernières décrivent par le menu les structures sociales, politiques, économiques et religieuses de cette société utopique.

La troisième partie rapporte la vie et l'œuvre de Sévarias (Vairasse), né en 1395. D'origine persane, Sévarias est un Parsi dont les croyances en la divinité du soleil et du feu se heurtent à l'opposition des puissants Mahométans. Pour cette raison, il est obligé de quitter son pays et d'errer par toute l'Asie et l'Europe, accompagné de son tuteur vénitien, un chrétien nommé Giovanni. Puis, en 1427, poussé par des récits de voyage portant sur des sociétés primitives de la *terra australis incognita*, il est incité à explorer ce mystérieux pays, où, grâce à la supériorité de ses armes, sa petite troupe vient facilement à bout des flèches et des arbalètes des indigènes. Il s'agit des Prestarambes, qui vivent dans la plaine, et des Stoukarambes, leurs ennemis, qui vivaient dans les montagnes. Sévarias réussit à les unir en un peuple appelée les Sévarambes. Tel un législateur classique, Sévarias fonde la nation des Sévarambes, en lui donnant une constitution portant sur tous les aspects de la vie, ainsi qu'une religion civile.

La constitution propre à cette nouvelle société fait l'objet de longues discussions dans le roman. Giovanni s'inspire des modèles de plusieurs gouvernements européens, et propose une société fondée sur un système de classes contrôlé par une aristocratie, mais offrant des possibilités d'ascension sociale et économique des classes inférieures[3]. Sévarias rejette énergiquement cette proposition, comme celle des Prestarambes et des Stoukarambes, désireux de le voir assumer le rôle de souverain absolu. Opposé à toute constitution risquant de se transformer en despotisme, Sévarias établit lui-même le système politique, genre de méritocratie fondée sur une soumission absolue à la religion civile et sur la préservation de libertés individuelles, avec des élections démocratiques. L'intégrité morale de la société sera assurée par l'éradication des trois principales sources de corruption, « l'orgueil, l'avarice et l'oisiveté » (p. 180). Il est bon de rappeler, sous ce rapport, que l'*Histoire des Sévarambes* fut la première utopie à prétendre aborder les « hommes tels qu'ils sont », comme Rousseau devait le faire plus tard dans son *Contrat social* (1762). Sévarias comprend dès l'abord que :

> Les hommes ont naturellement beaucoup de penchant au vice, et si les bonnes lois, les bons exemples et la bonne éducation ne les en corrigent,

---

[2] Il s'agit là du premier des trois systèmes politiques et sociaux décrits dans le roman.

[3] C'est le deuxième modèle proposé.

> les mauvaises semences qui sont en eux s'accroissent et se fortifient, et le plus souvent elles étouffent les semences de vertu que la nature leur avait données (p. 200).

Dans le but d'établir son système, Sévarias organise un festival «national», fête au cours de laquelle il prononce une «Oraison au Soleil», décrivant le soleil comme «[le] canal favorable par où coulent [...] les bienfaits et les grâces du Grand Etre» (p. 175). Sévarias s'est organisé au préalable pour qu'une voix cachée interrompe la cérémonie en annonçant à l'assemblée stupéfaite que Dieu, manifesté dans le soleil, consent à être leur souverain et que Sévarias doit agir en qualité de vice-roi et de grand-prêtre[4]. Par conséquent, autorisé par Dieu et par l'adhésion instantanée du peuple, Sévarias instaure plusieurs lois essentielles, que ses successeurs seront obligés d'observer sous le contrôle des conseils élus par les citoyens. En somme, la constitution est garantie par une monarchie absolue, métaphysique, et par un représentant humain sujet aux lois fondamentales de l'État, lois protégées par la volonté du peuple[5].

La quatrième partie décrit l'organisation sociale et économique des Sévarambes, ainsi que leur religion. Leur croyance se fonde sur une trinité comportant un souverain, éternel, infini, tout-puissant, juste, bon, mais inconnaissable et incompréhensible, du nom de Khodimbas, dont le soleil, deuxième élément de cette trinité, est la manifestation. Le troisième membre est une déesse, symbole de l'esprit national. La foi en une volonté divine vise à légitimer l'autorité séculaire, c'est-à-dire poli-

---

[4] Cette déception repose sur l'axiome que la fin justifie les moyens. On se souvient de Platon et de son noble mensonge. Comme Trousson le fait remarquer dans son introduction à la réimpression du roman par Slatkine (*op. cit.*, p. xv): «Veiras n'hésite donc pas, selon la tradition libertine, à fonder l'autorité sur la crainte des dieux».

[5] Il s'agit là du troisième modèle, celui auquel il est évident que Veiras, dans son long exposé sur les détails du fonctionnement, souscrit pleinement. Par le truchement de Siden, il défend comme suit la nécessité de fonder l'État sur une métaphysique:

> Je pense que sa conduite dans cette rencontre est fort remarquable et digne de son esprit et de sa prudence. Car il ne fit pas seulement comme ont fait plusieurs autres grands législateurs, qui, pour autoriser leurs lois, disaient les avoir reçues de quelque divinité, mais de plus, il fit dire au peuple par une voix du ciel (comme on leur fit accroire) quelle était la volonté de leur dieu. Il crut aussi que, refusant l'autorité suprême et l'attribuant toute au soleil, le gouvernement qu'il avait dessein d'établir parmi ces peuples serait plus ferme et plus respecté; et que lui-même devant être le lieutenant et l'interprète de ce glorieux monarque, il serait beaucoup plus honoré et mieux obéi que s'il dérivait son autorité des hommes mortels (p. 177-8).

tique. Outre l'assentiment à l'authenticité de la trinité, la croyance en l'immortalité de l'âme[6] et la participation aux cérémonies rituelles prescrites au cours de l'année, cette religion civile déiste n'exige aucun acte spécifique de dévotion de la part du citoyen, qui jouit d'une liberté de conscience absolue. C'est ce que le narrateur souligne, en condamnant en bloc toutes les autres religions :

> [...] dans les autres États [la religion] fait souvent servir de prétexte aux actions les plus inhumaines et les plus impies sous le masque de piété. C'est sous ce prétexte spécieux que l'ambition, l'avarice et l'envie jouent leur rôle abominable et qu'elles aveuglent tellement les misérables mortels au point qu'elles leur font perdre tous les sentiments d'humanité, tout l'amour et le respect qu'ils doivent au droit naturel et à la société civile, et toute la douceur et la charité que les saintes maximes de la religion leur recommandent. [...] Il n'en est pas de même parmi ces peuples heureux, où personne ne peut opprimer son prochain ni violer aucunement le droit naturel sous aucun prétexte de religion ; où l'on ne saurait émouvoir une populace farouche aux rébellions, aux massacres et aux incendies par un zèle inconsidéré, et où l'on ne peut enfin s'acquérir des biens et des honneurs, ni par les ruses ni par les fausses apparences d'une piété feinte et simulée (p. 247-8).

Par conséquent, le citoyen modèle de Sévarambe se conforme en apparence aux lois et coutumes du pays : « [...] les Sévarambes ont pour maxime de n'inquiéter personne pour ses opinions particulières, pourvu qu'il obéisse extérieurement aux lois, et se conforme à la coutume du pays dans les choses qui regardent le bien de la société » (p. 246-7). En effet, le système est si raisonnable qu'il tolère parmi le peuple un petit groupe de chrétiens, descendants de Giovanni, adeptes d'un étrange mélange de doctrines catholiques et protestantes. Ils croient, par exemple, au purgatoire, en la prière et en une vie vertueuse comme voie du salut, mais ils rejettent la divinité de Jésus, la Trinité et l'infaillibilité du pape[7].

---

[6] « Parmi les grands esprits de cette nation, on est fort partagé touchant l'immortalité de l'âme [...]. Mais parmi le peuple, tout le monde la croit immortelle, et c'est la religion de l'État, parce que c'était l'opinion de Sévarias, et qu'elle est plus plausible et plus agréable que l'autre » (p. 251).

[7] « Ils ne croient pas que Jésus-Christ soit Dieu de sa nature mais seulement par assomption ou par association à la divinité [...]. Ainsi, ces pauvres hérétiques [...] nient le très sacré mystère de la Trinité [...]. Quant au reste, ils croient presque tout ce que croit l'Église romaine, comme le purgatoire, la prière pour les morts, l'invocation des saints, le mérite des œuvres [...]; mais ils ne croient pas au très sacré mystère du saint sacrement de l'autel [...]. Ils sont semblables aux calvinistes et

Dans la cinquième partie du roman, nous revenons à la question religieuse telle qu'elle est décrite, premièrement, par un charlatan nommé Omigas (ou Stroukaras, c'est-à-dire imposteur, comme le qualifient ses adversaires), qui, avant l'arrivée de Sévarias, a déclaré être le fils du soleil, et, deuxièmement, par un philosophe de Sévarambe, Scroménas, qui propose à Siden une interprétation matérialiste, plutôt que déiste, de l'univers.

Dans le but de dominer les indigènes, Omigas recrute des hommes et des femmes qui feignent d'être aveugles ou boiteux ou affligés d'autres infirmités, qu'il « guérit » de façon miraculeuse lors de manifestations publiques. Il effectue aussi d'autres miracles, tels que frapper sur un rocher et en faire jaillir de l'eau, changer l'eau en sang, et autres prodiges du même genre. L'annonce de ces prodiges est propagée au loin par ses partisans. Pour augmenter encore sa réputation, Omigas se retire dans une région très boisée, où il édifie une sorte de temple. Là, protégé par des gardes et aperçu très rarement par la populace crédule, il proclame ses prophéties et des commandements divins. Ceux qui s'opposent à lui disparaissent d'une façon ou d'une autre. Pour satisfaire aux appétits sexuels d'Omigas, et, plus tard, aux leurs, ses prêtres font rechercher les plus belles vierges, qu'ils déclarent avoir été choisies par le soleil pour s'unir à Omigas dans le but de produire une progéniture sacrée. À sa mort, le bruit court qu'Omigas est « monté au Ciel, mais qu'il en [descendrait] de temps en temps, comme il a promis, pour leur déclarer la volonté du Soleil, son père » (p. 267). Il est remplacé par son fils, qui continue dans les traces de son père. Quand le fils meurt, avant d'avoir pu nommer un successeur, les prêtres se divisent en factions et élèvent des temples un peu partout dans le pays. Toute cette activité cesse quand Sévarias arrive et établit une religion nationale.

Aux dires de Scroménas, représentant d'une petite élite intellectuelle[8], le monde est un « Grand Tout », éternel et infini, parce que,

---

autres hérétiques que nous avons en Europe, [...] ils honorent fort le pape [...] mais ils disent aussi que tous les chrétiens ne sont pas obligés de lui obéir » (p. 252-3).

Il y a lieu de faire remarquer que Sévarias lui-même, grand admirateur de Moïse et de Jésus, souscrit à la théorie, adoptée plus tard par Rousseau, que Jésus était un fin politique dont la morale « semblait avoir quelque chose de divin en ce que, par l'espérance de la résurrection, et plusieurs autres bonnes doctrines, elle [la morale] tendait à une très bonne fin, qui est d'adoucir la fierté des hommes » (p. 254). Voir L. Leibacher-Ouvrard, *Libertinage et utopies sous le règne de Louis XIV* (Genève, Paris 1989), p. 58-60, pour une astucieuse comparaison entre Jésus, Sévarias et Omigas.

[8] Scroménas est un des « grands esprits », mentionnés à la note 6, qui ne croient pas en l'immatérialité de l'âme.

comme l'âme, il est composé de matière indestructible, qui peut changer de forme, mais ne cesse jamais d'exister. Scroménas pense que l'homme ne diffère pas des animaux, qu'il n'y a pas de preuves de l'existence de Dieu, que le déisme des Sévarambes est la croyance la plus raisonnable et, par conséquent, la plus acceptable, puisque, pour des raisons sociales et politiques, une religion est nécessaire à la populace peu éclairée. En ce qui concerne la religion en général, selon Scroménas, elle a pris naissance de façon simple et innocente, mais:

> [...] dans la suite, l'ambition et l'avarice, venant à s'y mêler, on avait farci la religion de mille cérémonies superstitieuses et ridicules, qui s'étaient établies par le temps et la coutume, malgré l'évidence de la raison et de la vérité. [...] Ces erreurs avaient été suivies de doctrines impies, cruelles tyranniques, par le moyen desquelles on avait tâché de captiver les esprits. [...] Les hommes s'étant ainsi détournés du droit chemin, il ne fallait pas s'étonner s'ils passaient de plus en plus d'erreur en erreur, d'idolâtrie en idolâtrie, et s'ils s'accordaient si mal dans l'objet de leur adoration et dans la manière de leur culte religieux. [...] De là était venu ce zèle inconsidéré des peuples de tous les temps et de tous les lieux qui, pour maintenir ou pour augmenter leur parti, avaient souvent violé toutes les loix de la justice et de l'humanité, sous prétexte de soutenir leurs opinions et de rendre vénérables les idoles faibles et impuissantes dont ils avaient fait l'objet de leur adoration (p. 299).

Ce résumé fait apparaître tout l'intérêt du roman sur le plan de la libre pensée.

Avant d'aborder la discussion de la portée politique et religieuse de cet ouvrage, il y a lieu de faire mention de sa publication, qui, elle aussi, joue un rôle dans l'histoire des idées. Contrairement aux ruses et aux subterfuges qui caractérisent la circulation des écrits subversifs, la page de titre de la première édition française porte le nom de Claude Barbin, éditeur parisien bien connu[9], ainsi que la date et le lieu de publication. Il est vrai que l'auteur garde le secret sur son identité, ce qui provoqua beaucoup de spéculations et de confusions (voir p. 7), mais son nom était connu de certains, outre Barbin lui-même, sinon immédiatement, du moins peu après la publication[10]. Un *privilège* fut accordé au roman, apparemment sans difficulté, bien qu'il ne semble pas s'appliquer à tous

---

[9] Pour des détails sur Barbin, voir G. E. Reed, *Claude Barbin, libraire de Paris sous le règne de Louis XIV*, Genève, 1974.

[10] Voir, par exemple, le troisième volume ou *Supplément* (1689) du *Grand Dictionnaire historique* de Moréri, où on peut lire sous la rubrique Sévarambes: «peuples imaginaires comme ceux de l'Utopie de Thomas Morus [...]. L'Histoire [...] a été traduite de l'anglais en français par Denys Vairas».

les volumes[11], et le récit ne fut jamais mis à l'Index contrairement à tant d'autres écrits, dont certains nous apparaissent maintenant tout à fait inoffensifs[12]. Bien que le roman de Veiras fût l'objet plus tard de critiques très dures à cause de ses aspects subversifs et hérétiques, il ne fut apparemment jamais interdit[13]. Bref, ni l'auteur ni l'éditeur ne semblent s'être attendus à ce que le roman puisse être considéré comme condamnable, malgré l'allusion de l'Avertissement de la troisième partie aux «faux raisonnements de certains critiques, qui croient faire les esprits forts en condamnant tout ce que les autres approuvent».

Il est difficile d'établir pourquoi l'*Histoire des Sévarambes* ne se vit pas refuser un *privilège*. Selon certains historiens[14], le roman n'était pas encore entièrement accepté comme genre et, par conséquent, il n'était pas pris au sérieux par les autorités. Quelques années plus tard, le

---

[11] Bien que la stipulation «Avec *Privilège* du Roy» apparaisse dans le cinquième volume, la permission ne s'étendait qu'aux quatre premiers. Voir la description bibliographique de la première édition en français.

[12] Voir, par exemple, la *Relation du voyage du prince de Montbéraud dans l'isle de Naudely* (1703) de Lesconvel, qui se vit refuser un *privilège* à cause de «quelques traits de satire un peu violents, contre le clergé particulièrement». Cité par Racault, *op. cit.*, p. 352.

[13] Dans son Avertissement à l'édition des *Sévarambes* de 1787, faisant partie des *Voyages imaginaires, songes, visions, et romans cabalistiques* (voir la dernière rubrique de la liste bibliographique des éditions françaises), l'éditeur soutient que: «Non seulement son ouvrage a été proscrit en France, mais aussi dans les autres royaumes de l'Europe, où on l'avait fait connaître par la voie de la traduction». De même, dans l'introduction à l'extrait du roman publié dans la *Bibliothèque des romans* 55, 1787, l'éditeur affirme que «l'auteur a essuyé des chagrins qu'il méritait» à cause de ses attaques contre la religion. Selon W. L. J. Decoo, *Utopie et transcendance: essai sur la signification de la religion dans les utopies littéraires*, thèse inédite, Brigham Young University, 1974, p. 317: «les censeurs ont tôt fait d'y découvrir les attaques contre l'absolutisme, la noblesse, la religion. Pour les éditions ultérieures l'auteur doit se chercher des imprimeurs en Hollande, où il s'est d'ailleurs, prudemment, retiré». Pour autant que nous le sachions, ces assertions sont sans fondement. Il est peut-être significatif de noter que Thomas Pichon (1700-1781), avocat et administrateur, trouvait les idées de Veiras assez anodines. Je tiens à remercier Mme G. Artigas-Menant de m'avoir fait parvenir une photocopie du manuscrit inédit de Pichon, *De l'histoire des Sévarambes (Réflexions sur la nature, l'histoire, les mœurs, etc.)*, Vire, 1783. Voir aussi G. Artigas-Menant, *Recherches sur les manuscrits philosophiques clandestins*, Paris, H. Champion, 2001.

[14] Voir L. Leibacher-Ouvrard, «Subversion and stasis in the utopian journeys of Foigny, Veiras and Patot», dans *Utopia e modernità: teorie e prassi utopiche nell'età moderna e postmoderna* (Roma 1989), vol. II, p. 827-36; J.-M. Racault, «Les utopies de la fin de l'âge classique sont-elles révolutionnaires?», dans *Ordre et contestation au temps des classiques*, Biblio 17, Paris, Seattle, Tübingen, 1992, vol. II., p. 141-51.

censeur qui examina l'édition de 1705 de *La Terre australe connue* de Gabriel de Foigny, n'hésita pas à en recommander la publication: «À considérer cet ouvrage comme un pur roman, l'impression peut en être permise»[15]. Il est possible que Veiras ait tiré parti de cette indifférence officielle pour diffuser ses idées. Il y a aussi lieu de noter que, dans tout le roman, Veiras a choisi de prendre ses distances, par le moyen du narrateur, à l'égard des idées hétérodoxes, en particulier en ce qui concerne la religion des Sévarambes. Il rappelle, par exemple, d'une manière un peu équivoque, la supériorité intrinsèque du christianisme:

> Si leur religion n'est pas la plus véritable de toutes, elle est du moins la plus conforme à la raison humaine, et il n'y a que les célestes lumières de l'Évangile de grâce qu'on lui doive préférer. En effet, si l'on n'avait pas la révélation divine, il ne serait pas difficile d'approuver les opinions de ces peuples touchant la divinité (p. 248).

Mais il reste possible que, craignant d'avoir trop approuvé la religion des Sévarambes, Veiras, par le truchement du narrateur, modifie cette approbation en exprimant une pitié, censée être sincère, pour «ces pauvres aveugles qui préfèrent les faibles lueurs de leurs esprits ténébreux aux lumières éclatantes de la révélation, et au témoignage de la sainte Église de Dieu» (p. 250).

À titre de récapitulation, on peut affirmer que, pour autant qu'on le sache, le roman était généralement considéré, au moins pendant les quelques années suivant sa publication, comme un écrit utopique selon la tradition établie, tradition à laquelle l'auteur lui-même fait allusion en s'adressant ainsi au lecteur:

> Si vous avez lu la République de Platon, l'Utopie du chevalier Morus, ou la nouvelle Atlantis du chancelier Bacon, qui ne sont que l'ouvrage des imaginations ingénieuses de leurs auteurs, vous croirez peut-être que les Relations des pays nouvellement découverts sont de ce genre [...] (p. 61)[16].

---

15 Voir F. Lachèvre, *Les Successeurs de Cyrano de Bergerac* dans *Le Libertinage au XVIIe siècle*, Paris, 1909-28, vol. XII, p. 166. Voir aussi la récente édition de *La Terre australe connue*, par P. Ronzeaud, Paris, S. T. F. M., 1990. Selon Bayle, Foigny avait habilement attribué ses idées hétérodoxes à des hermaphrodites exotiques, au lieu de les attribuer à l'homme déchu, «pour tromper la vigilance des censeurs de livres, et pour prévenir les difficultés du privilège [...]. L'auteur de l'*Histoire des Sévarambes* n'a pas négligé peut-être cette finesse». Voir l'article «Sadeur» dans son *Dictionnaire historique et critique*, Rotterdam, 1697, 1702.

16 Pour une discussion du rôle des préfaces de ce genre, voir J.-M. Racault, «Les jeux de la vérité et du mensonge dans les préfaces des récits de voyages imaginaires à la fin de l'Age classique (1676-1726)», dans *Métamorphoses du récit de voyage* (Paris, Genève 1986), p. 82-109.

D'un autre côté, Veiras n'épargne aucune peine pour distinguer son roman de cette tradition, en le présentant, grâce à une variété de techniques narratives, comme la relation d'un voyage authentique à la Terre australe inconnue et de la découverte d'une civilisation modèle, et non pas comme un simple récit de voyage imaginaire. Et il procède de façon si magistrale que certains lecteurs s'y laissèrent prendre, au moins pour quelque temps[17].

Il semble qu'il n'y eût d'abord pas beaucoup de discussion sur les implications politiques des trois sociétés proposées par Veiras: celle établie par Siden et ses compagnons de naufrage, celle proposée par Giovanni à Sévarias et la société idéale de Sévarambe. Bien que les critiques du *Mercure galant* et du *Journal des savants* aient déjà à leur disposition, au début de 1678, les quatre premières parties du roman, ils s'en tiennent à des commentaires d'ordre général[18]. Quelques années plus tard, Bayle, ne croyant pas que les récits utopiques aient aucune chance d'opérer des changements pratiques, fait remarquer que les gens ont lu l'*Histoire des Sévarambes*, « sans jamais s'aviser de demander qu'on réformât la Police de l'Europe »[19].

Plus le dix-huitième siècle avance, plus la demande de réforme grandit, et plus les critiques en France ont tendance à souligner les aspects subversifs du roman. Comme c'est souvent le cas à cette époque pour les écrivains moins connus, les critiques suivent les opinions de Prosper Marchand, qui passe pour une autorité en la matière. En effet, un certain nombre des recensions pré-révolutionnaires du roman se bornent à répéter, quelquefois mot pour mot, le jugement de Marchand, qui décrit le roman comme une fiction très ingénieuse [...] qui paraît n'avoir été imaginée, que pour y débiter adroitement et sans aucun risque un nouveau système de gouvernement politique et de religion naturelle »[20]. Marchand admire la description par Veiras d'une société idéale, et apprécie ses critiques implicites des pratiques du Vieux-Monde. En revanche, il évite soigneusement d'approuver explicitement

---

17 Cette question est débattue en détail par P. Kuon, *op. cit.*, p. 316. Kuon ne pense pas que le lecteur ait pu être trompé par l'insistance de Veiras sur l'authenticité de son œuvre, malgré la remarque du *Journal des savants* (mars 1678), selon laquelle les lecteurs avaient avalé « tout ce qui est rapporté sur la découverte des Sévarambes ».

18 Il est vrai que le roman ne fait l'objet que d'un court, mais élogieux entrefilet dans le *Mercure galant*, mais le *Journal des savants*, soucieux des goûts de ses lecteurs, consacre plus de la moitié de la critique à une discussion de la science et de la cosmologie des Sévarambes.

19 Cité par Mühll, *op. cit.* p. 257.

20 Voir l'article long et détaillé, « Allais », de Marchand dans son *Dictionnaire historique*, La Haye, 1758, p. 11.

ces critiques, en traitant la civilisation des Sévarambes comme un récit purement imaginaire, qui fut probablement inspiré non pas par un mécontentement de la part de Veiras des affaires politiques ou religieuses du moment, mais plutôt par des récits des malheurs et des injustices d'autrefois. Cependant, quand il est question de la requête de Veiras en faveur de la tolérance religieuse, Marchand ne cache pas son approbation:

[...] quel qu'ait été l'homme capable de donner une si belle leçon, il est sans doute incomparablement plus estimable que ces théologiens emportés et furieux, qui ne respirent que la persécution et les supplices, et qui sont toujours tout prêts à répandre le sang de quiconque ne pense point comme eux et refuse de se soumettre à leur autorité despotique, et à leurs décisions tyranniques (p. 20).

Au fur et à mesure que les écrits utopiques sont publiés et réimprimés, leurs propositions en faveur d'une réforme générale de la société européenne paraissaient de plus en plus plausibles, surtout aux yeux des philosophes. À la veille de la Révolution, il devient possible de décrire *l'Histoire des Sévarambes* comme «[un] roman politique dont quelques idées viennent d'être mises en pratique»[21], bien que l'auteur de ce commentaire ne donne aucune précision sur les idées dont il s'agit ni sur la manière dont elles ont été mises en pratique.

Dans leurs commentaires, les premiers historiens du dix-huitième siècle ont fait une place à la contribution des utopies aux idées révolutionnaires du siècle des Lumières[22], mais les critiques plus récents, en tout cas en ce qui concerne Veiras, ont plutôt adopté le point de vue de Mühll, selon lequel «le gouvernement des Sévarambes n'a rien d'exotique. Il reflète la grande préoccupation politique de l'époque: trouver un gouvernement stable et puissant qui ne soit pas tyrannique» (*op. cit.* p. 118). Adam s'accorde avec Mühll pour trouver qu'il ne s'agit pas d'un écrit révolutionnaire, mais simplement d'une contribution aux questionnements sur les différentes formes possibles de gouvernement. Adam pense surtout au modèle suggéré par Locke en Angleterre pour le gouvernement des colonies déjà établies et de celles à venir en Amérique, et aux modèles proposés par les jésuites pour l'établissement

---

[21] C'est ainsi que le roman fut commenté dans la section *Économie politique*, vol. IV, p. 840, de l'*Encyclopédie méthodique*, Paris, 1782-92.

[22] Voir, par exemple, A. Lichtenberger, *Le Socialisme au XVIIIe siècle* (Paris 1895); G. Lanson, «Origines et premières manifestations de l'esprit philosophique dans la littérature française de 1675 à 1748», *Revue des cours et conférences* 17 et 18 (déc. 1907 à avr. 1910); P. Hazard, *La Crise de la conscience européenne* (Paris 1935).

d'une communauté de Guarani au Paraguay, ou par Colbert pour des réformes en France : bien loin de voir dans cette « utopie » des vues dangereuses pour l'ordre politique, les esprits clairvoyants devaient y retrouver les plus importantes de leurs préoccupations[23]. De plus, selon un commentateur, « la mentalité utopique n'est pas la mentalité révolutionnaire »[24], alors qu'un autre historien précise qu'avant la révocation de l'édit de Nantes, « les Huguenots avaient tendance à être d'un absolutisme à toute épreuve ». La solution de Veiras est d'imaginer un gouvernement « monarchique, despotique et héliocratique » avec des aspects pseudo-démocratiques, sorte d'absolutisme socialiste basé sur des principes rationnels et, à la différence d'autres utopies, tenant compte du fait que l'homme est une créature faillible et non pas idéale[25]. Enfin, un autre érudit pense que le système politique de Veiras, « nullement révolutionnaire, diffère [...] très peu de l'absolutisme louis-quatorzien, aménagé seulement dans le sens de la tolérance religieuse [...] »[26].

Quant aux éléments religieux du roman, la réaction est assez différente. La première opposition se fait sentir non pas en France, mais en Allemagne, où, dès que le roman est traduit en 1688 (la page de titre de la première édition allemande indique 1689), on dénonce son caractère violemment anti-chrétien. Cette accusation est portée par Morhof, qui, bien que favorable à certaines des idées politiques de Veiras, l'accuse d'athéisme et le désigne comme un partisan de la religion naturelle[27]. Ce

---

23 Voir A. Adam, *Les Libertins au XVIIe siècle* (Paris 1964), p. 281.

24 Voir C. G. Dubois, « Problèmes de l'utopie », *Archives des lettres modernes* 85 (1968), p. 22.

25 Voir N. O. Keohanne, « Nonconformist absolutism in Louis XIV's France : Pierre Nicole and Denis Veiras », *Journal of the history of ideas* 35 (1974), p. 579.

26 Racault, « Les utopies de la fin de l'Age classique », p. 149. Il y a lieu de remarquer qu'un certain nombre de critiques ne considèrent pas que les utopies soient politiquement inoffensives de ce point de vue. Voir, par exemple, M. Yardeni, *Utopie et révolte sous Louis XIV* (Paris 1980). Pour un compte-rendu détaillé des récentes attitudes à l'égard du roman de Veiras, voir P. Ronzeaud, « Foigny, Veiras, romanciers utopistes, ou les dérives d'un genre », dans *Romanciers du XVIIe siècle*, Paris, 1991, (*Littératures classiques* 15, 1991), p. 247-58.

27 D. G. Morhof, *Polyhistor. Sive de notitia auctorum et rereum commentarii : quibus praeterea varia ad omnes disciplinas consilia et subsidia proponuntur* (Lübeck 1688), p. 75. Pour ceux qui classèrent Veiras parmi les athées, voir Ch. A. Heumann, *De libris anonymis ac pseudonymis schediasma complectens observationes generales et spicilegium ad Vincentii Placcii theatrum anonymorum et pseudonymorum* (Jenae 1711), p. 161-65 ; J. F. Reimann, *Historia universalis atheismi et atheorum falso & merito suspectorum...* (Hildesiae 1725), p. 482-84 ; B. G. Struve, *Bibliotheca philosophica* (Göttingen 1740), p. 240-42 ; M. Lilienthal, *Theologische*

défi est immédiatement relevé par Thomasius, qui réfute point par point les arguments de Morhof. Tout d'abord, il prétend que Morhof a confondu les personnages avec l'auteur, dont l'intention n'est pas de défendre, approuver ou désapprouver les différentes religions décrites dans le livre, mais uniquement de les soumettre à l'examen des lecteurs. En ce qui concerne le faux prophète Omigas, qui prétend être le fils de Dieu, fait des miracles comme la guérison des incurables, faisant jaillir de l'eau d'un rocher, etc., il serait ridicule, affirme Thomasius, d'interpréter cet épisode comme une tentative de dénigrer Moïse et Jésus. Il existe, déclare-t-il, une longue tradition d'imposteurs qui ont prétendu posséder des pouvoirs surnaturels : des hommes comme Orphée, Numa, Mahomet, le grand-prêtre des Incas du Pérou qui adoraient le soleil, et d'autres encore. De sorte qu'il serait injuste d'accuser Veiras de blasphème. Quant à sa prétendue attaque contre la Trinité, il faut se rappeler que Veiras est Protestant, et que, de toute façon, il n'y a aucune ressemblance entre la sainte Trinité et les trois dieux décrits dans le roman, dieux qui ressemblent davantage à ceux des Égyptiens et des Péruviens. Et Thomasius de conclure que nous devons tous nous efforcer à admettre et pratiquer la tolérance, aussi bien politique que religieuse, si bien manifestée par les Sévarambes. C'est probablement la réaction de Thomasius qui influence l'attitude de Marchand à l'égard du roman[28].

Les buts de Veiras en écrivant son roman ne sont pas faciles à discerner. Faut-il considérer son utopie comme étant de caractère satirique et ironique, utilisant le procédé devenu traditionnel du narrateur naïf, qui fait ressortir involontairement les défauts de sa propre civilisation en la comparant défavorablement avec celle qui vient d'être découverte ? Ou faut-il lire le roman comme une série de propositions de réforme, formulées dans une structure littéraire ? Comme nous l'avons vu, il est tout à fait possible que Veiras, en ce qui concerne les aspects politiques du roman, n'ait voulu que proposer des modèles théoriques d'autres formes d'ordre social. D'ailleurs, s'il avait voulu critiquer les

bibliothec, das ist : Richtiges verzeichniss, zulängliche beschreibung, und bescheidene beurtheilung..., Erstes stück, (Könisberg 1740), p. 223-26 ; J. H. Zedler (ed.), *Grosses vollständiges universal-lexicon*, vol. 37 (Leipzig, Halle, 1743), article « Severambes » [*sic*] ; J. A. Trinius, *Freydenker lexicon* (Leipzig und Bernburg 1759), p. 502 sqq. ; S. Maréchal, *Dictionnaire des athées anciens et modernes* (Paris 1800), article « Allais ».

28 Marchand, *op. cit.*, fait allusion à plusieurs arguments de Thomasius, comme le fait aussi l'article, « Allais », du *Dictionnaire universel des sciences morale, économique, politique et diplomatique...*, tome second (Londres 1777), p. 314-30, et J. G. Müller, *Johann Gottwerth Müller's literarische anmerkungen über die Geschichte der Sevaramben...* (Göttingen 1783), p. 3-31.

systèmes de gouvernement européens, pensait-il vraiment qu'il pouvait, dans une certaine mesure, provoquer des changements fondamentaux dans le contexte des constitutions et des coutumes existantes ? Si tel est le cas, s'imaginait-il que ces changements auraient lieu de son propre temps ou écrivait-il pour la postérité ? Et s'il avait l'intention de susciter une réforme, fut-il déçu par le manque de réactions immédiates en Angleterre et en France devant ses idées hétérodoxes ? Les mêmes questions peuvent s'appliquer à sa définition d'une religion, qui, dans le monde idéal des Sévarambes, est une affaire tout à fait rationnelle et civile, conçue uniquement pour renforcer les bases politiques, sociales, morales et éducatives du système.

Mais, même si l'on peut interpréter hypothétiquement les propositions politiques de Veiras comme celles d'un observateur impartial, il est plus difficile de faire de même en ce qui concerne ses idées sur la religion. Même si nous ne pouvons être parfaitement sûrs que ses croyances soient fidèlement reflétées par la philosophie matérialiste ou athée de Scroménas, l'allusion à cette philosophie comme étant le dernier mot sur le sujet doit certainement frapper le lecteur perspicace. Scroménas admet que la religion rationnelle, déiste, naturelle des Sévarambes, nécessité civique pour la population en général, est la plus tolérante de toutes les religions et, par conséquent, celle qui s'oppose le moins à la liberté de conscience individuelle. Ses arguments sont si convaincants que plusieurs des compagnons de Siden abandonnent le christianisme et adoptent la religion raisonnable des Sévarambes. Siden est horrifié par cette apostasie, qu'il essaie de prévenir de son mieux :

> [...] je ne pus m'empêcher de m'emporter contre eux, et de leur dire que c'était une malédiction de Dieu tombée sur leur tête ; [...] que leur opiniâtreté et celle de leurs ancêtres leur avait attiré ce malheur, et qu'il n'y avait pas lieu de s'étonner de voir que les enfants de ceux qui s'étaient élevés contre la sainte Église catholique, tombassent dans un sens reprouvé, et renonçassent enfin au christianisme que leurs pères avaient partagé en plusieurs sectes envenimées contre la religion ancienne, orthodoxe, catholique et romaine, hors de laquelle il n'y a point de salut. (p. 300-1)

Mais, comme ce discours est traité avec mépris par les convertis, Siden ne peut qu'accepter le fait accompli. Quant à lui-même, il jure de rester fidèle jusqu'à la mort aux doctrines de l'Église catholique. Mais en relatant l'histoire mouvementée de l'Église, Siden laisse échapper, peut-être par inadvertance, un encouragement aux apostats, en leur montrant qu'ils suivent la tradition séculaire des hérétiques et des révoltés.

Que penser de l'épisode Omigas / Stroukaras? S'agit-il seulement, comme le voudraient certains critiques, d'un récit de la manière dont les faux prophètes exploitent les gens crédules, ou est-ce une démonstration qui découle de la théorie de Scroménas concernant l'origine de toutes les religions, c'est-à-dire qu'elles se fondent toutes sur l'imposture et sur la supercherie? Et si Scroménas n'est que le porte-parole de Veiras, la section consacrée à Omigas constitue-t-elle une violente attaque satirique contre la religion et un rejet par Veiras de tous les dogmes métaphysiques comme les éléments d'une vaste supercherie? Il est certain, comme nous l'avons vu, que des critiques allemands et français interprétèrent ainsi les intentions de l'auteur. A notre époque, la discussion continue. Un critique considère l'épisode d'Omigas comme un préambule au manuscrit blasphémateur et clandestin, *Les Trois Imposteurs*[29], alors qu'un autre pense qu'il met en évidence l'anti-christianisme de Veiras[30]. Adam rappelle les «allusions blasphématoires» de l'épisode d'Omigas et conclut qu'«il fallait être aveugle pour ne pas discerner l'intention secrète de Veiras» (*op. cit.*, p. 282). Un autre érudit trouve qu'Omigas «sert [...] de double ironique à Jésus. Feintes résurrections accompagnées d'illumination du visage, prétendues guérisons par attouchements, audiences de faux boiteux, d'aveugles et de femmes crédules, [...] et la déification post-mortem du faussaire de génie porte de forte traces d'évhémérisme: brèves allusions qui font relever l'enthousiasme religieux chrétien de la psychopathologie» (Leibacher, art. cit., p. 5). D'autres critiques, toutefois, tempèrent cette interprétation. Mühll, par exemple, affirme qu'«il ne faut pas voir dans Stroukaras autre chose qu'un type. De même que Sévarias rappelle un grand nombre de législateurs fameux, Stroukaras se rapproche de beaucoup d'autres imposteurs. [...] L'histoire de Stroukaras n'est certes pas une parodie de la vie de Moïse; elle sert à faire ressortir les caractéristiques de la vraie religion. Stroukaras, c'est la religion corrompue; Sévarias, c'est la religion réformée dans le sens du déisme» (*op. cit.*, p. 202 et 204). Dans une optique semblable, Betts soutient qu'Omigas n'est que

---

29 H. Busson, *La Religion des classiques (1660-1685)* (Paris 1948), p. 395. D'après P. Vernière, *Spinoza et la pensée française avant la Révolution* (Paris 1954), p. 216: «l'histoire d'Omigas [...] est un message de haine qui fait penser au traité des *Trois Imposteurs* plutôt qu'une critique sérieuse de la révélation». Pour plus de renseignements sur le traité des *Trois Imposteurs*, voir F. Charles-Daubert, éd., *Le Traité des trois imposteurs et l'Esprit de Spinosa 1678?-1768* (Paris, Oxford 1998). Sur les manuscrits clandestins en général, voir M. Benítez, *La Face cachée des Lumières. Recherches sur les manuscrits philosophiques clandestins de l'âge classique* (Paris, Oxford 1996).

30 Voir P. Sage, *Le «bon prêtre» dans la littérature française* (Genève 1951), p. 159.

« a fine example of a contemporary stereotype »[31]. Decoo (*op. cit.*, p. 335) est d'avis qu'« Il serait erroné de voir dans tout l'épisode une attaque directe des fondements historiques du christianisme : quand on pense que la personne du Christ et son message sont explicitement loués par Sévarias ». Dans son introduction à la réédition du roman par Slatkine, Trousson voit dans l'épisode d'Omigas moins une attaque contre le christianisme que contre ses déformations. Il la traite comme « une critique brutale des abus d'une religion théiste » (*op. cit.*, p. xxi). Mais même ces évaluations plus mesurées ne peuvent expliquer entièrement pourquoi aucune voix officielle, religieuse ou laïque, ne s'éleva contre le roman lors de sa publication.

Pour ce qui a trait à l'épisode de Scroménas en particulier, mais aussi à la religion des Sévarambes en général, des tentatives ont été faites pour lier les vues de Veiras à celles de Spinoza. Fondant son argumentation sur le parallèle entre la société théocratique des Hébreux sous le règne de Moïse et celle des Sévarambes sous celui de Sévarias[32], parallèle déjà noté dans *l'Encyclopédie méthodique*, Mühll prétend trouver un rapport direct entre la communauté héliocratique décrite par Veiras et la présentation par Spinoza, au chapitre 17 du *Tractatus theologico-politicus* (1670), du système social et politique décrit dans la Bible. Selon Mühll, qui affirme que Sévarias est un porte-parole de Veiras, son attitude dédaigneuse à l'égard des miracles reflète exactement celle de Spinoza, qui, dans le *Tractatus*, consacre tout un chapitre à ce sujet (*op. cit.* p. 125-27, 169). Stockinger (art. cit. p. 84-7) est encore plus fortement convaincu que Veiras emprunte beaucoup à Spinoza. Mais est-ce que Veiras connaissait l'œuvre de Spinoza ? P. Vernière est d'avis que Veiras pouvait l'avoir rencontré à La Haye. En tout cas, même sans attribuer très précisément les idées de Spinoza à Veiras, nous pouvons affirmer qu'il est très vraisemblable qu'il a connu ses thèses hérétiques (*op. cit.*, p. 217). Pour Spink, il est possible que la philosophie matérialiste de Scroménas représente une tentative de Veiras pour établir une distinction entre le spinozisme et le déisme, même si l'évocation par Scroménas du « Grand Tout » lui vient probablement des auteurs classiques[33].

---

[31] C. J. Betts, *Early deism in France : From the so-called 'déistes' of Lyon (1564) to Voltaire's 'Lettres philosophiques' (1734)* (The Hague, Boston, Lancaster 1984), p. 71.

[32] *Op. cit.*, vol. 4, p. 201 : «[...] la belle idée que nul mortel n'est digne de commander à un peuple d'une manière souveraine, lui avait inspiré ce système, qui se rapproche en ce point du gouvernement théocratique de Moïse ».

[33] J. S. Spink, *La Libre pensée française : de Gassendi à Voltaire* (Paris 1966), p. 308-9.

Le problème des sources est toujours délicat. Lanson (*op. cit.*) a été le premier à essayer de retrouver, de façon plus approfondie, les antécédents et le contexte des idées de Veiras. S'appuyant sur Lanson, Mühll offre de précieuses suggestions concernant la variété des écrits de la Renaissance, des textes classiques et des contemporains, qui pourraient avoir influencé Veiras. Plus récemment, Limami et Carile[34] en ont augmenté le nombre. Mais en fin de compte, l'identification exacte des sources n'a toujours pas été effectué. La question des intentions de l'auteur reste également sans réponse définitive.

Il semble probable que les ambitions de Veiras, en tout cas en ce qui concerne les problèmes religieux, étaient de nature subversive. La portée de l'*Histoire des Sévarambes*, comme celle d'autres utopies politiques et religieuses et d'autres écrits hétérodoxes, souvent clandestins, se développa et s'étendit au fur et à mesure que les gens s'ouvraient aux idéaux révolutionnaires. On dit que chaque idée a son heure. Il est vrai qu'il arrive que d'anciennes idées soient ravivées brusquement, sans raison apparente, et fassent figure de grandes nouveautés, alors que d'autres, rejetées par une époque, sont acceptées avec enthousiasme par d'autres, puis abandonnées d'une façon tout aussi arbitraire. Le roman de Veiras vit sa portée symbolique augmenter pendant le siècle des Lumières, mais sa contribution effective aux changements qui se produisirent ne peut guère être établie. Il faut dire, toutefois, que le nombre des éditions recensées au cours des dix-septième et dix-huitième siècles (y compris les traductions) témoigne de son immense et durable popularité dans toute l'Europe, dès sa publication et jusqu'à la Révolution, et que les controverses qu'il suscita ne furent pas seulement dues à l'intérêt superficiel d'un récit de voyage imaginaire, mais bien à la conviction, peut-être partiellement intuitive, que ce roman représentait un tournant dans l'histoire des idées :

> Le premier à faire éclater la conception traditionnelle de l'utopie est [...] Denis Veiras. Dans son *Histoire des Sévarambes* il part de l'homme tel qu'il est, faible et corruptible, mais responsable de son sort et capable de

[34] Th. J. Limami, *Évolution du discours religieux et philosophique à travers les utopies de la fin du XVIIe siècle: Foigny, Veiras, Gilbert et Tyssot de Patot (1676-1710)*, thèse inédite, Grenoble, 1989 ; P. Carile, « Les calvinistes français et les nouveaux mondes au XVIe et au XVIIe siècle », dans *La Découverte de nouveaux mondes: aventure et voyages imaginaires au XVIIe siècle*, éd. Cecilia Rizza (Genova 1993), p. 277-85. Je tiens aussi à remercier Nicole Pétrin qui, dans une lettre personnelle suggérant plusieurs sources possibles, établit un parallèle entre l'« Oraison au Soleil », de Sévarias et une oraison semblable à Isis dans *L'Âne d'or* d'Apulée.

le prendre en main, pour arriver à une société meilleure, résultat d'un effort collectif d'utopisation de la réalité et d'un contrôle étatique inlassable, exercé sur les instincts irrationnels des individus. [...] Tant par le réalisme du projet que par la vraisemblance de la narration, la transformation du monde historique en monde utopien devient aux yeux du lecteur possibilité concrète: ici transparaît l'idée du progrès sous forme implicite, certes, mais quelques décennies avant le triomphe de la philosophie de l'Histoire. [...] À l'image idéale, opposée à la réalité négative, succède l'anticipation idéale d'une réalité meilleure, à la portée de l'homme[35].

[35] Voir P. Kuon, « Le primat du littéraire. Utopie et méthodologie », dans *Per una definizione dell'utopia*, éd. Nadia Minerva (Ravenna 1992), p. 50. Cet article est une récapitulation de P. Kuon, « L'utopie entre 'mythe' et 'lumières' », dans *Papers on French Seventeenth-Century Literature* 14 (1987), p. 253-71.

BIBLIOGRAPHIE*

Adam, A., *Les Libertins au XVIIe siècle* (Paris 1964).

Aldridge, A. 0., «Polygamy in early fiction: Henry Neville and Denis Veiras», *Publications of the Modern Languages Association* 65 (1950), p. 464-72.

Ascoli, G., «Quelques notes biographiques sur Denis Veiras d'Alais», in *Mélanges Gustave Lanson* (Paris 1922), p. 165-77.

Atkinson, G., *The Extraordinary voyage in French literature before 1700* (New York 1920).

– *The Extraordinary voyage in French Literature from 1700 to 1720* (Paris 1922).

Bayle, P., *Dictionnaire historique et critique* (Rotterdam 1697,1702).

Baczko, B., «L'utopie et l'idée de l'histoire-progrès», *Revue des sciences humaines* 39, n° 155 (1974), p. 473-91.

– *Lumières de l'utopie* (Paris 1978).

Benítez, M., *La Face cachée des Lumières. Recherches sur les manuscrits philosophiques clandestins de l'âge classique* (Paris, Oxford 1996).

Benrekassa, G., «Le statut du narrateur dans quelques textes dits utopiques», *Revue des sciences humaines* 39, n° 155 (1974), p. 379-95.

Betts, C. J., *Early deism in France from the so-called "déistes" of Lyon (1564) to Voltaire's «Lettres philosophiques» (1734)* (The Hague, Boston Lancaster 1984).

Bourez, M.-Th., «La Terre australe inconnue et l'Histoire des Sévarambes (1677) de Denis Veiras», in *Le Voyage austral*, éd. J. Chocheyras (Grenoble 1984), p. 22-43.

Busson, H., *La Religion des classiques (1660-1685)* (Paris 1948).

Carile, P., «Les calvinistes français et les nouveaux mondes au XVIe et au XVIIe siècle», in *La Découverte de nouveaux mondes: aventure et voyages imaginaires au XVIIe siècle*, éd. Cecilia Rizza (Gênes 1993), p. 277-85.

Charles-Daubert, F., éd., *Le Traité des trois imposteurs et l'Esprit de Spinoza 1678?-1768* (Paris, Oxford 1998).

Chinard, G., *L'Amérique et le rêve exotique dans la littérature française au XVIIe et au XVIIIe siècles* (Paris 1913).

* Cette bibliographie inclut plusieurs livres et articles consultés mais non cités dans le texte.

Chupeau, J., «Les récits de voyage aux lisières du roman», *Revue d'histoire littéraire de la France* 77 (1977), p. 536-53.

Cornelius, P., *Languages in seventeenth and early eighteenth-century imaginary voyages* (Geneva 1965).

Cro, S., *Tommaso Campanella e i prodromi della civiltà moderna* (Hamilton 1979).

Decoo, W. L. J., *Utopie et transcendance : essai sur la signification de la religion dans les utopies littéraires* Diss. (Brigham Young University 1974).

Duchet, M., «Langue et société chez les Sévarambes de Denis Veiras», in *Modèles et moyens de la réflexion politique au XVIIIe siècle* vol.2 (Lille 1978), p. 161-75.

Fausett, D., *Writing the new world : imaginary voyages and utopias of the great southern land* (Syracuse 1993).

Foigny, G. de, *La Terre australe connue* (1676), éd. Pierre Ronzeaud (Paris 1990).

Friedrich, W. P., *Australia in western imaginative prose writings, 1600-1960* (Chapel Hill 1967).

Garnier, C. G. T., éd., *Voyages imaginaires, songes, visions et romans cabalistiques* (Amsterdam, Paris 1787-1789), 39 vols.

Gove, P. B., *The Imaginary voyage in prose fiction* (New York 1941, reprint 1961).

Hazard, P., *La Crise de la conscience européenne* (Paris 1935).

Heumann, Ch. A., *De libris anonymis ac pseudonymis schediasma complectens observationes generales et spicilegium ad Vincentii Placcii theatrum anonymorum et pseudonymorum* (Jenae 1711).

Imbroscio, C., éd., *Requiem pour l'utopie? Tendances autodestructives du paradigme utopique*, intro. Raymond Trousson (Paris, Pisa 1986).

Keohane, N. 0., «Nonconformist absolutism in Louis XIV's France : Pierre Nicole and Denis Veiras», *Journal of the history of ideas* 35 (1974), p. 579-96.

Knowlson, J. R., «The ideal languages of Veiras, Foigny and Tyssot de Patot», *Journal of the history of ideas* 24 (1963), p. 269-78.

– *Universal language schemes in England and France 1600-1800* (Toronto 1975).

Kuon, P., *Utopischer Entwurf und fiktionale Vermittlung : Studien zum Gattunswandel der literarischen Utopie zwischen Humanismus und Frühaufklärung* (Heidelberg 1986).

L'utopie entre « mythe » et « lumières », *La Terre australe connue...* (1676) de Gabriel de Foigny et *L'Histoire des Sévarambes* (1677-1679) de Denis Veiras, *Papers on French Seventeenth-Century Literature* 14, no. 26 (1987), p. 253-272.

– «Utopie et anthropologie au siècle des Lumières ou: la crise d'un genre littéraire», in *De l'utopie à l'uchronie, formes, significations, fonctions*, éd. Hinrich Hudde et Peter Kuon (Tübingen 1988), p. 49-60.

– «Le primat du littéraire. Utopie et méthodologie», in *Per una definizione dell' utopia. Metodologie e disciplina a confronto*, éd. Nadia Minerva (Ravenna 1992), p. 41-50.

Lachèvre, F., *Les Successeurs de Cyrano de Bergerac* (Paris 1922).

Lanson, G., «Origines et premières manifestations de l'esprit philosophique dans la littérature française de 1675 à 1748», *Revue des cours et conférences* (déc. 1907-avr. 1910).

Lavender, T. E., *The «Histoire des Sévarambes» of Denis Veiras,* Diss. (Harvard 1937).

Leibacher-Ouvrard, L., «Sauvages et utopies (1676-1715): l'exotisme-alibi», *French Literature Series* 13 (1986), p. 1-12.

– *Libertinage et utopies sous le règne de Louis XIV* (Genève, Paris 1989).

– «Subversion and stasis in the utopian journeys of Foigny, Veiras and Patot», in *Utopia e modernità : teorie e prassi utopiche nell'età moderna e postmoderna* (Roma, Reggio Calabria 1989), vol. II, p. 827-36.

Lichtenberger, A., *Le Socialisme au XVIII*[e] *siècle* (Paris 1895).

Lilienthal, M., *Theologische bibliothec, das ist: Richtiges verzeichniss, zulängliche beschreibung, und bescheidene beurtheilung...* Erstes stück (Könisberg 1740).

Limami, Th. J., *Évolution du discours religieux et philosophique à travers les utopies de la fin du XVII*[e] *siècle: Foigny, Veiras, Gilbert et Tyssot de Patot (1676-1710)* Diss. (Grenoble 1989).

McKee, D. R., «Fénelon and Denis Vairasse», *Modern Language Notes* 46 (1931), p. 474-5.

Manuel, F. E., et F. P. Manuel., *Utopian thought in the western world* (Cambridge 1979).

Marchand, P., *Dictionnaire historique* (La Haye 1758-1759).

Maréchal, S., *Dictionnaire des athées anciens et modernes* (Paris 1800).

Minerva, N., *Utopia e... : Amici e nemici del genere utopico nella letteratura francese* (Ravenna 1995).

Moréri, L., *Supplément ou troisième volume du grand dictionnaire historique* (Paris 1689).

Morhof, D. G., *Polyhistor. Sive de notitia auctorum et rerum commentarii: quibus praeterea varia ad omnes disciplinas consilia et subsidia proponuntur* (Lübeck 1688).

Mühll, E. von der., *Denis Veiras et son «Histoire des Sévarambes», 1677-1679* (Paris 1938).

Müller, J. G., *Johann Gottwerth Müller's literarische Anmerkungen über die Geschichte der Sevaramben...* (Göttingen 1783).

Pellandra, C., «Transparences trompeuses: les cosmogonies linguistiques de Foigny et de Veiras», in *Requiem pour l'utopie? Tendances autodestructives du paradigme utopique*, éd. Carmeline Imbroscio, intro. Raymond Trousson (Paris, Pisa 1986), p. 55-71.

Pons, E., «Les langues imaginaires dans le voyage utopique», *Revue de littérature comparée* 12 (1932), p. 500-32.

Prys, J., *Der Staatsroman des 16. und 17. Jahrhunderts und sein Erziehungsideal* (Würzburg 1913).

Rabinel, A.-D., *La Tragique histoire de Roux de Marcilly* (Toulouse 1969).

Racault, J.-M., «Les jeux de la vérité et du mensonge dans les préfaces des récits de voyages imaginaires à la fin de l'âge classique (1676-1726)», in *Métamorphoses du récit de voyage*, éd. François Moureau (Paris 1986), p. 82-109.

– *L'Utopie narrative en France et en Angleterre 1675-1761*, *Studies on Voltaire and the eighteenth century* 280 (1991).

– «Les utopies de la fin de l'âge classique sont-elles révolutionnaires», in *Ordre et contestation au temps des classiques*, éd. Roger Duchêne et Pierre Ronzeaud Biblio 17, vol. 2 (Paris, Seattle, Tübingen (1992), p. 141-51.

Rainaud, A., *Le Continent austral* (Paris 1893).

Reed, G. E., *Claude Barbin, libraire de Paris sous le règne de Louis XIV* (Genève 1974).

Reimann, J. F., *Historia universalis atheismi et atheorum falso et merito suspectorum...* (Hildesiae 1725).

Rolland, M., «Denis Veiras. Notice biographique», *Bulletin de la Société du Protestantisme français* (avril-juin 1977), p. 273-84.

– éd., *Histoire des Sévarambes* (Amiens 1994).

Ronzeaud, P., «La femme dans le roman utopique de la fin du XVIIe siècle», in *Onze études sur l'image de la femme dans la littérature française du XVIIe siècle*, éd. Wolfgang Leiner (Tübingen, Paris 1984), p. 79-98.

– «La représentation du peuple dans quelques utopies françaises du XVIIe siècle», in *De l'utopie à l'uchronie, formes, significations, fonctions*, éd. Hinrich Hudde et Peter Kuon (Tübingen 1988), p. 39-48.

– «Le roman utopique: non lieu ou lieu du roman», *French Literature Series* 17 (1990), p. 98-108.

– «Foigny, Veiras, romanciers utopistes, ou les dérives d'un genre», *Littératures classiques* 15 (1991), p. 247-58.

Rosenberg, A., «Digressions in imaginary voyages», in *The Varied pattern*, éd. Peter Hughes & David Williams (Amsterdam, Toronto 1971), p. 21-37.

Ruyer, R., *L'Utopie et les utopies* (Paris 1950).

Sage, P., *Le «bon prêtre» dans la littérature française* (Genève 1951).

Schlanger, J. E., «Power and weakness of the utopian imagination», *Diogenes* 84 (1973), p. 1-24.

Seeber, E. D., « Ideal languages in the French and English imaginary voyages », *Publications of the Modern languages association* 60 (1945), p. 586-97.

Spink, J. S., *La Libre pensée française de Gassendi à Voltaire* (Paris 1966).

Stockinger, L., «"Realismus", mythos und utopie. Denis Vairasse : *L'Histoire des Sévarambes* (1677-1679)», in *Literarische Utopien von Morus bis zur Gegenwart* (Königstein 1983), p. 73-94.

Struve, B. G., *Bibliotheca philosophica* (Göttingen 1740).

Swiggers, P., «La langue des Sévarambes», in *La Linguistique fantastique* (Paris 1985), p. 166-75.

Trinius, J. A., *Freydenker lexicon* (Leipzig und Bernburg 1759).

Trousson, R., « Utopie et roman utopique », *Revue des sciences humaines* 39, no. 155 (1974), p.367-78.

– *Voyages aux pays de nulle part*, deuxième édition revue et augmentée (Bruxelles 1979).

– «Eglise et religion en utopie», in *Modèles et moyens de la réflexion politique au XVIIIe siècle* (Lille 1978), vol. II, p. 383-99.

– «Le problème religieux dans les voyages imaginaires au seuil des Lumières», in *Athéisme et agnosticisme*, éd. Jacques Marx (Bruxelles 1987), p. 25-43.

Vernière, P., *Spinoza et la pensée française avant la Révolution* (Paris 1954).

Wetzel, A., *Partir sans partir. Le récit de voyage littéraire au XIXe siècle* (Toronto 1992).

Wijngaarden, N. van, *Les Odyssées philosophiques en France entre 1616 et 1789* (Haarlem 1932).

Winter, M., *Compendium utoparium : Typologie und bibliographie literarische utopien* (Stuttgart 1978).

Yardeni, M., *Utopie et révolte sous Louis XIV* (Paris 1980).

Zedler, H., éd., *Grosse vollständiges universal-lexicon* 37 (Leipzig, Halle 1743).

L'HISTOIRE DES SEVARAMBES ;

PEUPLES QUI HABITENT
une partie du troisiéme Continent,
communément appellé
LA TERRE AUSTRALE.

Contenant un compte exact du Gouvernement, des Mœurs, de la Religion, & du langage de cette Nation, jusques aujourd'huy inconnuë aux Peuples de l'Europe.

Traduit de l'Anglois.

PREMIERE PARTIE.

A PARIS,

Chez CLAUDE BARBIN, au Palais, sur le second Perron de la Sainte Chapelle.

M. DC. LXXVII.
Auec Priuilege du Roy.

A MONSIEUR RIQUET, BARON DE BONREPOS.

MONSIEUR,

Depuis quelques années rien n'est devenu si commun que les épîtres dédicatoires, & il s'en est vu de si pleines de flatterie, qu'on a commencé à les regarder toutes en général avec beaucoup moins d'estime qu'on ne faisait autrefois, qu'elles étaient plus rares & plus sincères.

Cette considération, MONSIEUR, & celle du mauvais succès qu'ont eu plusieurs dédicaces, m'a obligé, à l'exemple de beaucoup d'auteurs, de donner quelques pièces au public sans les dédier à personne, & même sans y mettre mon nom: car ne m'étant proposé dans tous ces ouvrages, qu'une honnête occupation, je n'ai jamais prétendu d'en tirer de ces louanges fades & inutiles, dont plusieurs flattent leur vanité.

Néanmoins, comme l'abus des choses n'en doit pas empêcher le bon usage, & que des raisons importantes m'engagent à m'adresser à vous, j'ai cru devoir changer de résolution pour vous témoigner mon respect, dans l'espérance que vous agréerez le présent que j'ose ici vous faire de l'histoire d'un pays nouvellement découvert, où paraissent, en plusieurs endroits, les heureux effets d'un génie pareil au vôtre. Ce génie, MONSIEUR, y règne souverainement au milieu de la paix, de la justice, et de l'abondance qu'il y produit, & pour en chasser la guerre, l'indigence et l'oisiveté, ses ennemies, il fait qu'une nation entière s'occupe principalement à faire des canaux, à dessécher des marais, à rendre fertiles des terres stériles & sablonneuses, à percer des montagnes, & à s'ériger, en mille lieux, des marques publiques, & comme éternelles, de son industrie & de sa magnificence.

On n'y fait point consister la grandeur & la force de l'empire dans la vaste étendue des provinces, ni dans le désir avare de découvrir des mines et des trésors; mais dans la multitude des sujets bien gouvernés, & dans l'abondance des biens capables de les faire vivre à leur aise, sans se laisser corrompre à une molle oisiveté, ni se consumer par l'excès d'un travail immodéré.

En effet, ce ne sont pas les pays les plus grands et les plus féconds en métaux, qui sont les plus riches & les plus puissants, mais ceux qui sont les mieux peuplés, & où la nature libérale & l'art ingénieux donnent une heureuse abondance des choses véritablement utiles & nécessaires à la vie, au commerce & à la société. Cela se peut prouver, non seulement par cette belle maxime du plus sage & du plus riche des rois, qui dit, que la multitude des peuples fait la félicité des royaumes, mais aussi par la comparaison qu'on pourrait faire de l'état présent de la France avec celui de l'Espagne.

Celle-ci voit dans un même temps lever & coucher le soleil dans la vaste étendue de sa domination, & possède les plus riches mines d'or & d'argent qu'on ait encore découvertes: & cependant à faute d'un nombre convenable de sujets industrieux, ce n'est presque qu'un désert inculte; & depuis quelques années on la peut justement regarder comme un corps faible & languissant, qui n'a plus guère de sang dans les veines, & qui ne subisterait pas longtemps sans le secours d'une puissance étrangère, qui lui sert de soutien & d'appui.

La France tout au contraire, n'est à comparaison de l'Espagne, qu'un petit corps ramassé, mais plein de force & de vigueur. Elle abonde en hommes agissants & laborieux, qui par la culture de la terre, tirent de cette mère commune, non seulement ce qui est de la nécessité de la vie, mais aussi presque tout ce qui en fait les commodités et les plaisirs. Ainsi par le moyen de ses fruits & de ses manufactures, elle attire les trésors de l'Espagne, & des autres états voisins. Ce qui fait voir clairement, qu'un pays bien peuplé & bien cultivé, est une source inépuisable d'or et d'argent, mille fois plus riche que toutes les mines du Mexique & du Pérou.

Mais bien que la France ait tous ces grands avantages par les moyens ordinaires, elle est néanmoins capable d'en avoir de beaucoup plus grands par des voies particulières; comme sont celles, MONSIEUR, dont vous vous servez pour l'orner & pour l'enrichir. Ces grands & fameux ouvrages, dont vous avez la conduite, & qui font tant de bruit, même dans les pays étrangers, lui ont déjà procuré des biens qu'elle n'avait pas auparavant, & selon toutes les apparences, ils lui en doivent encore procurer beaucoup d'autres très solides & très agréables, dont toute la postérité se ressentira. La province de Languedoc en particulier, commence à reconnaître les bons effets de votre génie, quoi qu'elle en ait longtemps douté, & les suites de vos heureux succès, après avoir triomphé de l'envie, lui feront voir enfin, que les entreprises comme la vôtre, quand elles sont bien conduites, sont toujours utiles & glorieuses à une nation, quoi qu'elles puissent coûter.

Outre cela, MONSIEUR, si l'on considère avec soin les dépenses qui se font dans les ouvrages de cette nature, & même celles qu'on fait pour les édifices, & les autres ornements publics, on trouvera qu'elles sont toujours profitables à un état, & que bien qu'elles semblent lui coûter beaucoup, elles ne lui coûtent rien en effet; pourvu que cet état soit contigu dans toutes ses parties, comme est le royaume de France. Car si d'une main il répand l'argent parmi ses sujets, il en recueille encore davantage de l'autre; & ainsi tout le monde s'occupe, et vit heureusement de son travail.

Il en est à peu près du corps politique comme du corps naturel, où le sang circule perpétuellement pour en nourrir toutes les parties, sans toutefois jamais sortir des veines; à moins qu'on les ouvre tout exprès pour verser au dehors ce trésor précieux, qui contient en soi tous les principes de la vie.

Quand une nation est une fois parvenue jusqu'à un haut degré d'opulence, elle la fait ordinairement éclater par les grands desseins, par la pompe & par la magnificence extérieure. Cela s'est vu principalement dans l'Empire romain, lequel après avoir atteint jusqu'au faîte suprême de la gloire, a laissé presque partout des marques éclatantes, & comme éternelles, de sa grandeur & de sa félicité.

Ainsi la monarchie française, qui marche sur ses pas, & qui semble lui devoir succéder, donnant comme lui des témoignages étonnants de sa force & de son bonheur, en donne en même temps de très remarquables de splendeur & de magnificence, en divers endroits du royaume, & surtout dans sa ville capitale, que l'exemple de son auguste monarque, les soins de ses ministres, & l'émulation louable de plusieurs de ses sujets, ornent & embellissent tous les jours.

On peut dire avec vérité, MONSIEUR, & sans aucunement vous flatter, que parmi ces derniers, vous occupez le premier rang: puisque non content de joindre la mer méditerranée à l'océan, vous avez conçu le dessein de répandre dans Paris une plus grande quantité d'eau, que n'en répandirent jamais, dans la maîtresse du monde, ces illustres Romains, qui prodiguaient si libéralement leurs trésors pour acquérir l'amour & l'estime de leurs citoyens, par les biens, les commodités, & les plaisirs qu'ils leur procuraient.

Vous ferez, MONSIEUR, pour Paris ce qu'ils firent autrefois pour Rome, quand vous aurez achevé le canal que vous avez déjà commencé pour y faire venir une grande abondance d'eau, & pour la distribuer dans tous les endroits de cette grande ville, ce qui soulagera beaucoup ses habitants: & outre les grandes utilités qu'ils en pourront tirer, les fontaines & les jets d'eau qu'on y verra de tous côtés, en feront sans doute un des plus agréables ornements. Ce dessein est grand, je l'avoue, & d'une hardiesse tout extraordinaire; mais il faut avouer aussi, MONSIEUR, que votre choix n'est pas moins juste dans la liaison que vous avez voulu prendre avec Monsieur Demanse pour l'exécution d'une si grande entreprise, dans laquelle on le voit agir avec une connaissance toute particulière, pendant que vous allez achever ce grand ouvrage de la jonction des mers, que vous avez heureusement conduit près de sa fin. Ce n'est pas peu d'honneur à la province de Languedoc de vous avoir donné à la France, & surtout au temps du roi, le plus magnifique & le plus glorieux qu'elle eut jamais, qui fait cas de vos entreprises, qui les a autorisées avec joie, & qui daigne vous honorer de son estime & de sa faveur; parce qu'il vous considère comme un digne sujet qui contribue beaucoup à la gloire de son règne & de son royaume.

Si l'on examine avec soin la nature du bien, on trouvera que son excellence vient principalement de son utilité, de son étendue & de sa durée. Les biens, MONSIEUR, que vous procurez à votre patrie ont éminemment toutes ces trois grandes qualités, puisqu'ils sont utiles à des villes, à des provinces, & à une nation toute entière, & que les avantages en doivent passer jusqu'aux siècles à venir; auxquels, comme au présent, vous donnez de surplus, un bel exemple à imiter.

Après cela, MONSIEUR, je laisse à juger à toutes les personnes raisonnables, si vous n'avez pas bien mérité du public, & s'il n'y aurait pas de l'ingratitude à taire & à étouffer les louanges qui vous sont dues avec tant de justice, pendant qu'ailleurs on les répand si lâchement sur des gens sans vertu, qui bien souvent ne diffèrent des hommes les plus méprisables, que par un peu d'éclat extérieur, qu'une fortune aveugle & téméraire leur a prêté.

Mais pour ne pas dérober à des plumes plus éloquentes que la mienne, l'honneur de faire votre éloge, & de peur d'offenser votre modestie, je finirai ici, en vous assurant que je suis avec beaucoup de respect,

MONSIEUR,

Votre très humble & très obéissant serviteur,

D.V.D.E.L.

AU LECTEUR

Si vous avez lu la République de Platon, l'Eutopia du chevalier Morus, ou la nouvelle Atlantis du chancelier Bacon, qui ne sont que l'ouvrage des imaginations ingénieuses de leurs auteurs, vous croirez peut-être que les relations des pays nouvellement découverts sont de ce genre, & surtout quand vous y trouverez quelque chose de merveilleux. Je n'ose pas condamner la sage précaution que l'on a de ne croire pas aisément toutes choses, pourvu qu'elle se tienne aux bornes de la modération: car ce serait une chose aussi peu raisonnable de rejeter sans choix ce qui paraît extraordinaire, que de recevoir sans discernement les contes que l'on fait souvent des pays éloignés.

Il y a mille exemples fameux qui confirment ce que je viens de dire; & plusieurs choses ont autrefois passé pour des vérités constantes, que les siècles suivants ont clairement découvert n'être que des mensonges ingénieux. Plusieurs choses ont aussi passé longtemps pour fabuleuses, & ont même été rejetées comme impies, & contraires à la religion, qui dans la suite des temps, se sont établies comme des vérités si constantes, que celui qui oserait les révoquer en doute, passerait pour un ignorant, un stupide, & un ridicule.

Car ne peut-on pas dire que c'était par un caprice bien injuste que Virgilius, évêque de Cologne, courut risque de perdre la vie par ordonnance publique, pour avoir dit, qu'il y avait des antipodes; de sorte que rien qu'un désaveu solennel, ne put le sauver des tourments que le zèle inconsidéré des bigots de son temps lui préparait.

Et c'est avec aussi peu de raison qu'en Angleterre, & ensuite en Portugal, Christophe Colomb passa pour un visionnaire parce qu'il rapportait qu'il y avait des terres vers les parties occidentales de l'Occident. Mais ceux qui depuis ont fait le tour du monde, ont clairement vu que Virgilius avait dit vrai; & la découverte de l'Amérique a justifié la relation de Colomb: de sorte que l'on n'en doute pas aujourd'hui, non plus que des histoires du Pérou, du Mexique, de la Chine, que d'abord on prit pour des romans.

Ces pays éloignés, & plusieurs autres qu'on a découverts depuis, ont été pendant plusieurs siècles inconnus aux peuples de l'Europe, & pour la plupart ne sont encore guère bien connus. Nos voyageurs se contentent d'en voir seulement les parties qui sont proche du rivage de la mer, où ils font leur négoce, et ne se soucient guère des lieux où leurs navires ne peuvent aller. Car comme ils sont presque tous gens de mer, qui voyagent par la seule vue de l'intérêt de leur commerce, souvent ils passent devant des îles, & même près des continents, sans se soucier de les remarquer, si ce n'est peut-être qu'autant qu'il leur est nécessaire de les éviter. De là vient que presque toutes les lumières que nous avons de ces terres, sont dues au hasard ; n'y ayant presque personne qui ait la curiosité, ou les moyens nécessaires pour faire de ces longs voyages, sans autre dessein, que celui de découvrir les pays inconnus, & se rendre capables d'en faire de bonnes & de fidèles relations.

Il serait à souhaiter qu'une heureuse paix donnât aux princes le loisir de penser à de pareilles découvertes, & de faire travailler à une chose si glorieuse & si utile, par laquelle ils pourraient sans une grande dépense, faire un bien inestimable au monde, de l'honneur à leur patrie, & s'acquérir une gloire immortelle. En effet, s'ils voulaient employer une partie de l'argent qu'ils ont de reste, à l'entretien de quelques jeunes hommes curieux & capables, & les envoyer sur les lieux, pour y observer toutes les choses dignes de remarque, & pour en faire après des relations fidèles, ils acquerraient une gloire solide, qui serait de bon exemple aux autres grands, qui rendrait leur mémoire recommandable à la postérité, & qui peut-être serait accompagnée de beaucoup d'autres avantages, capables de récompenser avec usure la dépense qu'ils auraient fait dans une si louable entreprise. Il ne faut point douter que les relations que feraient des gens destinés à cela, & qui auraient été élevés à l'étude des sciences et des mathématiques, ne fussent beaucoup plus exactes que celles des marchands & des matelots, qui pour la plupart sont gens ignorants, qui n'ont guère le temps ni la commodité de faire ces remarques, & qui le plus souvent demeurent longtemps dans des pays sans y rien observer que ce qui regarde leur trafic.

C'est ce qui paraît principalement dans la conduite des Hollandais, qui ont beaucoup de terres dans les Indes Orientales, & qui voyagent en mille autres endroits, où leur négoce les appelle, & de qui cependant nous n'avons que quelques relations courtes & imparfaites des pays mêmes où ils sont établis, ou proche desquels leurs vaisseaux passent tous les jours. Les îles de la Sonde, et surtout celle de Bornéo, qu'on décrit dans des cartes, comme l'une des plus grandes du monde, & qui est sur le chemin de Java au Japon, n'est presque point connue, & je ne sache pas en avoir jamais vu aucune relation. Plusieurs ont cinglé le long des côtes du troisième continent, qu'on appelle communément, *les Terres Australes inconnues*, mais personne n'a pris la peine de les aller visiter pour les décrire. Il est vrai qu'on en voit les rivages dépeints sur les cartes, mais si imparfaitement, qu'on n'en peut tirer que des lumières fort confuses. Personne ne doute qu'il n'y ait un tel continent, puisque plusieurs l'ont vu, & même y ont fait descente; mais comme ils n'ont osé s'avancer dans le pays, n'y étant portés le plus souvent que contre leur gré, ils n'en ont pu donner que des descriptions fort légères.

Cette histoire, que nous donnons au public, suppléera beaucoup à ce défaut. Elle est écrite d'une manière si simple, que je crois que personne ne doutera de la vérité de ce qu'elle contient; & le lecteur remarquera aisément qu'elle a tous les caractères d'une histoire véritable. Toutefois, j'ai cru que je devais lui faire savoir quelques raisons qui lui donnent beaucoup de créance & d'autorité.

L'auteur de cette histoire, nommé le capitaine Siden, après avoir demeuré quinze ou seize ans dans le pays, dont il fait ici la relation, en sortit de la manière, & par les moyens qu'il raconte lui même dans son histoire, & arriva enfin à la ville de Smyrne dans l'Anatolie, où il s'embarqua dans un navire de la flotte hollandaise, qui était prête à revenir en Europe. Cette flotte était la même que les Anglais attaquèrent dans la Manche il y a quatre ans ou environ; ce qui fut un commencement de la guerre qui suivit incontinent après. Tout le monde sait que les Hollandais se défendirent très bien, & qu'il y eut beaucoup de gens de tués & de blessés des deux côtés.

Le capitaine Siden entre autres fut blessé à mort dans cette occasion, & ne vécut que quelques heures après qu'il eut reçu sa blessure. Il y avait alors dans le même vaisseau où il s'était embarqué à Smyrne un médecin qui était venu avec lui, & avec lequel il avait fait connaissance avant de partir. Comme ils étaient l'un et l'autre habiles & savants, ils eurent de grandes conversations pendant leur voyage, ce qui produisit entre eux une estime & une amitié réciproque; jusque-là que le capitaine Siden, qui faisait un secret de ses aventures à tout le reste des hommes, parce qu'il ne voulait pas qu'un autre que lui eut l'honneur de les publier en Europe, quand il y serait arrivé, les raconta presque toutes au médecin, commençant depuis son départ de Hollande jusqu'à son arrivée à Smyrne. Mais comme Dieu ne lui permit pas de vivre assez longtemps pour accomplir le dessein qu'il avait fait de les publier en Europe, quand il se vit près de la mort, il donna toutes ses hardes à son ami, & lui recommanda ses papiers en ces termes.

> Mon cher ami, puisque Dieu a ordonné que je ne vive pas autant de temps que j'aurais pu faire selon le cours de la nature, je me soumets à sa divine volonté, sans murmure & sans répugnance, & je suis prêt à remettre mon âme entre ses mains, parce qu'il est mon Créateur & mon Dieu, qu'il a droit de me la redemander & d'en disposer à son plaisir. J'espère que selon sa miséricorde infinie il me pardonnera mes péchés, & me fera participant de sa gloire éternelle. Je suis sur mon départ, & je

ne vous verrai plus ; mais puisqu'il me reste encore quelque moment de vie, je veux m'en servir pour vous dire que je meurs votre ami, & que pour preuve de mon amitié, je vous donne tout ce que j'ai dans le vaisseau. Vous y trouverez un grand coffre où toutes mes hardes sont enfermées, avec quelque argent & quelques joyaux. Toutes ces choses ne sont pas d'un grand prix mais telles qu'elles sont, je vous les donne de tout mon cœur ; outre ces hardes, cet argent, & ces pierreries, vous y trouverez un grand trésor, & c'est l'histoire de tout ce qui m'est arrivé depuis que je partis de Hollande pour aller aux Indes, ainsi que je vous l'ai souvent raconté. Cette histoire est dans une grande confusion, elle est presque toute écrite sur des feuilles détachées, & en diverses langues, qui auront besoin d'être expliquées, & d'être mises dans leur ordre naturel, selon le dessein que j'en avais fait moi-même : mais puisque Dieu ne me permet pas de l'exécuter, je vous en laisse le soin ; & je vous assure avec toute la sincérité d'une personne mourante, que dans tous mes écrits il n'y a rien qui ne soit fort véritable ; ce que peut-être le temps & l'expérience feront connaître quelque jour.

Ce sont là les dernières paroles de l'auteur, qui peu d'heures après rendit son âme à Dieu, avec une constance & une résignation exemplaire ; & qui, selon le témoignage du médecin son héritier, était un homme bien fait, qui avait beaucoup d'esprit, & dont toutes les manières étaient sages, très honnêtes & sincères.

Après sa mort le médecin examina ses papiers, & trouva qu'ils étaient écrits en latin, en français, en italien, & en provençal ; ce qui le mit dans un grand embarras, parce qu'il n'entendait pas toutes ces langues, & qu'il ne voulait pas fier ces mémoires à des mains étrangères. Ces difficultés, & plusieurs affaires qui l'ont occupé depuis, ont été cause qu'il a négligé jusqu'ici cette histoire : mais étant venu de Hollande en Angleterre, depuis la conclusion de la paix entre ces deux nations, il me fit l'honneur il y a quelque temps de me laisser ses papiers, pour les mettre dans leur arrangement, & pour les traduire en une seule langue. Je les examinai avec soin, & je trouvai que la matière qu'ils contiennent était si extraordinaire & si merveilleuse, que je ne fus jamais en repos que je ne l'eusse réduite dans l'ordre & dans la clarté dont elle avait besoin ; me servant en cela de l'aide & du conseil de celui qui me les avait mis entre les mains.

Au reste il y a beaucoup d'autres preuves qui appuyent la vérité de cette relation. Diverses personnes de Hollande, peu de temps après la mort du capitaine Siden, assurèrent le médecin son héritier, qu'environ le temps marqué au commencement de cette histoire, il était parti du Texel un navire neuf, nommé le Dragon d'or, fretté pour Batavia, chargé d'argent, de passagers, & d'autres choses, & qu'on croyait qu'il avait fait naufrage, parce que depuis on n'en avait jamais su de nouvelles.

Depuis que j'ai les papiers entre les mains, & avant de rien écrire, j'allai moi-même voir Monsieur Van Dam, avocat de la Compagnie des Indes, & l'un des commissaires envoyés par les États de Hollande, pour faire le traité de commerce avec l'Angleterre. Je lui demandai des nouvelles de ce vaisseau, & il me confirma tout ce qui en avait été dit à mon ami en Hollande. Mais le témoignage qui établit le plus fortement la vérité de cette histoire, se tire d'une lettre écrite par un Flamand à un gentilhomme français, touchant le vaisseau nommé le Dragon d'or. Cette lettre m'a été mise entre les mains par le gentilhomme qui l'a reçue, & je crois qu'il sera bon de l'insérer ici, après vous avoir dit sur quel sujet elle fut écrite.

Ce gentilhomme m'a dit à moi-même, qu'étant un jour à la promenade avec l'auteur de la lettre, & venant à parler des Indes, où il avait demeuré longtemps, il lui dit, qu'une fois il avait été poussé par le mauvais temps sur le rivage de la Terre Australe, en grand danger d'y périr, mais que par l'assistance divine il en était heureusement échappé. Un an ou deux après ce récit, notre gentilhomme se trouvant dans une compagnie où l'on parlait de ces terres inconnues, il y raconta l'histoire qu'il avait apprise du Flamand. Il n'eut pas plus tôt achevé son récit, qu'un gentilhomme de Savoie lui fit plusieurs questions sur ce sujet, avec beaucoup d'empressement; & parce qu'il ne pouvait répondre à toutes ces demandes, que suivant ce qu'il en avait ouï dire, le Savoyard le pria d'en écrire au Flamand, pour tirer de lui toutes les lumières qu'il pourrait dans cette affaire. Il ajouta que son empressement venait de l'intérêt qu'il avait dans ce vaisseau, où il avait appris que s'était embarqué un de ses parents, dont on n'avait pu savoir aucune nouvelle, quelque recherche qu'on en eut pu faire: qu'il avait laissé chez lui une terre, après avoir vendu la plupart de tous ses autres biens, & que ses parents étaient en procès touchant la succession de cette terre, après avoir attendu son retour pendant plusieurs années. Ce fut donc à la prière du Savoyard que le Français écrivit au Flamand, & en reçut la réponse suivante en français. Je l'ai mise ici mot à mot, sans vouloir y rien changer.

MONSIEUR,

Selon votre désir, & pour la satisfaction de votre ami, je vous dirai que quand j'étais à Batavia l'an 1659, un marinier flamand, nommé Prince, entendant que j'avais été à la côte de la Terre Australe, me raconta que quelques années auparavant, il y fit naufrage dans un navire neuf parti de Hollande, nommé le Dragon vert ou d'or, qui avait quantité d'argent destiné pour Batavia, & quelques quatre cents personnes, qui tous, ou la plupart, s'étaient sauvés à ladite Terre, & tenus sous la même discipline du maître comme ils étaient à bord, & s'étant retranchés avaient sauvé entre autres la plupart des vivres. Ils firent du débris du naufrage une pinasse, jetant le lot pour huit hommes, dont ledit marinier était un, pour aller à Batavia avertir le général de la Compagnie Hollandaise de leur désastre, afin qu'il y envoyât quelque navire pour retirer ceux qui étaient échoués. Cette pinasse étant à grand'peine arrivée à Batavia, le général fit aussitôt partir une frégate, qui étant arrivée sur sur cette côte, envoya sa chaloupe et ses gens à terre, au lieu et à la hauteur qu'on lui avait prescrit; mais ils n'y trouvèrent personne, ni signe qu'il y eut jamais eu personne. Ils rangèrent la côte en divers autres lieux jusqu'à la perte de leur chaloupe & de quelques gens par le mauvais temps auquel cette côte est sujette; & ainsi retournèrent à Batavia sans effet. Le général y renvoya une deuxième frégate, qui retourna aussi sans succès.

On parle diversement qu'au dedans dudit pays il y a des peuples de grande taille, qui n'ont rien de barbare, & qui mènent ceux qu'ils peuvent attraper avec eux dans leur pays. Je fus prêt pour aller à terre à la hauteur d'environ vingt-sept degrés, mais comme un calme soudain durant la nuit nous sauva du naufrage, aussi une prompte tempête me fit changer de résolution, m'estimant heureux de regagner la mer. Voilà tout ce que je puis vous dire; votre ami pourra savoir plus de particularités de ce navire le Dragon, de ceux de ladite Compagnie en Hollande. C'était le général Maëtsuycker qui était, & qui est encore à présent général à Batavia; mais je n'ai le récit que du marinier. La terre du pays est rougeâtre, stérile, la côte comme enchantée par les tempêtes, quand on veut aller à terre; c'est pourquoi ces frégates perdirent leur chaloupe et leurs biens, et ne pouvant ainsi aborder, il croit qu'ils n'ont trouvé le vrai lieu; je croi que c'était à 23 degrés l'an 1656 ou 1657. Je suis,

MONSIEUR,

Votre très humble serviteur

THOMAS SKINNER

A Bruges, ce 28 octobre 1672.

Le lecteur pourra, s'il lui plaît, comparer cette lettre avec la relation de l'auteur, & juger après cette comparaison, si dans des matières si peu connues, il y peut avoir un témoignage plus fort que celui-ci, pour établir la vérité de cette histoire.

Quand au style et à la disposition de l'ouvrage, je lui en laisse aussi le jugement; & je me contente de lui dire que l'on y a changé le moins que l'on a pu, sans s'écarter de la manière de l'auteur, qui est très simple & très naturelle. Dans les ouvrages de cette nature, où la matière attire toute l'attention du lecteur, il suffit que le style n'ait rien qui la détourne.

L'auteur a été un peu plus exact dans la seconde partie, où il parle des lois & des mœurs des Sévarambes, le gouvernement desquels est, à mon avis, l'un des plus parfaits modèles de gouvernement qu'on ait jamais vu.

Mais on doit laisser à chacun la liberté d'en juger selon ses lumières, on souhaite seulement que le lecteur puisse prendre quelque plaisir dans la lecture de cette histoire admirable.

Cependant il pourra remarquer par avance que cette première partie n'est qu'une espèce de journal historique, comme l'auteur le dit lui-même sur la fin.

EXTRAIT DU PRIVILÈGE DU ROI

Par grâce & privilège du Roi, donné à Saint-Germain-en-Laye le 13 février 1676. Signé par le Roi en son Conseil, D'ALENCE'; il est permis au sieur D.V.D.E.L. de faire imprimer la première & seconde parties de *l'Histoire des Sevarambes*, &c. durant le temps & l'espace de dix ans, à compter du jour que ledit livre sera achevé d'imprimer pour la première fois; & défenses sont faites à tous imprimeurs, libraires, & autres, de l'imprimer, ou faire imprimer, vendre ni débiter, sans le consentement dudit exposant, à peine aux contrevenants de trois mille livres d'amende, confiscation des exemplaires contrefaits, & de tous dépens, dommages & intérêts, ainsi qu'il est plus amplement porté par ledit privilège.

Et ledit sieur D.V.D.E.L. a cédé son droit du privilège de la première partie divisée en deux tomes, à Claude Barbin, marchand libraire à Paris, pour en jouir suivant l'accord fait entre eux.

Achevé d'imprimer pour la première fois le 26 janvier 1677.

L'HISTOIRE DES SEVARAMBES ;

PEUPLES QUI HABITENT
une partie du troisiéme Continent,
communément appellé
LA TERRE AUSTRALE.

Contenant un compte exact du Gouvernement, des Mœurs, de la Religion, & du langage de cette Nation, jusques aujourd'huy inconnuë aux Peuples de l'Europe.

Traduit de l'Anglois.

SECONDE PARTIE.

A PARIS,

Chez CLAUDE BARBIN, au Palais,
sur le second Perron de la Sainte Chapelle.

M. DC. LXXVII.

Auec Priuilege du Roy.

HISTOIRE DES SEVARAMBES.

Je n'ai jamais eu de plus forte passion dès mes plus jeunes années que celle de voyager. Comme toutes choses augmentent l'inclination dans laquelle on est né, je sentais croître tous les jours le violent désir que j'avais de voir d'autres pays que celui de ma naissance. Je prenais un plaisir incroyable aux livres de voyage, aux relations des pays étrangers & à tout ce que l'on disait des nouvelles découvertes. Mais l'autorité de mes parents, qui me destinaient à la robe, & le manquement des moyens nécessaires pour entreprendre de longs voyages, furent de grands obstacles à mes désirs; mais rien ne peut s'opposer assez fortement au penchant qui nous entraîne vers notre destinée. A peine étais-je entré dans la quinzième année de mon âge que je fus envoyé en Italie à l'armée, avec un emploi qui me retint près de deux ans avant que je pusse retourner dans mon pays, où je ne fus pas plutôt arrivé que je me vis obligé de marcher en Catalogne avec un commandement plus considérable que celui que j'avais auparavant. J'y fis la guerre pendant trois ans, & je n'aurais pas quitté le service, si la mort imprévue de mon père ne m'eut rappelé, pour y prendre possession du bien qu'il m'avait laissé, & pour obéir aux ordres de ma mère, qui en mon absence ne pouvait se consoler d'une si grande perte. Ces considérations me firent reprendre le chemin de mon pays, & ses commandements m'obligèrent de quitter l'épée pour la robe; il fallut s'appliquer à l'étude du droit; & y ayant fait d'assez grands progrès dans quatre ou cinq années de temps, je fus enfin persuadé de prendre le grade de docteur; à quoi je réussis passablement. Je fus ensuite reçu dans la Cour souveraine de mon pays en qualité d'avocat, parce que c'est un degré par où il faut passer pour monter aux dignités plus élevées. Ensuite je m'exerçai à faire des déclamations dont j'inventais les sujets; & puis j'en choisis de véritables pour les plaider avec éclat. Et comme je ne me négligeais point, je m'acquittai assez bien de toutes ces choses, pour y acquérir quelque estime. Je me plaisais assez dans ces sortes d'exercices où les jeunes gens aiment à faire voir leur esprit & leur éloquence, sans avoir nul égard à leur fortune. Mais lorsqu'il me fallut descendre à la pratique du Palais, je la trouvai si épineuse, si basse, & si servile, qu'en peu de temps j'en fus entièrement dégoûté. Comme j'aimais naturellement la douceur & les plaisirs de la vie, avec la franchise & l'honnêteté, je vis bien que je n'étais nullement propre pour cette sorte d'emploi: ce qui me donna un empressement extraordinaire de l'abandonner. Dans le temps que je pensais aux moyens de m'en défaire, ma mère mourut; sa mort me mit en état de pouvoir disposer de moi-même et de mon bien; & d'ailleurs, j'en eus un déplaisir si grand que toutes choses me devinrent insupportables. Aussi je ne délibérai pas longtemps à quitter mon pays pour un fort long temps. Pour exécuter ce dessein, je mis ordre à mes affaires, je me défis de tout mon bien, à une terre près, que je réservai pour m'être un lieu de retraite en cas de nécessité, la laissant entre les mains d'un fidèle ami, qui m'en a toujours rendu bon compte, tant qu'il a pu savoir de mes nouvelles.

Après cela je commençai par voir presque toutes les provinces du royaume de France, & m'étant arrêté à la fameuse ville de Paris, ce séjour me parut si charmant, qu'insensiblement j'y restai près de deux années sans m'en éloigner beaucoup. Mais mon premier désir de voyager venant à se rallumer par une occasion que j'eus d'aller en Allemagne, je ne pus y faire un plus long séjour. Je parcourus donc toute l'Allemagne, je vis la Cour de l'Empereur & celles des princes de l'Empire; de là je passai en Suède & en Danemark, & puis aux Pays-Bas, où je finis tous mes voyages d'Europe, & m'y reposai jusqu'en 1655 que je m'embarquai pour aller aux Indes Orientales.

J'entrepris ce long & pénible voyage pour satisfaire la curiosité naturelle & la forte inclination que j'avais toujours eue de voir un pays dont j'avais ouï dire tant de belles choses & tant de merveilles. Mais j'y fus encore engagé par les pressantes sollicitations d'un ami qui avait du bien à Batavia, & qui devait s'embarquer pour aller en ce pays-là. Je dois encore avouer de bonne foi que l'espoir du profit me donna la pensée d'entreprendre ce voyage si périlleux & si difficile. Ces raisons furent toutes puissantes sur mon esprit, de sorte que m'étant préparé pour ce voyage, je m'embarquai avec mon ami sur le navire nommé le Dragon d'or, nouvellement construit & équipé pour Batavia. Ce navire était d'environ six cents tonneaux, & de trente-deux pièces de canon, portant près de quatre cents hommes, tant matelots que passagers, & de grandes sommes d'argent, où mon ami nommé Van de Nuits avait beaucoup d'intérêt.

Nous levâmes l'ancre du Texel le 12ème jour d'avril 1655, & avec un vent frais d'est, nous cinglâmes à travers du canal entre la France & l'Angleterre avec toute la diligence & le bon succès que nous pouvions désirer, ce qui dura jusqu'à la grande mer. De là nous poursuivîmes notre voyage jusqu'aux Canaries, éprouvant quelquefois l'inconstance et la variété des vents, mais nous n'eûmes nulle tempête. Nous prîmes dans ces îles les provisions que nous pûmes trouver, & dont nous pouvions avoir besoin; & puis suivant notre route vers les Iles du Cap Vert, que nous aperçûmes d'assez loin, & dont nous approchâmes sans peine, & sans aucune aventure particulière. Il est vrai que nous vîmes plusieurs monstres marins, des poissons volants, de nouvelles constellations, & d'autres choses de cette nature; mais parce qu'elles sont ordinaires, qu'elles ont été décrites, & que depuis plusieurs années elles ont perdu la grâce de la nouveauté, je ne crois pas en devoir parler, ne voulant pas grossir ce livre de narrations inutiles qui ne feraient que lasser la patience du lecteur & la mienne. Il suffira donc de dire que nous poursuivîmes heureusement notre voyage jusqu'au troisième degré de latitude méridionale, où nous arrivâmes le 2ème jour du mois d'août de la même année 1655. Mais la mer qui jusqu'ici nous avait été très favorable, commença de nous faire sentir les effets de son inconstance ordinaire. Car environ sur les trois heures après midi, le ciel changea sa douceur & sa sérénité précédente en nuages épais, en éclairs & en tonnerres, qui furent les avant-coureurs des vents orageux, de la pluie mêlée de grêle, & de la tempête qui succédèrent peu après. Aux approches de cette tourmente redoutable, les visages de nos matelots devinrent pâles et abattus. Car bien qu'ils eussent le loisir d'amarrer leurs voiles, d'attacher fortement leurs canons, & de ranger toutes choses comme ils trouvèrent à propos; néanmoins, prévoyant le terrible ouragan qui arriva, ils ne pouvaient qu'en redouter la rage et la violence. La mer commença d'être agitée, & les vents parcoururent tous les points de la boussole à moins de deux heures. Notre vaisseau fut poussé tantôt d'un côté, tantôt d'un autre, tantôt en haut et tantôt en bas, de la plus horrible manière du monde: un vent nous poussait en avant, & un autre en arrière; nos mâts, nos vergues & nos cordages furent rompus & déchirés, & l'orage fut si violent que la plupart de nos mariniers étant malades ne pouvaient à peine ouïr & encore moins obéir au commandement. Cependant nos passagers étaient tous enfermés sous le pont, & mon ami et moi étions couchés au pied du grand mât, étrangement abattus, & nous nous repentions tous deux, lui de son avare désir de gagner & moi de ma folle curiosité. Nous souhaitâmes mille fois d'être en Hollande & mille fois nous désespérâmes de revoir jamais ni ce pays ni aucune autre terre. Car dans cet état toute sorte de pays nous aurait semblé bon; mais cependant nos matelots ne s'endormaient pas, & sans négliger aucune des choses qui pouvaient contribuer à notre salut, ils mettaient en usage toute leur industrie & toute leur force, les uns étant occupés au gouvernail, les autres aux pompes, & partout où la nécessité les appelait. De sorte que Dieu bénissant leurs efforts, ils sauvèrent le navire de la violence de l'ouragan qui se convertit enfin en un vent particulier qui, se rendant maître de tous les autres, nous poussa vers le sud avec tant de force qu'il nous fut impossible de ne pas courir ce bord. Nous fûmes contraints de céder à l'impétuosité de ce vent, & d'aller malgré nous par tous les endroits où il nous portait. Après deux jours de course, le vent changea un peu, & nous écarta vers le sud-est avec beaucoup de violence pendant l'espace de trois jours à travers des brouillards si épais, qu'à peine pouvions-nous voir les objets à cinq ou six pas de distance. Au sixième jour le vent se relâcha un peu, mais il continua toujours vers le sud-est jusqu'à minuit. A la fin nous sentîmes tout à coup un fort grand calme comme si notre vaisseau fut tombé dans un étang ou mer morte, ce qui nous surprit extrêmement. Deux ou trois heures après, le temps s'éclaircit, & nous commençâmes à voir plusieurs étoiles, mais nous ne pûmes faire aucune bonne observation par leur moyen. Nous jugions en général que nous n'étions pas loin de Batavia, & que nous étions pour le moins à cent lieues de la Terre Australe, mais nous trouvâmes quelque temps après que nous nous étions fort trompés dans nos conjectures. Le septième jour nous continuâmes dans ce calme, & nous eûmes le temps de nous reposer & d'examiner toutes les parties de notre navire. Nous trouvâmes qu'il n'était presque point endommagé, car il était si fortement bâti qu'il soutint toute la rage des flots sans faire aucune voie d'eau qui pût l'incommoder. Le huitième jour il se leva un vent modéré qui nous poussa vers l'est à notre grande joie ; car outre qu'il nous portait vers notre but, il nous délivrait de la crainte d'un long calme. Vers la nuit du même jour, le ciel devint obscur, l'air se remplit de brouillards & le vent devint violent ; de sorte que nous craignîmes une autre tempête. Le brouillard continua tout le jour suivant qui était le neuvième, & le vent ne soufflait que par secousses & par boutades, ce qui nous mettait en très grand danger. Sur la minuit le vent changea, devint plus fort, & nous poussa de nouveau vers le sud-est avec grande impétuosité, le brouillard s'épaississait de plus en plus. Environ la minuit, le vent étant fort haut & notre vaisseau courant avec beaucoup de rapidité, il heurta tout d'un coup contre un banc de sable, lorsque nous craignions le moins, & il y demeura si fort attaché, qu'il s'y tenait sans mouvement comme s'il avait été cloué. Ce fut alors que nous crûmes être absolument perdus, & que nous attendions à tout moment voir notre vaisseau se briser en mille pièces par la violence des vents et des flots. Ainsi l'art & l'industrie des hommes étant inutiles, nous eûmes recours à Dieu, pour le prier que par sa miséricorde infinie, il exauçât nos vœux, & qu'il nous fît rencontrer le salut où nous n'attendions que notre perte. Le matin étant venu, & le soleil ayant dissipé l'épaisseur des brouillards, nous trouvâmes que notre vaisseau tenait à un banc de sable proche du rivage d'une île, ou d'un continent que nous ne connaissions pas. Cette découverte changea notre désespoir en espérance ; & quoique cette terre nous fût inconnue, & que nous ne sussions si nous y trouverions quelque soulagement à nos maux, néanmoins toute sorte de terre était agréable à des gens qui durant plusieurs jours avaient été si misérablement ballotés sur les eaux entre la mort & la vie, l'espérance & le désespoir. Sur le midi le temps devint fort clair & fort chaud, le soleil ayant dissipé les brouillards & le vent perdant beaucoup de sa violence, les flots perdirent aussi beaucoup de leur agitation.

Environ les trois heures après midi, la mer se retirant du rivage, laissa notre navire sur un sable limoneux, où il semblait être enchâssé dans un endroit qui n'avait pas plus de cinq pieds d'eau. Ce lieu n'était qu'à une portée de mousquet d'un rivage assez haut, mais pourtant accessible, où nous résolûmes de prendre terre, & d'y transporter ce que nous avions dans le vaisseau. Pour cela nous descendîmes notre chaloupe dans laquelle nous mîmes douze de nos plus braves hommes bien armés que nous envoyâmes à terre pour découvrir le pays & pour choisir un lieu proche du rivage où nous pussions camper, sans nous éloigner de notre vaisseau. Ils n'eurent pas plutôt pris terre qu'ils examinèrent soigneusement le pays du sommet d'un tertre élevé qui n'était pas loin du rivage. Mais ils ne virent ni maisons ni hameaux, ni rien qui leur pût persuader que le pays fut habité ; la terre étant sablonneuse, stérile & couverte seulement de buissons & de quelques arbrisseaux sauvages. Ils ne purent découvrir ni ruisseau ni rivière dans les lieux qu'ils voyaient alentour, & n'ayant pas le temps ce jour-là de chercher plus loin, ils revinrent à nous trois heures après leur descente, n'estimant pas qu'il fut à propos de se hasarder plus avant dans un pays inconnu. Le jour d'après ils retournèrent à terre, avec ordre de nous renvoyer la chaloupe & le canot, pour transporter peu à peu nos gens hors du vaisseau. Nous résolûmes aussi de mettre à terre ce que nous avions de plus précieux, & surtout ce qui nous restait de munitions qui par la grâce de Dieu n'étaient point gâtées en aucune manière. Tous ces ordres furent exécutés avec tant de soin & de diligence, que le jour d'après notre naufrage nous prîmes terre avec la meilleure partie de nos provisions les plus nécessaires & les plus utiles. Ceux qui étaient descendus les premiers posèrent le camp sur un terrain élevé proche de la mer vis-à-vis de notre vaisseau, & environ le 40e degré de latitude méridionale, selon nos meilleures observations. Ce terrain les couvrait du côté de la terre, & les cachait aux yeux de ceux qui auraient pu venir du côté de la mer. De sorte que nos sentinelles pouvant du haut du terrain découvrir bien avant aux environs, ce nous était un lieu sûr et commode. Ce fut là que peu à peu nous transportâmes tout notre monde, nos provisions & nos marchandises, laissant dix de nos hommes dans le vaisseau, jusqu'à ce que nous pussions le remorquer quand la mer serait haute, ou si la chose n'était pas possible, de prendre d'autres mesures. Mais au reste nous ne fûmes pas plutôt à terre, que nous assemblâmes le Conseil, pour aviser aux moyens de nous conserver mutuellement les uns les autres. On résolut qu'on garderait sur terre la même discipline qu'on avait observée sur mer, jusqu'à ce qu'on trouvât à propos de la changer. Ensuite il fut ordonné que nous ferions une prière générale pour rendre grâces très humbles à Dieu de la bonté qu'il nous avait montrée en sauvant nos vies & nos biens d'une manière toute particulière, & pour implorer son assistance dans un lieu tout à fait inconnu, où nous pouvions tomber entre les mains de quelque peuple barbare, ou mourir de faim faute de provisions, si par sa miséricorde il ne pourvoyait pas à notre subsistance, comme il avait fait auparavant.

Après ces ordres & cette humiliation, les officiers divisèrent leur monde en trois parties égales. Deux devaient incessamment travailler au camp & y faire un retranchement alentour, pour nous mettre à couvert des invasions soudaines. L'autre partie fut employée à découvrir le pays pour emporter du bois & autres provisions qui s'en pourraient tirer. Ceux qui avaient la garde du vaisseau eurent ordre de voir en quel état il était, & de tâcher de le rendre utile. Après une exacte recherche, ils trouvèrent que la quille en était rompue par le choc violent qu'il avait donné contre le sable, & qu'il tenait si fort dans le limon, qu'il était impossible de l'en tirer, quand même il n'aurait point été rompu. Ils ajoutèrent qu'à leur avis, le meilleur était de le mettre en pièces & de bâtir de ses débris une ou deux pinasses pour les envoyer à Batavia. Ce conseil fut approuvé, & pour cet effet on choisit les hommes les plus propres pour l'exécuter.

Le parti qu'on avait envoyé à la découverte du pays n'osant pas se hasarder fort avant, de peur de quelque accident, se retira de bonne heure au camp, espérant que lorsqu'il serait mieux fortifié & qu'on y aurait mis du canon, ils se hasarderaient plus librement dans la plaine. Cependant ils nous avaient apporté du bois & une espèce de mûres sauvages dont ils avaient trouvé quantité sur les arbrisseaux & sur les buissons. Quelques-uns s'étendant le long du rivage trouvèrent en abondance des huîtres & d'autres coquillages, qui nous épargnèrent beaucoup de la provision du vaisseau, qui ne pouvait durer que deux mois selon les rations ordinaires & le calcul exact que nous en avions fait. Cette considération nous fit songer aux moyens de l'épargner du mieux que nous pourrions pour la faire durer plus longtemps ; & comme cela ne se pouvait faire qu'en ajoutant d'autres vivres, & retranchant ceux-là, nous eûmes soin de préparer nos filets & nos hameçons pour la pêche, ayant observé que la mer était fort poissonneuse en quelques endroits. Notre pêche fut toujours assez heureuse, de sorte qu'on se nourrissait en partie de poisson, de coquillages & des mûres dont nous avons déjà parlé. C'est pourquoi nous retranchâmes les portions des vivres du vaisseau & les réduisîmes à huit onces par jour. Nous n'avions pas encore trouvé d'eau douce & c'était la chose dont nous avions le plus de besoin ; car bien que nous eussions creusé dans la tranchée un puits qui nous en fournissait abondamment, néanmoins étant un peu salée à cause du voisinage de la mer, elle en était malsaine & fort désagréable.

Nos aventuriers qui faisaient tous les jours quelque nouvelle découverte, s'étant avancés près de dix milles autour du camp sans y trouver aucun vestige d'homme ni de bête, se hasardaient toujours de plus en plus. Ils ne virent aucune créature vivante dans cette grande plaine sablonneuse, que quelques serpents, une espèce de rat presque aussi gros qu'un lapin, & une sorte d'oiseaux semblables aux pigeons sauvages, mais un peu plus gros, qui se nourrissaient de mûres. Ils en tuèrent quelques-uns avec leurs fusils & les apportèrent au camp où, après en avoir fait épreuve, l'on trouva qu'ils étaient très bons à manger & surtout les oiseaux. Ces nouvelles découvertes nous firent un peu relâcher de nos fortifications ; nous nous contentâmes de faire une petite tranchée autour de notre camp, jetant la terre en dedans, & nous crûmes que c'était une assez bonne défense pour un lieu où nous n'avions point trouvé d'habitants. Nous mîmes quelques canons aux endroits les plus commodes, & n'appréhendant plus les hommes ni les bêtes, nous ne craignîmes que la faim & les injures de l'air dont nous ne connaissions pas encore la température, bien qu'il eût paru fort sain depuis que nous étions sur cette côte où nous avions déjà demeuré quatorze jours avant que notre pinasse fût achevée. Quelques jours après, elle fut prête à mettre en mer avec la provision de huit hommes pour six semaines de temps seulement; car c'était tout ce que nous pouvions en donner. Quand il fut question de choisir huit hommes pour aller à Batavia, nos matelots disputaient pour savoir qui devait entreprendre ce voyage ; car il y en avait peu qui voulussent se commettre au hasard de cette navigation, & néanmoins il était nécessaire que quelques-uns l'entreprissent. On résolut qu'un certain nombre des meilleurs matelots seraient tirés de toute la troupe, & qu'ils jetteraient au sort entre eux pour décider le différent; ce qui fut exécuté. Le sort tomba sur le maître même, sur un matelot appelé Prince, & sur six autres, dont j'ai oublié les noms. Lorsqu'ils virent que la fortune vouloit qu'ils fissent le voyage, ils obéirent sans répugnance : & après que nous fûmes convenus ensemble du signal que nous leur donnerions pour nous trouver si jamais ils revenaient avec du secours, ils prirent congé de nous, & s'en allèrent à bord de leur pinasse. Peu de temps après, un vent de terre, dont ils se servirent pour se mettre en mer, les poussa tout à fait hors de notre vue, & nous fîmes ensuite des vœux & des prières pour demander à Dieu leur retour, en la seule miséricorde duquel nous mettions toute notre confiance.

Le même jour, nous tînmes conseil pour nous déterminer à quelle sorte de gouvernement nous devions nous attacher, qui fut le plus propre & le plus convenable à notre condition présente; car quelques-uns de nos officiers étant partis dans la pinasse, notre discipline de mer en était un peu changée, & par de bonnes considérations nous ne trouvions pas qu'elle fut propre sur la terre. On proposa plusieurs moyens qui ne furent pas sans opposition, mais enfin, après plusieurs contestations, il fut résolu que nous observerions une discipline militaire sous l'autorité d'un général & de quelques autres officiers inférieurs, qui tous ensemble devaient composer un souverain conseil de guerre, qui aurait l'autorité de régler & de conduire absolument toutes choses. Quand il fallut choisir un chef parmi toute la compagnie, chacun tournait les yeux du côté de Van de Nuits mon ami, & ils voulaient tous lui déférer cet honneur, parce que c'était la personne la plus considérable parmi eux & qui avait le plus d'intérêt dans le vaisseau; mais il s'en excusa modestement, disant qu'il était trop jeune & trop peu expérimenté dans les armes pour s'acquitter dignement d'un emploi de cette nature; qu'en une telle occasion il était nécessaire de choisir un homme qui eût plus d'expérience que lui, qui n'avait jamais fait la guerre ni exercé aucune charge publique. Alors, remarquant quelque trouble & quelque embarras sur le visage des assistants, il leur dit qu'il leur rendait

> mille grâces de l'estime & de l'affection qu'ils avaient pour lui, qu'il voudrait être digne du commandement qu'on lui offrait; mais que puisqu'il n'avait pas cette capacité & qu'il ne pouvait raisonnablement accepter l'emploi de leur général, il les priait de lui donner la liberté de leur recommander une personne très propre à cette charge, qui avait eu déjà commandement en Europe dans deux armées différentes, & voyagé durant plusieurs années, ce qui devait infailliblement lui avoir acquis de grandes lumières dans la politique. Il ajouta qu'ils le connaissaient tous, & qu'il osait même dire qu'ils avaient déjà de l'estime pour lui, quoiqu'il ne leur fût pas si bien connu qu'à lui-même, qui par une longue habitude connaissait & sa bonne conduite & sa probité. La personne dont je vous parle, dit-il, me montrant de la main, est le capitaine Siden, au commandement & à l'autorité duquel je me soumettrai volontiers, s'il vous plaît de le choisir pour notre général.

Ce discours imprévu & les regards des assistants qui tournèrent tous les yeux sur moi, me mirent un peu en désordre, mais en étant bientôt revenu, je répondis que la recommandation de Monsieur de Nuits procédait plutôt de l'amitié qu'il avait pour moi que d'aucune connaissance qu'il eut de mon savoir ou de mon mérite; que j'étais étranger parmi eux et né dans un pays fort éloigné de la Hollande; & qu'enfin je pensais qu'il y avait des gens dans la troupe beaucoup plus capables de ce commandement que moi, & que pour toutes ces raisons je souhaitais qu'on m'en dispensât, aimant mieux obéir à mes supérieurs que d'avoir aucune autorité.

Je n'eus pas plutôt achevé ce discours qu'un certain Swart, qui était un homme fort hardi & fort agissant, & qui m'avait toujours suivi dans toutes les découvertes que nous avions faites dans le pays, prenant brusquement la parole, me dit:

> Monsieur, toutes ces belles excuses ne vous serviront de rien, & si on prend le conseil de Monsieur de Nuits & le mien, vous serez, malgré vous, notre général; car outre ce qu'il a rapporté de votre mérite, toute la compagnie sait, & moi particulièrement, que depuis que nous sommes sur ces côtes, vous avez paru l'homme de la troupe le plus prudent & le plus agissant pour le bien & pour le salut de tous les autres de la compagnie; quand il n'y aurait que cette raison, vous méritez déjà de commander; mais d'ailleurs nous sommes tous négociants, ou pauvres mariniers, qui n'entendons ni la guerre ni la discipline, & vous êtes le seul qui pouvez nous l'enseigner. Vous avez seul les qualités requises pour un tel emploi & vous êtes enfin le seul capable de nous commander. C'est pourquoi je déclare que je ne me soumettrai au commandement de qui que ce soit qu'au vôtre.

Le discours que cet homme prononça avec un certain air fier & brusque, fit tant d'impression sur l'esprit de la compagnie, déjà disposée à me choisir pour chef, que tous d'une voix se mirent à crier, il faut que le capitaine Siden soit notre général.

Quand je vis qu'il n'y avait pas moyen de m'en défendre, je leur fis signe de me donner audience & je leur parlai de cette sorte:

> MESSIEURS, puisque vous me forcez de prendre le commandement, je l'accepte avec connaissance & je souhaite de tout mon cœur que votre choix soit à votre avantage. Mais afin que toutes choses se fassent dans un bon ordre & puissent être vigoureusement exécutées, je vous demande quelques privilèges, & s'il vous plaît de me les accorder, je ferai tous mes efforts pour vous garder & vous tenir dans la discipline que je jugerai la plus propre pour votre conservation.
>
> La première chose que je vous demande est que chacun de vous en particulier, & tous en général, s'obligeront par serment de m'obéir & au Conseil, sans répugnance & sur peine d'être condamné à tous les châtiments que nous trouverons à propos de lui faire souffrir.

La seconde chose est que j'aurai le pouvoir de régler la milice dans l'ordre qui me semblera le meilleur, & de choisir les principaux officiers qui ne pourront exercer aucune charge, s'ils ne la tiennent de moi.
La troisième, que dans le Conseil ma voix vaudra trois suffrages.
Et enfin, que moi ou mon lieutenant aurons une voix négative dans toutes les délibérations publiques.

Tous ces avantages me furent accordés sur le champ & je fus en même temps salué de tous en qualité de général. Pour première marque de mon autorité, l'on me dressa au milieu du camp une tente plus grande que toutes les autres, où je couchai cette même nuit, prenant Van de Nuits avec moi & me servant de son conseil en diverses choses.

Le jour suivant je fis assembler tout notre monde & je fis en leur présence Van de Nuits surintendant de toutes les marchandises & des provisions que nous avions déjà, ou que nous pourrions avoir. Je fis Swart grand maître de l'artillerie, des armes & des munitions de guerre. Je fis Maurice, qui était un matelot expert & diligent, amiral de notre flotte, qui devait consister en une chaloupe, un canot & une autre pinasse, que nous faisions des ruines de notre vaisseau. Il y avait un Anglais parmi nous nommé Morton, qui avait été sergent aux Pays-Bas; je le fis capitaine de la première compagnie; de Haës, homme sobre & vigilant, eut la seconde. Un certain Vansluts eut la troisième, & un autre nommé de Bosh eut la quatrième. Je nommai un certain le Brun major général, & leur donnai à tous la liberté de choisir leurs officiers inférieurs qui devaient avoir mon approbation.

J'avais deux valets, dont l'un nommé Devèze, avait été mon sergent en Catalogne. Il était homme de cœur & d'entendement, sobre & fidèle, qui m'avait toujours servi depuis que j'avais quitté la guerre; je le fis mon lieutenant & je fis mon autre valet, nommé Turcy, mon secrétaire.

Les officiers étant ainsi choisis, nous fîmes le dénombrement de tout notre monde, & nous trouvâmes que nous avions en tout trois cent sept hommes, trois garçons & soixante et quatorze femmes, tous en bonne santé. Car bien que plusieurs fussent malades quand ils descendirent du vaisseau, ils se portèrent tous bien huit jours après; ce qui témoignait que l'air du pays était fort sain. Je divisai tout ce monde en quatre parties & donnai à Maurice vingt-six matelots & les trois garçons pour équiper sa flotte. Swart eut trente hommes pour son artillerie. Je divisai deux cents hommes en quatre compagnies égales & le reste des hommes & des femmes devait obéir à Van de Nuits. Nous avions deux trompettes qui, outre leur emploi, avaient accoutumé de lire & de faire la prière dans le vaisseau, à la mode de Hollande. J'en donnai un à Van de Nuits & je pris l'autre pour moi, les confirmant dans toutes leurs charges. Nos affaires étant ainsi réglées, sur le soir je fis assembler les officiers supérieurs & leur dis, qu'avant que nos provisions fussent consommées, il fallait aller & par mer & par terre pour en chercher de nouvelles & tâcher de découvrir quelque lieu plus commode que celui de notre camp, où dans peu de temps toutes choses viendraient à nous manquer, & où même nous n'avions pas pu trouver de bonne eau; qu'il fallait, selon mon sentiment, envoyer divers partis armés pour découvrir le pays & pour aller plus loin qu'on n'était encore allé. Ils consentirent aisément à ma proposition & dirent qu'ils étaient prêts à obéir à mes ordres. C'est pourquoi sans perdre de temps, je commandai à Maurice d'armer sa chaloupe & son canot, d'aller lui-même tout le long du rivage vers la droite du camp & d'envoyer le canot vers la gauche. J'ordonnai à Morton de tirer vingt hommes de sa compagnie & de marcher aussi vers la gauche tout le long du rivage sans s'éloigner du canot. De Haës eut ordre de tirer trente hommes de la sienne, & marcher vers le milieu du pays. Pour moi, je pris quarante hommes des deux autres compagnies & laissai mon lieutenant dans le camp pour y commander à mon absence. Nous prîmes tous pour trois jours de munitions de guerre & de bouche & nous étant armés d'épées, de piques de bâtons & de mousquets, je leur commandai de se tenir prêts pour le lendemain de bon matin & de venir recevoir mes ordres, à quoi ils obéirent tous le jour suivant qui était le vingtième depuis notre descente.

Ils furent prêts dès la pointe du jour & vinrent me trouver comme je le leur avais ordonné. Je ne changeai rien aux ordres que je leur avais donné le jour précédent & j'y ajoutai seulement que s'ils rencontraient quelque chose de considérable, ils en fissent porter aussitôt la nouvelle au camp. Je dis encore à Morton de ne s'éloigner pas du canot & de le joindre tous les soirs sur le rivage avant le soleil couché, comme j'avais résolu de faire moi-même avec Maurice.

Ces ordres ne furent pas plutôt donnés, que chaque parti se mit en campagne, plein d'espérance & de joie. Je marchai avec mes gens en ordre militaire & je les divisai en trois corps: l'avant-garde était composée de six mousquetaires & d'un caporal; le second parti de douze soldats & d'un sergent, & je menais moi-même l'arrière-garde. Nous allions à une portée de mousquet les uns des autres & aussi près du rivage que nous pouvions, de peur de perdre notre chaloupe de vue. La mer était fort calme & le temps tranquille mais un peu chaud. Sur le midi, Maurice s'approcha du rivage & vint à nous; nous prîmes ensemble du rafraîchissement & du repos pendant deux heures. Le terrain sur lequel nous marchâmes pendant dix ou douze milles était semblable à celui qui était autour du camp, & nous ne trouvâmes ni source ni ruisseau, tout étant plein de pierres & de sable, où rien ne croissait que des buissons. Nous marchâmes cinq milles plus loin & la terre commença d'être inégale & de s'élever en petites buttes. A deux milles plus loin, nous trouvâmes un ruisseau d'eau douce qui se jetait dans la mer, ce qui ne nous donna pas peu de joie ; & surtout quand nous découvrîmes qu'un peu plus haut, le long de ses bords, il y avait quelques arbres touffus fort épais & fort verts. Nous nous arrêtâmes en cet endroit, faisant signe à notre chaloupe de venir à nous ; ce qu'elle fit à la faveur de la marée qui la porta dans le ruisseau. Ils tirèrent à l'aviron un mille au dessus de l'embouchure jusqu'aux arbres verts où nous les attendions & où nous posâmes notre camp pour cette nuit. Maurice nous porta beaucoup de poisson, des huîtres & d'autres coquillages dont nous fîmes un bon souper. Nous posâmes une bonne garde aux endroits que nous jugeâmes à propos & couvrîmes notre feu avec des branches vertes que nous mîmes en terre tout à l'entour, de peur qu'il ne fût aperçu de loin dans l'obscurité de la nuit. Le lendemain, je renvoyai trois de mes hommes vers le camp, pour les avertir de la commodité du lieu où nous avions couché, & pour leur dire que nous avions dessein d'aller plus avant. Mais pour découvrir le pays un peu plus loin le long des bords du ruisseau, j'y envoyai cinq de mes hommes avec ordre de revenir dans deux heures ; ce qu'ils firent précisément & nous rapportèrent que le pays d'en haut était un peu plus montagneux que celui où nous avions passé, mais qu'il était aussi stérile & aussi sec. Après ce rapport nous fîmes descendre notre chaloupe vers la mer mais nous nous en servîmes, premièrement pour passer de l'autre côté du ruisseau, qui n'était guéable qu'à deux ou trois milles plus haut. Nous allâmes tout le long du rivage, sans nous écarter de notre chaloupe que le moins que nous pouvions, & nous remarquâmes que la terre s'élevait toujours de plus en plus. Quand nous eûmes marché cinq ou six milles plus loin, nous arrivâmes sur le sommet d'une assez haute montagne, d'où nous aperçûmes qu'à trois ou quatre milles par de là, il y avait un bois de haute fûtaie, sur un terrain élevé qui s'avançait fort vers la mer. Nous eûmes bien de la joie de voir ce bois & nous résolûmes d'y aller ; de sorte qu'ayant un peu reposé, nous marchâmes de ce côté-là à travers une plaine sablonneuse qui est entre la montagne & le bois. Dans deux heures de temps, nous arrivâmes au pied de ce terrain élevé & de là nous montâmes dans la forêt, où nous trouvâmes des arbres fort hauts, mais ils étaient un peu clairsemés & n'avaient pas beaucoup de petit bois au dessous, ce qui en rendait le passage fort aisé. Je serrai là mes gens & les fis marcher plus près l'un de l'autre, doublant l'avant-garde, afin qu'elle fût plus capable de résister si elle était attaquée par des hommes ou par des bêtes farouches. En traversant le bois nous coupâmes des branches & des rameaux que nous répandîmes sur notre route, pour la pouvoir reconnaître à notre retour. Nous allâmes de cette manière dans une ligne aussi droite qu'il nous fut possible pendant trois milles à travers du bois jusqu'à ce que nous fûmes arrivés à l'autre côté où nous aperçûmes la mer & d'autres arbres au delà d'un golfe qu'elle faisait en cet endroit. Ce qui nous fit voir ce golfe ou baie était entre deux grands caps ou promontoires fort avancés dans la mer. Cet endroit était agréable & avait une belle vue dessus & au delà du golfe & nous souhaitâmes d'avoir été jetés plus proche de ces lieux que nous n'étions. Notre chaloupe était de l'autre côté du bois & nous avions été contraints de l'y laisser parce qu'elle aurait eu un trop grand détour à faire pour venir à nous. J'envoyai dix de mes hommes sur le bord de l'eau où ils trouvèrent une grande quantité d'huîtres & de coquillages, ce qui nous réjouit. J'en envoyai dix autres vers la pointe du cap & tout autant vers le bas du bois pour chercher de l'eau douce. Ceux qui allèrent vers la pointe du cap marchèrent deux milles sans en trouver; mais enfin le penchant de la terre les mena dans une espèce de vallée couverte d'arbres épais & verts au fond de laquelle courait un ruisseau d'eau douce qui allait se précipiter dans le golfe. Ils s'arrêtèrent dans cet agréable vallon & ils envoyèrent trois de leurs compagnons pour m'en avertir un quart d'heure après leur arrivé. Ceux qui avaient pris le chemin opposé vinrent à nous & nous dirent qu'ils avaient marché fort avant dans le bois qui selon ce qu'ils en avaient pu juger, s'élargissait du côté de la terre, qu'ils avaient trouvé une troupe de cerfs proche d'un petit ruisseau & qu'ils en avaient tué deux. Ils avaient coupé ces deux cerfs en quatre pièces qu'ils avaient portées sur leur dos pour nous en régaler. Je dépêchai cinq de mes hommes vers Maurice pour l'avertir de cette bonne fortune & pour lui dire de venir aussi vite qu'il pourrait vers la pointe du cap, où assurément quelques-uns de nous l'iraient rencontrer avec de nouveaux ordres. Je leur dis, quand ils auraient parlé à Maurice, d'aller vers le camp pour y annoncer la nouvelle de notre bonne fortune & de dire à nos gens que je ne tarderais pas de les aller trouver; je leur fis porter un quartier de venaison. Ensuite je marchai avec tous mes hommes vers le petit vallon où nous étions attendus. Je trouvai le lieu si beau & si commode que je résolus d'y camper, non seulement cette nuit, mais d'y transporter le vieux camp, le plus tôt qu'il nous serait possible. Mes gens firent du feu & se mirent à rôtir leur venaison. J'en envoyai cinq vers la pointe du cap pour rencontrer Maurice; ils avancèrent deux milles plus loin jusqu'au bout du promontoire & se tinrent sur le lieu le plus élevé pour en apercevoir la chaloupe. Ils n'y eurent pas demeuré un quart d'heure qu'ils la virent venir vers eux avec toute la diligence possible. Elle les aborda un peu avant le soleil couché & lorsqu'ils l'eurent tirée à terre, ils s'en vinrent tous ensemble vers le nouveau camp où ils arrivèrent un peu avant la minuit. Ils nous trouvèrent fort gais, les uns autour du feu occupés à rôtir la viande, & les autres couchés sur des lits de mousse & de feuilles sèches qu'ils avaient amassées sous les arbres.

Nous passâmes la nuit dans ce lieu avec beaucoup de douceur & de tranquillité, & le lendemain je me levai de bon matin & commandai à Maurice & à sa troupe de se préparer pour aller au vieux camp où j'avais dessein de retourner par eau avec deux de mes hommes seulement, outre l'équipage de la chaloupe. Je laissai le commandement des autres à l'un de mes officiers avec ordre de ne sortir du vallon qu'il n'eût de mes nouvelles, lui promettant que je serais de retour dans moins de trois ou quatre jours; que cependant ils trouveraient de quoi subsister par la chasse, par la pêche & par les coquillages dont tout le rivage était abondant. Ces ordres étant donnés, nous allâmes le même jour au vieux camp, un vent agréable favorisant notre voyage. Nous prîmes terre au coucher du soleil & nous fûmes reçus avec une très grande joie. On y avait ouï parler du nouveau camp à ceux que je leur avais envoyés pour les avertir de notre découverte, & tous me demandaient d'y aller. Je leur répondis que j'avais le même dessein d'y retourner avec toute la diligence possible, ce lieu étant le plus commode de tous ceux que nous avions vu.

Morton & de Haës étaient arrivés deux ou trois heures avant moi & me vinrent rendre compte de leurs voyages. Le premier me dit qu'il avait marché quinze ou seize milles sur la gauche du camp dans un pays sec et sablonneux où il n'avait pas seulement trouvé la moindre source ni aucun ruisseau; que la nuit étant venue, ils s'étaient mis sur le rivage & y avaient couché tous ensemble selon l'ordre que je leur en avais donné; que le lendemain ils avaient poursuivi leur voyage vers le couchant de la même manière que le jour précédent, à travers un pays pierreux, sans y trouver une goutte d'eau jusqu'à l'heure de midi; qu'ils avaient rencontré une assez grande rivière où ils s'étaient arrêtés pour y attendre leur canot; qu'ils avaient observé que la marée entrait dans cette rivière avec beaucoup de bruit & d'impétuosité, & que l'eau en était salée à l'endroit où ils étaient arrivés, parce qu'il n'était pas fort loin de la mer, ce qui les avait obligés de monter plus haut pour y trouver de l'eau douce, qu'ils en avaient eu dans un ruisseau qui se précipitait dans la rivière; que de là, s'avançant dans le pays, ils avaient été attaqués par deux grands crocodiles qui étaient sortis de la rivière pour les dévorer; mais que s'en étant aperçus avant qu'ils fussent assez près pour cela, ils leur avaient tiré quelques coups de mousquet dont le bruit avait si fort épouvanté ces monstres qu'ils avaient reculé; que voyant le danger qu'il y avait le long de cette rivière, tant à cause de ces crocodiles que de quelques autres bêtes farouches qu'on pouvait y rencontrer

& n'ayant pas des vivres pour aller plus loin dans le pays où ils ne trouvaient que des coquillages sur le bord de la mer, ils avaient cru ne devoir pas aller plus avant, & qu'ainsi ils avaient repris le chemin par où ils étaient venus, ne voulant pas demeurer plus de trois jours, selon l'ordre que je leur en avais donné.

De Haës dit qu'il avait marché vingt milles le premier jour dans une plaine sablonneuse; que la nuit ils étaient arrivés à une petite montagne couverte de bruyère où ils avaient couché; que le matin suivant au lever du soleil ils avaient aperçu un grand brouillard à cinq ou six milles au delà, lequel se dissipant à mesure qu'ils avançaient de ce côté-là, leur avait découvert un grand étang d'eau dormante, qui ne pouvait avoir moins de dix milles de diamètre; que s'en étant approchés, ils y avaient vu quantité de roseaux & de joncs qui croissaient le long du rivage & servaient de retraite à un nombre infini de canards & d'autres oiseaux aquatiques qui y font un bruit épouvantable; qu'ils avaient marché longtemps autour de ce lac sans pouvoir approcher de l'eau à cause des marais bourbeux qui l'environnent, où l'on ne peut marcher sans danger de s'y enfoncer; & qu'enfin ils étaient arrivés sur un terrain sablonneux près d'une montagne, un peu plus haute que celle où ils avaient couché la nuit précédente; qu'ils étaient montés jusqu'au sommet, d'où ils avaient vu fort loin tout à l'entour un grand pays de landes, & plus avant vers le midi une ceinture de hautes montagnes, droites comme une muraille et qui s'étendaient de l'Orient à l'Occident, aussi avant que leur vue pouvait s'étendre; & qu'après cela craignant de manquer de vivres, ils étaient retournés au camp le troisième jour. Par ces relations nous trouvâmes que nous avions été beaucoup plus heureux que ces deux capitaines: ce qui augmenta le désir qu'on avait d'aller au nouveau camp où nous avions trouvé des commodités qu'on ne trouvait pas ailleurs. Le jour suivant, j'assemblai le conseil & j'y proposai d'aller camper au vallon vert où j'avais laissé mes gens. Ma proposition fut d'abord reçue avec applaudissement; nous résolûmes d'y aller peu à peu, commençant par y transporter les choses les plus nécessaires & les plus faciles. La nouvelle pinasse que nous construisions devait être achevée dans peu de jours & elle pouvait servir à transporter nos canons, nos barriques & nos autres choses pesantes. Cependant nous nous servîmes de la chaloupe & du canot pour transporter nos vivres & nous envoyâmes plusieurs de nos gens par terre avec des haches, des clous, des bêches & d'autres instruments que nous avions sauvés. Le major avec le premier parti & mon lieutenant avec le dernier. Ensuite comme je vis que la pinasse était prête, je l'envoyai chargée de bagage & fis moi-même le chemin par terre.

J'ai oublié de dire que Maurice dans le second voyage doubla le cap sans aucun danger, à cause du calme de la mer qui fut tranquille & sans orage durant plus de six semaines après notre descente. L'air était si tempéré que nous ne sentions ni froid ni chaud, hormis sur le midi que le soleil était un peu ardent & le devenait de plus en plus à mesure qu'il s'approchait de nous & qu'il ramenait le printemps, qui commence en ce pays-là au mois d'août, lorsque l'été nous abandonne en Europe. Maurice donc me dit, qu'en doublant le cap, il avait trouvé plusieurs petites îles dans la mer fort proches les unes des autres, qui s'étendaient jusqu'à une grande île opposée, & qui défendait le golfe de la fureur des flots; qu'il croyait que la baie était un havre excellent, mais qu'il craignait que l'accès n'en fut difficile aux grands vaisseaux, à cause du grand nombre d'écueils & de rochers qu'il y avait entre le cap & cette grande île ou promontoire qui séparait la baie de l'océan. Je lui répondis que quand nous aurions transporté tout notre monde & notre bagage au nouveau camp & que nous y serions bien établis, nous aurions assez de temps pour découvrir toutes ces îles & qu'il en aurait le soin. Dans moins de douze jours après la découverte du vallon, nous eûmes transporté tout notre monde du vieux camp au nouveau que Van de Nuits & quelques autres officiers avaient nommé Sidenbourg. Cela se fit en mon absence dans deux ou trois jours & ce nom fut si souvent répété que dans la suite il fut impossible de le changer.

Mes gens, en partie par mon ordre, ou de leur propre mouvement, firent diverses bonnes huttes le long du ruisseau sur une terre qui avait près d'un mille de longueur & aboutissait à la baie du côté d'orient. Nous avions quantité de bois sur les lieux & nos pêcheurs prirent un si grand nombre de poissons dans la baie que nous ne savions qu'en faire, faute de sel, pour le conserver. Mais Maurice nous en fournit bientôt; car étant allé sur quelques-uns des rochers voisins, il en trouva assez pour nous en fournir tant que nous en pouvions avoir besoin, quand même nous aurions demeuré vingt ans en ces lieux. Ce sel se fait naturellement de l'eau de la mer qui, dans les grandes tempêtes étant jetée sur ces rochers & y trouvant quelques concavités, les remplit, & la chaleur du soleil le durcit ensuite. Nous envoyions tous les jours des partis dans les bois pour découvrir & pour chasser les cerfs dont on faisait grand carnage. Nous voyions des oiseaux aquatiques qui volaient dans la baie; ce qui nous fit juger qu'ils faisaient leur retraite dans quelque endroit qui nous était inconnu & nous ne fûmes pas trompés; car Maurice se hasardant tous les jours plus avant dans le golfe & vers les îles découvrit un lieu plein de joncs & de roseaux où la plupart de ces oiseaux faisaient leur retraite. Il trouva aussi une île ou grand banc de sable où plusieurs tortues vertes venaient pondre leurs œufs & d'où l'on pouvait tirer une grande partie de notre subsistance. Enfin nous trouvâmes tant de choses pour nous aider dans notre besoin que nous étions assurés de ne manquer pas de vivres quand nous aurions demeuré mille ans en ce pays. Le défaut des poudres était le plus grand de nos soins; car bien que nous en eussions une assez bonne quantité, nous voyions pourtant que ce que nous en avions ne pourrait pas durer longtemps. Nous prévoyions aussi que nos habits, notre linge, nos armes & nos instruments ne seraient pas de longue durée & que si la pinasse que nous avions envoyé à Batavia venait à se perdre nous n'en tirerions aucun secours. Mais nous avions déjà tant de preuves de la miséricorde de Dieu que nous espérions qu'il ne nous abandonnerait pas à l'avenir.

Cependant le printemps s'avançait & nous ramassions tous les jours des provisions qui nous épargnaient celles du vaisseau & principalement quelques tonneaux de pois & d'autres légumes que nous avions apportés d'Europe. Je m'avisai d'en faire semer, & en ayant parlé à quelques-uns de mes officiers, ils approuvèrent mon dessein. Pour cet effet nous abattîmes plusieurs arbres au-dessous & au-dessus de notre camp & brûlâmes tout ce bois pour consumer les herbes & les racines qui pouvaient nuire à notre semence. Nous fîmes ensuite divers sillons dans la terre & y plantâmes nos pois, les couvrant de terre, les arrosant parfois de l'eau du ruisseau; & recommandant le tout à celui qui donne l'accroissement à toutes choses.

Quelques-uns de nos chasseurs étant allés fort avant dans la forêt tuèrent beaucoup de cerfs, & ne pouvant pas tout emporter, ils en pendirent deux sur un grand arbre épais dans le dessein de les aller prendre le jour suivant. Sept d'entre eux retournèrent en ce lieu & ils virent sur l'arbre un tigre qui rongeait l'un des cerfs; ils furent fort surpris de le voir & se cachèrent derrière quelque arbre jusqu'à ce que deux d'entre eux ayant monté leurs fusils bien chargés à balle, lui couchèrent en joue, tirèrent tous deux à la fois, & le virent tomber à terre blessé à mort. Il fit un cri hideux & épouvantable en tombant; & étant blessé à travers le corps en deux endroits, il mourut un moment après. Ils le dépouillèrent de sa belle peau mouchetée &, descendant leurs cerfs de l'arbre, les portèrent au camp comme en triomphe. Mais quoi que leur bon succès me réjouît, cette aventure me donna de nouvelles craintes; car je jugeai bien que puisqu'on avait trouvé ce terrible animal dans la forêt, il devait y en avoir bien d'autres qui pourraient quelques fois venir jusqu'à notre camp & se jeter sur notre monde. Je proposai ces raisons dans le Conseil & il y fut résolu qu'on ferait une forte palissade à l'entour de nos huttes. Nous y mîmes la main le jour suivant & dans dix jours nous fûmes à couvert des attaques des bêtes farouches qui auraient pu nous attaquer pendant la nuit. Nos chasseurs devinrent plus circonspects qu'auparavant & n'osaient plus s'écarter seuls de peur de rencontrer quelques-uns de ces animaux terribles.

Il y avait déjà sept semaines que nous étions sur cette côte & nous n'avions eu ni bruit ni querelles parce que nous avions toujours été en crainte & en danger. Mais dès que nous nous crûmes être en sûreté & que nous n'appréhendâmes plus ni la faim ni la soif; que toutes choses nous parurent en abondance dans le temps que nous mangions tous les jours de la chair & du poisson frais; que nous ne travaillions plus comme auparavant, l'amour & les querelles commencèrent à troubler notre monde. Nous avions parmi nous plusieurs femmes dont je n'ai presque point parlé parce que je n'ai pas eu l'occasion de le faire; mais il me semble qu'il est temps d'en dire quelque chose. Quelques-unes d'entre elles étaient de pauvres femmes que la pauvreté & l'espérance d'avancer leur fortune avaient engagées d'aller aux Indes. D'autres y avaient ou leur maris ou des parents mais la plupart avaient été tirées des lieux de débauche ou avaient été séduites par des gens qui les avaient achetées pour peu d'argent. Ces femmes eurent de la complaisance pour les hommes qui commencèrent aussi de leur parler d'amour. Il y eut bientôt des commerces liés; mais comme nous étions tous dans un petit camp, où l'on faisait bonne garde, il leur était difficile de se rencontrer sans être découverts. Cela causait souvent des jalousies & des querelles qui ne se terminaient que par des coups. Il est vrai que craignant la sévérité de nos lois, ils se cachaient le mieux qu'ils pouvaient. Il est aussi vrai que mes occupations ordinaires & la négligence des autres officiers étaient cause que je n'étais averti que rarement de ces sortes de désordres. En voici un qui fit plus de bruit.

Deux jeunes hommes avaient un commerce secret avec une femme & chacun d'eux croyait en être seul le maître. Il arriva que la femme promit à l'un des deux de le recevoir pendant la nuit, ce qu'elle fit; mais l'autre étant arrivé peu de temps après & lui demandant une pareille faveur, il fut renvoyé sur des prétextes assez légers. Ce refus le chagrina & comme il était naturellement jaloux, il soupçonna quelque chose de la vérité; il résolut de si bien observer sa maîtresse qu'il découvrirait la cause de sa rigueur. En effet, il l'observa si bien qu'il la surprit avec son galant; ce qui le mit si fort en colère qu'il tira son épée & la leur enfonça dans le corps de l'un et de l'autre & se retira sans être aperçu de qui que ce soit. Ces amants ne purent retenir leurs cris; on accourut & ils furent trouvés par la sentinelle & puis par toute la garde qui ayant tiré l'épée hors de leurs corps & hors de la terre où elle était entrée plus d'un pied, firent venir le chirurgien pour mettre l'appareil à leurs blessures; il le fit & ensuite il me vint rendre compte de l'état auquel il les avait laissés. Le lendemain j'assemblai le Conseil & nous ne sûmes jamais découvrir l'auteur de cet assassinat. Nous demandâmes au jeune blessé s'il n'avait point d'ennemi sur qui il pût fonder quelque juste soupçon. Et il répondit que comme il n'avait offensé ni désobligé personne de la troupe, il ne savait qui accuser. Nous interrogeâmes la femme mais quoiqu'elle soupçonnât son autre amant, elle fut si généreuse que de ne pas l'accuser, sachant que c'était par un transport d'amour qu'il s'était ainsi vengé d'elle. Comme nous vîmes qu'il ne nous était pas possible de rien découvrir, nous fîmes mettre tout notre monde sous les armes; nous les appelâmes tous par leur nom & nous crûmes enfin avoir découvert le coupable, parce que nous en trouvâmes un qui n'avait point d'épée. Nous lui demandâmes pourquoi il venait dans les rangs sans épée. A quoi il répondit hardiment qu'il n'en avait point. N'en avez-vous jamais eu, lui dis-je, depuis que vous êtes avec nous ? Pardonnez-moi, répliqua-t-il, mais je l'ai prêtée à l'un de mes camarades, dont je ne sais pas le nom & lorsqu'il emprunta mon épée il me dit qu'il avait ordre d'aller sur la chaloupe. Alors lui présentant l'épée qu'on avait trouvée dans les corps des blessés, nous lui demandâmes si ce n'était pas la sienne ? Il répondit que oui, & que c'était la même qu'il avait prêtée à son camarade. D'où vient donc, lui dis-je, assez fièrement, qu'elle a été trouvée dans les corps de ces malheureux ? Ne faites point de jugement à mon désavantage, me dit-il, & permettez-moi, s'il vous plaît, de vous dire qu'il y a beaucoup plus d'apparence que celui à qui j'ai prêté mon épée ait fait le coup, puisqu'il est parti ce matin & qu'il ne me l'a demandée que pour rejeter le soupçon sur moi. Je lui fis encore quelque autre question & je lui demandai pourquoi il ne savait pas le nom de cet homme qui était son camarade. Il me répondit sans s'étonner que cela n'était pas étrange, & qu'il n'y avait personne dans la troupe qui sut le nom de tous ceux qu'il connaissait & qu'il voyait tous les jours. Celui à qui j'ai prêté mon épée, ajouta-t-il, n'est pas plus mon camarade que les autres & même je ne le vois pas si souvent parce qu'il est presque toujours en mer. Ainsi quoi que je le connaisse de vue, & que j'aie même souvent parlé avec lui, je ne me suis jamais avisé de lui demander son nom.

Toutes ces réponses promptes & subtiles étaient plutôt un témoignage de son esprit rusé que de son innocence; mais parce que nous n'avions point de preuves convaincantes contre lui nous remîmes le jugement de cette affaire jusqu'au retour de la chaloupe qui en effet était partie le matin & qui ne revint que quelques jours après. Cependant nous nous contentâmes de le tenir en prison.

Il arriva par hasard que quelques-uns de l'équipage étant sur les îles de sable où ils tournaient des tortues, eurent envie de s'aller baigner dans la mer; comme ils se baignaient, quelques-uns des meilleurs nageurs s'avancèrent si avant qu'une lamie les ayant sentis, en dévora un des plus avancés & fit tant de peur aux autres qu'ils firent tous leurs efforts pour se sauver à terre, laissant ce misérable à la merci du monstre qui l'eut bientôt englouti. Le prisonnier sut tout le détail de cette affaire avant que nous le fissions venir à un second interrogatoire, & se servant adroitement de cette occasion, il soutint fortement que celui qui avait été dévoré était le même auquel il avait prêté son épée & il le décrivit si bien que personne ne pût trouver à redire au portrait qu'il nous en fit. Ainsi comme nous ne pouvions le convaincre & que les blessés n'étaient plus en danger de mourir, nous nous contentâmes de le tenir encore quelque temps dans les fers & ensuite nous le mîmes en liberté. On sut dans la suite le dénouement de cette aventure telle que je viens de la rapporter.

Cet accident donna lieu à de nouvelles lois & à de nouveaux règlements. Nous considérâmes que tant que nous aurions des femmes parmi nous, elles seraient cause de quelques troubles si nous n'y mettions ordre de bonne heure & ne permettions à nos hommes de s'en servir d'une manière réglée: mais le mal était que nous n'avions que soixante & quatorze femmes & que nous étions plus de trois cents hommes; ainsi il n'était pas possible de donner une femme à chacun. Nous consultâmes longtemps pour trouver un expédient raisonnable & enfin il fut résolu que chaque principal officier aurait une femme pour lui & que chacun d'eux en choisirait une selon son rang. Nous distribuâmes les autres en diverses classes selon le rang des personnes & réglâmes si bien la chose que les officiers inférieurs pouvaient habiter avec une femme deux nuits de chaque semaine, les gens du commun une, & quelques-uns une fois seulement en dix jours, ayant égard à l'âge & à la dignité de chacun.

Nous mîmes à part les hommes qui avaient passé cinquante ans & quatre femmes qui allaient trouver leurs maris à Batavia & qui se piquèrent de constance. Elles étaient toujours ensemble & n'avaient point de commerce avec les autres. Mais quand elles eurent vu que celles dont elles fuyaient la conversation avaient des amis dont on approuvait la conduite, & que le secours qu'on attendait de Batavia ne venait point, elles parurent mélancoliques & se repentirent du choix qu'elles avaient fait. Elles témoignèrent leur chagrin en tant de différentes manières, que nous ne fûmes en repos que lorsqu'on leur eut donné des maris comme aux autres. L'expérience nous fit voir en cette rencontre que la pluralité des hommes est contraire à la génération; car il y eut peu de celles qui avaient plusieurs maris qui devinssent grosses; & au contraire, presque toutes celles qui n'en avaient qu'un le devinrent. Aussi la polygamie des femmes a été souvent pratiquée & elle l'est encore aujourd'hui parmi quelques nations: mais je n'ai pas encore lu que celles de plusieurs maris ait jamais été en usage.

Cependant le temps était déjà venu auquel il fallait donner le signal dont on était demeuré d'accord avec les huit hommes qui étaient allés à Batavia. Pour cela j'ordonnai à quelques-uns de mes gens de couper dans la forêt quelque arbre haut & droit pour le planter à la pointe du cap & y attacher une voile blanche, la plus grande que nous eussions : ce qui fut exécuté. Je commandai aussi qu'on y fit un grand feu toutes les nuits afin que les navires envoyés à notre secours pussent le découvrir dans les ténèbres. Nous espérions que la pinasse serait arrivée à Batavia & que le général ne manquerait pas de nous envoyer du secours. Mais il semble que Dieu en avait ordonné autrement ; car le temps qui depuis leur départ avait été fort beau se changea en pluies & orages, de sorte que nous voyions presque tous les jours des tempêtes, quoique notre baie fût assez à l'abri de l'agitation des flots, à cause du promontoire & des îles qui la séparaient de la mer & qui la mettaient à couvert des vents. Il plut presque tous les jours durant trois semaines, mais le soleil luisait aussi tous les jours, de sorte que c'était un mélange perpétuel de bon & de mauvais temps ; & notre prévoyance nous fut fort utile d'avoir salé & séché de la viande & du poisson dont nous avions grande provision dans des tonneaux vides que nous avions tirés du vaisseau. Le temps se remit un peu mais non pas si beau qu'il n'y eut une fois ou deux la semaine de la pluie, du vent, des tourmentes & des calmes soudains, qui nous firent perdre tout espoir de jamais recevoir du secours de Batavia, quand même nos hommes y seraient arrivés. Cette pensée nous fit résoudre à songer à nous, sans compter en aucune manière sur le secours de nos amis, mais seulement sur la Providence divine & sur notre propre industrie. Le temps devint fort chaud & depuis la pluie toutes choses croissaient à vue d'œil ; nos pois aussi croissaient le mieux du monde, de sorte que selon toute apparence nous devions en avoir une fort grande récolte : ce qui nous fit prendre l'envie de défricher encore d'autre terre pour y en semer des nouveaux. Il y avait une infinité de poissons & d'oiseaux dans la baie & lorsqu'elle était calme, nous en prenions autant que nous voulions, mais nos filets commençant à s'user, nous fûmes contraints de déchirer quelques câbles pour en faire de nouveaux, qui quoique grossiers & mal faits, ne laissaient pas de nous servir dans la nécessité.

Nos chasseurs avaient fait tant de bruit dans le bois qu'ils avaient épouvanté tous les cerfs & il n'en venait presque plus à neuf ou dix milles de nous. Cela fit résoudre à prendre une autre voie & d'aller par eau à l'autre côté de la baie où nous voyions des bois partout. Maurice eut ordre premièrement d'aller découvrir le pays, ce qu'il fit & nous rapporta qu'il y avait de grands bois composés d'arbres de diverses espèces & une petite rivière assez profonde qui se déchargeait dans la baie. Il dit qu'il s'était avancé quatre ou cinq milles sur cette rivière & qu'il n'avait vu que des arbres & quelques marais sur ses bords mais qu'il croyait qu'on y trouverait de la chasse, ce que nous crûmes aussi. Il ajouta qu'il serait à propos d'y envoyer des gens. Cinquante de nos hommes ayant pris des provisions pour une semaine se mirent dans la pinasse & dans la chaloupe & se firent porter à l'autre côté de l'eau sur la rivière dont Maurice nous avait parlé. Ils firent leur descente, choisirent un lieu commode pour s'y hutter & retenant la chaloupe, ils nous renvoyèrent la pinasse. Le même jour quelques-uns d'entre eux s'étant avancés dans le bois, ils y trouvèrent plusieurs cerfs dont ils firent un grand carnage; ils y trouvèrent aussi de certains animaux semblables à des cochons mais plus gros & plus lourds; ils allaient en grandes troupes & ils vivaient des fruits & des racines du bois. Il en tuèrent un & ils en trouvèrent la chair beaucoup meilleure que celle des pourceaux qu'on mange en Europe.

Maurice, désirant de découvrir la grande île ou le promontoire qui couvrait la baie & la séparait de la mer, y prit terre avec vingt hommes. La première partie qu'il découvrit était du côté de la baie & n'était couverte que de pierres & de rochers; mais quand il eut passé un peu audelà du côté de la mer, il trouva que c'était une île dont le terroir marécageux & alors desséché par la chaleur de l'été faisait un très beau pâturage. Ils y trouvèrent un grand nombre de cerfs & du gibier qui se laissait approcher de fort près. Ensuite s'avançant à l'orient de l'île, ils trouvèrent qu'elle était divisée du continent par un canal étroit que les cerfs passaient à la nage pour venir paître dans le marais. L'île pouvait avoir en tout douze milles de diamètre, sa figure étant presque ronde. Ces nouvelles découvertes étant si heureuses, nous donnaient bien de la joie & une nouvelle assurance que nous ne manquerions jamais de vivres, quand nous serions dix fois plus que nous n'étions.

Maurice étant devenu plus hardi & glorieux de ses bons succès & des applaudissements qu'on lui donnait, ne trouvait rien de difficile & il ne songeait qu'à faire de nouvelles découvertes. Comme il était homme de bien, sage & agissant & qu'il avait toujours réussi dans ses entreprises, je lui fus toujours favorable dans ses desseins. Il me dit un jour qu'il avait observé que la baie s'étendait fort en long vers le sud-est, qu'il croyait que de ce côté venait une grande rivière qui se jetait dans la baie, & qu'il serait bon de la découvrir. Comme il y avait de l'apparence à ce qu'il disait & que je voulais lui faire plaisir, je lui permis de prendre la pinasse avec tel nombre de personnes qu'il voudrait & des vivres pour une semaine.

Après cette permission il eut bientôt préparé toutes choses & se résolut d'aller aussi loin qu'il pourrait pour découvrir le pays. Nous lui souhaitâmes un bon succès & un heureux retour, & nous fîmes nos autres affaires dans l'espérance de le revoir bientôt. Cependant nos pois étaient presque mûrs & dans neuf ou dix jours après le départ de Maurice, nous en eûmes une récolte prodigieuse, chaque mesure en rendant plus de cent, ce qui est presque incroyable. Nous attendions une seconde récolte qui ne promettait pas moins que la première. Nous les séchâmes soigneusement & les mîmes dans des tonneaux comme nous faisions de tout ce qui se pouvait garder jusqu'à l'hiver, nous contentant de manger ce qui ne pouvait pas être conservé.

Il y avait déjà plus de trois mois que nous étions à Siden-Berg ; & comme nous n'avions point reçu de nouvelles de Batavia, nous crûmes que notre pinasse était périe & nous résolûmes de n'y plus songer. Mais notre plus grand chagrin était de voir que Maurice était parti depuis plus de dix jours & que le temps qu'il avait pris pour son voyage étant expiré, nous ne savions ce qu'il était devenu. Nous étions bien en peine, ne sachant à quoi nous résoudre. Nous n'osions envoyer la chaloupe de peur de la perdre ; car sans ce secours nous aurions eu beaucoup de peine à subsister. Nos chasseurs avaient fait une espèce de nouveau camp de l'autre côté de la baie pour la commodité de la chasse, & sans nos bateaux nous ne pouvions avoir de commerce avec eux.

Toutes ces réflexions causèrent une tristesse & une affliction générale par tout le camp où nous fûmes à déplorer nos pertes durant plus de quinze jours sans recevoir aucune nouvelle de Maurice. Nous ne savions quel jugement en faire sachant que, n'y ayant point eu d'orage depuis son départ, il ne pouvait être perdu par la tempête. Nous ne pouvions aussi croire qu'il fut tombé entre les mains des pirates ou d'autres ennemis, ayant raison de nous persuader par notre propre expérience qu'il n'y avait point d'hommes dans le pays & que les bêtes ne pouvaient l'attaquer sur la mer où il était. Comme nous flottions ainsi entre l'espérance & la crainte, durant un jour calme, nous vîmes paraître la pinasse de Maurice accompagnée de deux autres vaisseaux qui s'avançaient avec elle vers Siden-Berg. Nous la regardions avec étonnement, ne pouvant concevoir où il avait trouvé deux autres vaisseaux, ni quelles gens ce pouvaient être, & nous aperçûmes dix voiles qui les suivaient de loin. Cette flotte mit tout notre camp dans une extrême consternation ; nous courûmes aux armes, préparâmes nos canons pour notre défense & nous envoyâmes du monde sur le rivage pour observer les mouvements de cette flotte & pour s'opposer à leur descente. Cependant ils s'approchaient toujours de nous, quoique lentement, parce qu'ils n'avaient pas beaucoup de vent. Mais enfin ils arrivèrent tous à la portée du mousquet du rivage où ils jetèrent l'ancre en fort bon ordre pendant que la pinasse de Maurice s'approcha si près de nous que nous pouvions facilement le voir, lui & ses gens, & parler à eux. Il nous exhorta de n'avoir point de peur mais de lui envoyer le canot avec trois hommes seulement pour les porter à terre. Après quelque consultation, nous le lui envoyâmes & il se jeta dedans avec un de ses hommes. Après cela il y reçut un grand homme vêtu d'une robe noire, portant un chapeau sur la tête & un drapeau blanc à la main en signe de paix. Il vint à terre avec Maurice ; & quelques-uns de mes officiers & moi, qui n'étions pas loin, allâmes à sa rencontre. Maurice nous dit en peu de paroles que cet homme était envoyé de la part du Gouverneur d'une ville située environ soixante milles au dessus de la baie, où ils avaient reçu mille civilités, ce qui l'obligeait à nous prier de le traiter honnêtement & avec beaucoup de respect. Après cet avis nous fûmes lui faire la révérence ; il nous reçut avec beaucoup de douceur & de gravité, & levant la main droite vers le ciel, il nous dit en assez bon hollandais : « Le Dieu éternel vous bénisse, le Soleil son grand Ministre & notre Roi glorieux luise doucement sur vous, & cette terre notre patrie vous soit heureuse & fortunée.»

Après cette salutation qui nous sembla fort extraordinaire, Maurice lui ayant dit que j'étais le général, il me tendit la main que je lui baisai fort humblement. Il m'embrassa ensuite & me baisa au front & puis il souhaita d'aller à notre camp où nous le reçûmes du mieux qu'il nous fut possible. Il regarda nos huttes & nos palissades & admirant nos travaux il nous parla de cette sorte, en m'adressant la parole.

> J'ai su l'histoire de votre malheur & ayant appris quel est votre mérite & votre vertu, je n'ai pas fait difficulté de commettre ma personne entre vos mains. Je crois qu'elle y sera en sûreté & que dans quelques temps vous ne refuserez pas de commettre la vôtre entre les miennes, quand vous aurez appris qui je suis. Mais pour ne pas vous tenir longtemps dans l'incertitude, & pour ne vous point empêcher d'entendre le récit que Maurice doit vous faire de ses aventures, je désire me reposer un peu pendant que vous lui donnerez audience & que vous satisferez votre curiosité.

Nous ne lui fîmes de réponse que par une profonde révérence. Nous le laissâmes dans ma hutte & courûmes à celle de Van de Nuits, où Maurice nous attendait avec impatience. Nous n'y fûmes plutôt entrés que nous courûmes l'embrasser & nous lui demandâmes compte de son voyage. Après m'avoir demandé permission de parler & une favorable audience à toute la compagnie, il nous entretint en ces termes, en m'adressant la parole.

Il y a environ trois semaines que je partis de Siden-Berg dans le dessein de faire de nouvelles découvertes dans la baie. Le premier jour nous cinglâmes vers le sud-est environ vingt milles & au-dessus & nous ne vîmes d'un & d'autre côté que de grands bois éloignés de cinq ou six milles les uns des autres. Sur le soir nous mouillâmes l'ancre à un mille de la rive droite du fleuve & nous y passâmes toute la nuit. Le lendemain, nous en partîmes avec vent et marée, montant toujours vers le sud-est. Environ cinq milles au-dessus nous trouvâmes que la rivière se rétrécissait & n'avait là que deux milles de large. Nous montâmes toujours, quoi qu'avec un peu plus de difficulté, jusqu'à ce que nous fûmes arrivés en un endroit où l'eau s'étendait extrêmement & faisait un grand lac, du milieu duquel nous pouvions à peine voir le rivage d'alentour. Nous y voyions seulement dix ou douze petites îles en divers endroits & la plupart ombragées d'arbres fort élevés, fort verts & fort agréables. Le vent s'était alors changé & le lac était si calme que nous pouvions à peine y remarquer aucun mouvement; mais comme il était d'une grande étendue, nous allions d'un & d'autre côté au gré du vent, sans nous soucier beaucoup d'aborder sur la droite ni sur la gauche du rivage. Il est vrai que quand nous le pouvions commodément, nous tirions vers le sud-est.

Sur le soir, il se leva un petit vent frais qui nous poussa vers le sud-est selon nos désir; & quand la nuit fut venue nous mouillâmes l'ancre entre deux ou trois de ces petites îles éloignées l'une de l'autre d'environ deux ou trois milles, avec dessein de les aller visiter le jour suivant. Nous passâmes là toute la nuit en repos sans crainte, ne croyant pas qu'il y eut des habitants dans ces îles. Mais nous nous trompions fort; car dès qu'il fut grand jour nous vîmes autour de nous dix ou douze vaisseaux pleins d'hommes armés qui nous environnaient de telle sorte que nous ne pouvions éviter de tomber entre leurs mains, ce qui nous effraya d'abord, dans la pensée que nous serions tous pris ou tués; car nous n'avions que deux voies à prendre, l'une de combattre & l'autre de nous rendre à des gens inconnus qui étaient en droit de nous traiter comme il leur plaîrait. Cette dernière considération prévalut & nous fit résoudre à nous défendre jusqu'au dernier homme; de sorte que nous courûmes aux armes, résolus de défendre nos vies; car nous ne pouvions prendre la fuite, le temps étant extrêmement calme & ceux que nous voyions autour de nous ayant diverses chaloupes bien équipées de rameurs que nous voyions venir à nous avec grande vitesse. Quand ils furent à la portée du mousquet de notre pinasse, ils s'arrêtèrent tous, hormis un petit vaisseau où nous vîmes un homme tenant un drapeau à la main qu'il nous montrait en signe de paix & d'amitié. Nous demeurâmes sous les armes & les laissâmes approcher, voyant bien qu'il n'était pas assez fort pour nous attaquer seul. Quand ils furent arrivés à la portée du pistolet, celui qui avait le drapeau faisant une profonde révérence nous parla en espagnol & nous dit de ne pas avoir peur & qu'on ne nous ferait aucun mal. Un de mes hommes qui entendait cette langue nous expliqua ce que cet autre avait dit & il lui demanda pourquoi on nous environnait de cette sorte. Il répondit que c'était la coutume du pays & qu'on ne nous ferait point de mal. Il voulut savoir d'où nous étions, & ayant appris que nous étions des Pays-Bas, il nous en témoigna de la joie & il souhaita d'être reçu dans notre pinasse où il nous offrit de demeurer en otage jusqu'à ce que toutes choses fussent mieux réglées. Comme sa demande était juste, nous lui accordâmes tout ce qu'il voulut & il vint dans notre pinasse avec un de ses gens seulement. C'était un homme très bien fait, vêtu d'une robe rouge qui lui pendait jusqu'au milieu des jambes avec un bonnet & une ceinture de la même couleur. Celui qui l'accompagnait était vêtu de la même manière, tous deux âgés d'environ quarante ans. Il ne fût pas plutôt sur notre pinasse qu'il demanda le commandant & ayant appris que c'était moi, il s'avança d'une manière très civile, il m'embrassa & il me dit qu'il se réjouissait de nous voir dans le pays; mais qu'il ne savait comment nous avions pu y aborder dans un aussi petit bâtiment qu'était le nôtre? Je répondis que nous y étions venus dans un plus grand, mais qu'il était échoué sur les côtes & que de ses ruines nous avions fait cette pinasse. Alors il me demanda si tout notre monde était sauvé? Je répondis que nous étions les seuls & que tout le reste y était péri car je crus qu'il ne fallait pas lui parler de nous & du reste de notre troupe que nous n'eussions vu de quelle manière ils nous traiteraient. Il nous témoigna qu'il était touché de notre perte & qu'il prenait beaucoup de part à notre affliction. Ensuite il me fit plusieurs questions au sujet de notre voyage, de notre malheur & de l'état présent de l'Europe. A quoi je répondis tout ce que je trouvai à propos. Il parut fort satisfait de mes réponses & il me dit que nous étions venus dans un pays où nous trouverions plus de secours & plus de civilité que dans le nôtre propre & que nous ne manquerions d'aucune des choses qui peuvent rendre heureux les hommes modérés. Nous lui rendîmes grâces & le priâmes de nous dire le nom du pays où nous étions. Il nous dit que le pays s'appelait en leur langage Sporoumbe, les habitants Sporouï & qu'il était sujet à un pays plus grand & plus heureux, situé au delà des monts, nommé Sevarambe, & les habitants *Sevarambi*, dont les principaux demeuraient dans une grande ville appelée Sevarinde, & que nous n'étions qu'à treize ou quatorze milles d'une autre ville mais beaucoup moindre, nommée Sporounde, où il avait dessein de nous mener. Ce compliment nous surprit & notre visage lui faisant connoître notre crainte; il tâcha de la dissiper par ce discours:

> Je vous ai déjà protesté, nous dit-il, que vous ne devez rien craindre, je vous le redis encore & je vous assure que vous n'aurez aucun mal si

vous ne l'attirez par votre défiance & par votre opiniâtreté. Vous êtes si peu de monde dans ce petit bâtiment, que vous n'êtes nullement en état de vous défendre contre nos vaisseaux remplis de bons hommes qui ne savent pas moins comment il faut se battre que vous. Vous trouverez qu'ils ne sont pas si barbares que vous pourriez vous l'imaginer; et peut-être avouerez-vous qu'ils ne manquent ni d'honneur ni de charité ni de bonne foi.

Après cela, ils se retirent à l'un des bouts de la pinasse, comme pour nous donner la commodité de nous déterminer à ce que nous voulions faire. Nous résolûmes de suivre le conseil qu'on nous avait donné & de nous fier à la Providence divine. Ensuite, celui qui nous avait parlé s'avança vers nous & nous demanda ce que nous avions résolu. Nous avons résolu, lui dis-je, de vous obéir en toutes choses & nous nous croyons heureux d'être sous votre protection. Nous sommes de pauvres malheureux, plutôt des objets de pitié que de colère & nous espérons trouver avec vous le secours & la consolation que vous nous offrez avec tant de bonté, paraissant touchés de notre misère.

Vous y trouverez tout cela, dit-il, & de plus vous verrez en ce pays des merveilles qu'on ne voit point ailleurs. Cependant il fit signe à ceux de sa chaloupe de s'approcher; ce qu'ils firent & ils nous apportèrent du pain, du vin, des dattes, des raisins, des figues & de diverses sortes de noix sèches dont nous fîmes un bon repas. Celui qui nous avait entretenus me dit que son nom était Carchida & celui de son compagnon Benoscar. Il voulut aussi savoir le mien que je lui dis. Après cela je le priai de me dire comment il savait parler hollandais dans un pays si éloigné de la Hollande? Je vous satisferai une autre fois, répondit-il, songeons à notre voyage de Sporounde, afin que nous puissions y arriver aujourd'hui avant la nuit. Il commanda en son langage à ses gens de faire avancer une chaloupe qui n'était pas loin de nous, à laquelle on attacha notre pinasse & ils nous tirèrent vers le sud-est & l'autre vaisseau nous suivit à la rame. Nous abandonnâmes les petites îles & nous nous éloignâmes de leur flotte qui ne quitta point son poste qu'elle ne nous eût perdu de vue. Nous voguâmes jusqu'à deux heures après midi à travers ce grand lac salé qui ressemble plus à une mer qu'à un lac; & peu après nous eûmes un vent favorable qui dans deux heures de temps nous poussa hors du lac dans une grande rivière où nous trouvâmes l'eau douce & nous découvrîmes un beau pays aux deux côtes de ses bords. Nous n'eûmes pas plutôt fait deux milles sur cette rivière que nous arrivâmes à un lieu assez étroit où l'eau est resserrée par deux murailles épaisses que les gens du pays ont bâti pour empêcher les débordements du fleuve. Nous aperçûmes le long de ces murailles des bâtiments de pierre & de brique mêlées ensembles & bâtis comme de grands châteaux de figure carrée. Nous montâmes deux milles plus haut, côtoyant toujours ces murailles & voyant toujours de ces bâtiments carrés jusqu'à ce que nous fûmes arrivés à la ville de Sporounde. Elle est située sur le confluent de deux grandes rivières dans une grande plaine où l'on voit des champs semés de blé, des prairies, des vignes, des jardins & des bocages très agréables. La petite chaloupe qui nous suivait au commencement nous avait devancés pour aller avertir ceux de sa ville. C'est pour cela que quand nous nous débarquâmes sur le quai, qui est grand & magnifique, nous trouvâmes beaucoup de peuple qui s'y était assemblé pour nous y voir descendre. Carchida mit pied à terre le premier, & il fut reçu par des hommes graves et majestueux vêtus de noir, avec lesquels ayant parlé quelque temps, il fit signe à Benoscar de nous mettre à terre. Celui-ci nous dit en peu de mots ce que nous avions à faire & nous commanda de le suivre. En arrivant sur le quai, où ces messieurs nous attendaient, en nous inclinant trois fois jusqu'à terre, nous nous approchâmes d'eux. Ils se baissèrent aussi un peu en nous saluant; & le plus apparent de la troupe me prenant entre ses bras, m'embrassa avec bonté, me baisa au milieu du front & me dit: «Soyez tous les bienvenus à Sporounde». De là ils nous menèrent dans la ville & nous firent passer par une porte grande & magnifique où aboutissait une belle rue entrecoupée de plusieurs autres rues toutes semblables. Enfin on nous mena dans une très belle maison dont la porte était très belle & dont les appartements étaient disposés à la manière des cloîtres, entourés de tous côtés de galeries fort larges & ayant au milieu un parterre à compartiments de gazon vert. De cette cour on nous fit passer dans une grande salle basse où nous demeurâmes quelque temps debout avec les messieurs qui nous avaient reçus au port, qui nous avaient accompagnés & qui nous firent diverses questions conformes à celles que Carchida nous avait déjà faites. Peu de temps après, on nous mena dans une autre salle où nous trouvâmes des tables couvertes de viandes & servies à peu près à la manière d'Europe. Alors Sermodas, qui est le même que nous avons présentement dans le camp, me demanda si j'avais bon appétit. A quoi je répondis qu'il y avait si longtemps que nous n'avions vu un tel souper que je ne croyais pas qu'aucun de nous dût manquer d'appétit. Il sourit & me prenant par la main, il me fit asseoir près de lui au haut bout de la table. Les autres s'assirent aussi & Carchida avec Benoscar menèrent mes gens à une autre table. On nous régala d'un souper fort propre & ensuite on nous fit monter dans une grande chambre où nous trouvâmes plusieurs lits sur des tréteaux de fer où l'on dit à mes gens de se coucher deux à deux. Pour moi, j'eus une chambre en particulier, où Sermodas & les autres m'accompagnèrent & puis m'ayant souhaité le bonsoir ils se retirèrent. Un moment après Carchida vint dans ma chambre pour me dire qu'il fallait nous préparer à visiter le lendemain, Albicormas, Gouverneur de Sporounde. Il me dit qu'il nous donnerait les instructions nécessaires pour cette visite & il me souhaita le bon soir.

Le lendemain environ les six heures du matin, nous entendîmes sonner une grande cloche &, une heure après, Carchida & Benoscar entrèrent dans ma chambre & me demandèrent si j'avais bien reposé & si j'avais besoin de quelque chose? Je voulus me lever d'abord mais ils me dirent que je ne devais pas sortir du lit qu'on ne m'eut apporté des habits & que j'en aurais dans un moment. Benoscar sortit et il revint quelque temps après avec des domestiques qui me portaient du linge & des habits tissus de laine & de coton à la mode du pays. Il en vint encore d'autres qui portaient une cuve pleine d'eau tiède où Carchida me dit qu'il fallait me laver tout le corps avant que de prendre mes habits neufs. Et cependant il sortit avec tous les autres & ne me laissant qu'un valet pour me servir. Je me levai donc & pris le linge & les habits qu'on m'avait apportés. Je mis par-dessus une robe de diverses couleurs que je liai avec une ceinture & je me laissai faire comme il plut au valet qu'on m'avait donné pour me servir. Carchida étant revenu peu après, me dit qu'il fallait que j'allasse avec mes hommes trouver Albicormas & qu'on n'attendait que moi. Il m'apprit ensuite de quelle manière je devais faire cette visite de cérémonie & nous descendîmes dans la cour où je trouvai tous mes gens vêtus de neuf à peu près comme moi. Benoscar était avec eux & il leur apprenait de quelle manière ils devaient se comporter. Nous fûmes quelque temps debout dans cette cour & nous nous regardions l'un l'autre jusqu'à ce que Sermodas entra avec sa suite. Il me demanda si nous étions prêts à le suivre au Conseil. Comme il eut su que nous étions en état de le suivre, il me prit par la main & me fit marcher à sa main gauche. Carchida se mit à la tête de mes gens qu'on faisait marcher deux à deux comme des soldats, & Benoscar menait l'arrière-garde. Dans cet ordre nous traversâmes quelques rues jusque dans une grande place qui est au milieu de la ville. Je vis dans le milieu de cette place un palais magnifique de figure carrée, bâti de pierre de taille blanche & de marbre noir, si propre & si poli que nous crûmes que l'ouvrier ne faisait que de l'achever, quoi qu'il fut bâti depuis longtemps. La porte de ce palais était ornée de plusieurs statues de bronze & nous trouvâmes de chaque côté deux rangs de mousquetaires couverts de robes bleues. Nous vîmes dans la première cour des hallebardiers en robe rouge, rangés en haie. Et dès que nous fûmes entrés nous entendîmes un grand bruit de trompettes & d'autres instruments de guerre qui faisaient un concert excellent. De là nous passâmes dans une autre cour de marbre noir, ornée de belles statues de marbre blanc. Il y avait au milieu de cette cour plus de cent hommes vêtus de robes noires & d'un âge plus avancé que ceux que nous avions vus en entrant. Nous restâmes là quelque temps à les regarder jusqu'à ce que deux hommes habillés comme ces derniers avec une écharpe de couleur d'or sur l'épaule dirent à Sermodas de nous faire avancer. Nous montâmes dans le même ordre que nous étions venus jusque dans une grande salle peinte & dorée, où nous nous arrêtâmes encore quelque temps. De là on nous fit passer dans une seconde salle encore plus belle que la première & puis dans une troisième qui les surpassait toutes deux en richesse & en beauté. Nous aperçûmes au bout de cette dernière un trône médiocrement élevé & à chaque côté divers sièges un peu plus bas. Nous vîmes sur ce trône un homme vêtu de pourpre qui avait la mine majestueuse, & sur les autres sièges, des hommes vénérables vêtus comme ceux qui nous étaient venus prendre dans la cour. On nous dit que le premier était Albicormas & les autres les principaux officiers de la ville qui avec lui gouvernaient tout le pays de Sporounde. En entrant nous fîmes une révérence au milieu de la salle, ensuite nous en fîmes une autre plus profonde que la première; mais quand nous fûmes arrivés au pied d'un balustre qui était proche du trône & qui le séparait du parterre, nous nous inclinâmes encore plus bas qu'auparavant. Alors tous les conseillers se levèrent & nous ayant salués par une petite inclination de leurs corps, ils se remirent à leur place. Mais Albicormas se contenta de nous faire signe de la tête. Ensuite Sermodas me prit par la main, me mena près du balustre & faisant une profonde révérence au gouverneur, lui raconta en son langage tout ce qu'il avait appris de nos aventures. Il me sembla que cette langue avait quelque chose de semblable dans la prononciation à la grecque & à la latine, ainsi que je les ouïs prononcer en Hollande & qu'elle était fort douce & fort majestueuse. Quand Sermodas eut achevé de parler, on fit venir Carchida qui fit au Conseil une relation plus étendue que n'avait fait le premier, disant de quelle manière nous étions venus dans le lac qu'ils appellent *Sporascumpso*, comme nous avions été découverts & pris. Ce fut de la manière que je vais vous dire, selon le rapport que l'on m'en fit peu de jours après. Le jour que nous arrivâmes dans le lac était un jour de fête solennelle par tout le pays & les insulaires étant occupés à la célébrer, il n'y avait personne sur l'eau & c'est pourquoi nous n'y pûmes voir aucun vaisseau, quoiqu'il y en ait ordinairement plusieurs qui y vont à la pêche; mais bien que nous ne vissions personne, nous ne laissâmes pas d'être découverts par ceux des îles qui ne voulurent pas se montrer d'abord, de peur de nous épouvanter. Mais durant la nuit ils envoyèrent des vaisseaux pour nous prendre le matin & pour s'assurer si bien de nous que nous ne pussions pas fuir; car ces peuples ont coutume de faire bonne garde sur leurs frontières, parce qu'ils craignent que les étrangers ne viennent corrompre, par leur mauvais exemple, leur innocence & leur tranquillité, en introduisant leurs vices parmi eux.

Dès que Carchida eut achevé de parler, Albicormas se leva & nous dit en son langage ce que Sermodas nous expliqua, que nous serions bien reçus dans le pays & que nous y trouverions toute sorte de douceur & que nous demeurions à Sporounde, jusqu'à ce qu'il eût reçu des nouvelles de Sevarminas, vice-roi du Soleil, qui demeurait à la ville de Sevarinde, où il dépêcherait un courrier ce jour même pour l'avertir de notre arrivée & pour lui demander ses ordres; que cependant nous ne manquerions de rien & qu'on nous fournirait tout ce dont nous aurions besoin, pourvu que nous eussions soin de suivre les avis de Sermodas & de ses officiers. «Je vous exhorte à la modération & à l'honnêteté». Et ensuite il nous congédia.

Je remarquai qu'Albicormas était un peu bossu & que plusieurs de ces conseillers avaient le même défaut; à cela près, il était très bien fait & de bonne mine. Nous sûmes ensuite qu'on trouvait parmi les habitants de cette ville diverses personnes qui avaient des défauts naturels parmi un très grand nombre de personnes bien faites parce que ceux de Sevarinde y envoyaient tous les gens contrefaits qui naissaient parmi eux, n'en voulant point souffrir de semblables dans leur ville. Nous sûmes aussi que le mot *d'Esperou* signifiait en leur langue une personne défectueuse de corps ou d'esprit, & Sporounde la ville ou séjour des personnes de cette sorte.

Après qu'Albicormas nous eut congédiés, nous retournâmes dans notre logis où nous trouvâmes que le dîner nous attendait. Nous demeurâmes dans la maison toute l'après-dînée & sur le soir Sermodas & Carchida nous vinrent prendre pour nous faire voir la ville, où le peuple sortait de tous côtés pour nous regarder. C'est la ville la plus régulière que j'aie vue de ma vie; elle a de grands bâtiments carrés tous d'une même façon & qui contiennent plus de mille personnes chacun. Il y en a soixante & seize en toute la ville, laquelle a plus de quatre milles de circuit. J'ai déjà dit qu'elle est située entre deux grandes rivières qui sont naturellement une péninsule; mais l'industrie de ce peuple en a fait une île parfaite en tirant un canal d'une rivière à l'autre, environ deux milles au-dessus de la ville. Ce canal est bordé de deux grandes murailles entre lesquelles on voit dix ou douze ponts qui les lient ensemble & qui sont tous de bois, hormis celui du milieu qui est fort large & fortement bâti de pierre de taille. On nous fit voir ce canal & le pays d'alentour deux ou trois jours après notre première audience. La nuit environ deux heures après souper, on nous mena dans une grande salle où nous trouvâmes quinze jeunes femmes qui nous y attendaient. Elles étaient pour la plupart de belle taille, potelées & vêtues de robes de toile & de coton peintes & leurs cheveux noirs tombaient à grandes tresses sur leurs épaules. Nous fûmes un peu surpris de les voir toutes ensemble en rang, ne sachant pas pourquoi elles étaient en ce lieu. Sermodas prenant la parole me parla de cette manière pour me l'apprendre.

Vous vous étonnez, Maurice, de voir tant de jeunes femmes ensemble & vous n'en savez pas la raison. Je suis même assuré que vous êtes surpris de les voir ainsi rangées et avec des habits un peu différents de ceux des autres femmes qui d'ordinaire portent un voile sur la tête. Sachez donc que ce sont des esclaves qui ne sont ici que pour vous rendre service. Toutes les nations du monde ont leurs coutumes; il y en a qui sont naturellement mauvaises parce qu'elles sont opposées à la raison. Il y en d'autres qui sont indifférentes & qui ne semblent bonnes ou mauvaises que selon l'opinion & le préjugé des hommes qui les pratiquent. Mais il y en aussi qui sont fondées en raison & qui sont véritablement bonnes d'elles-mêmes, pourvu qu'on les considère sans préoccupation. Les nôtres sont presque toutes de ce dernier genre & à peine en avons nous aucune qui ne soient établies sur la raison. Vous n'ignorez pas sans doute que l'usage modéré des choses que la nature a destinées pour servir aux créatures vivantes ne soit bon de soi & qu'il n'y a que l'abus qu'on en fait qui soit effectivement mauvais. Parmi toutes ces choses il y en a trois principales. La première regarde la conservation de chaque particulier. La seconde, l'entretien dans un état heureux. Et la troisième enfin a pour but l'accroissement ou la multiplication de chaque espèce.

Pour ce qui regarde la conservation de chaque particulier, d'un homme par exemple, elle dépend de certains biens sans l'usage desquels il ne saurait subsister, parce qu'ils lui sont absolument nécessaires. Le manger, le boire, le dormir sont assurément de ce genre. Mais parce que l'homme ne saurait être heureux avec ces choses seulement & que bien qu'elles soient suffisantes pour sa conservation, elles ne sont pas capables de lui rendre la vie douce & agréable, l'auteur de la nature lui a donné d'autres biens, lesquels joints avec les premiers, le rendent content, s'il veut être sage & modéré, s'il ne court pas follement après les apparences trompeuses d'un bien imaginaire & s'il ne suit pas aveuglément la fureur & le dérèglement de ses passions. Ces biens qui rendent l'homme satisfait sont à notre avis la santé du corps, la tranquillité de l'esprit, la liberté, la bonne éducation, la pratique de la vertu, la société des honnêtes gens, les bonnes viandes, les vêtements & les maisons commodes qui rendent la vie heureuse, pourvu qu'on en use sobrement & qu'on y attache point son cœur.

Mais comme la nature a voulu borner notre vie à un certain nombre d'années, au-delà desquelles nous ne pouvons plus jouir de tous ces biens, & que nos corps cessant de vivre, ils sont enfin dissous & chacune de leur parties reprend sa première forme ou se revêt d'une nouvelle, elle a aussi voulu conserver chaque espèce & même l'augmenter par le moyen de la génération qui pour ainsi dire, fait revivre toutes les créatures, même après leur mort & conserve au monde tous les animaux & les plantes, qui sont un de ses plus beaux ornements. Pour donc parvenir à son but, elle a mis dans chaque espèce des mâles & des femelles afin que de l'union de ces deux sexes vint la génération des animaux qui est son ouvrage le plus noble & auquel elle s'occupe le plus. Mais pour rendre l'état de chaque animal encore plus heureux & pour venir plus facilement à bout de son dessein, elle a voulu attacher à cette union un plaisir que nous appelons amour. Cet amour est le lien & le conservateur de toutes choses & lorsqu'il est réglé par la droite raison, il ne produit que de bons effets, parce qu'il ne se propose que de bonnes fins, à savoir les plaisirs honnêtes, l'accroissement & la conservation de chaque espèce où tous les animaux tendent naturellement. Sevarias, notre grand & illustre législateur, ayant considéré toutes ces choses, a bien ordonné de punir l'intempérance & la brutalité; mais il prétend aussi qu'on songe à suivre les desseins de Dieu & de la nature pour la conservation du genre humain; c'est pour cela qu'il ordonne que ceux qui sont arrivés à un certain âge réglé par les lois se marient & que les voyageurs puissent habiter avec les esclaves, dont nous avons un assez grand nombre. Ce grand homme nous a défendu de regarder comme une chose criminelle ce qui sert à la conservation de l'espèce; mais il ne prétend point que les excès troublent la modération qui doit se trouver dans l'usage de tous les plaisirs. C'est pour cette raison que nous ne souffrons pas que personne soit ici sans femmes. Vous voyez aussi qu'on vous en a amené autant que vous êtes ici d'hommes, qui vous rendront visite de deux en deux jours durant le reste du temps que vous devez être parmi nous. Je sais bien que cette coutume serait condamnée en Europe où l'on ne considère pas assez que la vertu se trouve dans l'usage honnête de l'amour & non pas à y renoncer entièrement; mais aussi nous ne voyons parmi nous aucun de ces crimes abominables qui déshonorent votre pays.

Il ajouta beaucoup de choses qui n'étaient pas nécessaires pour nous persuader d'accepter l'offre qu'il nous faisait. Si bien que nous lui rendîmes mille grâces & il fut bien aise de nous voir satisfaits & que nous approuvions la conduite de son législateur.

Il ne fut pas plutôt parti que deux hommes qui entrèrent dans la salle, nous saluèrent en français. Le premier nous dit qu'il était médecin & son compagnon chirurgien & il nous pria fort sérieusement de lui dire avec sincérité s'il n'y avait pas quelqu'un parmi nous qui eut la maladie de Naples. Nous avons ordre de vous visiter, ajouta-t-il, & si quelqu'un nous déguise la vérité, il en aura de la honte, & au contraire, s'il la confesse ingénument, on ne l'en estimera pas moins & il sera guéri en peu de temps. Nous dîmes tous que nous n'avions point de ces sortes de maux; mais nonobstant ces protestations, nous fûmes visités chacun en particulier dans une chambre proche de celle où nous étions. Après leur visite, ils nous dirent qu'ils étaient bien aises de nous trouver exempts d'une maladie très commune dans les autres continents & qu'on ne connaissait que par ouï-dire dans les Terres Australes. Ils nous dirent de plus qu'ils avaient demeuré en France durant six années entières & qu'ils avaient vu la plupart de l'Europe & de l'Asie pendant douze ans qu'ils avaient employé à voyager; que de temps en temps on faisait partir des vaisseaux de Sporounde qui passaient les mers pour le même dessein & que par ce moyen ils avaient des gens parmi eux qui connaissaient toutes ces nations & qui en savaient parler les langues. Ce discours nous tira de l'étonnement où nous avions été, lorsque Carchida nous parla espagnol & hollandais et que nous vîmes des manières & des coutumes si semblables aux nôtres dans un pays si éloigné, où nous croyions même qu'on ne pouvait trouver que des hommes barbares. Nous aurions fait diverses questions à ces messieurs si nous eussions pu le faire commodément mais ils se retirèrent & cependant nous consultâmes de quelle manière nous choisirions nos femmes. On trouva bon que j'en prisse une le premier, que mes deux officiers en fissent de même après moi, & que les autres jetteraient au sort. Ce qui fut fait sans querelle & sans dispute; de sorte que chacun prit une compagne. Ensuite on me ramena dans la chambre où j'avais couché la nuit précédente & l'on conduisit mes gens dans une longue galerie où il y avait de chaque côté plusieurs petites chambres séparées les unes des autres. Ils prirent chacun une de ces chambres & ils y passèrent la nuit. Le lendemain matin, la cloche ayant sonné à l'heure accoutumée, Carchida me vint demander comment j'avais reposé la nuit. Et il me dit qu'il était temps de se lever. Ma compagne s'était jetée hors du lit & s'était habillée dès qu'elle avait ouï sonner la cloche & elle ne faisait que sortir lorsque Carchida entra dans ma chambre. Il me dit que Benoscar était allé tirer mes gens de captivité, voulant dire hors des bras de leurs maîtresses & hors des chambres où ils avaient été enfermés toute la nuit, pour empêcher le désordre & l'échange qu'on aurait pu y faire, ce qui n'était pas permis de peur que si les femmes devenaient grosses les pères des enfants qu'elles feraient ne fussent inconnus. Quand je fus habillé, je descendis dans la grande salle où mes gens me furent trouver & où nos guides nous vinrent prendre pour aller montrer divers quartiers de la ville où l'on travaillait à plusieurs ouvrages; car les uns y sont occupés à faire des toiles & des étoffes, les autres à coudre & les autres à forger ou à d'autres ouvrages différents. Mais Carchida me dit que les bâtiments & l'agriculture étaient les principaux emplois de la nation.

Nous demeurâmes ainsi dans Sporounde, vivant à peu près de cette manière jusqu'au sixième jour où le courrier qu'Albicormas avait envoyé à Sevarinde arriva avec un ordre de Sevarminas de nous envoyer à la grande ville où il avait beaucoup d'envie de nous voir. Quand je sus que nous devions marcher vers Sevarinde, je fus fâché de n'avoir pas dit que vous étiez ici & surtout après avoir été bien traité. Je ne savais de quelle manière me tirer d'affaires; mais la raison qui m'avait porté à cacher la vérité étant bonne et solide, je crus qu'Albicormas s'en contenterait & nous pardonnerait notre déguisement, fondé sur le soin que nous prenions de votre sûreté, dans le temps que nous doutions même de la nôtre. J'avouai ingénument la chose à Sermodas qui d'abord fut en avertir le gouverneur. Nous eûmes ordre d'attendre dans Sporounde le retour d'un second courrier qu'on envoya à Sevarminas pour lui faire savoir la cause de notre retardement. Il revint six jours après son départ & il apporta des ordres au gouverneur qui pour y obéir a fait partir cette flotte pour venir nous prendre & pour nous mener tous à Sevarinde où nous devons comparaître devant le souverain magistrat qui y fait sa résidence & où Sermodas me dit que nous serions encore mieux traités qu'à Sporounde.

Fin de la première partie.

HISTOIRE DES SEVARAMBES.

SECONDE PARTIE.

Maurice finit ainsi son discours qui nous remplit de joie et d'admiration & qui ne nous ennuya point, quoi qu'en effet il eût été long. Mais les choses qu'il nous avait racontées étaient si extraordinaires que nous l'aurions paisiblement écouté quand son récit aurait duré tout un jour. Nous consultâmes quelque temps sur la conduite que nous devions tenir, & nous nous résolûmes enfin de suivre Sermodas, d'aller partout où il voudrait nous mener, de nous soumettre entièrement aux soins de la Providence divine & de nous fier au bon naturel du peuple de ce pays.

Dans le temps que Maurice nous racontait toutes ces aventures, quelques-uns de ses gens, qui avaient un grand désir d'en parler à leurs amis, vinrent à terre & entretinrent presque tout notre monde qui, s'assemblant autour d'eux, étaient surpris d'entendre le récit des choses qui leur étaient arrivées. Ainsi ils surent toutes ces nouvelles presque aussitôt que nous, & il ne fut pas besoin d'une seconde relation pour leur apprendre l'état de nos affaires. Ils étaient disposés d'aller dans ce beau pays dont on leur avait fait la description; mais comme la pinasse que nous avions envoyée à Batavia pouvait être arrivée à bon port, & que nous ne doutions nullement que le général n'envoyât des vaisseaux pour nous secourir dès qu'il serait informé de notre malheur & de notre nécessité, nous avions encore de ce côté-là quelque reste d'espérance, ce qui nous donnait du chagrin parce que nous voyions bien que si ces vaisseaux arrivaient & ne trouvaient personne, ils nous croiraient perdus, & qu'ainsi nous ne pourrions plus espérer de jamais revoir nos amis, ni notre patrie. Sur cela Maurice nous dit qu'à l'égard de la pinasse il fallait nécessairement qu'elle fût périe, puisque nous n'en avions pas eu des nouvelles depuis le temps qu'elle était partie; que par cette raison il n'y avait pas lieu d'espérer aucun secours de Batavia, & que notre retour en Hollande ne serait pas impossible ni peut-être difficile, puisque nous étions parmi une nation civile & honnête qui de temps en temps envoyait des vaisseaux par delà les mers, & qui vraisemblablement nous permettrait d'y retourner, nous en fournirait même les moyens si nous le désirions, & ne voudrait pas nous retenir par force dans leur pays dès que nous n'aurions plus envie d'y demeurer; enfin que notre condition aurait été beaucoup pire s'il nous eut fallu toujours demeurer dans le camp, exposés à mille dangers & sujets à mille peines. Ces raisons solides de Maurice, qui était un homme de bon sens & qui s'était acquis beaucoup de crédit parmi nous à cause des grands services qu'il avait rendus, dissipèrent tout notre chagrin. Nous retournâmes dans ma hutte où nous trouvâmes Sermodas qui sourit quand il nous vit entrer & qui nous demanda qu'est-ce qu'il nous semblait de la description que Maurice nous avait fait de la ville & du peuple de Sporounde? Nous ne pouvons, lui dis-je, en avoir que des pensées avantageuses & nous souhaiterions déjà d'y être ou d'y aller au plutôt, s'il vous plaît de nous y mener. Je suis venu pour cela, répliqua-t-il, je suis bien aise de vous trouver si bien disposés à me suivre, & vous pouvez vous assurer que vous trouverez le séjour de nos villes plus beau que celui de ce camp, quoi que par votre industrie vous en ayez fait une demeure commode. Nous eûmes encore quelque entretien sur cette matière & nous lui demandâmes après s'il ne voulait pas manger de nos viandes telles que nous pouvions les lui donner. Il nous dit qu'il en mangerait à condition que nous mangerions aussi des leurs, & il pria Maurice de dire à quelqu'un de ses gens qu'il apportât du vin & des autres provisions du vaisseau. Après dîner, Sermodas nous dit que puisque nous étions résolus de le suivre, nous devions nous mettre en état de partir & de faire transporter nos gens de la manière que nous trouverions le plus à propos; mais que selon lui les principaux d'entre nous & toutes nos femmes devaient aller le même jour à bord & qu'il laisserait quelques-uns des siens qui aideraient à nos gens à embarquer tout notre bagage & nous suivraient après à Sporounde. Je lui dis que nous avions une partie de nos gens de l'autre côté de la baie, & s'il voulait nous le permettre, nous y enverrions Maurice avec un vaisseau ou deux pour les ramener. Vous pouvez le faire, répliqua-t-il, & je donnerai ordre à l'un de nos vaisseaux d'y aller avec lui & de porter ces gens à la ville, sans revenir au camp. Pour vous, dit-il, s'adressant à moi, prenez ceux de vos officiers que vous voudrez pour être avec vous, & venez à bord de mon vaisseau où vous serez peut-être assez commodément. Je pris Van de Nuits & Turcy mon secrétaire & ordonnai à Devèze & aux autres capitaines de commander à mon absence & de faire diligemment transporter notre bagage. Sermodas laissa Benoscar avec Devèze pour lui aider & pour le conduire. Après quoi nous fîmes voile vers Sporounde où nous arrivâmes trois jours après notre départ de Siden-Berg. Nous fûmes reçus presque de même que Maurice, avec cette différence qu'on témoigna beaucoup plus de respect à Van de Nuits & à moi qu'on n'en avait témoigné aux autres. Albicormas nous fit beaucoup de caresses, & particulièrement à moi avec qui il eut plusieurs conversations touchant l'état de l'Europe, sur quoi j'étais beaucoup plus capable de le satisfaire qu'aucun de notre compagnie. Je trouvai que c'était un homme excellent en plusieurs choses & qui avait une admirable solidité d'esprit. Il m'instruisit de plusieurs de leurs coutumes & du gouvernement de sa nation dont je parlerai dans la suite quand je décrirai la ville, les lois & les mœurs des Sevarambes. Le jour d'après notre arrivée, le bagage fut porté à la ville, & l'on ne laissa rien dans le camp que ce qui ne valait pas la peine d'être transporté. Nos gens furent traités comme l'avaient été ceux de Maurice & ils eurent tous un habit neuf.

Nous eûmes une difficulté au sujet de nos femmes. J'ai déjà dit que nous avions ordonné dans le camp qu'une seule servirait à cinq hommes du commun, & que les principaux officiers auraient seuls le privilège d'en avoir une toute pour eux. Sermodas & ses compagnons désapprouvèrent cette conduite; l'habitude d'honnêteté qui leur est inviolable les obligea de nous en parler comme d'une chose brutale. Ils m'avouèrent qu'elle déshonorait leur pays & leurs lois, & qu'il leur était impossible de la souffrir. Je m'excusai sur la nécessité, & que nous avions mieux aimé prendre ce parti que d'exposer nos gens à s'égorger. Sermodas me demanda si nous voulions nous soumettre à leurs lois. Je lui témoignai que nous le souhaitions avec passion, & voici les mesures qu'il prit. Comptez, nous dit-il, exactement vos gens, tant hommes que femmes, & donnez-m'en le rôle, & principalement de ces dernières qui sont grosses. Cependant vous pourrez garder celles que vous avez déjà, ou bien nous vous en donnerons d'autres. Nous consultâmes quelque temps, & ceux des officiers qui voulurent s'attacher à leurs femmes ne les changèrent point. Les autres tirèrent au sort comme avait fait les compagnons de Maurice, à qui il ne fut pas permis de faire un nouveau choix. Les femmes qui se trouvèrent enceintes de quelques-uns des officiers furent obligées de continuer avec ceux de qui elles étaient grosses. Celles du commun qui se trouvèrent aussi enceintes furent exhortées de s'attacher à celui qu'elles croyaient le père de l'enfant qu'elles portaient. Et c'est ainsi que toutes choses furent réglées.

Le cinquième jour après notre arrivée à Sporounde, Sermodas me vint prendre pour aller au temple où *l'Osparenibon*, ou solennité du mariage, se devait célébrer. Il me dit que c'était autant pour nous faire voir cette cérémonie que pour nous reposer qu'on nous avait fait demeurer si longtemps à Sporounde. Il ajouta que cela se faisait quatre fois l'année & que c'était une de leurs plus grandes fêtes, quoi qu'inférieure à celle de Sevarinde. Je me levai d'abord & pris les habits neufs qu'on m'apporta. On en donna de même à tous mes principaux officiers qui me vinrent trouver dans ma chambre pour m'accompagner au temple où Sermodas & Carchida nous devaient mener. Nous allâmes ensemble au palais où Albicormas nous avait donné audience; & ayant traversé diverses cours, nous arrivâmes enfin à un temple grand & superbe où nous trouvâmes plusieurs jeunes hommes & plusieurs jeunes filles tous en habits neufs. Les jeunes hommes avaient sur leur tête des couronnes de feuilles vertes, & les filles y avaient des guirlandes de fleurs. Je n'avais jamais rien vu de si aimable que cette troupe de jeunes gens qui la plupart avaient tout bon air & qui faisaient tous paraître beaucoup de joie.

Un grand rideau tendu sur le milieu du temple nous empêchait d'en voir plus de la moitié; & ce fut là où nous demeurâmes près d'une heure occupés à regarder les riches ornements dont il est embelli, avant qu'il se fît aucun changement. Mais enfin nous entendîmes le son de diverses trompettes, de flûtes, de hautbois & d'autres instruments, sur lesquels on jouait des airs fort gais & fort agréables. Alors nous vîmes entrer plusieurs personnes avec des flambeaux allumés qu'ils mirent dans des chandeliers diversement disposés dans tous les endroits du temple. On ferma toutes les fenêtres & l'on tira le rideau qui nous en cachait l'autre moitié. Nous y découvrîmes un autel riche & somptueux, orné de guirlandes & de festons de fleurs ingénieusement rangées sur cet autel qui était au fond du temple. Nous vîmes à main droite de l'autel & dans une hauteur médiocre un grand globe de cristal ou de verre fort clair que quatre hommes n'auraient pu embrasser qu'avec peine. Ce globe était si lumineux qu'il éclairait tout le fond du temple & jetait sa lumière bien avant dans le milieu. Il y avait de l'autre côté de l'autel & d'une pareille hauteur une grande statue qui représentait une nourrice avec plusieurs mammelles qui allaitaient divers petits enfants artistement élaborés de même que la statue qui semblait leur donner à téter. Entre ces deux figures & au-dessus de l'autel, il n'y avait qu'un grand voile noir tout uni & sans ornement.

Cependant la musique s'approchait toujours de nous & enfin elle arriva à la porte du temple où nous vîmes entrer Albicormas avec ses sénateurs qui s'avancèrent vers l'autel avec beaucoup de pompe & de magnificence. Plusieurs prêtres allèrent à sa rencontre avec des encensoirs à la main, en chantant un cantique. Ils lui firent trois fois la révérence & puis le menèrent à l'autel où lui & les sénateurs s'inclinèrent trois fois devant le rideau noir, deux fois devant le globe lumineux & une fois devant la statue, & ensuite ils furent s'asseoir sur des trônes élevés aux deux côtés de l'autel. Sermodas me fit mettre au pieds d'Albicormas avec trois de mes hommes, & il plaça les autres à l'opposite. Nous ne fûmes pas plutôt assis que les prêtres allèrent vers les jeunes gens dont nous avons parlé & ils les firent approcher de l'autel. Ils étaient partagés en deux rangs, les hommes à droite & les femmes à gauche. Dès qu'ils furent arrivés près de l'autel, le grand prêtre monta sur un siège élevé au milieu des deux rangs & leur fit un discours fort succinct, après lequel on prit un flambeau qui avait été allumé aux rayons du soleil, comme j'appris ensuite; & Albicormas descendant de son trône, & le prenant à la main, en alluma quelque bois aromatique qu'on voyait sur l'autel, puis se mit à genoux devant le globe lumineux & y prononça quelques paroles. De là il passa vers la statue devant laquelle il plia seulement un genou, & y dit aussi quelques mots comme il avait fait devant le globe. Alors les prêtres entonnèrent un cantique auquel tout le peuple répondit; & quand il fut achevé, plusieurs instruments de musique commencèrent à jouer; & cette agréable symphonie fut suivie d'un concert de voix si charmantes que nous avouâmes que notre musique de l'Europe n'avait rien de comparable à celle-ci. Après cela le grand prêtre s'avança vers la fille qui était la première du rang & lui demanda si elle voulait être mariée. A quoi elle répondit que oui, en faisant une grande révérence & rougissant en même temps. Il fit ensuite la même demande à toutes les autres & en reçut une pareille réponse. Pendant qu'il interrogeait les filles, un autre prêtre interrogeait de même les jeunes hommes qui étaient de l'autre côté; ce qui étant fait, le prêtre retourna à la première fille & lui demanda si elle voulait épouser aucun des jeunes hommes qu'elle voyait de l'autre côté. Et lorsqu'elle eut répondu que c'était là son dessein, il la prit par le bras, la mena au bout du rang des garçons & lui dit de choisir un mari. Elle regarda le premier jeune homme & puis les autres successivement jusqu'au sixième où elle s'arrêta & lui demanda s'il voulait être son bon seigneur & fidèle mari. A quoi il répondit qu'il le voulait bien, pourvu qu'elle voulût aussi l'aimer comme une chaste & loyale épouse doit aimer son époux, ce qu'elle promit de faire jusqu'à la mort. Après cette promesse solennelle, il la prit par la main, la baisa, & la mena vers le bas du temple. Tous les autres firent successivement la même cérémonie & allèrent se joindre aux premiers. Il y resta huit jeunes filles qui ne purent avoir des maris; cinq desquelles, pleines de honte & de confusion, versaient des larmes en abondance. Les trois autres n'étaient pas si affligées; & quand le grand prêtre vint vers elles, elles se prirent à sa robe & elles le suivirent vers Albicormas. Il leur dit quelques paroles après quoi elles s'avancèrent vers les sénateurs, & en choisissant trois d'entre eux leur dirent que puisque par un effet de leur mauvaise fortune elles ne pouvaient avoir un homme pour être entièrement leur mari, elles les choisissaient pour ôter leur opprobre après avoir été par trois fois publiquement refusées, qu'elles priaient de les recevoir au nombre de leurs femmes selon les lois du pays & les privilèges qu'elles leur accordaient, promettant de leur être toujours très affectionnées & très fidèles. Les trois sénateurs descendirent incontinent & les prenant par la main les menèrent à l'autel où ils se tinrent avec elles jusqu'à ce que tous les autres s'y furent rangés deux à deux. Ces magistrats étaient des hommes âgées d'environ quarante ou cinquante ans, mais les mieux faits de tout leur corps.

Les cinq autres filles étant ensuite interrogées par le grand prêtre pour savoir si elles voulaient prendre pour maris quelqu'un des sénateurs ou des autres officiers de l'Etat, elles répondirent que n'ayant encore tenté le hasard qu'une seule fois, elles voulaient le tenter encore deux fois avant de prendre cette voie. Alors, abattant leur voile, elles sortirent du temple & furent reçues à la porte dans un chariot couvert qui les y attendait & qui les ramena chez elles. Dès qu'elles furent sorties du temple, la musique recommença, & Albicormas, allant à l'autel, y prononça quelques mots à haute voix ; puis prenant les trois filles & les trois officiers qu'elles avaient choisis, leur joignit ensemble les mains & leur dit quelques paroles auxquelles ils répondirent avec une profonde révérence. Il en fit autant à sept ou huit des autres, & laissant faire le reste de la cérémonie à quelques-uns des sénateurs, il alla se rasseoir sur son trône. Après cela, deux prêtres portèrent le feu de l'autel au milieu du temple où les nouveaux mariés, qui portaient des pastilles & des parfums dans leurs mains, firent un cercle autour du feu, & chacun des hommes mêlant ses parfums avec ceux de sa femme les jetèrent dans le feu. Ensuite, étant à genoux, chacun d'eux mit la main sur un livre doré que deux prêtres leur présentèrent. Ils y jurèrent obéissance aux lois, promettant de les maintenir de tout leur pouvoir pendant tout le cours de leur vie, prenant le grand Dieu, le Soleil & leur Patrie à témoins de leurs serments. Cela étant fait, ils marchèrent vers l'autel où Albicormas fit une courte prière pendant qu'ils étaient à genoux, puis se tournant vers eux, il leur donna sa bénédiction & sortit du temple suivi de toute la compagnie & d'un nouveau concert de musique. De là ils passèrent dans une salle proche du temple où nous trouvâmes plusieurs tables qui furent tout aussitôt couvertes de viandes. Albicormas me prit avec Van de Nuits, nous dit que nous serions ses hôtes ce jour-là, & nous mena à sa table où il nous fit asseoir parmi les sénateurs. Sermodas prit ceux de mes officiers qui étaient venus avec moi, & les mena à une autre table ; & Carchida & Benoscar prirent soin de ramener au logis le reste de nos gens qui pendant toute la cérémonie s'étaient tenus sur une des galeries du temple. Le festin fut magnifique, & les instruments de musique jouèrent durant le repas. Après cela, nous allâmes à un amphithéâtre éloigné du temple d'environ une portée de mousquet, & trouvâmes toutes les rues par où nous passions parsemées de fleurs, & nous y entendîmes les acclamations d'une grande multitude de peuple qui était sorti pour nous voir. Cet amphithéâtre est bâti de grandes pierres & n'a pas moins de cinquante pas de diamètre à compter depuis la muraille extérieure jusqu'à celle qui lui est opposée. Il est couvert d'une grande voûte dont la hauteur est prodigieuse & qui la défend du soleil, de la pluie, & de toutes les autres injures de l'air. Il est plein de sièges tout alentour, depuis le haut jusqu'en bas, qui occupent une grande partie du lieu & rendent le parterre d'une grandeur médiocre. Ces sièges étaient pleins de peuple quand nous y entrâmes, mais personne ne fut reçu dans le parterre que les officiers, les nouveaux mariés & nous. On nous fit asseoir sur les sièges d'en bas qui étaient séparés de ceux d'en haut par une ronde balustrade. Cependant plusieurs jeunes hommes s'exerçaient à la lutte, à l'escrime & à plusieurs autres exercices de force & d'adresse dont ils s'acquittèrent admirablement bien. Après cela tous nos nouveaux mariés se mirent à danser, & cela dura jusqu'un peu avant la nuit que les trompettes & autres instruments sonnèrent la retraite.

Nous sortîmes de la même manière que nous étions entrés & trouvâmes les rues pleines de flambeaux & de feux d'artifice qui faisaient presque un second jour de la nuit.

Albicormas & sa compagnie montèrent dans des chariots pour s'en retourner chez eux, les nouveaux mariés marchèrent en ordre aux logis qu'on leur avait préparés, & Sermodas nous ramena chez nous où il nous expliqua divers endroits de la cérémonie.

Il nous vint trouver le lendemain au matin, pour nous demander si nous voulions retourner au temple, voir une autre cérémonie qui n'était qu'une suite de la première. Nous y consentîmes. Dès que nous fûmes prêts, il nous mena vers la porte du temple & nous y fit tenir quelque temps. Nous n'y eûmes pas plutôt demeuré un quart d'heure que nous entendîmes un son de musique qui s'avançait vers nous, & peu après nous vîmes venir vers le temple les jeunes hommes nouvellement mariés portant chacun dans sa main une branche d'arbre longue & verte où pendait la couronne qu'il avait le jour précédent, avec la guirlande de sa femme attachées ensemble, avec un linge blanc tout ensanglanté qui était une marque de la virginité des nouvelles mariées. Ils entrèrent en triomphe dans le temple, & quand ils furent arrivés à l'autel, ils posèrent chacun sa branche d'arbre, la consacrant à Dieu, au Soleil & à la Patrie qui est représentée par la statue de cette nourrice dont j'ai déjà parlé.

Après cette consécration, ils sortirent tous ensemble, dansant au son des instruments, & s'en allèrent chez eux de cette manière. Cette fête dura trois jours entiers avec une réjouissance générale par toute la ville.

Cependant le temps était venu auquel nous devions quitter Sporounde pour aller à Sévarinde, & Sermodas vint nous avertir un jour avant notre départ. Il nous mena, moi, Van de Nuits & Maurice chez

Albicormas pour prendre congé de lui. Nous le trouvâmes dans sa maison qui est un beau palais, quoique beaucoup inférieur à celui de la ville. Il nous reçut fort honnêtement & nous dit que le jour suivant nous devions partir pour Sevarinde où il nous fallait comparaître devant le grand Sevarminas. Il nous demanda ensuite qu'est-ce qu'il nous semblait de Sporounde & des cérémonies que nous avions vues dans la célébration de *l'Osparenibon*? Nous lui répondîmes que nous en étions charmés. Vous allez dans un pays, nous dit-il, où tout est plus beau & plus magnifique; mais je ne veux pas vous préoccuper par la description avantageuse qu'on pourrait vous en faire, parce que je sais bien que l'expérience vous en fera voir beaucoup plus que je ne saurais vous en dire. Sermodas doit être votre guide, il vous traitera avec beaucoup de douceur & d'amitié, & je vous exhorte à suivre ses conseils en toutes choses & de vous gouverner si prudemment que le grand Sevarminas vous puisse aimer aussi tendrement que je vous aime. Alors il nous embrassa, nous baisa au front & nous dit adieu.

Le lendemain, on nous mena de bon matin sur le bord de la rivière qui coule près de la ville du côté d'occident où nous trouvâmes plusieurs bateaux qu'on avait préparés pour nous. Sermodas me mena avec trois ou quatre de mes officiers dans un bateau couvert, de grandeur médiocre, mais fort embelli d'ouvrages de sculpture, bien dorés & bien peints. Nos hommes & nos femmes furent mis dans diverses barques, & de cette manière nous remontâmes sans beaucoup de difficulté, parce que cette rivière passant à travers une grande plaine unie coule fort doucement. Nous vîmes sur ses bords plusieurs grands bâtiments comme ceux que nous avions vus au-dessous de la ville, mais nous n'y attachâmes pas fort les yeux, parce que nous passions fort vite & qu'ayant plusieurs rameurs qui s'entre-relevaient de temps en temps, nous faisions grande diligence. Nous allâmes ainsi ce jour-là à une ville nommée Sporoümé, éloignée environ de trente milles de Sporounde. On nous y attendait ce jour-là, car nous trouvâmes un grand nombre de peuple assemblé sur le quai qui n'y était venu que pour nous voir arriver. Sermodas & nous descendîmes les premiers à terre, & y rencontrâmes le gouverneur de la place, nommé Psarkimbas, qui vint au devant de nous & nous fit beaucoup de civilité. Il parla quelque temps avec Sermodas & enfin s'approchant de moi, il me dit qu'il serait bien aise de s'entretenir une heure ou deux avec moi. Je lui répondis que je serais toujours prêt à lui obéir; après quoi nous entrâmes dans la ville de Sporoümé. Elle est bâtie comme celle de Sporounde mais elle n'est pas si grande de la moitié. Sa situation est dans un pays très fertile & très agréable & nous y fûmes reçus tout de même qu'à Sporounde. Nous y demeurâmes tout le jour suivant sans y rien voir de remarquable que la punition exemplaire qu'on y fit souffrir à quatorze criminels; ce qui se passa à peu près de cette manière. On les tira de prison attachés ensemble avec des cordes & séparés en trois bandes. Dans la première il y avait six hommes qui, comme nous l'apprîmes, avaient été condamnés à dix ans de punition, quelques-uns pour avoir tué & d'autres pour avoir commis adultère. Dans le second rang il y avait cinq jeunes femmes, deux desquelles devaient être punies durant sept ans pour satisfaire aux lois, & ensuite elles devaient souffrir aussi longtemps qu'il plairait à leurs maris parce qu'elles avaient été convaincues d'infidélité. Les trois autres étaient des filles condamnées à trois années de punition pour s'être laissées surprendre avant leur Osparenibon, c'est-à-dire avant le temps de leur mariage qui se célèbre lorsqu'elles ont l'âge de dix-huit ans. Les trois jeunes hommes qui les avaient débauchées étaient dans le troisième rang; ils étaient condamnés au même châtiment & ensuite ils devaient les épouser. On les mena de la prison jusqu'à la porte du palais où se devait commencer l'exécution et où je vis un grand nombre de peuple assemblé.

Je me souviens très bien qu'une de celles qui étaient infidèles était une femme très bien faite & de belle taille. Elle avait le visage parfaitement beau, les yeux noirs, les cheveux châtains, la bouche vermeille & le teint très vif & très délicat. Sa gorge, qui était découverte, était la plus blanche & la mieux formée que j'aie jamais vue. C'était la première fois qu'on l'avait exposée aux yeux du public pour la punir, de sorte que sa honte & sa confusion étaient extrêmes. Ses larmes coulaient sur ses joues en abondance; mais bien loin d'ôter quelque chose à sa beauté naturelle, elles en relevaient l'éclat & la faisaient d'autant admirer à tout le monde. L'admiration produisait l'amour, & la pitié se joignant à ces deux passions, touchait si fort le cœur de tous les assistants qu'il n'y avait pas une personne raisonnable parmi eux qui n'en témoignât de la douleur. Mais leur pitié passait dans une espèce de généreux désespoir quand ils considéraient que dans peu de moments tous ces charmes allaient être souillés par les mains cruelles d'un infâme bourreau. Toutefois c'était un acte de justice ordonné par les lois contre un crime qui parmi ces peuples passe pour un des plus énormes; de sorte qu'on ne pouvait pas sauver cette aimable personne de la rigueur des ordonnances. L'exécuteur allait déjà lever la main pour la frapper quand, tout d'un coup, un homme fendant la presse cria à haute voix: Arrête, arrête. Tous les spectateurs & même les officiers tournèrent les yeux du côté d'où venait la voix, suspendant l'exécution jusqu'à ce qu'ils sussent ce que cet homme voulait dire. Il vint à eux tout hors d'haleine, ayant passé au travers de la foule avec difficulté, & s'adressant au principal officier, il dit, montrant la belle coupable, qu'il était le mari de cette femme &

par conséquent fort intéressé dans cette exécution ; qu'il souhaitait de lui parler avant qu'elle souffrît son châtiment, après quoi il lui ferait mieux connaître ses sentiments. Alors ayant obtenu la permission, il parla à sa femme à peu près de cette manière.

> Vous savez, Ulisbe, avec quelle passion je vous aimai trois ans avant notre mariage ; vous savez aussi que depuis que nous sommes unis par ce lien sacré, mon amour bien loin de diminuer a repris toujours de nouvelles forces, & que la jouissance qui finit la passion de presque tous les amants n'a fait qu'augmenter la mienne. Vous savez enfin que depuis quatre ans que je suis avec vous, je vous ai donné tous les témoignages d'une affection tendre & constante qu'une femme pouvait raisonnablement attendre d'un bon mari. J'étais persuadé que vous aviez pour moi les mêmes sentiments, comme vous me l'aviez mille fois juré, & que votre flamme était égale à la mienne, & toute infidèle que vous avez été depuis, je crois avoir encore la meilleure partie de votre cœur partagé ; sachant que vous avez été séduite par les finesses & les ruses du perfide Flanibas, & que c'est par des voies infâmes qu'il vous a portée à commettre un crime que vous n'auriez jamais commis par votre propre inclination. Il n'y a pas plus de deux heures que j'ai été clairement instruit de toute la vérité & que j'ai su qu'il ne pût jamais vous porter à satisfaire ses désirs illégitimes qu'après vous avoir fait à croire par ses lâches pratiques, que je vous avais fait tort, & que j'avais commis avec sa propre femme la faute que votre indignation mal fondée & votre injuste désir de vengeance vous a depuis fait commettre avec lui. Si j'avais su plutôt toutes ces choses, vous ne seriez pas venue ici de cette manière ignominieuse, & en vous pardonnant l'offense que vous avez faite à notre lit conjugal, j'aurais si bien caché votre crime que vous n'auriez jamais été exposée à cette sévère & honteuse punition. Mais puisqu'il n'est pas possible de rappeler le passé, qu'il n'est pas en ma puissance de vous exempter entièrement de la peine qui vous est préparée, & que vous devez souffrir pour satisfaire aux lois de la patrie, que vous avez grièvement offensée, je ferai du moins ce que je puis pour vous ; & si les larmes que je vois couler de vos yeux sont des marques véritables de votre repentir, s'il est vrai qu'il y ait encore dans votre cœur quelque reste de cet amour sincère que vous m'aviez jurée tant de fois & dont vous me donniez des témoignages si évidents ; enfin si vous me promettez de me rendre entièrement votre cœur, sans y souffrir jamais de partage, & que si vous me rendiez mon premier bonheur, je détournerai de votre personne sur la mienne la punition que vous êtes prête à souffrir. Parlez, Ulisbe, & faites que votre silence ne soit pas une marque de votre peu de tendresse.

Il se tut après ces paroles touchantes, & la femme presque noyée dans ses larmes fut quelque temps sans pouvoir dire une seule parole ; mais enfin se tournant vers lui, elle lui répondit.

> Mon silence, trop généreux Bramistas, n'est pas une marque de mon peu d'amour, mais c'en est plutôt de mon désespoir. Je vous ai offensé contre les lois sacrées de la justice & de l'honneur. Pourquoi, trop généreux mari & digne d'une femme si fidèle, prenez vous soin d'une perfide qui vous a trahi & qui s'est laissée emporter à une vengeance si outrageante ? Pourquoi souffririez-vous les plaies que je mérite ? Non, non Bramistas, que je n'ose plus nommer mon époux, ne prenez plus aucun soin d'une misérable qui doit être l'objet de votre colère plutôt que de votre pitié, qui voudrait de toute son âme souffrir les plus cruels tourments & même finir sa vie malheureuse pour effacer son crime. Cessez, cessez de blesser mon cœur par les témoignages d'une bonté & d'une générosité sans égale ; abandonnez ce cœur perfide au cruel chagrin qui le dévore & au remords éternel qui lui doit causer l'horreur de sa faute, & ne vous opposez plus à l'exécution des lois, dont je n'ai que trop mérité la rigueur & la sévérité.

Cet entretien arrachait les larmes aux yeux de tous les assistants. Mais enfin le mari s'était fait attacher au lieu de sa femme, & ayant découvert la moitié de son corps, il y reçut les coups que la criminelle devait souffrir sur le sien. Tous les autres furent aussi châtiés en même temps ; on leur fit faire trois fois le tour du palais ; & ils furent traités si rudement que le sang coulait de leur plaies. Après cette exécution on les ramena dans la prison d'où on les avait tirés.

Nous apprîmes qu'en de pareilles occasions le privilège des femmes de ce pays qui ont mérité ce châtiment est d'être exemptées des coups, si quelque homme offre de les souffrir pour elles ; & qu'il y avait eu plusieurs tels exemples de l'amour des hommes avant celui-là.

Après cette exécution, nous nous en retournâmes chez nous où nous eûmes, Psarkimbas & moi, une heure ou deux d'entretien sur les affaires d'Europe, comme j'en avais eu avec Albicormas & les autres qui m'avaient fait plusieurs demandes sur ce sujet.

Le jour suivant nous partîmes de bon matin de Sporoümé, & ayant trouvé des bateaux tout prêts, Sermodas me prit moi & les autres qui lui avions fait compagnie le jour précédent, & nous mena dans le plus commode de tous ces bateaux, de sorte qu'après avoir pris congé de Psarkimbas nous voguâmes avec diligence jusqu'à six milles de Sporoümé où nous trouvâmes une petite ville composée de huit bâtiments, carrés seulement, nommée Sporoünide. Nous y trouvâmes des bateaux différents de ceux dans lesquels nous étions venus & qui devaient être tirés par des chevaux, parce que l'eau étant plus rapide & plus forte dans cet endroit, il était impossible de plus remonter à force de rames. En montant nous approchions toujours des hautes montagnes, que de Haës avait découvertes de proche du lac, qu'il avait trouvé dans la plaine vis à vis du vieux camp. Elles s'étendaient d'orient en occident aussi loin que nous pouvions voir, & paraissaient fort hautes & fort droites. Nous les avions aperçues auparavant mais de cet endroit elles se découvraient plus distinctement & semblaient être très proches.

De Sporoünide, nous fûmes tirés jusqu'à un autre lieu, où nous prîmes des chevaux frais qui nous menèrent à une petite ville nommée Sporoüniké, où nous en prîmes encore d'autres & allâmes coucher à une petite ville par delà, appelée Sporavité. C'était le dernier lieu où nous devions aller par eau & nous n'y vîmes rien de remarquable.

Le lendemain de bon matin, nous trouvâmes divers chariots préparés pour nous, & nous y entrâmes pour continuer notre voyage par terre. Sermodas me prit avec de Nuits & Maurice dans son chariot pour lui tenir compagnie ; & ainsi laissant la rivière sur le couchant, nous tirâmes droit vers le midi à travers un beau pays ouvert qui s'élevait peu à peu vers les montagnes quoi qu'insensiblement ; car la plaine s'étend jusqu'au pied des montagnes & c'est ce qui les fait paraître si hautes & si droites. Comme nous traversions le pays nous y découvrions en plusieurs endroits des villes & des bâtiments carrés fort beaux & fort agréables. Nous arrivâmes de cette manière à une ville nommé Sporagoüeste, environ les onze heures du matin ; nous nous y reposâmes jusques à deux heures après midi, puis nous poursuivîmes notre voyage jusques à une ville nommée Sporagoundo, où nous arrivâmes sur le soir, & nous y fûmes reçus fort honnêtement par Astorbas qui en était gouverneur. Cette ville est située au pied des montagnes ; elle contient quatorze bâtiments carrés & elle est la dernière du pays de Sporoumbe. Nous n'y vîmes rien de remarquable que les merveilleux canaux qu'on a faits aux environs en divers endroits pour arroser le pays qui, par le moyen des eaux & la fertilité naturelle du terroir, a les plus beaux pâturages qu'on puisse voir. Par ces canaux & par diverses murailles, ponts & écluses, on conduit une grande quantité d'eau bien avant dans la plaine, & tous ces ouvrages sont si forts & d'un travail si prodigieux, qu'on n'en saurait tant faire en Europe pour cinquante millions de livres, & néanmoins l'industrie de ces peuples a fait tout cela sans argent ; car ils ne s'en servent point dans aucun endroit de leur domination & en estiment l'usage pernicieux. Nous demeurâmes trois jours dans Sporagoundo pour nous y reposer & pour voir le pays avant d'entrer à Sevarambe qui est de l'autre côté des montagnes, nos guides ayant tant d'humanité & de civilité qu'ils ne nous pressaient point du tout & nous donnaient le temps de prendre du repos & de nous divertir. Pendant notre séjour à Sporagoundo, Astorbas voulut nous donner le divertissement de la chasse & de la pêche. Il nous mena dans des chariots jusqu'à un bois de cyprès qui est à trois milles de la ville, tirant vers l'occident.

Ce bois est pour la plupart disposé en allées, excepté vers le pied des montagnes, où il y a des arbres de diverses espèces plantés confusément. Ils sont fort épais & fort touffus & portent diverses sortes de fruits dont se nourrit un animal semblable aux blaireaux, quoique plus gros, dont la chair est fort délicate. Il y en a un grand nombre dans le bois où personne n'ose chasser que le gouverneur qui, pour cet effet, a des meutes de chiens ; ceux du pays nomment cet animal abrousta. Dès que nous fûmes arrivés à ce bois, nous descendîmes de nos chariots & entrâmes dans les allées qui sont, comme j'ai dit, des cyprès, mais les plus hauts, les plus droits & les plus touffus que j'aie jamais vus. Astorbas nous dit qu'on en coupait quelquefois pour en faire des mats de navire, & qu'ils étaient incomparablement meilleurs que les sapins. Nous en avions vu d'assez beaux près de Sporounde mais ils n'étaient pas la moitié si grands que ceux-là, ni d'un bois si ferme & si serré. Comme nous nous amusions à considérer la beauté de ces arbres & la manière avec laquelle ils étaient rangés, nous ouïmes les chiens qui avaient trouvé la chasse & qui la poussaient vers le milieu du bois où il y avait un lieu spacieux environné de haies épaisses. C'est un endroit où l'on a accoutumé de chasser les abrosêtes ; elles y viennent par divers sentiers qui mènent à ce lieu & ne peuvent se sauver à cause qu'il est enclos de tous les autres côtés & ainsi l'on peut sans obstacle les voir combattre avec les chiens.

Nous courûmes en diligence vers ce lieu-là, & nous fûmes nous poster sur un petit tertre élevé qui est au milieu de cet endroit & d'où l'on peut voir commodément tout alentour. Nous n'y eûmes pas demeuré un quart d'heure que nous y vîmes entrer deux abroustes poursuivis par une trentaine de petits chiens qui les chassaient sans pourtant en oser approcher, qui fuyaient les uns deçà, les autres delà, dès que les abroustes se tournaient pour se jeter sur eux. Ces petits chiens sont fort adroits, & les abroustes qui sont gras & lourds les attrapent rarement ; & ils sont si bien faits à cette chasse & connaissent si parfaitement la force de leur ennemi qu'ils ne s'y exposent qu'autant qu'il est nécessaire pour les chasser. Ils poursuivirent toujours les deux abroustes & leur firent faire trois ou quatre fois le tour du tertre où nous étions, jusqu'à ce que les ayant mis hors d'haleine, ces deux pauvres animaux qui étaient mâle & femelle & qui, à ce qu'on nous dit, ne se quittent jamais, s'acculant l'un contre l'autre, se défendirent pendant une demi-heure contre toute cette meute de chiens qui, faisant un cercle autour d'eux, ne leur donnaient aucun repos. Quelquefois ils se jetaient sur les chiens & les écartaient assez loin d'eux, & puis revenaient l'un contre l'autre comme auparavant, & se défendaient ainsi mutuellement. L'un d'eux se coucha une fois sur son ventre comme s'il n'eût pu se tenir, ce qui donna aux chiens l'audace de s'approcher de lui pour le tourmenter, mais il prit si bien son temps que s'élançant sur le plus avancé, il le prit par la jambe de derrière & la lui cassa d'un seul coup de dent; après quoi il le déchira avec tant de furie que je n'ai jamais vu un animal plus cruel ni plus enragé. Cela fit peur à tous les autres chiens qui n'osèrent plus tant s'approcher & qui se tinrent mieux sur leur garde. Mais ce divertissement ayant assez duré, on les fit tous retirer & l'on fit venir à leur place deux grandes bêtes fort semblables à des loups mais beaucoup plus velus & d'un poil noir & frisé comme la laine des moutons. On les avait tenus en laisse jusqu'alors & dès que ces abroustes les aperçûrent, ils se hérissèrent de crainte & se mirent à hurler épouvantablement, connaissant les redoutables ennemis avec qui ils devaient combattre & sentant les approches de leur mort. Ces deux animaux, qu'on appelle oustabars, étant lâchés, s'avancèrent assez lentement, firent quelques tours autour d'eux & puis se jetèrent dessus avec beaucoup d'impétuosité. Les autres se défendirent assez longtemps, mais le poil des oustabars les défendaient contre leurs morsures; de sorte qu'après un combat d'un quart d'heure, les pauvres abroustes ne pouvant plus se soutenir à cause de leur lassitude & du sang qu'ils avaient perdu, furent tous deux étranglés par les oustabars & la chasse s'acheva de cette manière.

Après ce divertissement, Astorbas nous mena à la ville où il nous régala de la chair des abroustes qu'on avait tués; nous la trouvâmes fort savoureuse & fort nourrissante, ayant presque le même goût que la chair des chevreuils qu'on mange en Europe.

Le lendemain, Astorbas nous vint trouver pour nous dire qu'après le divertissement de la chasse il voulait encore nous donner celui de la pêche, & nous pria de nous y préparer sur le soir & qu'il viendrait nous prendre pour cela. Il n'y manqua pas; car environ les deux heures après midi, il vint nous trouver pour nous mener dans un grand bassin environné de murailles qui contient une grande quantité d'eau qu'on y fait venir des montagnes pour la disperser dans plusieurs canaux qui la conduisent en divers endroits de la plaine qu'on arrose. Ce bassin est de figure ovale & n'a pas moins de trois milles de circuit; il est près de la ville du côté d'orient & contient une prodigieuse quantité de poisson. Nous y entrâmes sur de grands bateaux plats couverts de toile pour nous défendre de l'ardeur du soleil qui est très chaud près de ces montagnes. Il y avait autour des bords de ces bateaux des trous où l'on mit de longues perches courbées en arc, au bout desquelles il y avait des lignes & des hameçons qui avaient au bout des morceaux de chair crue. Quand nous fûmes un peu avancés vers le milieu du lac, on ajusta ces hameçons après avoir mouillé l'ancre pour faire arrêter ces bateaux. Nous vîmes des poissons presque aussi gros que des saumons qui s'élancèrent deux ou trois pieds hors de l'eau, pour gober la chair qui était pendue aux cordons & qui se prirent aux hameçons. Mais comme ces poissons ont beaucoup de force, ils tiraient la ligne, faisaient courber les perches bien avant dans l'eau, & les auraient même rompues si elles n'eussent été faites d'un bois très fort & très pliant; après s'être débattus longtemps, ils demeuraient enfin pendus à la perche & se démenaient dans l'air plus d'un quart d'heure avant de mourir. Il y en avait souvent deux ou trois qui s'élançaient en l'air pour happer le même appât & qui, s'entrechoquant les uns les autres, s'empêchaient mutuellement de le prendre; et lorsqu'ils pouvaient le moins réussir, le plaisir en était d'autant plus grand. Ils avaient les écailles bleues & les plus gros pesaient environ sept ou huit livres. Ils sont très fermes, très délicats & aussi bons que les truites saumonnées qu'on prend dans le lac de Genève. Nous en prîmes environ une trentaine en moins de deux heures de temps avec un plaisir extraordinaire; & ce ne fut pas sans étonnement que nous vîmes pêcher en l'air des poissons qui vivent dans l'eau. Je m'informai du nom de ce poisson & l'on me dit qu'il s'appelait fostila en langue du pays.

Après la pêche du fostila, nous quittâmes notre grand bateau pour entrer dans de plus petits, plus légers & plus propres au divertissement qu'on nous allait donner, qui n'est proprement ni pêche ni chasse & qui tient néanmoins de tous les deux. Il y a du côté du bassin, où la terre est le plus élevée, un endroit où l'on voit croître beaucoup de roseaux, des joncs & d'autres plantes aquatiques. Nous nous avançâmes vers ce lieu-là & lorsque nous en fûmes à un jet de pierre, nous mîmes dans l'eau deux animaux un peu plus gros qu'un chat, mais semblables à une loutre, si ce n'est qu'ils ont le poil d'un gris blanc, qui fait qu'on ne les voit pas bien dans l'eau parce que leur couleur n'en est pas fort différente. On les appelle safpêmes; & quand ils sont bien apprivoisés, on s'en sert pour prendre une espèce de canard ou poule d'eau qui ne vole jamais dans l'air parce que ses ailes sont fort courtes & que son corps est fort gras. On l'appelle ébouste. Les deux safpêmes ne furent pas plutôt dans l'eau qu'ils nagèrent avec une vitesse incroyable vers les roseaux & ils en firent sortir dans un moment dix ou douze éboustes. Chacun poursuivit le sien & ce fut un plaisir extrême de voir les tours & les fuites de ces oiseaux qui tantôt fuyaient à demi-vol, tantôt plongeaient dans l'eau & tantôt s'allaient cacher dans les roseaux pour éviter les poursuites de leurs ennemis, qui sans se rebuter les suivaient partout & ne leur donnaient aucun relâche. Enfin, après plusieurs détours, les éboustes se lassèrent si fort que ne pouvant presque plus se remuer, les safpêmes les prirent au col & les portèrent encore vivants au bateau de ceux qui les avaient lâchés et qui prenaient soin de les nourrir. Après que les éboustes furent pris, Astorbas en voulaient encore faire prendre davantage ; mais Sermodas ne voulut pas le souffrir & il dit que c'était assez pour une fois ; & ainsi nous retournâmes à la ville très satisfaits de cet agréable divertissement.

Le lendemain, nous partîmes de Sporagoundo, marchâmes à pied jusqu'aux montagnes & entrâmes dans un vallon étroit entre deux rochers fort escarpés à un mille de la ville. A l'entrée de ce vallon Sermodas nous dit qu'il nous allait mener en paradis par le chemin de l'enfer. Je lui demandai ce qu'il voulait dire par là & il me répondit qu'il y avait deux chemins pour aller à ce paradis, celui du ciel et celui de l'enfer ; mais que ce dernier était le plus court & le plus commode & que l'expérience nous ferait connaître cette vérité. Ce discours nous mit en peine & se répandant jusqu'aux moindres de nos femmes, il leur donna de la crainte & de l'étonnement. Nous marchions sans oser en demander l'explication à Sermodas, voyant qu'il n'avait répondu à nos premières demande que par un sourire & qu'il nous avait renvoyés à l'expérience.

Quand nous fûmes un peu avancés dans le vallon, nous arrivâmes en un endroit où nous remarquâmes un chemin presque tout coupé dans le roc. Il fallut y monter par cinq ou six marches, au dessus desquelles le chemin était plein jusqu'à un jet de pierre de là, où nous trouvâmes d'autres degrés & puis d'autres, montant ainsi d'étage en étage cinq diverses fois ; après quoi nous nous trouvâmes au pied d'un grand rocher escarpé, au milieu duquel nous vîmes une grande voûte très obscure, par où Sermodas nous dit qu'il fallait passer pour aller au paradis dont il nous avait parlé & que déjà toutes nos hardes y étaient entrées sur des traîneaux. Il nous fit remarquer en même temps que sur la main gauche du chemin par où nous étions venus il y avait un sentier uni & sans degrés, sur lequel on faisait glisser les traîneaux, qu'on tirait en haut avec de grosses cordes par le moyen de certaines roues que des hommes faisaient tourner. Quand nous fûmes arrivés à l'entrée de la voûte, nous y trouvâmes deux maisons bâties de chaque côté d'où l'on tira des flambeaux pour nous éclairer dans l'obscurité & des capes de toile cirée doublées de toile de coton pour nous couvrir & nous défendre du froid & de l'humidité. Nous trouvâmes aussi un long traîneau à l'entrée de la voûte préparé pour tirer les femmes qui étaient grosses & pour ceux qui ne pouvaient marcher & l'on nous dit qu'il y en avait plusieurs autres dans la voûte préparés pour le même sujet. Tout cela nous donnait de l'étonnement ; & cependant nous étions tous assez résolus de marcher partout où l'on voudrait nous mener & de céder à notre destin. Mais nos femmes se mirent à pleurer comme si on les eut menées au supplice. Je demandai quelle était la cause de leurs cris & Sermodas en fut fort surpris. Mais pas un de nos hommes ne pouvait me la dire. Ce qui m'obligea d'aller moi-même vers elles & de leur demander quelle était la cause de leur douleur. Alors elles se mirent à lever les mains au ciel, à se battre le sein & à me dire que nous allions tous périr & qu'après avoir échappé à la fureur des flots & l'horreur du désert, où nous étions menacés de mourir de faim & de soif, notre sort était bien triste d'être menés par des endroits où nous jouissions d'un bonheur apparent, en un lieu d'où nous devions être précipités dans l'enfer avant l'heure de notre mort; & que tout le bien qu'on nous avait fait n'était que pour nous mener plus facilement au lieu qu'on avait destiné pour notre supplice. Comme elles exprimaient ainsi les causes de leur douleur, Sermodas qui m'avait suivi, entendit leurs plaintes & ensuite se tournant vers moi :

> Je vois bien, me dit-il, en regardant nos femmes d'un air qui avec la pitié qu'il avait de leur faiblesse marquait encore l'envie qu'il avait de rire de leur erreur: Je vois bien que les pleurs & les gémissements de ces pauvres femmes procèdent d'une imagination dont il nous sera facile de les désabuser; mais je suis fâché d'avoir donné lieu à cette opinion qui leur fait tant de peine & qui m'a causé tant de surprise. Je vous ai dit par une espèce de raillerie que je voulais vous mener en paradis par le chemin de l'enfer; et comme je n'ai pas voulu m'expliquer là-dessus, ni satisfaire aux demandes que vous m'avez faites, ces pauvres femmes, sans doute, se sont imaginées que je parlais sérieusement & que nous allions vous précipiter dans les enfers quand elles ont vu la caverne où nous devons passer. Mais pour leur mettre l'esprit en repos, je veux bien leur expliquer cette énigme & leur dire que cet enfer n'est qu'une voûte que nous avons fait pour la commodité du passage à travers du mont; & que si nous ne passions par là, il nous faudrait faire un grand détour & monter jusqu'au sommet de ces hautes montagnes. C'est ce que j'ai nommé le chemin du ciel comme j'ai appelé ce chemin souterrain, le chemin d'enfer. Et voilà un peu de mots l'explication de l'énigme. Au reste, s'il y a du danger, j'y serai exposé aussi bien que vous & pour votre plus grande satisfaction, je ne veux pas que vous le courriez tous ensemble, mais seulement que vous envoyez quelques-uns des vôtres avec moi qui pourront revenir quand ils auront passé pour rapporter à votre monde la vérité de ce qu'ils auront vu.

Ce discours, que je répétai à nos crieuses, calma leurs craintes & leurs ennuis & nous fîmes leurs excuses à Sermodas, le priant de pardonner à la faiblesse de leur sexe & de ne pas nous imputer leur faute; que nous avions reçu trop d'assurance de la bonté de ses supérieurs & de la sienne en particulier pour pouvoir jamais en douter, ni rien craindre de la part de ceux à qui nous devions la vie & tout ce que nous avions.

Je leur pardonne de tout mon cœur, répondit-il, mais je m'en tiens à ce que j'ai déjà dit & je ne veux pas qu'il y ait plus de dix d'entre vous qui passent par cet enfer imaginaire qu'ils n'en aient ouï faire la description à quelques-uns de ceux qui en auront vu toutes les horreurs: de sorte que sans plus contester, je vous prie de choisir ceux que vous voudrez pour les envoyer avec moi dans ces lieux souterrains. Comme je vis que Sermodas était résolu de s'en tenir à sa parole, je pris avec moi Van de Nuits, Maurice, Swart & quelques autres de mes officiers pour l'accompagner; de sorte qu'après nous être couverts de nos capes nous suivîmes les flambeaux qu'on avait allumés pour nous éclairer dans la caverne. Elle était taillée dans le roc & en forme de voûte & pouvait avoir environ cinq toises de large par le bas & trois et demie de hauteur. Sur le côté gauche il y en avait la moitié qui allait en penchant sans aucun degré & c'est là que l'on fait glisser les traîneaux. Mais sur la droite il y avait divers étages unis où l'on montait par des marches aisées. Nous trouvâmes en tout vingt-six de ces étages. Mais avant de venir à l'autre bout, environ à un mille de la sortie, Sermodas nous dit que la voûte était faite par la nature & que l'art n'y avait contribué que quelque chose pour aplanir le chemin & pour agrandir la caverne aux endroits où elle se trouvait étroite. En effet, nous remarquâmes que la voûte n'était pas si unie de ce côté-là comme de l'autre, qu'en divers endroits elle s'élargissait fort & qu'il y avait divers glaçons de pierre brillants comme du cristal qui se formaient d'une espèce de sel qui distille de la montagne & qui se pétrifie en coulant & forme diverses figures assez étranges à voir. Cet endroit était aussi plus froid & plus humide, & nous reconnûmes que nos capes étaient fort utiles dans ce passage. Nous trouvâmes aussi qu'aux endroits où la caverne était naturelle, elle n'était pas si droite & allait un peu plus en tournant, que là où elle était faite de main. A deux cents pas de l'issue elle s'élargit beaucoup, & c'est là que Sermodas nous fit voir divers grands pots de terre & d'autres de métal & de verre pleins de diverses drogues qui servaient à la médecine & que l'on fait préparer dans cet endroit à cause du froid et de l'humidité du lieu. De là nous poursuivîmes notre chemin & arrivâmes enfin à l'issue de la voûte, qui n'a pas moins de trois grands milles de long, & entrâmes en même temps dans une fort belle rue de la première ville de Sevarambe qu'on appelle Sevaragoundo. Elle est située au milieu d'une longue vallée pleine de belles prairies & tout contre l'endroit de la montagne où la caverne aboutit, de sorte qu'on entre dans la ville dès que l'on sort de la voûte souterraine.

Le gouverneur, nommé Comustas, nous vint recevoir à l'entrée de Sevarambe, nous témoigna de la joie de notre arrivée, & il nous mena dans une grande maison carrée comme elles sont à Sporoumbe. Comustas était un grand homme noiraud, d'environ quarante ans & fort bien fait de sa personne. Il nous demanda où était le reste de nos gens?

Et Sermodas lui raconta ce qui nous était arrivé à l'entrée de la voûte & la terreur panique qui avait saisi nos femmes pour n'avoir pas entendu le sens d'une raillerie qu'il avait faite, & que cela nous procurerait la satisfaction de passer le reste du jour avec lui. Cette aventure le fit rire, & cependant il nous dit qu'il était bien aise que l'erreur de nos femmes lui eût procuré le bien de nous loger, qu'il nous traiterait le mieux qu'il pourrait & qu'il allait donner ordre pour nous recevoir, nous & nos gens; que cependant il nous priait de nous rafraîchir & de prendre un peu de repos. Il revint peu de temps après & nous pria de venir dîner, ce que nous fîmes; après quoi nous envoyâmes Swart & de Haës à nos gens pour les conduire à Sevaragoundo, c'est-à-dire à la porte ou à l'entrée de Sevarambe. Car *gundo* en leur langage signifie porte ou entrée; & c'est la raison pourquoi la ville qui est située de ce côté-là s'appelle ainsi, comme l'autre qui lui est opposée s'appelle Sporagundo, c'est-à-dire la porte ou l'entrée de Sporoumbe.

Après dîner, Comustas nous mena promener dans un petit bocage au-dessous de la ville où passe une petite rivière ou une espèce de torrent qui, allant de l'orient à l'occident, précipite ses eaux à travers divers rochers, dont le bruit fait une assez belle cascade. De ce bocage nous vîmes des montagnes fort hautes, couvertes de grands sapins, & de tous les côtés du vallon nous voyions aussi des arbres que nous ne connaissions pas; & comme nous étions dans la belle saison, ces arbres & les eaux qui coulaient dans le vallon faisaient une verdure & une fraîcheur très agréable. Comustas nous dit que si nous avions le temps de demeurer il nous donnerait le divertissement de la chasse à l'ours qu'ils appellent somouga, & dont il y en a grand nombre dans ces bois; comme aussi d'un autre animal tout blanc qui approche fort de la nature de l'ours & qu'ils appellent erglanta. Mais Sermodas, le remerciant, lui dit que nous ne pouvions demeurer que jusqu'au lendemain, & qu'il le priait de faire préparer toutes choses pour notre départ. Hé bien, dit-il, si vous n'avez pas le temps de demeurer pour voir la chasse, vous en avez du moins pour voir la pêche en attendant la venue de vos gens. Sermodas lui témoigna qu'il serait bien aise qu'il nous donnât ce divertissement & qu'il serait de la partie. Cela étant ainsi résolu, Comustas donna ses ordres & nous mena à un demi-mille au-dessus de la ville, sur le lieu où la rivière fait la cascade dont nous avons parlé. Il y a plusieurs rochers qui s'opposent à son cours, ce qui l'a fait enfler & lui fait faire une espèce de lac où l'on peut aller sur des bateaux. Nous y en trouvâmes quatre ou cinq &, nous étant mis sur un avec le gouverneur, nous vîmes la pêche d'un petit poisson fort délicat qui ressemble à nos truites d'Europe, mais qui est encore plus ferme & de meilleur goût. On les prend avec des cormorans auxquels on lie le col de peur qu'ils n'avalent le poisson. On les lâche, & ces oiseaux prennent leur proie & ils la rapportent dans le bateau. Nous en avions trois qui dans une heure prirent plus de quinze livres de poisson. Après quoi nous retournâmes à la ville & y trouvâmes nos gens qui ne faisaient que d'arriver & qui étaient ravis d'être passés par l'enfer à si bon marché. Comustas donna ordre pour leur logement & nous passâmes paisiblement la nuit à Sevaragoundo. Nous nous disposions à partir de bon matin quand on vint m'avertir qu'une de nos femmes grosses, qui avait eu beaucoup de frayeur à la vue de cet enfer prétendu, venait de faire une fausse couche & qu'elle était en danger de mourir. J'en avertis Sermodas qui me dit que cela ne devait pas arrêter notre voyage, qu'on la laisserait avec quelques-uns de nos gens à Sevaragoundo où rien ne lui manquerait, & que Comustas aurait soin de nous la renvoyer quand elle se porterait bien ou de la faire enterrer si elle mourrait.

Après cet ordre, nous entrâmes dans les chariots qu'on avait préparés pour notre voyage, & montâmes le long de la rivière & du vallon jusqu'à un bourg composé de quatre carrés seulement, appelé Dienesté, & nous y prîmes des chevaux de relais & y reposâmes depuis onze heures jusqu'à deux. Ce bourg est à quinze milles de Sevaragoundo, sur la même rivière, & dans le même vallon il y en a un autre qui aboutit à l'endroit où ce bourg est situé. Nous devions passer par là &, sur les deux heures, nous remontâmes sur nos chariots & marchâmes dix ou onze milles dans ce nouveau vallon qui est très beau & très fertile; nous y vîmes une quantité prodigieuse de troupeaux & nous arrivâmes enfin au pied d'une montagne où finit le vallon. Nous y trouvâmes une petite ville, composée de quatre carrés & nommée Diemeké, où nous devions coucher. La montagne où ce vallon aboutit n'est pas fort haute, & montre un rideau uni qui s'élève en talus, mais elle est bordée des deux côtés de rochers escarpés & presque inaccessibles. Nous n'y voyions point de passage & ne pouvions comprendre comment on pouvait y monter. Nous n'osions pas même le demander à Sermodas de peur qu'il prît notre curiosité pour un nouveau soupçon. Le lendemain matin, Sermodas me demanda si nous n'aurions point autant de peur de monter au ciel, qu'on en avait témoigné de descendre aux enfers? Et il me pria de le faire demander à nos femmes. Mais comme elles avaient reconnu la faiblesse de leurs premières craintes & qu'elles avaient été exhortées à nous suivre partout sans répugnance & sans alarme, elles répondirent qu'elles suivraient Sermodas partout où il voudrait les mener. Cette réponse le fit sourire & il dit que puisque nous étions dans ce sentiment il nous mènerait au haut de la montagne par une voie qui peut-être nous surprendrait; mais qu'il n'y avait aucun danger & qu'il irait le premier. Après cela il nous fit passer par une porte faite dans une longue muraille qui s'étend d'un côté du vallon jusqu'à l'autre, proche de la racine du mont. Nous trouvâmes derrière cette muraille divers grands traîneaux attachés à de gros cables qui descendaient du haut de la montagne où on nous dit qu'ils étaient attachés. Ces traîneaux contenaient vingt personnes chacun & ils étaient bordés de planches un peu élevées & surtout le derrière où il y avait des sièges & diverses cordes pour s'y tenir. Sermodas me dit de choisir ceux que je voudrais mener avec lui dans son traîneau, ce que je n'eus pas plutôt fait qu'il y entra & nous invita par son exemple à faire la même chose. Dès que nous y fûmes entrés, on couvrit la moitié du traîneau sur le derrière d'une toile forte sur laquelle on mit encore des cordes que l'on attacha sur le bord du traîneau; de sorte que nous étions hors de tout danger de tomber. Quand cela fut fait, on donna un coup de sifflet & l'on tira une petite corde qui allait vers le haut, & aussitôt nous sentîmes monter notre traîneau fort doucement, comme si l'on eut tiré avec un tour, mais avec un peu plus de vitesse. Quand nous fûmes sur le milieu de la montagne, nous vîmes par des trous qui étaient à côté du traîneau un autre traîneau comme celui qui nous portait qui glissait en bas & qui par son poids faisait monter le nôtre; car il était attaché à l'autre bout du câble & nous trouvâmes que le câble avait son terme à l'entour d'un essieu roulant qui était au haut de la montagne, où il était fortement attaché. Par ce moyen nous montâmes ce rideau sans aucune peine & sans y être tiré ni par hommes ni par cheveaux mais seulement par un poids plus grand que le nôtre qui en descendant nous faisait monter. Quand le traîneau qui nous portait fut monté, nous demeurâmes au lieu où il s'arrêta pour voir monter les autres qui s'élevèrent tous comme le premier sans aucun fâcheux accident. Cependant on nous avait apprêté au haut de la montagne des chariots qui nous portèrent avec grande diligence à travers une plaine qui avait environ douze milles jusqu'à l'autre côté de la montagne. Cette plaine est couverte de pâturages où l'on voit paître une infinité de divers troupeaux qui y sont pendant huit mois de l'année & ensuite on les fait descendre dans les vallons des environs parce que les neiges rendent cette montagne inhabitable durant cette saison. Aussi nous n'y vîmes ni ville, ni village mais seulement quelques petits hameaux & quelques maisons pour la commodité des bergers. On l'appelle en langage du pays Ombelaspo. Quand nous fûmes arrivés à l'autre côté, nous y trouvâmes des traîneaux, semblables à ceux que nous avions eus en montant, & nous nous en servîmes de la même manière pour descendre dans un grand vallon rond, qu'on appelle en latin *Convallis*, où nous trouvâmes une ville à dix carrés, nommée Ombelinde. Nous y fûmes reçus fort honnêtement par Semudas, qui en était gouverneur, & nous y couchâmes ce soir-là, y étant traités comme nous l'avions été partout ailleurs. Nous n'y remarquâmes rien d'extraordinaire sinon que les hommes y étaient mieux faits & les femmes plus blanches & plus belles de beaucoup que tout ce que nous avions vu.

Semudas nous dit que nous trouverions l'armée sur notre chemin, qu'elle était campée au pied des montagnes à l'entrée de la plaine, qu'elle y avait déjà demeurée six jours & qu'elle y serait encore quelque temps. Il nous dit aussi qu'il y était arrivé quelque désordre au sujet d'un officier qu'on accusait d'avoir négligé son devoir & de s'être laissé surprendre dans un poste avantageux qu'on lui avait donné à garder; qu'un parti des ennemis s'en étant saisi & que cela faisait grand bruit dans l'armée où il croyait qu'on punirait cet officier pour l'exemple, quoiqu'il eût beaucoup d'amis qui s'employaient pour lui & que sa conduite passée lui eut acquis beaucoup de réputation.

Le lendemain, nous partîmes de grand matin d'Ombelinde sur des chameaux qui portaient chacun six personnes dans de certains paniers où il y avait des sièges pour s'asseoir. Ces animaux nous portèrent fort commodément & fort sûrement au bas d'une montagne par un chemin oblique qui nous conduisit dans un grand vallon où nous trouvâmes une rivière qui avait assez d'eau pour être navigable, si elle n'avait eu des chutes fâcheuses & trop de rapidité. Nous trouvâmes au pied de la montagne une ville à six carrés, nommé Arkropse; elle est à six milles d'Ombelinde & nous y trouvâmes des chariots prêts pour nous porter à la couchée qui était à treize milles de là. Après que nous nous fûmes reposés, nous nous mîmes dans nos chariots &, passant le long de la rivière & de la vallée, nous arrivâmes enfin à une ville nommée Arkropsinde où nous devions nous embarquer le lendemain pour faire par eau le reste de notre chemin jusqu'à Sevarinde. Cette ville est située au bout d'un large vallon sur le confluent de deux rivières, comme Sporounde. Elle a à ses côtés plusieurs hautes montagnes toutes couvertes de bois, & au delà d'une de ses rivières une plaine agréable où l'on voit diverses villes & divers bâtiments. La rivière que nous avions vue la première est de beaucoup moindre que l'autre & se perd dans la dernière au confluent où la ville est située. Elle coule d'orient en occident & l'autre tout au contraire coule doucement de l'occident à l'orient; mais quand elles sont jointes, elles coulent vers le sud-ouest & forment un grand fleuve navigable, nommé Sevaringo, qui reçoit trois ou quatre grandes rivières avant d'arriver à Sevarinde. Brasindas gouverneur d'Arkropsinde, vieillard grave & vénérable, accompagné de plusieurs personnes des plus apparentes de la ville, nous vint recevoir à la porte & nous mena dans un grand carré où nous devions loger. Nous croyions en partir le lendemain mais deux raisons nous en empêchèrent. La première fut les grandes pluies qu'il fit toute la nuit, qui firent tellement enfler la rivière qu'il était impossible de s'y hasarder sans une imprudence extrême. La seconde fut la curiosité de voir l'armée qui n'était qu'à trois milles d'Arkropsinde. Nous fûmes aussi bien aise de voir la ville qui est très belle & presque aussi grande que Sporounde. Toutes ces raisons obligèrent Sermodas à nous donner quelques jours de repos à Arkropsinde où Brasindas & ses officiers nous témoignèrent qu'ils seraient bien aises de nous retenir quelque temps.

Cependant le temps se remit au beau &, le lendemain, Sermodas voulut se promener seul avec moi dans le jardin du gouverneur qui est très beau & très agréable. Nous y vîmes plusieurs belles allées, de beaux parterres couverts de fleurs & divers bassins & jets d'eau extraordinaires. Que vous semble de ce pays, me dit-il, le trouvez-vous agréable ? Je lui répondis que j'en étais charmé et qu'on n'en pouvait voir de plus beau.

> Hé bien, dit-il, je suis bien aise que vous le trouviez à votre gré; mais vous en trouverez de beaucoup plus beau entre ici & Sevarinde & vous en verrez encore de plus agréables au delà de cette grande ville. Nous avons fait un long détour pour y aller mais nous ne pouvions pas prendre l'autre chemin quoiqu'il soit beaucoup plus court parce que les chariots n'y peuvent pas aller & qu'il n'est propre qu'aux gens de pied & de cheval, à cause du passage étroit de certaines montagnes où les chariots ne sauraient passer. D'ailleurs il n'est pas si agréable que celui que nous avions pris & il n'a pas la commodité des rivières. Celle que vous voyez vers l'occident vient de fort loin, poursuivit-il, elle est fort douce & fort profonde & passe autour de l'île où la ville de Sevarinde est située. Vous ne faites que commencer d'entrer dans le beau pays, & sur le bord du fleuve vous verrez de belles campagnes pleines de villes & de bâtiments, au lieu des montagnes & des rochers que vous avez vus depuis Sevaragoundo, & quand vous aurez connu les merveilles de Sevarinde, vous avouerez que je vous ai mené dans un paradis terrestre à travers de l'enfer dont vos femmes avaient tant de peur.

Quand je vis que Sermodas était de si bonne humeur, je me hasardai, après lui en avoir demandé la permission, de lui faire plusieurs questions sur diverses choses que j'avais vues & que je n'entendais pas bien encore. La première fut, pourquoi les noms de presque tous ceux que nous avions connus étaient terminés en AS. Il me répondit que cette terminaison était une marque de dignité & ne se donnait qu'aux personnes qui avaient des charges honorables; qu'il y avait encore une autre marque de dignité qui ne se donnait qu'au seul vice-roi du Soleil & que c'était le commencement du nom de Sevarias leur législateur, comme je le pouvais remarquer au nom du vice-roi d'alors qu'on nommait

Sevarminas. Il me dit encore qu'on donnait aussi le commencement de ce nom à des lieux considérables, comme à tout le pays de par delà les monts, qu'on appelait Sevarambe, & à la ville capitale qu'on nommait Sevarinde. Et tout cela en l'honneur du grand Sevarias avant lequel le pays s'appelait Stroukarambé & les habitants Stroukarambes. Quand vous aurez appris notre langue, ajouta-t-il, vous connaîtrez la vérité de ce que je vous dis par la lecture de l'histoire de Sevarias & de ses successeurs, que vous trouverez sans doute très belle & pleine de beaux exemples.

Je lui demandai ensuite comment on avait pu percer la montagne auprès de Sevaragoundo & combien cet ouvrage avait coûté ? Il me répondit qu'il n'avait coûté que la peine de le faire & que leurs ancêtres y avaient travaillé dix ans avec quatre mille ouvriers qui se relevaient les uns les autres & qui ne quittaient leur travail ni nuit ni jour, hormis aux fêtes solennelles; que la grande utilité que le public devait en recevoir, en évitant le grand détour qu'il fallait faire pour aller à Sporounde, avait été le principal motif qui les avait portés à l'entreprendre; & que d'ailleurs la nature même y avait contribué par une longue caverne qu'ils trouvèrent toute faite sous la montagne. Ce travail, poursuivit-il, était difficile; mais rien dont les hommes puissent venir à bout, n'est impossible à notre nation, où les particuliers n'ont rien à eux & où le public possède toutes choses & dispose & vient à bout de toutes les grandes entreprises, sans or & sans argent. Vous verrez des ouvrages encore plus grands que tout ce que vous avez vu & je crois que vous n'en serez pas moins surpris. Mais quand vous serez instruit de notre gouvernement, ce qui n'est pas difficile, votre étonnement cessera & vous admirerez seulement les hautes vertus & le bonheur incomparable du grand Sevarias qui en est l'auteur & après Dieu la cause de notre félicité.

Il me dit encore plusieurs particularités touchant les lois, les mœurs & les coutumes des Sevarambes dont je parlerai dans la suite de cette histoire. Je le remerciai de la bonté qu'il avait de me dire ces choses & je le priai de m'en dire une qui me surprenait & que je ne pouvais comprendre, c'était de savoir où il avait appris à parler hollandais & comment leurs coutumes étaient si peu différentes de celles des peuples de l'Europe.

> Vous me demandâtes la même chose dans Sporoumbe, répondit Sermodas, & comme je ne vous connaissais pas encore assez & que d'ailleurs j'avais alors des raisons de vous taire ce que vous vouliez savoir de moi, je ne voulus pas vous expliquer une chose que présentement je serai bien aise de vous apprendre. Sachez donc que j'ai voyagé dans votre continent & qu'après avoir demeuré quelques années en

Perse, je passai dans les Indes en habit & sous le nom d'un Persan. Je vis la cour du grand Mogol & de là j'allai à Batavia & dans les autres colonies hollandaises où je fis un assez long séjour pour y apprendre la langue. Je savais déjà parler bon persan avant même de partir de Sevarinde où cette langue est publiquement enseignée. J'avais avec moi deux compagnons qui sont encore en vie, qui seront bien aises de s'entretenir avec vous & avec vos gens, & qui sans doute vous rendront tous les bons offices qu'ils seront capables de vous rendre quand nous serons arrivés à la grande ville, où ils demeurent aussi bien que moi ; car je ne demeure point à Sporounde comme vous aurez pu croire mais j'y vais fort souvent. Et comme je m'y trouvais lorsque Carchida & Benoscar y menèrent Maurice & ses compagnons, Albicormas me choisit pour vous aller quérir à votre camp & il m'a depuis ordonné de vous conduire à Sevarinde.

Pour ce qui est de la ressemblance des mœurs & des coutumes que vous avez remarquée entre nous & les peuples de votre continent, comme aussi des langues étrangères que nous parlons ici, vous ne vous en étonnerez plus quand je vous aurai dit que Sevarias notre premier législateur, qui était un grand seigneur persan de naissance & d'origine, avait voyagé dans plusieurs endroits de l'Asie & de l'Europe ; que dès sa plus tendre jeunesse il avait appris les lettres grecques & presque toutes les sciences sous un précepteur vénitien, nommé Giovanni, qui l'accompagna en ce pays & qui a laissé des enfants parmi nous, dont le nombre s'est fort accru depuis sa mort ; que ce Giovanni fut le compagnon inséparable de Sevarias dans tous ses voyages, & son conseiller fidèle dans toutes ses entreprises, & surtout dans l'établissement des lois & des mœurs qu'ils estimèrent les plus convenables. Pour cet effet ils tirèrent des livres tant anciens que nouveaux, des observations qu'ils avaient faites dans leurs voyages & des lumières qu'ils avaient naturellement, les lois & les règles de bien vivre qu'ils établirent parmi nous. Mais parce que l'homme du monde le plus sage & le plus éclairé ne saurait pénétrer fort avant dans l'avenir & qu'aucun n'est capable de pourvoir lui seul à toutes choses, le grand Sevarias, reconnaissant cette vérité, fit une loi, par laquelle il autorisait ses successeurs & même les exhortait à faire après sa mort telles ordonnances & tels règlements qu'ils jugeraient nécessaires & qui pourraient contribuer au bien & à la gloire de la nation. Entre autres choses, il leur recommanda l'innocence des mœurs & leur ordonna de n'avoir point de commerce ouvert avec les nations de l'autre continent, de peur que leurs vices ne corrompissent aussi les Sevarambes. Cependant, comme parmi les hommes vicieux on voit souvent briller de grandes vertus, soit dans la politique, soit dans les sciences ou dans les arts, Sevarias trouva qu'il n'était pas avantageux, fuyant leurs vices, de mépriser leurs vertus & de négliger les bons exemples & les belles inventions qu'on peut tirer des Chinois & des autres peuples de votre continent. C'est pourquoi il ordonna qu'on enseignerait publiquement la langue persane, qu'on enverrait de temps en temps en Perse des gens qui la sussent déjà bien parler, & que de là ils pourraient voyager dans les autres pays pour y remarquer tout ce qu'il y avait de considérable, afin que de toutes ces remarques on put tirer ce qu'il y avait de bon & de propre à l'usage de notre nation. Cela s'est toujours observé depuis le premier établissement & s'observe encore; de sorte que par le moyen des personnes que nous envoyons en Asie & en Europe sous le nom & sous l'habit de Persans, nous apprenons de temps en temps tout ce qui se passe dans les plus illustres nations de votre continent, nous en savons les langues & en tirons toutes les lumières dans les sciences, les arts & les mœurs que nous jugeons pouvoir contribuer à la félicité de notre Etat. Voilà en peu de mots ce que j'ai cru devoir vous dire pour votre satisfaction. Après quoi votre étonnement cessera sans doute & vous aurez l'esprit en repos de côté-là.

Après cette conversation, Sermodas me dit qu'il nous mènerait voir l'armée le jour suivant & que c'était une chose très digne de notre curiosité. Le lendemain, on nous vint dire de la part de Brasindas de nous préparer à le suivre au camp. Il vint lui-même peu après & nous mena déjeuner avec lui. Il me dit d'envoyer quérir ceux de mes officiers que je voudrais prendre avec moi pour aller voir l'armée & de lui en faire savoir le nombre afin qu'il donnât ordre pour autant de chevaux ou de bandelis qu'il fallait pour les monter. Il ajouta que je ne devais pas me mettre en peine des montures parce qu'il en avait plus de cent toutes prêtes & on pouvait avoir autant dans moins d'une heure s'il était nécessaire.

Il dit cela d'un air un peu fier & qui marquait & l'abondance du pays & l'autorité qu'il y avait sur toutes choses.

En effet, il n'est point de monarque plus absolu que sont les gouverneurs de toutes les villes de cette nation où tous les biens & les intérêts publics sont commis à leur conduite & où leurs ordres sont ponctuellement observés, pourvu qu'ils soient selon les lois établies.

D'abord que Brasindas eut achevé de parler, j'envoyai Maurice pour avertir tous mes officiers qui ne tardèrent pas à venir & qui furent menés dans une autre chambre où on leur apporta à déjeuner. Nous descendîmes ensuite à la cour où nous trouvâmes un chariot tiré par six grands chevaux noirs, plusieurs chevaux de selle & autant de bandelis. Ce bandelis est un animal plus grand & plus fort qu'un cerf mais le corps n'en est guère différent & sa tête est presque semblable à celle d'une chèvre; il a de petites cornes blanches & transparentes & une grosse touffe de crin noir, court & frisé entre les deux cornes; il n'a point de crin au col & n'a qu'une petite queue courte & touffue; son poil est fort ras, reluit comme celui des chevaux bien pansés, & l'on en voit de diverses couleurs. Il se nourrit d'herbes, de foin, de feuilles d'arbres, de grain & de diverses racines qu'on lui donne. Il a le pied comme un mulet & on le ferre comme nous ferrons les chevaux, qui lui cèdent beaucoup en vitesse & en agilité. On lui fait porter la selle & une espèce de bride légère sans mors; mais au lieu de cela on lui met un fer dentelé sur le nez qui le blesse quand on tire les rênes & qui le fait arrêter d'abord; car c'est un animal fort doux & fort traitable.

Brasindas nous fit entrer, Sermodas, Van de Nuits & moi, dans son chariot, & ses gens & les miens montèrent sur des chevaux ou des bandelis; & de cette sorte nous allâmes tous ensemble vers le camp, suivant le cours du fleuve & des montagnes qui s'abaissaient peu à peu vers la plaine & au pied desquelles nous trouvâmes l'armée, campée au bord d'un ruisseau, qui descendait de ces montagnes & qui de là jusqu'au fleuve entourait le camp. On commençait de mettre les soldats en bataille quand nous y arrivâmes, & dans moins d'une heure toute l'armée fut sous les armes avec une promptitude admirable. Elle était sur toute une ligne & pouvait être environ de douze mille personnes. Je n'ose pas dire d'hommes parce que les femmes en faisaient plus d'un tiers; mais c'était des femmes guerrières qu'on voyait sous les armes & qui firent l'exercice avec autant d'adresse & de bonne grâce qu'aucun des hommes & même avec plus d'exactitude. Il y en avait à pied & à cheval, & le tiers de l'armée était de cavalerie composée de femmes pour la plupart. Toute cette armée était divisée en trois sortes de gens qui faisaient bande à part & qui avaient trois camps séparés par une palissade entre deux. Les hommes mariés occupaient avec leurs femmes le camp du milieu; les filles celui de la droite, & les garçons la gauche, & le même ordre était observé dans la ligne lorsqu'ils étaient sous les armes. J'ai déjà dit que suivant les lois des Sevarambes toutes les filles sont obligées de se marier dès qu'elles ont atteint l'âge de dix-huit ans & les garçons celui de vingt & un. L'on peut juger facilement par là que l'aile droite & l'aile gauche de l'armée était composée de gens qui étaient tous à la première fleur de leur âge & de leur beauté. Aussi je ne pense pas qu'on puisse rien voir de plus charmant que cette aimable jeunesse qui outre la beauté naturelle de cette nation avait une adresse & une grâce extraordinaire au maniement des armes à quoi elle est exercée depuis l'âge de sept ans. Les filles cavalières étaient toutes montées sur des bandelis & étaient armées de pistolets & d'épées seulement. Elles portaient un casque ombragé de plumes avec une aigrette sur le milieu; ce qui leur rendait la mine fière & donnait un nouvel éclat à leur beauté. Elles portaient sur le corps des cuirasses légères de fer blanc ou de cuivre blanchi, & depuis la ceinture jusqu'un peu au-dessus du genou, elles étaient couvertes d'une espèce de robe fendue sur le derrière & sur le devant qui couvrait leur caleçon & laissait voir leur jambe dans une botte courte qui ne leur venait que jusqu'au genou. Celles qui étaient à pied se servaient ou de la pique ou de l'arc, & elles étaient plus fortes & plus robustes & même moins jeunes que celles qui étaient à cheval. Les piquières étaient vêtues comme les cavalières sinon qu'elles n'avaient point de bottes, & qu'au lieu de deux pistolets elles n'en avaient qu'un qu'elles portaient pendu à la ceinture au-dessus de l'épée. Les archères n'avaient ni casque ni cuirasse mais au lieu de cela des bonnets verts comme tout le reste de leurs habits, qui étaient une espèce de simarre, qu'elles retroussaient & la liaient avec une ceinture, laissant voir leur caleçon & leur chaussure, qui étaient de la même couleur. Elles avaient pour armes leur arc & leur carquois plein de flèches, leur épée au côté & un pistolet de ceinture comme les piquières. Il n'y avait que deux régiments de ces filles à pied & autant de celles qui étaient à cheval.

Les jeunes hommes étaient tous montés sur de grands chevaux, portaient des casques & des cuirasses de fer comme les nôtres en Europe, & étaient armés de mousquetons, de pistolets & de sabres, tout comme notre cavalerie, & leurs bottes étaient de même sans aucune différence. Il y en avait un escadron armé de lances & de rondaches, & ceux-là étaient employés à rompre la cavalerie ou l'infanterie des ennemis, se couvrant de leurs rondaches & rompant les rangs par l'impétuosité de leur course. Ils étaient montés sur les plus forts chevaux, & chacun d'eux portait un fantassin derrière lui qui était armé seulement d'une épée & d'un pistolet & qui pouvait sauter sur la croupe de son cavalier ou en descendre avec beaucoup de facilité quand il était nécessaire. Leur infanterie consistait en piquiers, hallebardiers & mousquetaires ; il y avait aussi des archers armés comme les femmes sans presque aucune différence. Les gens mariés étaient aussi distingués en infanterie & cavalerie & armés de même que les autres ; l'on pouvait en connaître la différence à leur âge & à la couleur de leurs habits qui tous étaient bleus, rouges ou gris. Les hommes étaient montés sur des chevaux & les femmes sur des bandelis, chacun avait sa femme à son côté & il en était de même de l'infanterie.

On voyait dans chaque régiment des drapeaux & des étendards fort semblables aux nôtres ; les tambours, les trompettes, les timballes, les cornets, les fifres & les haut-bois y faisaient des concerts guerriers capables de donner du courage au moins résolus. Dès que l'armée fut rangée en bataille, Salbrontas, qui en était le général, accompagné de plusieurs de ses officiers, vint trouver Brasindas & lui fit son compliment, puis il vint en faire autant à Sermodas, & après avoir parlé quelque temps avec lui, ils vinrent tous deux vers nous, & ce général, après avoir salué toute notre compagnie par une petite inclination du corps, s'avança vers moi, comme pour me parler. Sermodas me fit signe d'aller au devant de lui, ce que je fis & je le saluai, me baissant jusqu'au pommeau de la selle de mon cheval ; car nous étions tous sortis du chariot & avions pris des chevaux. Il me dit d'abord en espagnol qu'il avait appris que j'étais le chef des étrangers qui avaient fait naufrage sur les côtes de Sporoumbe ; qu'il avait ouï parler de nous & de moi en particulier ; qu'il savait que j'étais homme de guerre & que tant à cause de cela que pour les louanges que me donnait Sermodas, il avait déjà conçu beaucoup d'estime pour moi ; qu'il serait bien aise que je visse l'ordre de leur armée pour lui en dire mon sentiment & que pour cet effet il me priait de marcher près de lui sur sa main gauche. En même temps, il pria Brasindas & Sermodas de se ranger à sa droite, & de cette manière il nous mena d'un bout de la ligne à l'autre, & il nous fit voir tout ce dont j'ai déjà parlé. Il me dit de plus qu'il avait voyagé sept ou huit ans dans notre continent & vu diverses armées en Europe & en Asie, & que la plupart de leur discipline venait de ces pays-là.

Toutes ces troupes saluèrent leur général lorsqu'il revenait d'un bout de la ligne à l'autre ; & quand nous fûmes sur le milieu du corps de bataille, on fit ouvrir tout d'un coup un bataillon pour faire place à dix pièces d'artillerie qu'on tira pour le saluer ; la mousqueterie en fit autant à son tour ; après quoi la moitié des troupes se sépara de l'autre & fit une seconde ligne opposée à la première comme si ç'eut été deux armées ennemies. Alors on commença l'exercice & l'on donna une bataille feinte avec beaucoup d'adresse, d'ardeur & d'exactitude. Les armes à feu tirèrent avec de la poudre seulement, les piques, les hallebardes & les lances ne firent que se choquer un peu, & les archers et archères décochèrent leurs flèches en l'air.

Je demandai à Salbrontas pourquoi ils se servaient de flèches & de lances dont nous avions abandonné l'usage en Europe comme d'une chose de petite utilité.

> Vous en avez, me dit-il abandonné l'usage par caprice plutôt que par raison. Car si vous en aviez bien considéré l'utilité, vous en auriez retenu sinon le tout, au moins une partie comme nous avons fait ici. Nous nous servons de flèches pour mettre la cavalerie en désordre dès le commencement du combat, & de lances pour l'achever de rompre quand nos archers y ont mis la confusion. Pour deux coups de mousquet qu'on tire, on décoche dix flèches, & ces armes qui ne tuent pas les chevaux, les blessent & les irritent si fort qu'il n'est pas possible de les tenir dans les rangs. Il n'en faut que peu de blessés pour mettre tout un escadron en désordre, & c'est alors que nos lances font miracle en rompant tout à fait ceux qui ne sont en désordre qu'à demi.

Il me dit encore plusieurs choses là-dessus qui me firent admirer son bon raisonnement. Dès que la bataille feinte fût achevée, on fit venir au milieu des deux rangs trois jeunes hommes qu'on avait surpris dans le camp des filles, où ils allaient voir leurs maîtresses pendant la nuit, & qui avaient déjà franchi les barrières quand on les prit. Ils ne voulurent jamais dire qui étaient les filles qu'ils allaient voir, quelque soin qu'on prit de le leur faire confesser, & voulurent souffrir seuls les châtiments que la discipline ordonne contre les fautes de cette nature, sans y mêler leurs maîtresses à qui on aurait fait souffrir la même peine, si l'on eût pu les découvrir. Ils étaient tous trois désarmés, nu-pieds, & nu-tête, et l'on les fit passer à travers des deux lignes en cette posture. Après cela toutes les jeunes filles, tant de cavalerie que d'infanterie, se séparant du reste de l'armée, firent une longue haie, tenant chacune une longue houssine à la main, & les criminels furent obligés de passer au milieu de cette haie, où ils reçurent un coup de chacune des filles ; car il ne leur était pas permis de donner plus d'un coup chacune ; & c'était bien assez pour faire beaucoup de mal à ces pauvres amants, si elles eussent toutes frappé bien fort ; mais la plupart le faisaient si doucement qu'on voyait bien qu'elles n'étaient pas si en colère comme elles avaient fait semblant de l'être au commencement. Les officiers qu'on avait accusés d'avoir manqué à leur devoir ne furent pas châtiés parce que l'accusation n'était pas bien vérifiée, & que d'ailleurs ils en avaient appelé à Sevarminas.

Après cette exécution, Salbrontas nous mena dans le camp, nous fit voir sa tente qui était fort belle & fort spacieuse, nous montra toutes les autres, & puis nous donna à dîner dans un pavillon tendu près de sa tente. Nous demeurâmes au camp jusqu'au soir, occupés à considérer le bon ordre qu'on y observait, & surtout la gentillesse et la beauté des Sevarindois & Sevarindoises dont presque toute l'armée était composée. Sur le soir nous prîmes congé de Salbrontas qui me dit qu'il me verrait plus à loisir à Sevarinde. Et ainsi nous retournâmes à la ville où nous arrivâmes un peu avant la nuit, & nous eûmes le temps de voir quelques restes des réjouissances publiques. Car il y avait une fête solennelle ce jour-là à cause que la lune était en son plein & que par tout l'Empire des Sevarambes il est jour de fête au plein de la lune & lorsqu'elle est nouvelle. On passe ces jours-là en réjouissances & ils s'exercent, les uns à la danse, à la lutte, à la course, à l'escrime & à l'exercice des armes ; les autres à divers jeux d'esprit, où ils font paraître leur éloquence & les connaissances qu'ils ont dans les arts libéraux. Il y a dans Arkropsinde un amphithéâtre semblable à celui de Sporounde, quoiqu'il ne soit pas si grand, non plus que la ville qui n'a que quarante-huit carrés en tout, mais qui est habitée par des gens beaucoup mieux faits que ceux de Sporounde.

Cependant les eaux des torrents s'étaient presque tout à fait écoulées, & le fleuve n'étant plus si débordé qu'auparavant, nous résolûmes de partir le jour d'après. Brasindas, sachant notre dessein, fit apprêter les bateaux nécessaires pour nous porter à Sevarinde. Nous partîmes de bon matin & descendîmes sur la rivière à travers un beau pays presque tout uni, où nous remarquâmes de belles villes, des bourgs & des carrés bâtis en plusieurs endroits du pays qui est aussi embelli de plusieurs prairies, champs, bois & rivières, dont nous ne saurions faire ici la description. Il suffira de dire que je n'ai jamais vu de pays si bien cultivé, si fertile & si agréable que celui-là. Sur le soir, nous arrivâmes à une petite ville de huit carrés, nommée Maninde. Nous y reposâmes cette nuit & le lendemain nous remontâmes dans nos bateaux & poursuivîmes notre voyage, passant près de plusieurs belles villes que nous découvrions dans le pays, nous tenant debout sur le tillac de nos bateaux d'où l'un de nos hommes qui était un peu trop attentif à regarder, se laissa tomber malheureusement dans la rivière et s'y noya avant qu'on pût lui donner aucun secours. Sur les quatre heures du soir nous arrivâmes à la pointe d'une île qu'il y a au milieu du fleuve, qui en cet endroit se sépare en deux branches & environne cette île de tous côtés. Elle est bordée de murailles hautes & épaisses, & a près de trente milles de tour. Sa figure est presque ovale & sa longueur est depuis la pointe qui sépare le fleuve jusqu'à celle où ses deux branches se réunissent. Nous passâmes vers l'orient de l'île, & environ les six heures du soir nous arrivâmes à la grande ville où nous trouvâmes une foule prodigieuse de peuple, qui était sortie pour nous voir descendre de nos bateaux. Nous mîmes pied à terre sur un très beau quai & delà nous fûmes menés à travers quelques rues encore plus belles, à un carré qu'on avait destiné pour nous. Nous y fûmes visités de la part de Sevarminas, par quelques-uns de ses officiers, qui nous firent beaucoup de caresses & nous dirent que dans quelques jours on nous présenterait à lui.

Pendant que nous attendions le jour auquel nous devions comparaître devant Sevarminas, qui fut le neuvième après notre arrivée à Sevarinde, Sermodas se tint le plus souvent avec nous dans le carré qu'on nous avait donné. C'était un bâtiment nouvellement construit, où il ne demeurait que quelques esclaves, quand nous y fûmes logés, & ces mêmes esclaves y avaient été mis quelques jours avant notre arrivée seulement pour nous y servir. Nous y étions fort bien traités, & nos guides prenaient soin de nous instruire de quelle manière nous devions nous gouverner avec tout le monde & principalement devant le vice-roi quand nous serions menés en sa présence. Sermodas qui était un très honnête homme & qui nous avait pris en amitié, tâchait de nous divertir tant qu'il pouvait, tantôt par ses sages discours, tantôt par les diverses promenades qu'il nous faisait faire, & toujours par la bonne chère. Il nous fit voir ses femmes & ses enfants, tous grands & tous mariés, qui étaient au nombre de treize issus de trois femmes dont l'une était morte & les deux autres encore en vie. Quand à Carchida & Benoscar, nous sûmes qu'ils demeuraient dans les îles du lac & qu'ils s'en retourneraient d'abord que nous aurions eu audience de Sevarminas.

La maison où nous demeurions était située sur l'un des bouts de la ville vers le haut du fleuve, & de là nous voyions les champs tous pleins d'arbres touffus plantés en ordre, qui faisaient diverses allées sombres & fort agréables. Nous y faisions souvent la promenade avec Sermodas & diverses personnes considérables de la ville qui venaient nous voir par curiosité. Nous passâmes ainsi le temps jusqu'au huitième jour que Sermodas nous avertit que nous devions comparaître le lendemain devant le vice-roi & toute sa cour. Le matin étant venu on nous vint faire lever de bonne heure & l'on nous mena à des bains qu'il y avait dans notre carré, où l'on nous ordonna à tous de nous bien laver. Après cela on nous donna du linge blanc & des habits neufs faits à fleurs de diverses couleurs. Le mien était le plus riche, & l'on y remarquait de l'argent tissu avec la soie à peu près comme les toiles d'or & d'argent qu'on fait en Europe. On nous donna à tous un rameau vert pour porter à la main, & après nous avoir mis deux à deux comme on avait fait à Sporounde, on nous mena à travers de longues et droites rues vers le palais du Soleil. Ce jour-là était jour de fête parmi les bourgeois, si bien que toutes les rues & les balcons étaient pleins de monde qui nous regardaient passer. Après avoir marché de cette manière près d'une heure de temps, nous arrivâmes enfin dans un lieu spacieux, au milieu duquel nous vîmes le palais du Soleil tout bâti de marbre blanc & orné de diverses pièces d'architecture & de sculpture. Il est carré comme tous les autres bâtiments & n'a pas moins de cinq cents pas géométriques de front, & deux milles de circuit; ce qui est une grandeur prodigieuse pour une maison. Il a douze portes de chaque côté qui sont posées à l'opposé les unes des autres, de sorte que l'on peut voir par douze endroits différents. Outre ces douze portes, il y a un grand portail au milieu d'une grandeur excessive & par où nous devions entrer.

Sermodas nous fit faire halte à la vue de ce palais magnifique pour nous donner le temps d'en remarquer la beauté. Tous les ordres de l'architecture y sont admirablement bien observés, & ce grand corps de bâtiment est si riche & si majestueux que je n'ai jamais rien vu qui en approchât. La description exacte d'un tel édifice remplirait des volumes entiers, & il faudrait des gens habiles dans l'art pour s'en acquitter dignement. Si bien que de peur de ne pas y réussir & d'ennuyer mon lecteur, je me contenterai de dire simplement que de toutes les descriptions que j'ai jamais vues, il n'y en a pas une qui peut me donner une idée si grande d'une belle structure que celle que nous vîmes réellement à Sevarinde. Quand nous eûmes assez longtemps considéré ce superbe palais, on nous fit marcher vers le grand portail à travers une haie de gens armés & vêtus de robes bleues comme à Sporounde. On nous fit arrêter quelque temps devant ce grand portail qui a deux cent quarante-quatre colonnes de bronze ou de marbre de chaque côté, & plusieurs ordres de piliers au-dessus, entremêlés de diverses figures & statues. Nous entrâmes par là dans une cour spacieuse, environnée de portiques, soutenus de beaux piliers de marbre fort hauts & taillés de diverses manières, & le corps du bâtiment était blanc dans la cour comme au dehors du palais. De cette cour on nous fit passer dans une autre toute de marbre noir, ornée de plusieurs figures & de beaux feuillages de couleurs différentes, enchâssées dans le corps du bâtiment qui, comme j'ai dit, était de marbre noir fort luisant & fort bien poli. Il y avait dans cette cour plusieurs hommes en armes, vêtus de robes rouges & rangés en haie comme les premiers.

De la cour noire on nous mena dans une autre de marbre de diverses couleurs, ornées de plusieurs ordres de piliers & de statues de bronze admirablement bien faites & d'une grandeur extraordinaire. De là on nous fit monter par un large escalier fort bien peint & bien doré, & l'on nous mena dans une grande & belle salle, de là dans une autre encore plus belle, & enfin dans une fort longue galerie, ornée des deux côtés de statues d'hommes & de femmes fort artistement élaborées. De cette galerie nous entrâmes dans une autre salle, & puis encore dans une autre, dont le sol était couvert d'un riche tapis. Là on nous fit arrêter quelque temps, après quoi on nous fit entrer dans une salle plus grande & plus magnifique que toutes celles que nous avions vues. On y avait brûlé des parfums, & divers instruments de musique y jouaient fort mélodieusement. Nous y demeurâmes quelque temps, admirant la beauté du lieu; après quoi on tira un rideau vers le fond de la salle, qui était pratiqué en demi-cercle comme le chœur de nos églises, & dans cet endroit nous vîmes Sevarminas, élevé sur un haut trône d'ivoire & vêtu d'une grande robe de toile d'or. Il avait autour de la tête une gloire ou une ombelle faite en rayons & toute éclatante de diamants & d'autres pierres précieuses. A ses côtés on voyait deux rangs de sénateurs vêtus de pourpre avec une écharpe de toile d'or qui leur pendait sur l'épaule. Ils étaient douze de chaque côté du trône, & au-dessous d'eux il y avait un autre rang de trente-six personnages, vêtus de même qu'eux, à la réserve de l'écharpe d'or, au lieu de laquelle ils en avaient une d'argent. Nous demeurâmes là quelque temps à considérer avec étonnement cette assemblée pompeuse jusqu'à ce que deux personnes de celles qui étaient dans le parterre au delà d'un balustre bas, qui était à l'entrée du chœur, vinrent dire à Sermodas de nous faire avancer. Nous marchâmes trois pas & fîmes une profonde révérence, après cela on nous fit avancer encore trois pas, & nous nous inclinâmes jusqu'à terre; ensuite de quoi on nous mena jusqu'à la balustrade où nous nous prosternâmes et baisâmes trois fois la terre. On fit ranger mes gens derrière moi, & Van de Nuits & Maurice se tinrent à mes côtés quand on nous commanda de nous lever & de nous tenir droits sur nos pieds. Après cela Sermodas s'avança tout contre le balustre, raconta à Sevarminas tout ce qui nous était arrivé, & me faisant avancer vers lui, il me prit par la main & lui dit que j'étais le commandant des autres étrangers. Alors Sevarminas me fit un signe de la tête & me fit dire que moi & mes gens étions les bienvenus dans les Etats du Soleil & qu'il était fort satisfait de notre conduite passée; qu'il espérait que nous ferions toujours de mieux en mieux & que nous nous conformerions aux lois du pays; que ce faisant nous pouvions être assurés de sa protection, de sa bienveillance & des favorables regards de leur roi glorieux qui voit toutes choses & à qui rien n'est caché. Que cependant il nous exhortait de nous conduire toujours par les ordres de Sermodas à qui il avait ordonné de nouveau d'avoir un soin tout particulier de nous.

Après cela, il nous congédia, se tenant sur son trône lui & ses assesseurs jusqu'à ce que nous fûmes sortis de la salle. On nous mena hors du palais à travers d'autres chambres & d'autres galeries que celles par où nous avions passé, & l'on nous fit sortir par le portail opposé à celui par où nous étions entrés. Et nous retournâmes ainsi chez nous à travers de nouvelles rues dans le même ordre que nous étions venus.

Nous demeurâmes encore dix jours dans cet état sans être employés à rien qu'à nous divertir & à nous promener de tous côtés, pour voir la ville & les raretés des alentours. Mais enfin Sermodas me prit un jour à part, moi & Van de Nuits, Devèze & Maurice, & nous dit qu'il était temps après un si long repos que nous & nos gens nous attachassions à quelque ouvrage pour nous garantir des maux où nous pourrait jeter la fainéantise; & que si nous voulions suivre son conseil, nous examinerions tout notre monde pour voir de quoi chacun était capable, afin de l'employer à ce qu'on le jugerait le plus propre. Que ce qu'il en disait ne procédait nullement de l'envie de les voir vivre sans rien faire, ni d'aucun espoir de gagner par leur travail, parce que ce serait au profit de la nation qui les nourrissait, mais plutôt pour leur bien & leur avantage, & de peur que leur oisiveté ne fût de mauvais exemple aux Sevarambes, auxquels elle était défendue par les lois fondamentales de l'Etat.

Nous lui répondîmes tout aussitôt que nous ne désirions pas mieux que d'avoir chacun son emploi & de faire comme les autres en toutes choses, que seulement nous le priions d'excuser notre ignorance jusqu'à ce que nous serions mieux instruits des coutumes & des lois du pays. Que cependant il nous pourrait ordonner ce qu'il lui plairait & que nous tâcherions de lui obéir en toutes choses. Hé bien, dit-il, nous vous emploierons tous sans beaucoup vous fatiguer & sans même vous séparer, & vous, vos femmes & vos enfants pourrez demeurer ensemble tant que vous voudrez sous le même gouvernement où vous êtes.

Alors se tournant vers moi, il me dit que j'avais si bien gouverné mes gens que ce serait une injustice que de m'ôter mon autorité, & que pour me la continuer, Sevarminas me faisait osmasionta, c'est-à-dire gouverneur de l'osmasie ou bâtiment carré où nous étions logés, & que je pourrais choisir entre mes gens tels officiers que je voudrais pour m'aider dans mon nouveau gouvernement. Il ajouta qu'il nous instruirait des coutumes & des lois du pays, & que cependant on aurait beaucoup de charité pour excuser les fautes que nous viendrons à commettre par ignorance. Mais qu'afin que nous pussions vivre avec plus de contentement dans le pays & converser avec tout le monde, il nous conseillait d'en apprendre la langue que nous trouverions pas difficile parce qu'elle était fort méthodique & fort régulière. Que pour cet effet, il nous donnerait des maîtres qui tous les jours nous feraient leçon à de certaines heures ; & qu'afin que nous eussions plus de temps pour nous attacher à cette étude, il ne nous ordonnerait de travailler que six heures du jours pendant les premières années, bien que les naturels habitants du pays fussent obligés d'en donner tous les jours huit au travail. Il nous dit de plus qu'il y avait beaucoup de fêtes dans l'année où l'on avait des spectacles & des divertissements ordonnés pour le public, & qu'ainsi le travail ne nous serait pas fâcheux, étant mêlé de beaucoup de récréations & de jeux agréables qui donnaient du relâche au corps & à l'esprit.

Après cela, nous examinâmes notre monde & nous trouvâmes qu'il y en avait quelques-uns capables d'exercer les divers métiers qu'ils avaient appris en Europe. Tous les autres étaient des gens de marine, mais assez robustes & propres à porter fardeaux ou à travailler à la terre. Nous avertîmes Sermodas qui nous dit qu'on devait bientôt poser les fondements d'une nouvelle osmasie proche de la nôtre, & qu'il y aurait là de l'emploi pour tout notre monde ; que cependant nous eussions à les distribuer par douzaines, pour mettre une douzenier à chacune, c'est-à-dire un officier qui eut autorité sur eux pour les conduire dans le travail. Que nous eussions aussi à régler les affaires du dedans, sans nous mettre en peine des vivres, des habits, ni des outils ou instruments nécessaires à notre travail, parce que tout nous serait fourni à mesure que nous en aurions besoin. Et afin que nous pussions faire toutes choses selon l'ordre établi dans le pays, il nous donna un modèle du gouvernement des autres osmasies. Selon ce modèle-là, je fis Van de Nuits & Devèze mes lieutenants ou derosmasientas & partageai tous les autres par douzaines & leur donnai à chacune un douzenier. Pour ce qui est de la cuisine & autres offices du logis, nous ne nous en mîmes pas en peine parce que ne sachant pas la langue ni les coutumes, nous n'aurions pu nous en démêler. C'est pourquoi Sermodas commit à cela un Sevarambe, nommé Farista, qui prenait soin de tout le ménage & commandait à nos esclaves.

Ayant ainsi réglé nos affaires, on commença à quelques jours de là à bâtir l'osmasie dont Sermodas nous avait parlé & j'y menai tout notre monde pour la première fois. Nous y fûmes reçus par le maître architecte, nommé Posterbas, auquel Sermodas nous recommanda. Celui-ci employa nos gens à diverses manœuvres, soit pour porter des fardeaux, ou pour rouler des pierres & autres ouvrages de cette nature, où nous allions travailler tous les jours à des heures réglées. Pour moi, je n'y allais que quand je voulais, mais j'y envoyais tous les jours un de mes lieutenants qui se tenait là pour voir travailler ses gens & leur donner ses ordres; & j'y allais moi-même d'ordinaire une fois en cinq jours pour donner bon exemple.

Cependant je m'attachai avec soin à la langue du pays & comme je la trouvai fort facile, ainsi que m'avait dit Sermodas, j'en compris tous les principes dans trois ou quatre mois & dans un an de temps je sus m'y expliquer passablement bien. Plusieurs de nos gens l'apprirent aussi, mais la plupart n'y faisaient pas de grands progrès, bien que tous en apprissent un peu pour s'en servir dans les choses les plus nécessaires au commerce de la vie. Nous avions tous des femmes & nous leur fîmes des enfants à la plupart, et il me fut permis d'en avoir jusqu'à trois & à mes lieutenants jusqu'à deux.

Cependant, quand j'eus une fois surmonté les premières difficultés de la langue, j'y fis de grand progrès en peu de temps; si bien que dans trois ans je la parlais presque aussi bien que ma langue naturelle. Ce qui me servit infiniment pour m'introduire dans la compagnie des Sevarambes & pour observer leurs mœurs & leurs coutumes. Ils ont comme nous des livres imprimés, quoiqu'ils n'en aient pas des multitudes comme nous en avons, mais tout ceux qu'ils ont sont très bons dans leur genre; car autrement ils ne les souffrent point chez eux. J'en lus quelques-uns de leur philosophie, de leurs mathématiques, rhétorique, histoire & divers autres, mais je m'attachai principalement à lire l'histoire de ces peuples & celle de l'établissement de Sevarias, premier législateur des Stroukarambes; car c'est ainsi qu'ils étaient appelés avant sa venue parmi eux. Je m'attachai aussi à la lecture de leurs lois & à la connaissance de leur religion & de leurs coutumes dont je rendrai compte du mieux que je pourrai dans la suite de cette histoire, que je commencerai par celle de Sevarias, avant qui tous ces peuples étaient barbares & grossiers, comme le sont encore aujourd'hui tous les Austraux de leur voisinage & je pense même de tout ce continent. On a écrit plusieurs choses de ce grand homme mais je ne parlerai ici que de celles qui ont le plus de rapport à son établissement ou qui peuvent le mieux faire voir par quels moyens il parvint au degré de sagesse & de vertu où il était déjà parvenu avant son arrivée aux terres australes. Sans doute, les malheurs de sa maison, ses souffrances & ses voyages n'y contribuèrent pas peu ; & l'on voit rarement beaucoup de lumières dans la science du monde parmi ceux qui ont toujours vécu à leur aise chez eux, sans jamais éprouver les rigueurs & l'inconstance de la fortune & la malignité des hommes. Il y avait dans la personne de Sevarias de grands dons de nature ; son éducation fut excellente & fort extraordinaire aux gens de son pays, & ses souffrances & ses voyages ne contribuèrent pas peu aux lumières de son esprit ; si bien qu'il n'y a pas lieu de s'étonner qu'avec tous ces avantages il pût parvenir à une si haute sagesse & qu'il en ait donné des marques si éclatantes dans le grand théâtre où la fortune l'avait élevé.

Quant à la ville de Sevarinde, qui porte son nom, on peut dire que c'est la plus belle ville du monde, soit qu'on regarde le lieu de sa situation & le terroir fertile qui l'environne, soit que l'on considère la beauté du climat & l'air salubre où elle est bâtie, ou enfin l'ordre de ses bâtiments & la bonne police qu'on y observe.

Elle est située dans une île qui a près de trente milles de circuit & qui est au milieu d'un très grand fleuve où se déchargent plusieurs autres rivières. Cette île est ceinte d'une épaisse muraille qui la fortifie tout alentour, de sorte qu'il est presque impossible d'y faire descente sans la permission des habitants, quand on aurait la plus grande armée du monde. Le terroir en est entièrement fertile & produit une prodigieuse quantité de fruits excellents, & toutes les terres des autres côtés du fleuve sont aussi d'une merveilleuse fertilité à plus de vingt lieues à la ronde. L'air y est extrêmement sain & le climat fort beau, étant environ au 42ème degré de latitude méridionale.

Elle est bâtie au milieu de l'île ; sa figure est carrée & elle contient déjà outre son palais, qui est au centre de la ville, deux cent soixante & sept osmasies ou bâtiments carrés, tous pleins d'habitants. Chacune de ces osmasies a cinquante pas géométriques de front & contient plus de mille personnes logées à leur aise, ayant chacune quatre grandes portes opposées l'une à l'autre & au milieu une grande cour avec de la verdure. Ses murailles sont d'une espèce de marbre ou pierre blanche qui se polit fort bien, & les maisons ont toutes quatre étages de hauteur.

Dans toutes les rues, qui sont fort droites & fort larges, il y a des piliers de fer qui soutiennent de larges balcons, sous lesquels on marche à couvert de la pluie & du soleil. Sur ces balcons on voit plusieurs beaux vases remplis de terre, où croissent diverses fleurs & divers arbrisseaux, qui sont comme autant de petits jardins contre les fenêtres. Au dedans des osmasies tout à l'entour de la cour, il y a de pareils balcons & de semblables jardins & de la verdure au milieu de la cour où l'on voit aussi une fontaine & un jet d'eau au centre de la fontaine & de la maison. Cette eau vient du haut du toit où on la fait monter d'ailleurs, pour éteindre le feu en cas de nécessité, & de là on la distribue dans les bains, dans divers offices, dans tous les appartements, & enfin dans la fontaine du parterre par divers tuyaux qu'on a mis en plusieurs endroits pour cet usage. On lave les rues de la ville quand on veut, & l'on pourrait y mettre trois pieds d'eau si l'on voulait; ce qui se voit rarement dans un terrain élevé comme celui-là & qui n'a rien du marécage. On peut marcher sur les toits des osmasies & en faire le tour, comme aussi y faire courir l'eau tout à l'environ. Dans les grandes chaleurs de l'été, on tend des toiles sur les rues aussi haut que les tuiles des maisons, ce qui les rend fraîches et sombres & en exclut tout à fait les rayons du soleil, si bien qu'on y est presque pas incommodé de la chaleur. On en fait de même dans les cours, & pour cet effet il y a des poulies contre les murailles où l'on met des cordes auxquelles les tentes sont attachées, & par ce moyen on les tire bien haut, pour empêcher les rayons du soleil de luire contre les murailles & de les échauffer, ce qu'il ferait sans cela, & la chaleur en serait insupportable. Toutes ces commodités font que bien que l'été soit fort chaud dans tout le pays, néanmoins il n'est point incommode dans Sevarinde, & je puis dire que je n'en ai point passé en aucun endroit de l'Europe où il fut moins fâcheux que dans cette ville, où l'on voit partout de l'eau, de l'ombre, des fleurs & de la verdure.

Les principaux ornements de la ville sont le palais & le temple du Soleil, l'amphithéâtre, & le bassin qui est au bout de l'île; mais comme elle est toute environnée de fortes murailles on la prendrait aisément pour une ville.

Comme Sevarinde est située au milieu de cette île, aussi cette île est presqu'au milieu des terres qui appartiennent à la nation; car on a pour maxime de ne s'étendre que peu à peu aux environs de la ville capitale à mesure que le peuple s'augmente. Il est vrai qu'à compter depuis la mer jusqu'aux dernières osmasies au-dessous de Sevarinde tout le long du fleuve, il y a près de cent cinquante lieues, & la plupart de ce pays est habité par les Sevarambes presque en une ligne; mais si l'on prend la traverse à vingt lieues de chaque côté de l'île, on ne voit plus que de grandes forêts, habitées seulement par des lions, des tigres, des erglantes, des cerfs, des bandelis & autres bêtes sauvages. Mais ces forêts appartiennent aux Sevarambes, à près de cinquante lieues de chaque côté de leur capitale, & encore plus loin tout le long du fleuve en tirant vers la mer, & il y a bien quarante lieues en montant vers Sevaragoundo, qui est la première ville de Sevarambe sur le haut des montagnes en venant de Sporounde. Tout le pays au delà des monts sur le rivage de l'océan, où demeuraient autrefois les Prestarambes, n'est habité que jusqu'aux petites îles du lac, où Maurice & ses compagnons furent pris, encore n'est-ce que sur le chemin de Sporounde à Sevarinde ; car Sevarias, ayant contracté tous ces peuples qui étaient dispersés dans les bois où ils ne vivaient que de chasse, de fruits sauvages & de quelques légumes, & leur ayant appris à cultiver la terre à la manière de notre continent, il leur en fallut beaucoup moins occuper, parce qu'un arpent bien cultivé leur rendait plus de fruits que cinquante arpents cultivés à leur manière. Ils se serrèrent donc autour de Sevarinde au commencement, & de là ils se sont peu à peu répandus tout aux environs à près de vingt lieues sur les côtés du fleuve, & à près de trente au-dessous de la ville du côté de la mer du sud où ils s'habituent plus volontiers qu'aux autres endroits, à cause de la commodité du fleuve & des autres rivières qui s'y déchargent. Ils font souvent de nouvelles colonies ; car ils multiplient beaucoup, & il y a déjà dans toutes leurs terres près de cinq milles osmasies, ramassées en villes ou en bourgs, ou dispersées en divers endroits du pays, trois en des lieux, deux en d'autres, mais on en voit aussi de toutes seules.

Toutes les terres cultivées y sont, comme j'ai déjà dit, d'un grand rapport, soit à cause de leur fertilité naturelle, ou par l'industrie des habitants, qui n'en peuvent souffrir d'inutiles autour de leurs habitations, & qui n'épargnent ni soins, ni peines, pour fertiliser jusqu'aux lieux les plus stériles, & surtout aux environs de Sevarinde. Pour cet effet ils ont fait divers canaux à travers leurs plaines, pour arroser partout les lieux arides & d'autres pour dessécher les terres marécageuses. Il y a deux endroits proche de Sevarinde, où paraissent agréablement en cela les effets de leur labeur & de leur industrie.

L'un est à trois milles au-dessous de la ville & dans la même île où elle est bâtie, où l'on voit de très belles prairies & des allées d'arbres fort touffus.

Avant l'arrivée de Sevarias, ce lieu présentement si beau, n'était qu'un marais bourbeux & puant, qui ne produisait que des roseaux ; mais par le moyen des canaux qu'ils y ont creusés, & de la grande quantité de terre qu'ils y ont portée, ils en ont fait un terrain très fertile & très agréable.

L'autre endroit est au delà du fleuve du côté d'occident, à six ou sept milles de la ville. Ce n'était autrefois qu'une grande plaine sablonneuse où il ne croissait rien du tout; mais par le moyen des rivières qu'on y a conduit par des canaux & par une invention qu'ils ont trouvé de dissoudre le sable, de l'engraisser & de le convertir en bonne terre, les Sevarambes ont fait de cette plaine un des plus beaux & des plus fertiles lieux du monde, & ce qu'il y a de plus étonnant, c'est que ces sables ainsi dissous & engraissés par les moyens dont ils se servent sans presque aucune peine, au lieu de s'amaigrir par les fréquentes récoltes qu'on en tire, deviennent toujours plus gras & plus fertiles. Il y a une infinité de terroirs sablonneux dans notre Europe qui ne servent de rien & que l'on pourrait rendre très féconds & très profitables, si l'on avait cette invention. Je la trouvai si merveilleuse que je ne fus jamais content que je n'en eusse appris le secret, ce qui ne me fut pas fort difficile, d'abord que j'eus appris la langue du pays, parce que les Sevarambes, qui ne sont guidés par aucune avarice particulière, & qui ne sont riches qu'avec l'Etat, ne font nul mystère des choses de cette nature. J'espère publier cette invention en Europe si jamais j'y arrive & que j'y trouve des personnes assez raisonnables & assez puissantes pour vouloir entreprendre de tels ouvrages où la dépense n'est pas fort grande & dont les profits ne manquent jamais d'être très considérables & très avantageux au public & aux particuliers.

Après avoir fait une description succincte de la ville de Sevarinde, comme elle nous parut à notre arrivée, je crois qu'il est temps de traiter de l'histoire, des lois & des mœurs des Sevarambes & de commencer par la vie de Sevarias, pour descendre ensuite à celle de ses successeurs, que j'ai eu le loisir de lire assez souvent durant plusieurs années de séjour que j'ai fait dans Sevarambe & d'y remarquer ce qu'il y a de plus considérable.

FIN

HISTOIRE
DES
SEVARAMBES,

PEUPLES QUI HABITENT
une partie du troisiéme Continent,
communément appellé
LA TERRE AUSTRALLE.

Contenant un conte exact du Gouvernement,
des Mœurs, de la Religion, & du langage de
cette Nation, jusques aujourd'uy inconnuë aux
Peuples de l'Europe.

SECOND PARTIE.
Tome I.

A PARIS,

Chez l'Autheur ruë de Bussi, Faubourg S. Germain.
proche le petit Marché entre un Apotiquaire & un Patissier.

ET

Chez ESTIENNE MICHALET, ruë Saint Iacques,
à l'Image S. Paul, proche la Fontaine S. Severin.

M. DC. LXXVIII.
Avec Privilege du Roy.

A MONSIEUR RIQUET,
BARON DE BONREPOS.

MONSIEUR,

La seconde partie de l'Histoire des Sevarambes, après avoir été longtemps attendue, vient enfin de paraître au jour, & je prends la liberté de vous demander pour elle la même protection que vous accordâtes à la première, lorsqu'elle vous fut présentée. Je vous la demande, MONSIEUR, & ne doute point de l'obtenir de cette généreuse bonté, avec laquelle vous recevez tous ceux qui s'adressent à vous. Plusieurs autres, aussi bien que moi, ont sujet de s'en louer & de publier qu'avec un juste discernement vous savez obliger de bonne grâce & par des paroles & par des bienfaits. Aussi le Ciel qui quelquefois récompense la vertu, même sur la terre, a dignement récompensé la vôtre, & verse sur vous de ses plus précieuses bénédictions. Après vous avoir donné une âme grande & généreuse, un esprit droit & pénétrant, un jugement clair & solide & une constance inébranlable, il ne s'est pas contenté de bénir vos entreprises par des succès éclatants; mais pour un comble de bonheur, il vous a donné une famille digne de vous. Il vous a donné deux fils qui, outre les belles qualités de leurs personnes, ont l'honneur de servir leur prince dans les emplois, où consistent les deux principales fonctions de la royauté, dans la justice & dans les armes.

Le premier après avoir paru avec éclat dans le second parlement de France, en a été tiré pour remplir la charge de maître des requêtes & pour être fait membre d'un corps plus illustre & plus proche du souverain. Dans l'un & dans l'autre de ces emplois il a donné des preuves si claires de sa suffisance & de son intégrité, qu'il est aisé de voir, que les affaires ont plutôt servi de matière pour exercer son esprit, que d'occasion pour l'instruire, & que dans un si beau chemin, où son mérite & sa fortune le poussent également, il lui sera facile d'aller plus loin & de parvenir à des dignités encore plus relevées.

L'autre, quoi que dans un âge peu avancé, a déjà seize ou dix-sept ans de service dans les Gardes, où il est monté de degré en degré depuis le mousquet jusqu'à la charge de capitaine. Pendant toute cette guerre il a toujours suivi son maître dans les occasions les plus hasardeuses, & il s'est toujours acquitté de son devoir avec honneur, & n'a pas seulement mérité par son zèle & par son courage, la bonne opinion des plus grands officiers de l'armée & de la maison du roi; mais il s'est encore acquis leur amitié par sa franchise & par ses manières honnêtes & engageantes.

Enfin tous deux se distinguant parmi ceux de leur profession, se font aimer & estimer par tout ce qu'il y a d'honnêtes gens qui les connaissent.

L'amour mutuel qui unit si étroitement toutes les personnes de votre famille est encore une grande bénédiction du ciel, & l'on peut dire avec vérité que vous êtes aussi heureux en vos enfants qu'ils le sont en leur père. Je souhaite, MONSIEUR, que vous puissiez longtemps jouir avec eux de ce rare bonheur, & je le souhaite avec autant de zèle & de sincérité qu'il est vrai que je suis avec beaucoup de respect,

MONSIEUR,

Votre très humble & très obéissant serviteur, D.V.D.E.L.

AVERTISSEMENT

Quoique la première partie de cette histoire ne soit qu'une introduction à la seconde, elle n'a pas laissé de plaire & de se bien débiter en France, comme en Angleterre, malgré les faux raisonnements de certains critiques qui croient faire les esprits forts en condamnant tout ce que les autres approuvent. Mon dessein n'est pas de les réfuter ici, bien qu'il ne me fût pas difficile, parce que la préface de la première partie de cette relation a répondu par avance à toutes leurs objections, auxquelles un traducteur n'est pas obligé de répondre. J'avertirai seulement le lecteur que depuis qu'elle a été publiée, j'ai eu le bonheur de voir à Paris un neveu de l'illustre Monsieur du Quesne, qui par son courage & par sa conduite a remporté sur les Hollandais & les Espagnols des avantages si glorieux à la France. J'ai, dis-je, vu dans Paris un neveu de ce grand homme, nouvellement venu de Batavia, où il avait été longtemps prisonnier. Ce gentilhomme qui porte le nom de son oncle, m'a dit en présence de Madame du Quesne & de quelques autres personnes d'honneur, qu'étant à Batavia, il avait ouï parler d'un vaisseau hollandais qui avait fait naufrage sur les côtes des terres australes, & que l'équipage de ce vaisseau avait été pris par les gens du pays, dont il avait ouï dire plusieurs choses qui avaient beaucoup de rapport avec ce qu'on en lit dans cette relation. Depuis ce temps-là, quelques personnes curieuses m'ont proposé plusieurs difficultés qu'ils pensaient y avoir trouvé; mais comme ils n'en avaient lu que le commencement, ils ne disaient rien de solide sur ce sujet. Entre tous ceux qui s'en sont entretenus avec moi & qui m'en ont parlé raisonnablement, un des plus savants hommes de notre siècle, dont les écrits sont admirés de tous les gens habiles, tant à cause de la force de ses raisonnements & de la sublimité de ses pensées que de la pureté de son style, me dit un jour, parlant de l'Histoire des Sevarambes, qu'il doutait fort qu'elle fût véritable, parce qu'il ne croyait pas qu'il y eût au monde de si honnêtes gens. En effet, si l'on considère avec soin les mœurs, la religion, le gouvernement & la politesse de ces peuples, comme toutes ces choses sont représentées dans ce livre, on aura peine à croire qu'il y ait sur la terre une nation si honnête & si vertueuse. Nous donnons au public le corps de cette histoire feinte ou véritable & nous prions le lecteur d'excuser nos négligences & les fautes de l'impression.

HISTOIRE DE SEVARIAS,

LEGISLATEUR des Sevarambes, premier vice-roi du Soleil, & celle de ses successeurs.

Je serais trop long si je rapportais ici tout ce qu'on a écrit de la vie de ce grand homme dont la sage conduite & les actions admirables ont fait la matière de plusieurs volumes. Je pense qu'il suffira d'en choisir les endroits les plus remarquables & les plus essentiels à l'histoire de ce peuple heureux, qui croit devoir toute sa félicité aux soins & à la prudence de ce législateur incomparable. Il était Persan de nation & de fort ancienne origine puisqu'il descendait des Parsis, dont on voit encore plusieurs familles dans la Perse, & que par ce nom, on distingue des Tartares qui se sont emparés de cet ancien royaume. Ces Parsis, qui sont les véritables originaires du pays, ont retenu plusieurs coutumes de leurs ancêtres & entre autres celle d'adorer le soleil & le feu. Ils n'ont point embrassé le mahométisme comme le sophi & ses autres sujets : de sorte que Sevarias étant né Parsi, il fut élevé dès sa plus tendre jeunesse dans la religion de ses pères. Il s'appelait dans son pays SEVARIS AMBARCES, & il était fils aîné d'un seigneur nommé Alestan Hosser Ambarces qui, parmi ceux de sa religion, était grand prêtre du Soleil. Le lieu de sa naissance & de sa demeure n'était pas éloigné de cette partie de la Perse qui s'étend le long du golfe persique. Sa famille s'y était conservée avec éclat pendant toutes les guerres, malgré les persécutions des Tartares vainqueurs, jusqu'au temps de cet Alestan, où elle perdit beaucoup de son ancienne splendeur par la malice des puissants ennemis que l'envie lui avait suscités.

Les Sevarambes comptent le temps par dirnemis qui est l'espace de sept révolutions solaires, & selon leur supputation, si on veut l'accommoder à la nôtre, Sevarias naquit l'an de grâce 1395 &, trente-deux ans après, il fit sa première descente dans les terres australes, c'est-à-dire l'an 1427 qui est celui où ces peuples ont établi leur principale époque.

Pendant les six premières années de son âge, Sevaris fut élevé parmi les femmes du palais de son père selon les mœurs & les coutumes de la nation ; mais Alestan, qui était un homme d'esprit & très habile dans l'astronomie & dans toutes les sciences reçues parmi les Parsis, ayant remarqué dans cet enfant tous les caractères d'un naturel extraordinaire, qu'il observait & voulait imiter presque tout ce qu'il voyait faire aux autres, & que même il y réussissait au delà de tout ce qu'on aurait pu espérer dans une si tendre jeunesse, résolut de cultiver son esprit avec soin & de lui donner une éducation proportionnée à l'excellent génie qu'il faisait déjà paraître. Il se porta d'autant plus facilement à cette résolution qu'il avait la commodité de l'exécuter par le moyen d'un de ses esclaves nommé Giovanni qui était homme de vertu, très fidèle & très savant.

Ce Giovanni était Vénitien de naissance & chrétien de religion; il avait déjà servi Alestan trois ou quatre ans de suite avant qu'il lui donnât la conduite de son fils. Quelque temps auparavant, il avait été pris par des pirates & puis acheté par quelques marchands qui enfin le vendirent au grand prêtre du Soleil. Il avait naturellement de l'esprit & de la vertu, & comme dès ses jeunes ans on avait eu soin de l'élever aux belles lettres, il en avait acquis une connaissance plus que médiocre, avant que son malheur lui eût fait perdre la liberté. Ses premiers maîtres qui étaient des gens ignorants & grossiers ne prirent pas garde à ses bonnes qualités; mais Alestan qui, comme je l'ai déjà dit, était homme d'esprit, connut bientôt le mérite de son esclave & le traita avec tant de douceur & d'humanité qu'il l'engagea par une forte inclination à préférer le service d'un si bon maître à la liberté qu'il lui avait souvent offerte, quoiqu'il eût une grande envie de le retenir dans sa maison pour lui donner la conduite de son fils. Quand donc Sevaris fut entré dans la septième année de son âge, Giovanni prit le soin de son éducation, & Alestan, après lui avoir donné toute l'autorité qu'il faut à un gouverneur, ne lui ordonna pas seulement d'instruire son fils dans les sciences & dans les arts, mais encore de le former à la vertu, sans quoi les lumières de l'esprit ne sont que des vices éclatants. Il lui remit devant les yeux la douceur avec laquelle il l'avait toujours traité & les marques particulières qu'il lui avait souvent données de son estime & de sa bienveillance. Enfin, il lui dit que pour dernière preuve de cette estime & de la confiance qu'il avait en lui, il commettait à sa sage conduite le plus précieux de tous ses biens, qui était son fils. Giovanni reçut avec un profond respect ces témoignages avantageux de la bonté de son maître, & s'attacha si fortement au service & à l'éducation du jeune Sevaris, que dans peu d'années il lui fit faire des progrès extraordinaires dans l'étude des belles lettres & dans les exercices du corps, mais surtout dans la pratique de la vertu. Il est vrai qu'il trouva un sujet bien disposé, car outre la douceur naturelle & l'inclination honnête qui paraissait dans ce jeune prince, il vit bientôt briller en lui un esprit vif, pénétrant & judicieux, accompagné d'une mémoire très heureuse; ce qui se rencontre rarement dans une même personne. Il sut si bien cultiver ces belles dispositions qu'à l'âge de seize ans, Sevaris savait parfaitement la langue italienne, entendait assez bien la latine & la grecque, & avait lu dans toutes ces langues les auteurs qui pouvaient le plus contribuer à polir son esprit & à le confirmer dans l'amour de la justice & de la sagesse. Outre ces belles qualités de l'âme, il avait toutes les parties du corps nécessaires à un honnête homme. Il était bien fait de sa personne, il avait la taille riche, le visage beau & une mine douce & majestueuse, qui le faisait aimer & respecter en même temps de tous ceux qui le regardaient. Il avait une santé ferme & un corps robuste & vigoureux, plein de force & d'agilité; ce qui le fit parfaitement bien réussir dans tous les exercices qu'on lui fit apprendre.

Tant de qualités éminentes le rendaient l'amour de ses parents, l'admiration & l'espérance des Parsis & un objet d'envie aux ennemis de sa maison. Car la longue prospérité de sa famille avait suscité bien des envieux à son père, & lui en aurait suscité beaucoup davantage si par son adresse & sa modération, Alestan n'eût étouffé dans leur naissance mille mauvais desseins que ceux qui étaient jaloux de son bonheur avaient formé contre lui. Mais quelque sage & modéré qu'il fût, il ne put empêcher qu'un seigneur de ses voisins ne lui fit plusieurs insultes, sous prétexte de quelques intérêts qu'ils avaient à démêler ensemble. Et comme leur haine s'augmentait tous les jours par de nouveaux sujets, ils se firent enfin une guerre ouverte, & l'ennemi d'Alestan lui dressa diverses embûches pour le tuer, mais pas une ne réussit.

Ces mauvais succès ne l'empêchèrent pourtant pas de lui en dresser de nouvelles, jusque là qu'il vint un jour lui-même accompagné d'un grand nombre de gens armés, attendre Alestan & son fils dans un bois où ils étaient à la chasse.

Par bonheur, un seigneur parsi de leurs amis y était venu les rencontrer, quoiqu'on ne l'eût pas invité; & comme il avait mené beaucoup de monde avec lui, il fortifia extrêmement le parti d'Alestan, qui sans cela aurait couru grand risque d'être accablé par le nombre de ses ennemis. Ils ne manquèrent pas de se jeter sur lui & sur les siens une heure après qu'il fut arrivé dans le bois, où ils ne croyaient pas le trouver si bien escorté. Néanmoins, comme ils étaient encore les plus forts en nombre & qu'ils s'étaient préparés de longue main, ils mirent d'abord les gens d'Alestan en désordre, & ils auraient sans doute poussé leur pointe plus loin si le jeune Sevaris, accompagné de son gouverneur & de deux de ses domestiques, voyant le danger évident où était son père, n'eût avec un courage héroïque & un bonheur extraordinaire, poussé son cheval au milieu de ses ennemis & tué leur chef de sa propre main. La mort de ce chef & la valeur de ce jeune prince jetèrent l'étonnement & l'épouvante parmi ces assassins; si bien qu'Alestan, ayant promptement rallié son monde pour aller secourir son fils, n'eut pas beaucoup de peine à rompre & à mettre en fuite ceux qui purent échapper à son juste ressentiment.

Mais la joie que lui donna cette victoire ne fut pas de longue durée. Elle se changea bientôt en tristesse quand il vint à considérer les malheurs où elle pourrait le précipiter lui & sa famille. Son ennemi était mort à la vérité, mais l'inimitié n'était pas éteinte ; il avait laissé de puissants amis dans la cour du sophi & dans le pays même, qui devaient apparemment faire tous leurs efforts pour perdre Alestan & son fils. Ils étaient tous mahométans &, par conséquent, très capables d'opprimer un prince qui n'était considérable que dans une religion persécutée & dans une nation soumise à la loi d'un cruel vainqueur.

Toutes ces considérations & surtout la crainte de voir périr son fils, qu'il aimait plus que la vie, lui firent prendre la résolution de l'éloigner pour l'arracher à la vengeance de ses ennemis. Sans perdre donc beaucoup de temps, il fit venir Sevaris & Giovanni dans son cabinet, & après leur avoir fortement représenté le déplorable état de ses affaires & le danger qui les menaçait, il dit au gouverneur que comme son fils avait reçu de lui son éducation, & qu'après son père il était obligé de le considérer comme l'homme du monde auquel il devait le plus de respect & de reconnaissance ; aussi pouvait-il raisonnablement attendre de lui plus d'affection & de fidélité que d'aucun autre ; que depuis treize ou quatorze ans qu'il était dans sa famille il avait donné des preuves si claires de son zèle & de sa prudence, que ce serait pécher contre la raison & contre la justice que de ne pas avoir une entière confiance en lui. Que comme jusqu'alors, il avait eu la conduite de son fils, il était juste qu'il eût encore le soin de sa personne durant le reste de sa jeunesse ; & qu'enfin les liens qui les attachaient l'un à l'autre étaient si forts que rien ne devait les rompre, ni même les relâcher.

> Vous avez, dit-il, fidèle Giovanni, cultivé jusqu'ici cette jeune plante ; mais vous n'aurez rien fait encore, si lorsqu'elle commence à porter des fruits & à remplir notre espérance, vous ne la sauvez du danger qui la menace. Je vous la remets donc entre les mains comme un dépôt sacré, dont je vous demanderai compte & que je vous conjure de tenir cher comme vos yeux. Fuyez ces lieux infortunés où l'injustice opprime l'innocence, & menez mon fils dans tous les pays de l'Asie & de l'Europe où il pourra vivre en sûreté & jouir du commerce des honnêtes gens. J'ai déjà donné ordre à tout ce qui est nécessaire pour votre voyage, & je n'attends rien avec plus d'impatience que l'heure de votre départ.

Ce discours imprévu étonna fort le jeune Sevaris qui ne voulait point quitter son père & qui désirait partager avec lui tous les dangers &

toutes les peines où les malheurs de sa fortune pourraient le précipiter. Mais toutes ses prières furent inutiles ; Alestan voulut être obéi & mettre son fils à couvert de l'orage qui le menaçait.

Ils partirent donc secrètement, lui & son gouverneur, ne prenant avec eux qu'une seule personne pour les servir dans leur fuite, & ils passèrent au travers de plusieurs provinces, avant même que leurs ennemis eussent rien appris de leur départ.

Cependant, Alestan ayant mis ordre à ses affaires domestiques, s'éloigna pour quelque temps de son pays & se tint caché jusqu'à ce que ses ennemis eurent assouvi leur rage par la ruine de ses maisons & par celle de tout ce qu'il n'avait pu mettre à couvert. Enfin, après trois ans d'exil, il ménagea un accommodement avec eux, & pour quelque somme d'argent il fut rétabli dans la possession de ses biens & de ses dignités. Alors, il tourna toutes ses pensées vers son fils, & l'envoya chercher par un messager fidèle à la cour du grand seigneur où il s'était arrêté, après avoir parcouru une bonne partie de l'Asie. Mais lorsque ce messager y fut arrivé, les personnes à qui on lui avait ordonné de s'adresser lui dirent que Sevaris était parti avec ses gens pour aller voir l'Europe, & que depuis six mois qu'ils avaient quitté l'Asie, on n'en avait eu aucune nouvelle. Après cette réponse, ce messager, voyant qu'il ne le pouvait trouver en Asie, résolut de l'aller chercher en Europe, & particulièrement à Venise, parce que c'était le pays de Giovanni. Pour cet effet, il prit la route d'Italie & s'enquit avec un soin extrême des personnes qu'il y cherchait. Mais après une longue & inutile recherche, il fut enfin obligé de s'en retourner en Perse rapporter à son maître le mauvais succès de son voyage.

Ces tristes nouvelles touchèrent sensiblement Alestan. Il s'imagina que son fils était mort, & il en conçut un tel déplaisir que trois mois après l'arrivée du messager, ce père désolé mourut de tristesse & laissa ses biens & ses dignités à son second fils plus jeune de quatre ans que Sevaris.

Revenons maintenant à ce jeune seigneur que la providence avait conservé pour les grandes choses dont il fut ensuite l'instrument, & que pour cet effet elle avait garanti d'une infinité de dangers. Il avait quitté la cour du grand seigneur pour aller voir l'Italie, & s'était embarqué dans un vaisseau chargé pour Venise, pays de Giovanni, son gouverneur. Ils furent assez malheureux pour être pris par des corsaires qui, venant à partager leur butin, les séparèrent malgré les prières & les promesses qu'ils leur faisaient d'une rançon considérable, s'ils voulaient les laisser ensemble jusqu'à ce qu'ils eussent de quoi les satisfaire. Giovanni fut ramené en Asie & Sevaris fut envoyé à Naples pour être donné à un marchand de cette ville, qui avait part aux prises que faisaient ces corsaires. Il n'eut pas longtemps demeuré avec ce marchand que son mérite fut remarqué par un seigneur de qualité qui l'acheta pour le donner à un jeune gentilhomme sicilien qui devait bientôt retourner en son pays. Ce seigneur s'intéressait beaucoup dans l'éducation de ce gentilhomme parce qu'il était son proche parent & qu'il n'avait ni père ni mère. Il avait lui-même examiné Sevaris dans les sciences & dans les langues & avait reconnu qu'outre un savoir extraordinaire aux personnes de son âge, il avait une beauté de génie & une solidité d'esprit incomparables. Ces belles qualités lui acquirent l'estime & l'affection de ce seigneur napolitain qui fut assez généreux pour ne le donner à son jeune parent qu'à condition qu'il lui rendrait sa liberté après trois ans de service.

Sevaris partit donc pour la Sicile avec son nouveau maître qu'il servit avec beaucoup de zèle & de fidélité durant l'espace de deux ans, & sans doute il aurait continué jusqu'au temps qu'on lui avait prescrit, si la malice d'une femme qu'il avait méprisée ne lui eût suscité de fâcheuses affaires qui le pensèrent perdre & dont il eut beaucoup de peine à se tirer.

Elle l'avait faussement accusé d'avoir voulu attenter à son honneur, & en avait secrètement averti son mari qui, croyant les plaintes de sa femme justes, voulut se venger de cette injure. Mais après bien des persécutions & des peines qu'on fit souffrir à Sevaris, à la fin son innocence triompha de la malice de ses ennemis & parut si clairement qu'il ne leur resta que la honte d'avoir voulu opprimer un étranger éloigné de sa patrie & destitué de parents & d'amis. Néanmoins, quelque innocent qu'il fût, il ne se serait pas facilement tiré d'affaire, si le seigneur qui l'avait acheté venant à savoir le tort & la persécution qu'on lui faisait, ne se fût employé pour lui & ne lui eût fait obtenir sa liberté, même plus d'une année avant qu'on fût obligé de la lui rendre ; & pour comble de bonté, n'eût ajouté à ce bienfait des récompenses pour l'aider à se retirer chez lui.

Ainsi notre jeune affranchi, ayant quitté la Sicile, passa le plus promptement qu'il pût en Italie & alla tout droit à Venise, espérant y apprendre des nouvelles de son gouverneur. Mais tous ces soins furent inutiles. De là il voyagea presque par toute l'Italie & vit ce qu'il y avait alors de plus remarquable. Après quoi il retourna à la cour du grand seigneur où il avait laissé des amis & de l'argent.

Ce fut là qu'il apprit que son cher Giovanni était esclave en Egypte, ce qui l'obligea d'y aller avec toute la diligence possible pour le tirer d'esclavage & reprendre avec lui le chemin de la Perse. Il l'en tira & eut plus de bonheur dans ce voyage qu'il n'en avait eu dans le précédent ; mais la fin en fut fort triste : car il ne fut pas plutôt arrivé en lieu d'où il pouvait apprendre des nouvelles de son père qu'il reçut celle de sa mort. Cette mort inespérée lui causa une douleur extrême & le fit résoudre à ne pas retourner de longtemps chez lui. Il dit donc à Giovanni qu'après avoir vu la Grèce, l'Italie & la plupart de l'Asie du côté d'Occident, il désirait voir l'Asie orientale & passer jusque dans les Indes. Que pour cet effet il le priait d'aller trouver son frère pour lui communiquer son dessein & pour tirer de lui ce qui était nécessaire pour son voyage. Giovanni exécuta ses ordres, & l'ayant rejoint dans une ville dont ils étaient convenus, ils passèrent tous deux aux Indes, de là aux îles du Japon & enfin au royaume de la Chine. Ils eurent dans tous ces pays diverses aventures où Sevaris eut l'occasion d'exercer sa vertu & où il acquit cette grande sagesse dont on voit encore aujourd'hui les effets parmi les Sevarambes. Il fut aussi longtemps dans ses voyages d'orient qu'il avait été dans ceux d'occident; après quoi il s'en retourna chez lui où il espérait se reposer de toutes ses fatigues durant le reste de sa vie, ne sachant pas que le ciel l'eût choisi pour les grands desseins qu'il lui fit ensuite exécuter. Mais il ne l'avait fait naître avec tant de belles qualités, & n'avait préparé son âme par tant d'épreuves & de traverses, que pour le faire l'auteur des lois les plus justes qu'on ait jamais faites, & l'instrument de la félicité du plus heureux peuple du monde.

Quand Sevaris fut arrivé chez lui, il n'entra pas seulement en possession des biens de son père; il fut aussi reçu dans la charge de grand prêtre du Soleil qui était héréditaire dans sa maison, & que son frère n'avait exercée durant son absence que pour la lui remettre à son retour. Or cette charge, étant la plus éminente qui fut alors parmi les Parsis, faisait considérer ceux qui l'exerçaient comme des souverains; leur autorité était d'autant mieux établie que les peuples s'y soumettaient volontairement & croyaient même y être obligés par la religion. Et comme les grandes charges ne font pas seulement honneur à ceux qui les exercent mais qu'elles en reçoivent aussi un nouvel éclat quand ils ont du mérite, Sevaris, qui en avait infiniment, porta sa prêtrise jusqu'à un degré de gloire & de majesté tout à fait singulier. Sa belle éducation, ses longs voyages & ses adversités passées avaient de beaucoup augmenté les lumières naturelles de son esprit, & lui donnaient des avantages peu communs aux Orientaux. Aussi tous ces grands avantages joints à la noblesse de son extraction, à l'éclat de ses dignités & à la grandeur de sa fortune, lui acquirent bientôt parmi les Parsis une réputation de prudence & de sagesse qui le faisait considérer beaucoup au delà de tous ceux qui l'avaient précédé. On venait le consulter de toutes parts sur les affaires les plus épineuses, & il donnait des avis ou rendait des jugements si sages & si équitables que tout le monde en était satisfait.

Deux ou trois ans après son retour, il y eut un grand différent entre le maître d'un navire & un marchand du pays dont le jugement lui fut différé.

Le marchand, d'un côté, se plaignait que les mariniers qu'il avait employés pour transporter des marchandises aux Indes & pour en rapporter d'autres de ce pays-là, s'étaient mal acquittés de leur commission. Il ajoutait qu'après l'avoir engagé à faire une grande dépense & consommé beaucoup de ses denrées, ils étaient enfin revenus sans achever le voyage, & lui alléguaient des raisons chimériques pour le frustrer de son bien.

Les mariniers, au contraire, pour se justifier de cette accusation soutenaient qu'ils avaient été poussés par la tempête vers les mers du midi, au-delà desquelles ils avaient trouvé un pays habité, où ils avaient été contraints de demeurer durant l'espace de sept ou huits mois, avant d'en pouvoir revenir; que pendant leur séjour dans cette terre inconnue ils s'étaient vus obligés de se défaire d'une partie de leur cargaison pour y susbsister & pour se munir des choses nécessaires pour leur retour.

Sevaris, entendant parler d'une nouvelle découverte vers le sud, où l'on croyait alors qu'il n'y eût que des mers, interrogea ces matelots en particulier sur un sujet si surprenant & si nouveau, & apprit qu'en effet la tempête les avait jetés sur un grand pays vers le midi. Et comme il leur fit plusieurs demandes sur tout ce qu'ils avaient pu remarquer dans cette nouvelle terre, ils lui firent les réponses suivantes.

Qu'ils y avaient vu des hommes & des femmes d'une taille extraordinaire mais qui d'ailleurs étaient fort bien faits &, de plus, fort doux & fort traitables; qu'ils en avaient reçu dans leur nécessité toutes les choses nécessaires à la vie, pendant le séjour qu'ils avaient fait parmi eux, & qu'on ne leur avait fait aucune injure, soit dans leurs biens, soit dans leurs personnes; que ces peuples habitaient dans des huttes & des cabanes, qu'ils allaient tous nus & ne couvraient que les parties du corps que la nature enseigne de cacher; que les femmes y étaient fort belles, même sans l'aide des ornements, & qu'on leur en avait fourni d'assez aimables, aussi bien que des vivres & des logements; que les hommes n'avaient que des arcs & des flèches ou des grands bâtons pour toutes armes, & qu'ils étaient fort adroits à tirer de l'arc; que la chasse était leur exercice le plus ordinaire, & que leur pays étant très bon & leur climat très beau, ils y pourraient vivre heureux, à leur manière, si la cruelle guerre que leur faisaient les habitants d'un autre pays au delà de certaines montagnes n'eût troublé leur tranquillité.

Ces matelots ajoutèrent qu'ils avaient compris que les causes de cette guerre venaient de quelques différends de religion; que ceux de par delà les monts avaient innové dans le culte du Soleil, dont ils étaient tous adorateurs, & qu'ils faisaient la guerre à ceux-ci, parce qu'ils ne voulaient pas recevoir leurs innovations, ni approuver les cérémonies superstitieuses que les autres avaient mêlées au culte de ce grand astre.

Sevaris, étant persuadé par le témoignage unanime de ces matelots que cette relation était véritable, quelque surprenante qu'elle parût, se sentit touché d'un désir curieux d'aller lui-même voir cette nouvelle terre. Pour cet effet, il engagea par des bienfaits & par des promesses, tous ces mariniers à son service, & pour faire cesser les plaintes du marchand, il leur donna de quoi le dédommager. Après cela, il mit tous ses soins à recouvrer les choses nécessaires pour son voyage, & fit enfin équiper deux navires outre celui des matelots qu'il avait engagés. Quelque temps après, il partit sous leur conduite avec un assez bon nombre de soldats qu'il avait choisis entre ceux des Parsis qui voulurent suivre sa fortune. Ils furent fort longtemps en mer, contraints d'essuyer beaucoup d'orages avant qu'ils pussent arriver à ce pays nouvellement découvert. Mais enfin ils y arrivèrent heureusement. Avant de mettre lui-même pied à terre, il y fit descendre ceux de ses matelots qui savaient le mieux s'expliquer en langue du pays. Il leur ordonna de faire entendre à ces peuples qu'un fidèle ministre du Soleil, qui offrait sacrifice à ce grand astre pour plusieurs de ses véritables adorateurs, était arrivé sur leurs côtes avec des forces suffisantes pour les défendre contre tous leurs ennemis, quoique le nombre de ses soldats ne fût pas grand; mais qu'étant armés des foudres du ciel, ils étaient capables de dissiper les armées les plus nombreuses.

En effet, il avait bien prévu que par le moyen de l'artillerie & des autres armes à feu dont il avait eu soin de se munir, il ne manquerait pas de répandre la terreur parmi tous ces peuples ignorants qui n'en connaissaient point l'usage & qui n'en avaient même pas ouï parler. Dans cette vue, il en avait apporté tout autant que le nombre & la grandeur de ses vaisseaux l'avait pu permettre, quoiqu'il eût eu bien de la peine pour en recouvrer, parce qu'en ce temps-là l'usage n'en était pas encore commun dans la Perse. Mais comme il avait de fort bonnes correspondances dans le royaume de la Chine, où l'invention de l'artillerie était déjà ancienne, quoiqu'elle fût nouvelle ailleurs, il en avait fait venir de ce pays-là.

Cependant, les gens qu'il avait envoyés à terre, où ils étaient déjà connus, ne manquèrent pas d'y exécuter ses ordres; leur proposition ayant été examinée, on la trouva trop avantageuse pour ne pas la recevoir. Ainsi, trois jours après l'arrivée des Parsis sur leurs côtes, les principaux du peuple avec une grande suite de gens armés de flèches & de bâtons vinrent vers le rivage portant des présents de leurs meilleures viandes & de leurs meilleurs fruits pour les offrir à Sevaris & pour le prier de mettre pied à terre. Il reçut quelques-uns de leurs chefs dans ses vaisseaux, dont ils admiraient fort la grandeur & la fabrique, & les y traita avec tant de douceur & de bonté qu'il acquit leur estime & leur amitié dès la première entrevue. Ensuite, ayant appris qu'il y avait un port commode sur ces côtes, il y fit conduire sa petite flotte pour la mettre à couvert des tempêtes qui pourraient survenir. Ce port était justement la baie que nous découvrîmes & près de laquelle nous transférâmes notre camp, de sorte que Sevaris suivit la même route que nous quand nous montâmes vers Sporounde. Il est vrai qu'il y entra du côté du soleil couchant, où l'embouchure en est plus large & plus commode que du côté du levant par où Maurice entra dans ce grand lac.

Avant de faire sa descente, Sevaris prit toutes les précautions qu'il fallait prendre & ne voulut pas imprudemment se commettre avec des gens dont il ignorait encore les mœurs & les coutumes. Pour être donc à couvert de toutes sortes d'insultes, il se campa dans une petite île proche du continent vis-à-vis de Sidembourg. Ce fut là que, pendant quelques jours, il reçut les visites & les hommages des peuples d'alentour auxquels il fit entendre ses canons pour leur imprimer la crainte & le respect. Le bruit épouvantable de ces machines inconnues leur causa beaucoup d'étonnement & d'admiration, si bien qu'ils se persuadèrent facilement que les Parsis étaient envoyés du Soleil pour leur délivrance, & qu'ils en avaient porté les foudres pour la punition de leurs ennemis.

Quand Sevaris se fut bien informé des mœurs de ces peuples, il trouva qu'ils vivaient en commun & qu'ils étaient distribués par grandes familles dont chacune avait une espèce de gouvernement particulier; que néanmoins, pour leur conservation mutuelle, ils élisaient tous les ans un capitaine général à qui chaque famille envoyait un certain nombre d'hommes armés qu'il menait à la guerre contre les montagnards leurs ennemis, quand ils descendaient dans la plaine pour les attaquer ou pour ravager leur pays. Au reste, il trouva que selon le rapport de ses matelots, ces peuples allaient tous nus & qu'ils couvraient seulement les parties que la pudeur défend de nommer de la dépouille des animaux qu'ils tuaient à la chasse; qu'ils se nourrissaient principalement des fruits des arbres, de diverses racines qu'ils plantaient & d'une espèce de légume qu'ils prenaient soin de cultiver & dont ils avaient de très grandes récoltes; que d'ailleurs, la pêche, la chasse des cerfs & celle des bandelis faisaient leur exercice le plus ordinaire, & que tous les ans ils offraient au Soleil les prémices de tous leurs fruits.

Sevaris, s'étant ainsi fait instruire des mœurs de ces peuples, qu'il trouva très conformes à ses sentiments, & ayant pris toutes ses précautions, crut qu'il était de son intérêt & de sa gloire de se signaler au plus tôt par quelque action guerrière contre leurs ennemis.

Pour cet effet, il se fit montrer les lieux par où ces barbares descendaient tous les ans de leurs montagnes dans les plaines, & fit faire des retranchements où il mit plusieurs pièces d'artillerie & un bon nombre de mousquetaires. Il avait mené de Perse environ six cents hommes, tous braves & fort adroits, qu'il arma d'épées, de piques & de mousquets. Il y avait un bois au delà de son retranchement où il posa cent de ses Parsis & deux cents Prestarambes, ou habitants du pays. Dans un autre bois encore plus avancé vers les montagnes, il mit une pareille embuscade & se tint lui-même avec le reste de ses gens dans son nouveau retranchement. Il l'avait fait faire dans un lieu fort étroit, afin que son artillerie fit un plus grand effet contre les barbares dans leur passage. Quand il eut ainsi disposé ses gens, il envoya un grand parti de Prestarambes pour donner l'alarme aux ennemis jusque dans leurs montagnes, & leur ordonna de feindre une fuite quand les autres viendraient pour les repousser, afin de les attirer dans ses embuscades. Ceux-ci étant entrés chez les Stroukarambes (car c'est ainsi qu'ils nommaient les montagnards leurs ennemis) se jetèrent sur quelques-unes de leurs habitations, où ils mirent tout à feu & à sang. Cette insulte alarma fort cette nation fière qui n'avait pas accoutumé d'en souffrir de pareilles, quoique tous les ans elle en fît de semblables aux Prestarambes. Ils s'assemblèrent donc de toutes parts pour repousser la violence par la force, & vinrent enfin au nombre de dix ou douze mille fondre sur le parti qui les avait insultés, & résolurent de les pousser jusqu'au rivage de la mer & de les exterminer tout à fait. Les autres les voyant venir prirent la fuite selon les ordres de Sevaris, & les attirèrent insensiblement devant l'artillerie qui, prenant fort bien son temps, fit une décharge si terrible sur eux & leur donna tant d'épouvante que tout en désordre ils prirent la fuite vers leurs montagnes. Mais leur consternation fut encore plus grande quand ils tombèrent dans les autres embuscades qu'on leur avait dressées. Alors ils crurent que les foudres du ciel étaient lancées sur eux de toutes parts & qu'elles les poursuivaient en tous lieux, ce qui acheva de les disperser. Dans cette confusion & cette déroute générale, les Prestarambes qui étaient à leurs trousses avec la mousquetterie des Parsis en firent un horrible carnage & vengèrent dans ce jour les injures & les violences qu'ils avaient souvent souffert de la part de ces barbares.

Ils en tuèrent plus de trois mille & firent presque autant de prisonniers; après quoi ils s'en retournèrent triomphants à leurs demeures & témoignèrent leur respect & leur reconnaissance à Sevaris & à ses gens que, depuis cette victoire, ils commencèrent à regarder comme leurs libérateurs & leurs dieux tutélaires. Il reçut leurs hommages avec beaucoup de modération & leur fit comprendre qu'ils devaient donner la gloire de cette action au grand Dieu de la lumière qui avait envoyé les Parsis pour les défendre & les protéger. Il ajouta qu'il était raisonnable & de leur devoir, de lui faire un sacrifice solennel pour le remercier de l'heureux succès qu'il avait donné à leurs armes.

Cette pieuse exhortation ayant été reçue de tout le monde, on fit incontinent élever un autel dans le champ de bataille, & Sevaris, s'étant vêtu de ses habits sacerdotaux les plus riches & les plus éclatants, & usant de cérémonies pompeuses, offrit au Soleil les armes & les dépouilles de ses ennemis. A ce sacrifice il en ajouta un autre de parfums, dont l'usage était alors ignoré des Prestarambes qui, pendant cette action, étaient remplis de respect & d'admiration à la vue d'un sacrifice dont l'éclat & la magnificence surpassait de beaucoup la simplicité des leurs.

Après cet acte de piété & de reconnaissance, Sevaris reprit le chemin de son camp, qu'il fit, dans peu de jours, transférer à l'une des îles du lac de Sporaskompso, auprès desquelles Maurice fut pris dans sa pinasse quand il allait à la découverte du pays. Ce lieu était plus sûr & plus commode que celui où il était auparavant, & même beaucoup plus près des montagnes & à une distance raisonnable de la mer. Il n'y fut pas plutôt établi qu'il renvoya deux de ses vaisseaux en Perse sous la conduite de Giovanni, à qui il donna ordre de mener autant de Parsis qu'il pourrait engager à son service. Outre cela, il lui dit de porter tout ce qu'il jugerait nécessaire pour un solide établissement, & sur toutes choses il ordonna de ne parler de leur aventure qu'aux Parsis qu'il pourrait obliger à le suivre. Il ajouta qu'il fallait leur recommander le secret parce qu'il était à craindre que les usurpateurs de la Perse, pour s'opposer à leurs desseins, ne les empêchassent de sortir du pays & d'aller demeurer dans cette nouvelle terre qu'il semblait que la providence leur eût donnée pour y rétablir l'ancienne splendeur des véritables Persans & le vrai culte de l'astre du jour. Giovanni, ayant reçu ces ordres, se mit en mer et avec un vent favorable, cingla vers la Perse où dans peu de temps il arriva heureusement.

Cependant, ceux des Stroukarambes qui avaient échappé au combat, étant de retour chez eux, y jetèrent tout le monde dans une extrême consternation par le récit qu'ils leur firent de la bataille où la foudre (disaient-ils) avait fait un horrible carnage de leurs gens. La renommée porta bientôt cette nouvelle au delà des monts parmi les Stroukarambes, habitants du plat pays où Sevarinde est présentement située. Une aventure aussi extraordinaire que celle-là fit grand bruit parmi eux, & ne manqua pas de leur causer un merveilleux étonnement. Elle leur fit même craindre par avance un châtiment pareil à celui de leurs voisins, & cette crainte facilita beaucoup les entreprises de Sevaris lorsque, fortifié d'un nouveau secours de Parsis, il porta jusque dans les plaines ses armes victorieuses.

Durant l'absence de Giovanni, il fut élu capitaine général de tous les Prestarambes; ensuite, s'occupant à reconnaître leur pays & à faire un dénombrement de leur nation, il trouva qu'elle consistait en plus de trois cent mille âmes, hommes, femmes & enfants compris. Or, comme ces peuples vivaient en communautés qui étaient exposées au courses de leurs voisins qui venaient tous les ans désoler leurs frontières, ils usaient d'une grande économie & faisaient toujours des amas de grains pour deux ou trois ans. Pour les conserver, ils creusaient de grands trous dans la terre & les recouvraient ensuite si adroitement qu'il était fort difficile à leurs ennemis de les découvrir. Sevaris fit ouvrir plusieurs de ces magasins & en fit transporter les grains à l'île du lac où il avait transféré son camp afin qu'il en put commodément tirer pour ses divers usages.

Quand il eut ainsi pourvu à la subsistance de ses troupes, il fit entendre aux Prestarambes que c'était peu que d'avoir défait les ennemis sur la frontière s'ils ne songeaient à les attaquer dans leur pays même, & s'ils ne se mettaient pas en devoir de les subjuguer tout à fait pour s'assurer la paix & pouvoir vivre tranquillement chez eux; qu'ils ne jouiraient jamais d'un parfait repos tant que leurs voisins seraient en état de les troubler, & que l'expérience du passé leur était une preuve sensible de ce qu'ils devaient espérer à l'avenir. Outre ces raisons solides, il leur dit que s'ils avaient quelque généreux ressentiment des outrages qu'ils avaient si souvent soufferts de la part de leurs implacables ennemis, ils feraient leur dernier effort pour en tirer réparation & se venger des ravages & des cruautés que ces peuples farouches avaient depuis longtemps exercés sur leurs ancêtres & sur eux. Il ajouta qu'il croyait que tous les avantages que leurs ennemis avaient remporté venaient plutôt de leur multitude que de leur valeur; mais qu'à l'avenir leur grand nombre ne servirait qu'à rendre les victoires des Parsis & des Prestarambes plus éclatantes, & que le succès de la dernière & la faveur de leur Dieu glorieux qui, pour cet effet, leur avait prêté ses foudres, leur promettait une conquête facile & assurée.

Ce discours toucha fortement les Prestarambes, leur inspira une nouvelle ardeur & redoubla l'impatient désir qu'ils avaient de se venger de leurs ennemis. D'une commune voix, ils prièrent Sevaris de les mener au combat, lui promirent de le suivre partout où il voudrait les conduire & lui jurèrent qu'ils n'avaient point de plus forte passion que celle de vaincre ou de mourir avec lui. Il loua leur courage & leur générosité & les assura que, dès que le renfort qu'il attendait tous les jours serait arrivé, il les mènerait à la guerre.

Quelque temps après, Giovanni revint de Perse en Prestarambe qui était le nom du pays que présentement on nomme Sporombe, & mena avec lui plus de mille Parsis armés & pourvus de toutes choses nécessaires pour la guerre. Il avait pris soin d'engager à sa suite tout autant de maçons & de charpentiers qu'il avait pu, & de porter tous les instruments propres à bâtir & à remuer la terre.

Avec ce nouveau renfort, Sevaris résolut de passer les montagnes dès que les neiges seraient fondues &, pour cet effet, il fit tous les préparatifs nécessaires pour cette expédition.

Depuis la victoire obtenue, il avait pris soin de faire apprendre l'exercice des armes aux plus adroits jeunes hommes des Prestarambes dans le dessein de les mêler avec ses Parsis & d'en former un bon corps d'infanterie quand il aurait des armes pour leur donner. On lui avait amené de Perse une cinquantaine de bons chevaux qui lui furent fort utiles, ce qui fut cause qu'il renvoya souvent ses vaisseaux pour en apporter davantage afin d'en pouvoir faire des haras dans Prestarambe.

Dès que la saison fut propre & qu'il eut pourvu à la subsistance de ses troupes, il se mit en campagne avec toute son armée, qui se trouva forte de huit mille hommes effectifs, dont il y avait plus de trois mille qui portaient des armes à feu. Il se servit des prisonniers qu'il avait faits après le combat pour porter ses vivres & tirer son artillerie qui ne consistait qu'en petites pièces de campagne faciles à traîner. Et comme ses prisonniers étaient de grands & puissants hommes pour la plupart, ils portaient ou tiraient le bagage & le canon presque aussi bien que des chevaux. Sevaris, ayant de cette manière bien disposé en toutes choses, il marcha en bon ordre avec son armée vers les montagnes. Le bruit de sa marche y avait déjà porté une si grande terreur que tous les habitants des lieux par où il devait passer avaient déserté leurs demeures. Sans trouver donc d'autres obstacles que ceux des chemins, il passa au travers des monts jusqu'aux plaines de Stroukarambe. Ce pays qui naturellement est très beau & très fertile, lui plut extrêmement ; de sorte qu'il résolut de s'y établir s'il pouvait une fois subjuguer les peuples qui l'habitaient. Il forma aussi le dessein d'y transférer la meilleure partie de la nation des Prestarambes dont le pays n'était ni si bon ni si agréable que celui-ci.

La marche soudaine de son armée surprit fort les habitants des plaines mais elle ne les étonna pas tellement qu'ils ne s'attroupassent en divers endroits à dessein de le combattre. En moins de quinze jours, ils assemblèrent plus de vingt mille hommes qui étaient résolus de l'attaquer & qui se moquaient de ceux qui leur disaient que les Parsis lançaient les foudres du ciel. Ils traitaient cela de mensonge & d'un prétexte adroit dont leurs voisins s'étaient servis pour couvrir la honte de leur défaite. Dans cette confiance ils s'avancèrent vers l'armée de Sevaris qui s'était campé à côté d'un bois tout auprès d'une grande rivière, & qui, de peur d'être attaqué dans son camp, l'avait fortifié par les endroits où les ennemis y pouvaient entrer. Il avait, sur la main droite, le grand fleuve que de son nom on a depuis appelé Sevaringo; sur la gauche, le bois le mettrait à couvert de leurs insultes, & par derrière il fit faire une profonde tranchée depuis le fleuve jusqu'au bois, le long de la lisière, où il fit abattre plusieurs arbres qui, étant couchés en travers, en défendaient fortement l'accès. Pour la tête du camp, il ne la fortifia que de son artillerie, & de ce côté-là il ne voulut opposer aux ennemis que la vigilance & la valeur de ses soldats. Quand il les vit assez prêts pour leur donner bataille, il mit tous les Prestarambes qui n'étaient armés que de flèches & de bâtons à la tête de son armée. Il leur commanda d'aller au devant des ennemis, de les attaquer les premiers, de soutenir quelque temps le combat & enfin de céder peu à peu, jusqu'à ce qu'ils les eussent attirés tout auprès de son artillerie, ce qu'ils observèrent ponctuellement.

Les barbares, ne voyant d'abord que des Prestarambes qu'ils avaient accoutumé de vaincre & dont les armes étaient semblables aux leurs, les reçurent avec beaucoup de courage, & méprisant le petit nombre de leur armée, ils crurent pouvoir facilement les accabler par leur multitude. Ceux-ci de l'autre côté, voyant qu'ils avançaient vers eux avec beaucoup d'ardeur, leur cédèrent peu à peu le terrain jusqu'à ce qu'ils les eussent attirés près du canon. Alors ils s'ouvrirent tout d'un coup selon les ordres de Sevaris, & ce fut dans cet instant que l'artillerie commença de foudroyer les ennemis & que la mousquetterie des flancs, se joignant à elle, en fit une si horrible boucherie qu'il en tomba plus de cinq cents dès la première décharge. Le bruit épouvantable du canon & le carnage si prompt de tant d'hommes réprima d'abord l'ardeur des barbares & ensuite les consterna si fort que, jetant bas les armes, ils prirent tous la fuite & se renversèrent les uns sur les autres; ce qui causa leur entière défaite. Dans ce désordre, les Prestarambes les chargèrent vigoureusement, en tuèrent un grand nombre & ne se relâchèrent point qu'ils ne les eussent tout à fait dispersés. Le désir de vengeance qui les animait les fit passer même au delà des bornes d'un ressentiment ordinaire & contrevenir aux ordres de Sevaris qui leur avait commandé de ne plus tuer d'ennemis dès la victoire assurée. Mais malgré cette précaution il y eut cinq ou six mille hommes de tués dans cette bataille & plus de trois mille de pris, & les misérables restes de cette grande armée trouvèrent leur salut dans la fuite.

Après cette défaite, tous les habitants de ces plaines furent persuadés que les Parsis portaient avec eux les foudres du ciel & que le rapport des montagnards était véritable, & ils en furent saisis de crainte & d'étonnement. Dans un temps si favorable à ses desseins, Sevaris ne manqua pas de profiter de leur consternation. Après donc qu'il eut fait un nouveau sacrifice au Dieu de la lumière, il marcha plus avant dans leur pays tout le long du fleuve, sans trouver aucune résistance; parce que les ennemis fuyaient toujours devant lui & quittaient leurs demeures pour se cacher dans les forêts. Quand il ne trouva plus rien qui lui osât résister, il résolut de gagner ces peuples par la douceur. Dans cette vue, dès qu'il fut arrivé vis-à-vis de l'île, où présentement Sevarinde est située, il y fit son camp & le fortifia pour de là pouvoir en toute sûreté traiter avec eux & les persuader d'accepter la paix. Mais afin qu'ils vinssent la demander eux-mêmes, il fit élargir plusieurs de ses prisonniers après les avoir traités fort humainement. Il leur ordonna de dire à leurs compatriotes qu'il n'était pas venu pour les détruire, ni pour les chasser de leur pays, mais seulement pour les châtier à cause des cruautés qu'ils avaient exercées sur les Prestarambes. Il ajouta que le Soleil les prenait désormais sous sa protection & qu'il les y prendrait aussi eux-mêmes s'il voulaient se soumettre sans répugnance aux lois de ce Dieu commun de tous les hommes, dont il était le principal ministre ici-bas.

Cet expédient produisit bientôt l'effet que Sevaris en avait attendu: car en moins de huit jours on lui envoya des députés de toutes parts pour lui demander la paix aux conditions qu'il voudrait la leur donner. Il leur en fit de très raisonnables & ne leur prescrivit d'abord que quelque tribut de grains, de fruits & d'autres provisions pour la subsistance de son armée. Ensuite, il leur dit que plus tard, quand ils auraient plus de loisir & qu'ils se connaîtraient mieux les uns les autres, ils pourraient faire de nouveaux traités. Les Stroukarambes qui n'espéraient pas d'en être quittes à si bon marché, se soumirent volontiers à des conditions si douces & portèrent au camp des Parsis une grande abondance de toutes les choses nécessaires à la vie.

Peu de jours après la conclusion de cette paix, Sevaris prit une partie de ses gens &, laissant le gros de son armée dans le camp sous le commandement de Giovanni, il alla reconnaître le pays d'alentour à plus de dix lieues à la ronde. Il en revint ensuite fort satisfait & de plus en plus confirmé dans la résolution de s'y établir parce qu'il le trouvait beaucoup meilleur que celui des Prestarambes. Mais comme il ne pouvait y faire un solide établissement sans y bâtir quelque ville, il avait autant fait ce voyage pour y chercher une assiette commode que pour la curiosité de voir la campagne. Les habitants de ces plaines demeuraient alors dans des huttes & des cabanes & n'avaient jamais vu ni même ouï parler de bâtiments de pierre, de manière qu'on ne pouvait trouver parmi eux des gens qu'on pût employer à de tels ouvrages. Il est vrai que parmi les Parsis il y avait des maçons & des charpentiers, mais le nombre en était si petit qu'ils n'auraient pu de longtemps achever aucun grand édifice sans l'aide de plusieurs mains. Néanmoins, on crut que si l'on entreprenait quelque chose d'éclat & d'un usage public on pourrait avec le temps tirer de grands secours des gens du pays, & que cependant on ferait venir de Perse tout autant d'ouvriers qu'on en pourrait tirer. Pour avoir donc un sujet spécieux de les employer, Sevaris leur dit qu'il avait ordre du Soleil de leur déclarer de sa part qu'il voulait qu'on lui bâtît un temple dans le pays & que s'ils obéissaient à cet ordre avec un zèle respectueux, il les bénirait désormais de ses plus bénignes influences. Mais que si au contraire ils refusaient d'obéir à ses commandements, il détournerait d'eux ses regards favorables & les affligerait de mille calamités. Cet ordre fut reçu de tous ces peuples avec beaucoup de joie & de respect, & l'on envoya de tous côtés pour découvrir des carrières d'où l'on put tirer les matériaux nécessaires pour ce bâtiment. On en trouva en deux ou trois endroits vers les montagnes & fort près du fleuve, mais faute de bateaux on n'aurait pu les porter bien loin; de plus, les lieux où on les trouvait n'étaient pas si beaux, ni si commodes qu'une île située au milieu du fleuve. On avait résolu de bâtir dans cette île, tant à cause de la beauté du lieu qui était très agréable & très fertile que pour la force de sa situation naturelle. Mais pour venir à bout de ce dessein, il fallait y faire transporter des pierres, & cela paraissait fort difficile. Néanmoins, le hasard ou plutôt le bonheur de Sevaris, ôta cette difficulté, car comme il se promenait sur une montagne qui s'élevait vers le bout de l'île opposé au courant de l'eau, & que, pour prendre le frais, il fut entré dans un antre qu'il y avait alors, il observa que cette montagne était d'un certain rocher blanc fort facile à tailler & dont on se pourrait servir commodément pour les édifices qu'il avait projetés. De cette découverte il prit adroitement occasion de faire accroire aux Stroukarambes que le Soleil lui avait révélé que dans l'île même il trouverait les matériaux nécessaires à la construction de son temple. En effet, on reconnut par l'exacte recherche qu'on en fit ensuite, que cette montagne était pleine d'une espèce de marbre, qu'il y en avait de plusieurs couleurs & qu'en divers endroits de l'île il croissait de grands cèdres & d'autres arbres de haute fûtée fort propres pour la charpente du grand édifice qu'on y voulait élever. Présentement, il ne reste plus rien de ces rochers parce qu'on les a tous employés à bâtir la ville de Sevarinde; si bien que l'île est toute unie & n'a que fort peu de penchant vers le courant du fleuve du côté d'en-bas. Sevaris traça lui-même le lieu où l'on devait poser les fondements du temple & des plus anciennes maisons qu'on y voit aujourd'hui.

Cependant, quoiqu'il fût occupé à ces bâtiments, il ne laissait pas de tenir la main à ses autres affaires. Premièrement, il eut soin de se bien assurer du passage des montagnes; ensuite, il fit un grand amas de vivres, & pour en avoir à l'avenir une plus grande abondance, il ordonna aux Stroukarambes de semer diverses sortes de grain qu'il avait fait venir de Perse. Il fit faire quantité de bateaux & en montra l'usage de ces peuples qui ne se servaient auparavant que de petits canots faits d'écorce d'arbres. Après cela, il exhorta plusieurs des Prestarambes de quitter leurs demeures pour s'établir avec lui dans leur ancienne patrie. Et pour les y attirer plus facilement, il leur dit qu'il avait effacé de son esprit toutes les pensées de s'en retourner en Perse. De temps en temps, il en venait des Parsis auxquels ses heureux succès étaient déjà connus & qui, voyant comme renaître en lui la splendeur de l'ancienne gloire de leur nation presque effacée dans leur patrie, venaient à l'envi offrir leur service à ce restaurateur du nom persan.

Dans le commerce qu'il avait avec les Stroukarambes, Sevaris s'attacha fort à remarquer leurs inclinations, leurs mœurs, leurs lois & leurs coutumes. Il fit aussi de grandes remarques sur leur langue & l'apprit dans fort peu de temps. Par la recherche exacte qu'il fit de toutes ces choses, il trouva que c'était des gens naturellement spirituels & qui avaient plusieurs semences de générosité, bien que leurs mœurs fussent alors grossières; ils vivaient à peu près comme les Prestarambes par grandes familles ou communautés, & quand la nécessité de leurs affaires le demandait, ils choisissaient des chefs pour leur administrer la justice ou pour les mener à la guerre; ils punissaient sévèrement le larcin parce que tous leurs biens étant à découvert, il était fort facile de l'exercer & par là de causer des divisions parmi eux. Quant au mariage, ils le pratiquaient d'une manière qui lui déplut extrêmement & qu'ensuite il tâcha d'abolir. Comme ils vivaient tous par grandes familles, ils jouissaient en commun des biens & même des personnes qui dépendaient de leur communauté. Ils ne faisaient nul scrupule d'épouser leurs propres filles & leurs propres sœurs, & ce mélange incestueux ne leur semblait point criminel. Au contraire, ils en avaient une idée toute différente de la nôtre & croyaient qu'il était plus honnête de prendre en mariage une personne de son sang que de s'associer avec un étranger. Néanmoins, ils ne laissaient pas de s'allier souvent avec leurs voisins & de recevoir leurs filles chez eux, mais les garçons ne sortaient jamais de leur famille. Celui qui épousait une femme en était réputé le seul mari & le père des enfants qu'elle lui portait; mais il n'en était pas le seul possesseur: car il était permis à tous ceux de la famille qu'elle voudrait recevoir d'en jouir aussi librement que celui qui l'avait épousée qui avait aussi le même droit sur les femmes des autres. Mais si quelqu'une de ces femmes se prostituait à un étranger, on regardait son action comme un crime énorme & on la punissait de mort. On punissait aussi les hommes qui se mêlaient avec les femmes de leurs voisins. Dans chaque communauté on choisissait de temps en temps un chef & d'autres officiers pour le gouvernement économique de la famille où les vieilles gens étaient les plus honorés après ces magistrats. Ce chef avec son conseil avait puissance de mort & de vie sur tous ceux qui dépendaient de son autorité, & disposait souverainement des biens & des personnes de ses sujets. On ne pouvait point sortir de la famille ni contracter des alliances sans sa permission, & chacun était obligé d'obéir à ses ordres. Pour le gouvernement de toute la nation on envoyait des députés de chaque communauté qui tous ensemble composaient le grand conseil & assistait le général dans toutes les délibérations publiques; & c'est ainsi que ces peuples étaient gouvernés. Pour ce qui est de leur langue, Sevaris trouva qu'elle était fort douce, fort méthodique & fort propre à la composition, quoiqu'elle fût bornée & n'eût pas beaucoup de termes; parce que les notions de ces peuples étaient seulement des choses communes & qu'ils ignoraient alors les sciences & les arts que les Parsis leur ont enseigné, depuis qu'ils se sont mêlés avec eux. Il s'appliqua fort à l'apprendre, & comme il en savait déjà plusieurs, qu'il était habile & pénétrant, & que d'ailleurs il avait une mémoire fort heureuse, dans peu de temps il y fit de si grands progrès qu'il se faisait facilement entendre aux Stroukarambes & aux Prestarambes qui n'avaient qu'une même langue, quoique les dialectes en fussent différents. Ces derniers vivaient à peu près de la même manière que les premiers, à la réserve des mélanges incestueux dont nous avons parlé, qu'ils avaient fort en horreur. Ils disaient que cette coutume s'était introduite chez leurs ennemis par l'exemple de quelques-uns de leurs voisins, qui habitaient les parties méridionales du pays, tirant vers le pôle antarctique, pour parler à notre manière. Ils ajoutaient que cela s'était fait depuis qu'ils s'étaient séparés (car autrefois ils ne faisaient tous qu'une même nation) par les persuasions d'un insigne imposteur, dont ils portaient alors le nom, qui les avait fascinés, avait corrompu leurs bonnes mœurs & leurs bonnes coutumes & causé mille maux à tous les habitants de ces contrées qui avant lui étaient appelés Sephirambes.

Cependant, les murailles du temple s'avançaient tous les jours, & quoique d'abord elles n'eussent pas tous les ornements de l'architecture, elles ne laissaient pas d'être belles & solides, & Sevaris en régla si bien le corps que dans la suite il fut facile de les embellir. Il traça tout à l'entour de ce temple le dessin d'une nouvelle ville, & en accommoda les édifices au modèle de gouvernement qu'il se proposait d'établir parmi ces peuples. Il en avait fait le projet depuis qu'il avait reconnu le pays, qu'il s'était informé de leurs coutumes & depuis que le succès de ses armes lui faisait raisonnablement espérer d'acquérir sur eux une autorité souveraine. Quand le temple fut achevé de bâtir, il invita les principaux de la nation à la solennité de sa dédicace, & pratiqua dans cette rencontre toute la magnificence & tout le faste extérieur dont il peut s'aviser pour donner de l'éclat à cette action. Il avait fait venir de Perse ses femmes & ses enfants; si bien qu'il aurait pu se passer des femmes du pays, mais voyant que comme chez les Persans la polygamie y était permise, il crut qu'en bonne politique, il devait se faire des amis par des nouvelles alliances avec les Prestarambes & les Stroukarambes. Dans cette vue, il épousa la fille d'un des principaux de ces premiers &, quelque temps après, la nièce d'un des chefs des derniers qu'il avait honoré de sa confidence & de son amitié. Il obligea aussi ses Parsis d'en faire autant, & cette conduite lui fut fort avantageuse en ce qu'elle affermit beaucoup son autorité & que ces alliances lui servirent puissamment lors qu'il s'agit de se faire déclarer chef de toutes ces nations.

Cependant, le nombre des Parsis & des Prestarambes qui lui obéissaient s'était fort accru & s'augmentait tous les jours; de sorte que par leur moyen il se voyait de plus en plus en état de se faire craindre par tout le pays. Il les exerçait souvent à la discipline militaire, & le reste du temps il les employait à bâtir & à travailler à la terre qui, étant cultivée à la manière des nations polies, rapportait infiniment plus qu'elle ne faisait par la culture des sauvages. Il avait fait venir de Perse des chevaux, des bœufs, des chameaux & de plusieurs autres animaux, dont il n'avait point trouvé dans la terre australe. Mais il y en avait aussi trouvé beaucoup d'autres que nous ne connaissons pas dans notre continent, & surtout les bandelis, dont nous avons fait la description dans la première partie de cette histoire. C'est une espèce de cerf dont on voyait encore en ce pays-là, comme on fait encore aujourd'hui de grandes troupes qui paissaient dans les forêts. Sevaris en fit prendre quelques-uns dans des filets, & en ayant bien considéré la taille, la force & le naturel, il crut qu'on pourrait facilement les apprivoiser & les dompter, ce qui réussit selon sa pensée. Il en fit donc prendre tout autant qu'il put, défendit qu'on en tuât de jeunes, & promit aux Austraux des récompenses pour tous ceux qu'on lui amènerait. Ils avaient accoutumé de les tuer à coups de traits & d'en manger la chair qui est aussi bonne que celles des cerfs. Dans peu de temps, il en recouvra un assez grand nombre, qu'il fit dresser & s'en servit ensuite utilement, tant pour le charroi & les attelages que pour un corps de cavalerie qu'il forma de ces bandelis & des chevaux qu'on lui avait menés d'Asie. Dans trois ans de temps, il fit toutes ces choses, & quand il vit que le temple était presque achevé, qu'il avait outre cela déjà bâti quatre grandes maisons carrées, qu'il appela *osmasies*, c'est-à-dire communautés, dont chacune pouvait contenir mille personnes ou environ; qu'il avait fait cultiver l'île & le pays d'alentour, en sorte qu'il en tirait une grande abondance de vivres pour en remplir ses magasins; alors il crut qu'il ne devait plus différer de se faire élire chef de toutes les nations qu'ils avait soumises. Pour cet effet, il institua une fête solennelle à l'honneur du Soleil & voulut qu'on la célébrât tous les ans & qu'on y fit des sacrifices, des festins & des réjouissances publiques. Il y convia les principaux des Prestarambes & des Stroukarambes, & comme il les vit tous de bonne humeur & pleins d'admiration pour la magnificence de la fête, il leur fit proposer par un de leurs commandants, nommé Hostrebas, d'élire un chef de toutes les deux nations auquel on donnerait une autorité souveraine pour les gouverner & pour les défendre. Comme cet Hostrebas avait beaucoup de crédit & qu'il était appuyé de tous les alliés des Parsis, sa proposition fut bien reçue, & d'un consentement universel on déféra l'honneur de la royauté à Sevaris. Il le refusa d'abord & dit qu'il ne pouvait pas accepter une dignité si éclatante sans premièrement consulter le Soleil, dont il était le ministre & sur la volonté duquel il devait régler toutes ses actions; que pour cet effet, s'ils le trouvaient à propos, il lui offrirait un sacrifice de parfums pour prier ce grand astre de les diriger & les conduire dans une affaire si importante & leur faire connaître de quelle manière ils devaient agir dans cette rencontre. Ils acquiescèrent tous à ce sentiment modeste & raisonnable & le suivirent au temple, où il offrit des parfums au Soleil & lui fit à haute voix cette oraison ou plutôt ce panégyrique devant toute l'assemblée.

Le style en est un peu poétique & dans plusieurs endroits on y peut remarquer une cadence & quelques transpositions qu'on ne souffre que dans les vers; mais parce que cela ne s'est pas fait sans dessein, & que d'ailleurs ce roulement de paroles dans un tel sujet touche mieux le cœur qu'une prose plate & diffuse, je n'ai pas cru devoir m'en éloigner.

Peut-être que cette manière d'écrire ne sera pas du goût de tout le monde, & que les vers entiers avec les transpositions fréquentes qu'on y trouvera presque partout donneront lieu aux censeurs d'exercer leur critique; mais les personnes éclairées qui savent ce que c'est que la vertu du rythme en jugeront, je m'assure, tout autrement; & surtout quand ils seront avertis que Sevaris, qui était fort versé dans les poètes grecs & latins, aimait fort la poésie.

Un grand poète nommé Kodamias, c'est-à-dire, esprit divin, l'a depuis mise en vers métriques.

On verra sur la fin de cette relation l'histoire de ce fameux poète qui, par beaucoup d'autres ouvrages excellents, s'est acquis parmi les

Sevarambes une réputation à peu près semblable à celle que s'acquirent autrefois Homère & Virgile chez les Grecs & les Romains. Mais de tous ses écrits, il n'en est point que ces peuples regardent avec plus d'estime et de vénération que l'Oraison du Soleil, parce qu'elle contient en abrégé ce qu'il y a de plus essentiel dans leur religion, & que d'ailleurs cet excellent poète a suivi dans ses vers, autant que son art le pouvait permettre, les pensées de Sevaris qui, comme nous l'avons déjà dit, la prononça devant le peuple en la manière suivante.

ORAISON DE SEVARIS AU SOLEIL

Source féconde de lumière & de vie, bel astre qui brillez d'un éclat sans pareil & dont nos faibles yeux ne sauraient soutenir les divins regards; nous ne voyons rien de si glorieux que vous, ni rien de si digne de notre admiration lorsque nous jetons la vue de tous côtés sur les objets charmants que vous seul nous rendez visibles. Vous êtes souverainement beau de vous-même, vous embellissez toutes choses & rien ne peut vous embellir. Tout ce que les corps lumineux soumis à votre empire ont de brillant & de splendeur, ils l'empruntent de vos rayons. Ce sont ces beaux rayons qui peignent les lambris des cieux & les nuages de l'air de mille couleurs différentes; c'est eux qui dorent le sommet des montagnes & la vaste étendue des plaines; c'est eux qui, chassant les noires ombres de la nuit, servent de guide à tous les animaux; & c'est eux enfin qui leur font voir tous les objets que vous éclairez. Vous êtes infiniment aimable & rien n'est aimable sans vous; rien ne peut étaler ses charmes sans l'aide de votre clarté. Lorsque vous commencez à paraître sur notre horizon, toutes choses se réjouissent de votre venue & rompent leur morne silence pour vous saluer à leur réveil. Vous arrachez les humains appesantis dans leurs couches d'entre les bras du frère de la mort, comme pour leur annoncer une nouvelle vie. Mais quand au soir vous leur ôtez votre lumière pour la porter en d'autres lieux, ils sont d'abord enveloppés d'épaisses ténèbres, images du trépas, qui leur seraient insupportables s'ils ne se consolaient du doux espoir de votre retour. Quand votre corps lumineux s'obscurcit & s'éclipse au milieu du jour, les mortels en pâlissent comme vous, & leurs cœurs sont saisis de crainte & d'épouvante. Mais la joie & l'allégresse succèdent bientôt à leur crainte lorsqu'ils vous voient hors de travail. Vous parcourez l'immense voûte des cieux d'une course rapide, & fournissez tous les ans votre vaste carrière pour nous marquer les temps & les saisons d'un mouvement juste & réglé. Lorsque vous vous approchez de nous, toutes choses se renouvellent & prennent un éclat nouveau. La nature, comme percluse par les neiges & les glaçons, rompt ses liens & ses chaînes à l'aide de votre chaleur vivifiante. Alors la terre se couvre de verdure &

vous la parsemez de fleurs & la remplissez de fruits que vous mûrissez par vos douces influences pour en nourrir les animaux des champs, les oiseaux du ciel & les poissons des eaux. C'est de votre bonté céleste qu'ils tirent toute leur subsistance comme ils en ont reçu la vie. Vous êtes l'âme du monde puisque vous animez toutes choses & que rien ne peut se mouvoir sans vous. Lorsque votre chaleur divine nous abandonne, incontinent succèdent les froides horreurs de la mort, & tous les animaux cessent de vivre quand ils cessent de vous sentir. Leur âme n'est qu'un rayon de votre lumière incorruptible, & lorsque vous retirez ce rayon du corps terrestre où il était enfermé, ce corps se corrompt, se dissipe & retourne dans son néant. Quand vous vous éloignez de nous, selon l'ordre des saisons, tout sent les fâcheux effets de votre éloignement, tout se ternit, tout devient triste & la terre se couvre de deuil. Vous étendez vos bienfaits sur tous ses habitants mais vous ne favorisez pas également tous les peuples & tous les climats. Quelques-uns n'ont qu'un faible usage de votre chaleur & de votre lumière & se voient le plus souvent plongés dans les horreurs de longues & noires ténèbres & dans les rigueurs des hivers où ils languissent & soupirent dans l'attente de votre retour. Ils ont des preuves très sensibles que vous êtes la source de tous les biens, ou du moins le canal favorable par où coulent jusqu'à eux les bienfaits & les grâces du Grand Etre qui vous soutient & dont vous êtes le ministre glorieux. Mais ceux qui comme nous jouissent d'un plus doux aspect de vos yeux, voient toujours leurs champs couverts de fleurs & de fruits, & vous doivent aussi bien plus d'amour & de reconnaissance. Vous nous rendez tous les matins la lumière que vous nous ôtez tous les soirs, & si quelquefois des humides vapeurs de la mer vous formez des nuages épais qui nous cachent votre face lumineuse, ce n'est que pour les résoudre en pluies rafraîchissantes & en douces rosées qui engraissent & fertilisent nos plaines & nos coteaux.

Mais si votre bénéficence est adorable & s'étend ainsi partout, votre colère n'est pas moins à craindre & ne se fait pas moins sentir en tous lieux. Car lorsque nos ingratitudes & nos crimes vous ont irrité contre nous, vous avez cent verges pour nous châtier & pour nous faire éprouver les effets de votre justice. Quelquefois vous convertissez votre chaleur bénigne qui fait croître & mûrir nos fruits en feux ardents qui les havissent & les brûlent. D'autres fois vous changez les douces rosées du ciel en pluies impétueuses qui détruisent les richesses de nos arbres & de nos guérets. Vous tournez les douces haleines des zéphirs en tourbillons & en orages redoutables; vous entassez les nues obscures les unes sur les autres; vous élevez des brouillards épais pour nous dérober votre lumière &, au lieu de vos regards propices, vous envoyez des éclairs terribles & faites gronder le tonnerre épouvantable pour nous reprocher nos forfaits & pour nous avertir de votre juste courroux. Quelquefois vous lancez vos foudres redoutables & en frappez les arbres les plus orgueilleux & les monts les plus superbes pour faire voir aux mortels que vous pouvez abattre tout ce qui s'élève & qui s'enorgueillit; & que si votre bonté ne retenait votre colère, vous écraseriez les impies & les rebelles qui n'adorent point votre divinité.

Pour nous qui sommes assemblés dans votre temple pour vous rendre nos vœux & nos hommages & pour faire fumer vos autels, nous reconnaissons que c'est à vous seul que nous devons l'être & la vie & tous les biens que nous possédons comme le reste des hommes. Mais nous sentons que nous sommes obligés de vous révérer d'une manière toute particulière, parce que vous nous avez fait & nous faites tous les jours des faveurs & des grâces que vous ne faites point aux autres peuples de la terre. Vous nous avez prêté vos foudres terribles pour soumettre nos ennemis, & nous donnez des lumières & des connaissances utiles & agréables dans la vie que vous n'avez départies qu'à nous. Vous nous instruisez dans nos affaires les plus importantes, quand nous avons recours à vos oracles sacrés, & faites réussir nos entreprises malgré les obstacles les plus difficiles à surmonter. Enfin, vous nous faites connaître de quelle manière nous devons régler notre adoration & ces marques extérieures de notre respect religieux, afin que nous ne fassions rien qui vous déplaise ni qui soit contraire au véritable culte de votre divinité. Pour cet effet, vous nous conduisez, comme par la main, dans vos routes lumineuses & assurées pendant que les autres hommes s'égarent dans les sentiers obscurs & incertains de leurs vaines imaginations. Les uns se font des idoles faibles & impuissantes & les autres se forment de vains fantômes pour adorer en eux les folles pensées de leurs esprits. Mais nous qui sommes guidés par des lumières plus simples, plus pures & plus naturelles, nous adorons un Dieu visible & glorieux dont nous connaissons la puissance & dont nous éprouvons tous les jours les grâces & les bontés.

Veuillez, o divine lumière, les répandre toujours sur nous & dissiper les nuages & les ténèbres qui pourraient obscurcir & séduire notre raison. Mais parce que d'elle-même elle est trop faible & trop bornée, nous avons recours à vos divines clartés, dans le choix que nous devons faire d'un chef & conducteur capable de nous gouverner selon votre volonté. Si c'est votre plaisir de nous en donner un, faites o bel astre qu'il ait toutes les qualités que demande un emploi si relevé, afin qu'il nous guide & nous serve d'exemple dans toutes nos actions. Qu'il nous protège contre nos ennemis; qu'il fasse fleurir parmi nous la paix, la justice & toutes les vertus; enfin, qu'il nous sache instruire dans le culte & le respect que nous vous devons rendre; afin que vous étant toujours agréables & ne faisant rien qui puisse attirer votre colère, nous jouissions à jamais de vos douces influences & des témoignages de votre bonté particulière.

Cette oraison que Sevaris prononça avec beaucoup de zèle toucha fort le cœur des assistants & leur fit concevoir une haute estime pour la piété de ce prince : mais ils furent agréablement surpris quand, dès qu'il eut achevé de parler, ils ouïrent une douce harmonie vers la voûte du temple qui semblait venir de loin & s'approcher peu à peu. Lorsqu'elle fut assez près, on entendit la voix charmante d'une femme ou d'un garçon qui, après avoir chanté quelque temps fort mélodieusement, dit à toute l'assemblée qu'il était envoyé de la part du Soleil pour leur annoncer que ce Dieu glorieux avait écouté leur prière, qu'il avait reçu leur sacrifice & même jeté les yeux sur l'un d'entre eux pour l'élever en dignité au-dessus des autres. Mais qu'il ne voulait pas que ce fût en qualité de roi parce que nul mortel n'était digne de commander souverainement à un peuple qu'il avait choisi entre tous ceux de la terre pour être ses sujets & ses vrais adorateurs ; qu'il voulait lui-même être leur monarque, comme il était déjà leur Dieu, afin qu'ils se gouvernassent entièrement selon ses lois ; qu'il leur en donnerait de très justes & de très expresses par les mains de celui qu'il avait choisi pour son lieutenant dans la monarchie, comme il l'avait auparavant élevé au suprême degré de la prêtrise ; que la personne dont il avait fait choix était son grand-prêtre Sevaris qu'il déclarait publiquement avoir élu pour son lieutenant ; & qu'enfin, il leur ordonnait de le recevoir en cette qualité pour lui obéir à l'avenir, à lui & à ses successeurs selon les célestes lois qu'il inspirerait lui-même à ce ministre qu'il avait choisi pour être l'interprète de ses volontés & le dispensateur de ses grâces.

Après cette harangue on ouït une harmonie plus douce encore que la première qui sembla s'éloigner peu à peu jusqu'à ce qu'on ne l'entendît plus.

Cependant, le peuple était dans une profonde admiration & croyait en effet que c'était une voix du ciel qui leur avait annoncé la volonté de leur Dieu. Ils lui obéirent sur le champ & d'autant plus volontiers qu'ils voyaient que ce roi glorieux avait pris pour son lieutenant celui qu'ils avaient voulu choisir pour leur souverain, & qu'à cette grâce il ajoutait l'honneur éclatant de vouloir lui-même les gouverner & prendre un soin tout particulier de leur nation. Sevaris fut donc reçu du peuple en qualité de vice-roi du Soleil, & les principaux de ses sujets lui rendirent hommage et lui jurèrent fidélité.

Je pense que sa conduite dans cette rencontre est fort remarquable & digne de son esprit & de sa prudence. Car il ne fit pas seulement comme ont fait plusieurs autres grands législateurs qui, pour autoriser leurs lois, disaient les avoir reçues de quelque divinité, mais de plus, il fit dire au peuple par une voix du ciel (comme on leur fit accroire) quelle était la volonté de leur Dieu. Il crut aussi que, refusant l'autorité suprême & l'attribuant toute au Soleil, le gouvernement qu'il avait dessein d'établir parmi ces peuples serait plus ferme & plus respecté ; & que lui-même devant être le lieutenant & l'interprète de ce glorieux monarque, il serait beaucoup plus honoré & mieux obéi que s'il dérivait son autorité des hommes mortels. Il aimait fort la musique & l'entendait passablement, c'est ce qui me fait croire que lors qu'il fit bâtir le temple, il fit pratiquer dans la voûte quelque vide secret pour y mettre la symphonie dont nous venons de parler, & qu'il avait quelque invention pour faire que les sons semblassent s'approcher & s'éloigner ensuite. Néanmoins, le commun peuple des Sevarambes croit encore aujourd'hui que la voix qui annonça la volonté du Soleil à leur ancêtres venait de sa part & que Sevaris fut choisi par l'ordre de ce grand astre. Mais presque tous les gens d'esprit avec qui j'ai conversé familièrement à Sevarinde m'ont avoué qu'ils croyaient que ce n'avait été qu'une adresse de leur législateur pour donner plus de poids & d'autorité à son gouvernement. Cela paraît encore par la conduite des Parsis de ce temps-là qui faisaient accroire aux Austraux que le Soleil leur avait enseigné les arts qu'ils leur portèrent, & qu'il les honorait d'une révélation particulière. Sevaris en dit autant lui-même dans son oraison à cet astre quand il le remercie des dons & des grâces qu'il dit n'avoir départi qu'à lui & à ses sujets.

Les Stroukarambes, selon le génie de leur langue qui ajoute la terminaison *as* au nom des personnes élevées en dignité, appelèrent Sevaris Sevarias. Ils changèrent aussi le nom de leur pays, que les Prestarambes appelaient alors Stroukarambe, en celui de Sevarambe, joignant les premières syllabes du nom de ce prince à la diction Arambe qui, en leur langue signifie pays, contrée ou patrie. Ils en avaient fait autant du nom de Stroukaras, qui signifie fourbe ou imposteur, en haine de cet ancien ennemi de leur nation. Mais ceux qui l'avaient reçu pour leur chef, & qui ensuite lui rendirent des honneurs divins, l'appelaient Omigas, & de son nom s'appelèrent eux-mêmes Omigarambes. Mais quand ces deux peuples furent réunis sous l'autorité de Sevaris, ils s'appelèrent Sevarambes ; & c'est encore aujourd'hui le nom de toute cette nation.

Sevarias étant enfin parvenu à son but principal, & se voyant revêtu de l'autorité souveraine, s'appliqua fortement à faire cultiver & orner le pays & à composer des lois pour les faire ensuite recevoir à ses nouveaux sujets. Il fut quelque temps en balance sur le choix des divers modèles de gouvernement que lui et Giovanni s'étaient proposés.

Le premier projet qu'ils firent était de diviser le peuple en diverses classes dans l'idée qu'ils eurent d'abord de partager les terres & d'en laisser la propriété aux particuliers, à l'exemple de presque toutes les nations de notre continent. Tous les Parsis étaient pour ce partage, & l'on fut sur le point de distribuer la nation en sept classes subordonnées les unes aux autres.

La première devait être des laboureurs & de tous ceux qui travaillent à la terre. Dans la seconde, on devait ranger tous les gens qui exercent des métiers mécaniques, comme les maçons, charpentiers, tisserands & leurs semblables. La troisième devait contenir ceux qui travaillent à des arts plus subtils & plus ingénieux comme font les peintres, les brodeurs, les menuisiers & tels autres artisans. Dans la quatrième devaient être compris les marchands & les revendeurs de toutes sortes de denrées ou marchandises.

Les riches bourgeois, les gens de lettres & tous ceux qui exercent les arts libéraux devaient composer la cinquième. Les simples gentils-hommes devaient être rangés dans la sixième ; & enfin, la septième & la plus honorable devait être celles des seigneurs diversement qualifiés. Dans le partage des terres, on en devait réserver une bonne portion pour l'entretien ordinaire de l'Etat, & dans les occasions extraordinaires chaque classe devait contribuer selon son rang & ses moyens, sans que personne pût jouir d'aucune exemption ou privilège particulier, parce qu'il semble injuste & tout à fait contraire à la droite raison que ceux qui sont membres d'un Etat, qui sont protégés par les lois & qui jouissent des avantages de la société ne contribuent rien au soutien de cette société, pendant que les autres sont accablés de tailles & d'impôts. Le seul domaine du prince en devait être exempt, & tous les sujets devaient également contribuer aux dépenses publiques, chacun selon son rang & selon sa puissance, dans une égale distribution. Mais afin qu'ils reconnussent perpétuellement l'autorité du souverain & qu'ils se fissent tous une habitude de lui payer tribut, on avait dessein d'imposer sur chaque personne parvenue à l'âge de vingt ans une taille modique & annuelle, qu'on aurait nommée capitation. Outre cela, tous ceux qui seraient parvenus à la jouissance légitime de biens et & richesses jusqu' à une certaine valeur limitée par les lois, & qui auraient voulu monter à un degré plus haut, devaient être obligés de payer à l'Etat une somme d'argent selon les règlements qu'on aurait fait pour ce sujet. Chaque classe aurait été distinguée par des habits différents afin que les inférieurs ne pussent jamais usurper les honneurs & les respects dûs à leurs supérieurs, & qu'ainsi chacun tint son rang & sa dignité. Il y devait avoir divers autres règlements dans ce projet dont je pense que Giovanni était le véritable auteur. Mais Sevarias, après avoir examiné ce modèle de gouvernement & quelques autres qu'on lui avait proposés, les rejeta tous & en fit un lui-même incomparablement plus juste & plus excellent que tous ceux qu'on a pratiqués jusqu'ici. Car comme il avait une prudence & une sagesse singulière, il se mit à rechercher & à examiner avec soin les causes des dissensions des guerres, & des autres maux qui affligent ordinairement les hommes & qui désolent les peuples & les nations.

Dans cette recherche il reconnut que les malheurs des sociétés dérivent principalement de trois grandes sources qui sont l'orgueil, l'avarice & l'oisiveté.

L'orgueil & l'ambition portent la plupart des hommes à vouloir s'élever au-dessus des autres pour les maîtriser, & rien ne nourrit tant cette passion que les avantages d'une extraction illustre dans les lieux où la noblesse est héréditaire. L'éclat d'une haute naissance éblouit si fort ceux qui l'ont reçu des mains de la fortune qu'il leur fait oublier leur condition naturelle pour n'attacher leur esprit qu'à ce bien extérieur qu'ils ne doivent qu'à leurs ancêtres & non à leur propre vertu. Ils s'imaginent le plus souvent que les autres hommes leur doivent être soumis en toutes choses & qu'ils sont nés pour leur commander, sans considérer que la nature nous a faits tous égaux & qu'elle ne met point de différence entre le noble & le roturier; qu'elle nous a tous assujetis aux mêmes infirmités; que nous entrons dans la vie, les uns comme les autres; que les richesses ni la qualité ne sauraient ajouter un moment aux jours des souverains, non plus qu'à ceux de leurs sujets; & qu'enfin, la plus belle distinction qu'il y puisse avoir entre les hommes est celle qu'ils tirent des avantages de la vertu. Pour donc remédier aux désordres que produit l'inégalité de la naissance, Sevaris ne voulut pas qu'il y eût d'autre distinction entre ses peuples que celle des magistrats & des personnes privées; & que parmi ces derniers, l'inégalité de l'âge décidât seule de l'inégalité du rang.

Et parce que les richesses & la propriété des biens font une grande différence dans la société civile, & que de là viennent l'avarice, l'envie, les extorsions & une infinité d'autres maux, il abolit cette propriété de biens, en priva les particuliers, & voulut que toutes les terres & les richesses de la nation appartinssent proprement à l'Etat pour en disposer absolument, sans que les sujets en pussent rien tirer que ce qu'il plairait au magistrat de leur en départir. De cette manière, il bannit tout à fait la convoitise des richesses, les tailles, les impôts, la disette & la pauvreté qui causent tant de malheurs dans les diverses sociétés du monde. Depuis l'établissement de ces lois, tous les Sevarambes sont riches, encore qu'ils n'aient rien de propre; tous les biens de l'Etat leur appartiennent, & chacun d'eux peut s'estimer aussi heureux que le monarque du monde le plus opulent. Si dans cette nation un sujet a besoin de quelque chose nécessaire à la vie, il n'a qu'à la demander au magistrat, & il est assuré de l'obtenir sans peine. Il n'est jamais en souci pour sa nourriture, pour ses habits, ni pour son logement, pendant les divers degrés de son âge; ni même pour l'entretien de sa femme & de ses enfants quand il en aurait des centaines & des milliers. L'Etat pourvoit à tout cela sans exiger des tailles ni des impôts, & toute la nation vit dans une heureuse abondance & dans un repos assuré sous la conduite du souverain. Mais parce que le magistrat qui est la tête du corps politique a besoin des autres membres pour en tirer de l'aide & du secours, et que d'ailleurs, il est bon de les exercer de peur qu'ils ne se rebellent dans l'aise & les plaisirs, ou ne s'amolissent dans l'oisiveté, Sevarias voulut donner de l'occupation à tous ses sujets & les tenir toujours en haleine par un travail utile & modéré.

Pour cet effet, il partagea le jour en trois parties égales, & destina la première de ces trois parties au travail, la seconde au plaisir & la troisième au repos. Il voulut que tous ceux qui seraient parvenus jusqu'à un certain âge & que les maladies, la vieillesse ou d'autres accidents ne pourraient justement exempter de l'obligation des lois, travaillassent chacun huit heures du jour, & qu'ils employassent le reste du temps, ou dans les divertissements honnêtes & permis, ou dans le sommeil & le repos. Ainsi la vie se passe avec beaucoup de douceur, les corps sont exercés par un travail médiocre & ne sont pas usés par une fatigue immodérée; les esprits sont agréablement occupés par un exercice raisonnable sans être accablés par les soins, les chagrins & les soucis. Les divertissements & les plaisirs qui succèdent au travail recréent & raniment le corps & l'esprit, & le repos ensuite les rafraîchit & les délasse. De cette manière les hommes étant occupés au bien, n'ont pas le temps de songer au mal & ne tombent guère dans les vices où les porteraient l'oisiveté, s'ils ne la chassaient par des occupations honnêtes. L'envie qui vient des trois sources dont nous avons parlé, exerce rarement sa rage parmi ces peuples, & leur cœur n'est ordinairement échauffé que d'une noble émulation qui naît de l'amour, de la vertu & du juste désir des louanges que méritent les bonnes actions.

Sevarias n'eut pas beaucoup de peine à faire recevoir ses lois à ses nouveaux sujets; car outre qu'elles étaient autorisées de la divinité, elles ne s'éloignaient pas beaucoup de leurs coutumes parce que (comme nous l'avons déjà dit) ces peuples vivaient en communautés & n'avaient presque rien en propriété. Quand nous viendrons à parler du gouvernement des Sevarambes d'aujourd'hui, nous en ferons un détail plus exact, & nous nous contenterons cependant d'en dire ici quelque chose en gros. Car quoi que ce grand législateur ait lui-même posé les fondements des lois & de l'administration publique, néanmoins il n'a pas fait tous les règlements qu'on voit aujourd'hui parmi les Sevarambes, ayant laissé à ses successeurs l'autorité de changer, d'ajouter & de diminuer selon les occurrences ce qu'ils trouveraient à propos pour le bien de la nation. Mais il leur a très expressément défendu de rien ordonner de contraire au droit naturel ou aux maximes fondamentales de l'Etat qui sont de conserver sur toutes choses un gouvernement héliocratique, c'est-à-dire de ne pas reconnaître d'autre souverain que le Soleil, & de ne point recevoir d'autres lois que celles qu'il aurait inspirées à son lieutenant & à son conseil.

De n'admettre à la vice-royauté que celui que le Soleil aura choisi d'entre les principaux ministres de l'Etat; ce qui se fait par le sort, comme nous ferons voir ci-après.

De ne pas souffrir que la propriété des biens tombe en aucune manière entre les mains des personnes particulières; mais d'en conserver l'entière possession à l'Etat pour en disposer absolument.

De ne pas permettre qu'il y ait de rang ou de dignité héréditaire; mais de conserver avec soin l'égalité de la naissance, afin que le seul mérite puisse élever les particuliers aux charges publiques.

De faire respecter la vieillesse & d'accoutumer de bonne heure les jeunes gens à honorer ceux qui sont leurs supérieurs en âge & en expérience.

De bannir l'oisiveté de toute la nation, parce que c'est la nourrice des vices & la source des querelles & des rébellions; & d'accoutumer les enfants au travail & à l'industrie.

De ne point les occuper à des arts inutiles & vains, qui ne servent qu'au luxe & à la vanité, qui ne font que nourrir l'orgueil & qui, engendrant l'envie & la discorde, détournent les esprits de l'amour de la vertu.

De punir l'intempérance en toutes choses parce qu'elle corrompt le corps & l'âme, & fait tout le contraire de la vertu opposée, qui les conserve l'un & l'autre dans un état tranquille & modéré.

De faire valoir les lois du mariage & les faire observer aux personnes adultes, tant pour la propagation de l'espèce & l'accroissement de la nation, que pour éviter la fornication, l'adultère, l'inceste & d'autres crimes abominables qui détruisent la justice & troublent la tranquillité publique.

De prendre un soin tout particulier de l'éducation des enfants, & de les faire adopter par l'Etat dès qu'ils ont atteint la septième année de leur âge, pour leur apprendre de bonne heure & l'obéissance des lois & la soumission qu'ils doivent aux magistrats qui sont les véritables pères de la patrie.

D'instruire la jeunesse de l'un & de l'autre sexe dans l'exercice des armes pour avoir en tout temps des gens capables de repousser les ennemis de l'Etat.

Enfin, de faire valoir la religion pour lier les hommes par la conscience, les persuadant que rien n'est caché à la Divinité, & que non seulement dans cette vie, mais aussi après le trépas, elle a ordonné des récompenses pour les bons & des châtiments pour les méchants.

Voilà, en abrégé, les principaux articles des lois de Sevarias qui furent publiquement reçues cinq ans après son arrivée aux terres australes, & que ses successeurs ont religieusement fait observer depuis leur premier établissement. Après leur publication, il s'appliqua fortement à les faire observer & par la douceur & par la crainte de ses armes. Il avait pris des mesures si justes pour parvenir à ses fins qu'il trouva fort peu d'obstacles à son dessein, & il n'y eut guère de gens qui osassent s'y opposer car, si d'un côté les lois n'étaient pas agréables aux méchants, tous les bons les approuvaient parce qu'elles étaient fort justes & fort équitables. Il est vrai que les Parsis eurent quelque peine à s'accommoder à la communauté des biens; mais comme ils étaient tous étrangers, & que leur fortune dépendait absolument de celle de leur chef, ils se soumirent enfin à ses volontés, & d'autant plus facilement qu'ils voyaient que les Stroukarambes qui étaient déjà tous accoutumés à vivre en communautés, s'y soumettaient sans répugnance. Ceux qui avaient toujours vécu dans l'oisiveté eurent plus de peine à se réduire à un travail réglé; c'est pourquoi on ne leur fit point observer cet article avec sévérité; mais on le fit exactement pratiquer aux jeunes gens de sorte que, dans moins de vingt ans, il était généralement observé, & l'on ne voyait plus de fainéants que parmi les personnes d'un âge avancé.

Sevarias régna trente-huit ans dans une continuelle prospérité, & vit rendre à ses lois une parfaite obéissance dans toutes les terres de sa domination sans que jamais personne n'osât s'opposer à ses volontés. Pendant ce long règne, son peuple s'accrut prodigieusement, jusque là que le nombre de ses sujets, dont il faisait le dénombrement de sept en sept ans, se monta au dessus de deux millions, bien qu'il n'en eût pas plus de huit cent mille au commencement de son règne. Il les distribua tous par *osmasies* ou grands bâtiments carrés, où il les faisait vivre en commun, en quoi ses descendants l'ont toujours imités depuis.

De son temps, la ville de Sevarinde s'agrandit beaucoup, & lui-même y posa les fondements de quarante osmasies & en fit bâtir beaucoup d'autres jusqu'à Sporounde, dont il fut aussi le fondateur. Il fit faire divers canaux dans les plaines de Sevarambe pour les fertiliser davantage, quoi qu'elles fussent naturellement très fertiles, & conçut le dessein de plusieurs ouvrages publics que ses successeurs ont exécuté dans la suite.

De dix ou douze femmes qu'il eut pendant sa vie, il eut beaucoup d'enfants dont la postérité s'est fort accrue & qui sont fort respectés parmi les Sevarambes. Ils jouissent même de plusieurs privilèges qui ne sont pas communs aux autres sujets, & entre tous de celui d'être admis à la magistrature trois ans avant les jeunes gens des autres familles.

Durant plusieurs années, Sevarias prit beaucoup de peine pour cultiver & pour enrichir la langue du pays, & ses soins furent suivis de tant de bons succès que de son temps elle égalait toutes les langues d'orient en politesse & en douceur. Il y fit de si belles observations & en accommoda si bien les parties fondamentales pour exercer ceux qui viendraient après lui, que dans le cinquième règne elle se trouva plus belle & plus abondante que n'a jamais été la langue latine ni même la grecque.

Enfin, après avoir régné trente-huit ans entiers, étant dans la soixante-dixième année de son âge, & commençant à sentir les incommodités de la vieillesse, il résolut de résigner l'empire à un autre & de passer le reste de ses jours dans le repos d'une vie privée. Pour cet effet, il convoqua tous les osmasiontes de la nation, c'est-à-dire, tous les gouverneurs des osmasies qui composent encore aujourd'hui le conseil général, & leur fit savoir sa résolution. En même temps, il les exhorta de procéder au choix d'un nouveau vice-roi & de consulter le Soleil sur la volonté duquel ils devaient se régler dans une affaire si importante, les assurant que ce roi glorieux ne manquerait pas de leur faire connaître par le sort celui qu'il avait destiné pour son successeur, s'ils le jetaient selon les ordres qu'il avait déjà prescrits. Mais voyant que ce discours attristait tous ceux de l'assemblée, il leur représenta qu'il était déjà fort avancé en âge & que, ses forces commençant à lui manquer, il n'était désormais plus capable de tenir les rênes du gouvernement & qu'il était du bien public de choisir un chef plus jeune & plus vigoureux que lui pour la conduite de l'Etat; qu'après avoir travaillé trente-huit ans pour le bien & la félicité de la nation, il était juste qu'il songeât enfin à son repos particulier. Il ajouta qu'outre ces raisons solides il avait de secrets avertissements de la part du Soleil de se retirer des affaires & de remettre à un autre l'administration de l'Etat & la charge de grand-prêtre qui devait être inséparable de la vice-royauté. Quand il eut achevé ce discours qui attrista beaucoup tous ceux qui l'avaient écouté, les divers membres du conseil, après lui avoir témoigné leur respect, leur reconnaissance & le regret qu'ils avaient d'être gouvernés par un autre que lui, le prièrent de garder jusqu'à la fin de ses jours la dignité dont il était en possession depuis si longtemps & qu'il avait exercée avec tant de gloire, ou du moins de leur donner un de ses fils pour régner à sa place, s'il persistait dans la résolution de résigner l'empire à un autre. Ils ajoutèrent que la nation, ayant pendant tout son règne vu des marques si sensibles de sa prudence, de sa vertu & de l'amour qu'il avait pour son peuple, pourrait à peine se consoler de sa perte, & que le seul moyen d'adoucir la douleur qu'elle allait causer à tous ses sujets, était de mettre sur le trône celui de ses enfants qu'il jugerait lui-même le plus digne de lui succéder, afin qu'en sa personne & en celle de ses descendants on pût toujours voir la vivante image de leur auguste prédécesseur & révérer en eux la sagesse profonde & les vertus incomparables d'un prince à qui la nation devait tout son bonheur. Dans cette vue, ils lui offrirent de rendre ses dignités héréditaires à sa famille & de préférer un sang aussi illustre que le sien à tous les hommes de la terre. A ces raisons pressantes ils en ajoutèrent plusieurs autres & se servirent de tous les arguments & de tous les moyens dont ils se purent aviser pour lui faire accepter les offres qu'ils lui faisaient. Mais rien ne put ébranler ce grand homme; il résista fortement à leurs raisons & à leurs prières, & sa vertu triompha dans cette occasion de toutes les faiblesses de l'esprit humain. Il leur dit donc que l'Etat étant purement héliocratique, il ne pouvait accepter les offres qu'ils lui faisaient, parce que dans le choix d'un vice-roi il fallait, selon les lois établies, se gouverner entièrement par la volonté du Soleil, qui leur ferait connaître par le sort lequel de ses sujets lui était le plus agréable & le plus digne de commander à son peuple. Il les remercia néanmoins de leur zèle & de leur affection, & leur dit que bien qu'il eût autant d'amour & de tendresse pour ses enfants qu'un père en pouvait voir, il ne s'écarterait jamais de l'obéissance qu'il devait rendre au roi glorieux qui l'avait élevé sur le trône; que lorsqu'il s'agissait du bien public, on devait imposer silence à l'amour paternel & faire céder tous les intérêts particuliers à celui de l'Etat, dont le prince se doit toujours montrer le véritable père. Il ajouta qu'en de pareilles occasions il espérait de la vertu de ses successeurs qu'ils imiteraient son exemple & feraient voir à la postérité que l'honneur & la gloire des souverains consiste uniquement à faire tous leurs efforts pour rendre heureux les peuples dont le ciel leur a commis le gouvernement & la conduite.

Les osmasiontes du conseil, voyant par cette réponse la nécessité indispensable qui les forçait à changer de vice-roi, choisirent quatre hommes de leur corps, & le sort tomba sur l'un d'eux, nommé Khomedas, qu'ensuite ils appelèrent Sevarkhomedas, ajoutant à son nom les deux premières syllabes de celui de Sevarias, ce qu'on a fait depuis à tous ses successeurs.

Trois jours après cette élection, Sevarias, accompagné de tous les grands officiers de l'Etat, mena Khomedas au temple pour y pratiquer les cérémonies de son installation qu'il voulut être fort magnifiques pour faire honneur à son successeur, & montrer au peuple par son exemple quel est le respect qu'on doit rendre à un souverain. Il offrit sur l'autel un sacrifice au Dieu de la lumière, & prononça pour la seconde fois l'oraison qu'il lui avait faite lorsqu'il fut choisi par une voix du ciel, y ajoutant seulement qu'il plût à ce bel astre d'éclairer & de conduire le nouveau lieutenant qu'il avait choisi pour gouverner son peuple après lui.

Ensuite se tournant vers celui qui allait être son successeur, il lui parla à haute voix devant tout le peuple à peu près de cette manière.

> Avant de vous résigner ce qui me reste encore d'autorité, je me sens obligé, ô KHOMEDAS, de vous faire quelques remontrances: je m'y sens obligé pour la gloire de notre divin monarque, pour le bien de son peuple & pour votre instruction particulière.
>
> Le dessein qui nous amène dans ce temple a quelque chose de fort étonnant: vous étiez hier mon sujet & vous allez devenir aujourd'hui mon souverain; je descends volontairement d'un trône où vous allez monter sans obstacle, & par cette action nous allons laisser à la postérité un exemple aussi remarquable qu'un souverain ait jamais laissé. Il arrive peu de ces changements dans un Etat si l'amour paternel ou la faiblesse des princes n'en sont le véritable motif ou si la loi d'un vainqueur n'en impose la nécessité. Il n'est est pas de même dans cette occasion; ce n'est ni le sang ni la nature qui me sollicite en votre faveur; ce n'est ni votre force ni ma faiblesse qui m'obligent à vous résigner le sceptre & le diadème du Soleil; c'est la pure volonté de ce roi glorieux & l'obéissance que je rends à ses ordres sacrés qui vous élèvent à la haute dignité où vous allez monter. Le choix qu'il a fait de votre personne pour être son lieutenant & mon successeur dans la monarchie peut justement remplir votre âme de pensées sublimes, mais il ne doit pourtant pas vous inspirer de l'orgueil, ni vous faire oublier votre condition naturelle. Souvenez-vous que vous êtes homme; que par les lois de la naissance vous n'avez aucun avantage sur les autres; que vous êtes comme eux sujet aux infirmités de la nature & à l'inconstance de la fortune, & que le terme fatal qui finit leur destinée doit aussi terminer la vôtre. Considérez sérieusement quel est le poids de la couronne, de qui vous la tiendrez & à qui vous serez obligé d'en rendre compte. Faites réflexion sur le bonheur du règne précédent, voyez quel exemple vous aurez à suivre & quel exemple vous devez donner. Les fonctions de la vice-royauté où vous êtes appelé sont toutes grandes & relevées; elles demandent une application sérieuse, un esprit droit, un courage intrépide, une constance inébranlable & une prudence exquise. Je ne doute point que vous n'ayez toutes ces qualités puisque le Dieu lumineux qui nous éclaire, qui voit & qui fait toutes choses, vous a préféré à tous ses autres sujets pour vous faire son premier ministre.
>
> Souffrez, néanmoins, que je vous dise que dans la conduite d'un Etat il y a deux chemins qui mènent à des fins bien différentes. Le premier est celui où marchent les bons princes; & l'autre est celui où courent les tyrans: l'un conduit tout droit à la gloire & l'autre mène à l'infamie. Les tyrans lâchent la bride à leurs passions &, s'abandonnant au mauvais

penchant de leur cœur, ils détruisent toujours par leurs vices les ouvrages de leur prudence. Ils pensent rarement à l'auteur de leur puissance; ils songent peu au compte qu'ils ont à lui rendre, & ils ne considèrent jamais que, plus les effets de sa justice sont lents, plus ses jugements sont redoutables. De là vient que leur domination est odieuse, leur fin le plus souvent tragique & leur mémoire toujours détestée.

Les bons princes, au contraire, ne se conduisent que par les lumières de la droite raison; il se font une règle inviolable de leur devoir &, suivant partout les conseils d'une juste prudence, ils affermissent leur trône sur des fondements que rien ne saurait ébranler. On les aime pendant leur vie, on les regrette après leur mort, & le souvenir de leur règne est toujours cher & précieux à la postérité.

Bien loin de croire que vous puissiez balancer un moment sur le choix de l'une de ces deux routes, je suis persuadé que vous avez déjà fait une généreuse résolution d'imiter la conduite des bons princes avec autant de soin que vous avez résolu de fuir les maximes des tyrans. Votre devoir, votre honneur & votre intérêt particulier vous y obligent indispensablement &, de plus, je vous y exhorte de la part de celui dont vous devez être la vivante image dans cet Etat. Il nous a donné des lois dont il vous fait aujourd'hui le dépositaire, l'interprète & l'exécuteur. Ces lois sont les décrets d'une sagesse qui, n'étant pas sujette au changement, n'en veut point souffrir dans les constitutions fondamentales de ce royaume. Respectez le principe d'où elles viennent, prenez garde de n'y rien changer & ne manquez pas de punir la témérité de ceux qui voudraient profaner les ordonnances sacrées du Soleil par le mélange impur de leurs imaginations. Usez du pouvoir absolu que ces lois vous donnent pour faire exercer la justice, pour faire pratiquer la tempérance & pour faire fleurir la paix. C'est dans la paix que se trouve le repos & le bonheur des peuples mais, pour la conserver parmi eux, il faut cultiver avec soin l'innocence des mœurs & corriger sévèrement la licence des vices. On règne facilement sur les gens de bien; mais il est difficile de régner sur les méchants, & l'unique moyen de régner avec gloire est de dispenser avec justice les récompenses & les peines. Pour cet effet, il faut qu'un prince soit toujours armé & dans la paix & dans la guerre, afin qu'il puisse en tout temps repousser les injures étrangères, réprimer les rébellions intérieures & faire également craindre & respecter en tous lieux & la puissance de ses armes & la sainteté de ses lois. J'ai tâché par mes actions passées d'établir la vérité de ces maximes, comme je vous les propose aujourd'hui solennellement par mes paroles devant le Dieu qui nous éclaire & devant ce peuple qui m'écoute; c'est à vous de faire votre profit de mes remontrances. Après cela, je vous remets la couronne & le sceptre du Soleil comme les dernières marques de l'autorité que je vous résigne par ses ordres. Répondez par votre conduite à l'intention de ce divin monarque, remplissez nos souhaits & notre attente, & tenez enfin pour une maxime certaine que la gloire d'un véritable prince brille moins par l'éclat de son diadème que par le bonheur de ses sujets.

Dès qu'il eut achevé ce discours, il prit Khomedas par la main, le mena à l'autel, lui fit jurer par le Dieu invisible, éternel & infini, par le Soleil visible & glorieux & par l'amour de la patrie, d'observer religieusement les lois fondamentales de l'Etat & de n'y rien ajouter ni diminuer. Ensuite, le faisant asseoir sur le trône, il lui mit la couronne sur la tête & le sceptre à la main, le salua vice-roi du Soleil & lui rendit le premier hommage. Il invita tous les officiers de l'Etat qui étaient là présents à suivre son exemple, & puis, se tournant vers le peuple, il leur fit plusieurs belles exhortations. Il leur représenta sur toutes choses que le plus grand devoir des sujets consistait dans le respect, l'obéissance & la fidélité qu'il faut rendre à l'autorité souveraine; que bien que leurs suffrages & leur consentement fussent nécessaires pour l'établir, ils ne devaient pourtant pas s'imaginer que leur volonté en fut la cause principale; que la providence avait beaucoup plus de part dans l'établissement des princes que les ordonnances des hommes, & qu'on devait les regarder ici-bas comme les plus vives images de la Divinité; que quand même ils ne s'acquitteraient pas bien de leur devoir, les sujets ne devaient pas pour cela s'éloigner du leur; que le ciel autorisait souvent même les actions injustes des souverains pour châtier les peuples lorsque, par leurs offenses, ils avaient attiré les effets de sa justice; qu'ils devaient souffrir ses châtiments sans murmure & sans jamais écouter les conseils rebelles; que la rébellion n'était pas seulement le plus détestable de tous les crimes, mais que c'était aussi la plus grande de toutes les folies puisqu'au lieu de procurer la liberté à ceux qui s'y engageaient, elles les précipitait le plus souvent dans un beaucoup plus dur esclavage de quelque côté que se tournât la victoire; qu'enfin, ce n'était pas seulement le devoir des sujets de se soumettre à l'autorité légitime, mais que c'était aussi leur intérêt le plus solide.

Après cette résignation de l'empire, Sevarias se retira avec sa famille dans une osmasie qu'il avait fait bâtir à une journée de Sevarinde, dans un lieu fort agréable & dont l'air est fort sain. Il y vécut en personne privée sans se mêler aucunement des affaires, hormis lorsqu'on le venait consulter; ce qu'on fit toujours dans toutes les matières importantes pendant tout le temps qu'il vécut; tant pour lui témoigner le respect & la vénération qu'on avait pour sa personne que pour lui faire voir l'estime que l'on faisait de ses sentiments.

Il vécut encore seize ans après s'être déposé, sans que son esprit participât aucunement aux faiblesses de son âge. Il conserva son jugement & même sa mémoire jusqu'au dernier soupir de sa vie, & sentant enfin approcher son heure dernière, il exhorta tous ses enfants à la vertu & à l'amour de la patrie, & leur fit connaître que la véritable gloire consistait en l'obéissance des lois & en la pratique de la justice & de la tempérance. Il ajouta que, bien que son corps fût mortel, son âme était immortelle, & que, dès qu'elle serait sortie de sa prison terrestre, elle prendrait son essor vers l'astre glorieux d'où elle avait pris son origine pour y être revêtue d'une nouvelle forme plus belle & plus parfaite que la première; qu'il en arriverait de même à tous ceux dont la vie & les mœurs étaient pures & justes & qui obéissaient de bon cœur aux ordonnances du Dieu qui voit toutes choses, qui connaît toutes les actions & même toutes les pensées des hommes. Qu'au contraire, les méchants & les impies qui n'avaient point obéi à ses lois, ni vécu dans l'innocence, seraient sévèrement châtiés après leur trépas, & que leur âme serait revêtue d'un corps plus abject & plus infirme que le premier. Qu'ils seraient enfin jetés en des lieux éloignés de la face lumineuse du Soleil pour y sentir les incommodités & les rigueurs des hivers, & pour y être ensevelis dans les noires ténèbres d'une profonde nuit pour y expier leurs crimes.

Après ces exhortations, il rendit l'esprit & laissa un regret universel de sa perte à toute la nation qui en mena deuil durant cinquante jours & témoigna une douleur toute extraordinaire de son absence & de son trépas. Elle le regardait comme le père de la patrie & l'auteur de toute la félicité dont elle jouissait, si bien que la mémoire de ce grand homme est encore & sera toujours si douce & si vénérable aux Sevarambes qu'ils lui auraient élevé des autels & rendu des honneurs divins si lui-même qui en avait quelque appréhension & qui était ennemi capital de l'idolâtrie, n'y eut mis ordre avant sa mort.

On lui fit des obsèques royales, on offrit des sacrifices tout extraordinaires pour ce sujet, & son successeur n'épargna rien pour honorer sa mémoire & pour faire voir à toute la nation le sensible regret qu'il avait de sa mort. Aussi cette piété & cette sage conduite augmenta de beaucoup l'amour & l'estime qu'on avait pour lui, ajouta un nouvel éclat à son règne & le fit considérer comme un digne successeur de Sevarias. Il régna encore six ans après le décès de ce prince mais, se sentant attaqué d'une maladie violente, il résigna le gouvernement, imitant en cela son prédécesseur, comme il avait tâché de l'imiter en toute sa conduite.

Durant son règne, il fit faire plusieurs osmasies & fit fleurir tous les arts qui s'étaient établis du temps de Sevarias auquel avant sa mort il fit élever un tombeau magnifique qui se voit encore aujourd'hui dans le temple de Sevarinde. Il fit faire de grands ponts à chaque côté de l'île pour en rendre la communication aisée parce qu'auparavant elle ne se faisait que par le moyen de bateaux; il conçut aussi le dessein de l'environner d'une forte muraille mais, comme il ne vécut pas assez longtemps pour cela, il en laissa le soin à ses successeurs.

BRONTAS IIIe
Vice-roi du Soleil.

Celui qui fut élu à sa place s'appelait Brontas, & après son élection on le nomma Sevarbrontas, selon la coutume. Il suivit les traces de ses prédécesseurs & fit cultiver les plaines & même les montagnes en divers endroits & surtout sur le chemin de Sporounde qu'il rendit beaucoup plus commode qu'il n'était auparavant, y posant les fondements de plusieurs villes qui se sont fort accrues depuis. Sous son règne, on commença de bâtir tout autour de l'île, selon le projet de Sevarkomedas, & par l'étude & la pratique il devint si savant dans l'architecture qu'il orna extrêmement tous les édifices que ses prédécesseurs avaient construits. De son temps il y eut des dissensions parmi les Sevarambes causées par quelques Parsis nouveau-venus qui voulurent établir la propriété des biens contre les maximes fondamentales de l'Etat, ce qui lui donna beaucoup de peine; mais enfin, il en vint à bout, & pour remédier à l'avenir à de semblables désordres, il défendit le commerce de notre continent & ne voulut plus recevoir de ces esprits turbulents.

Il était descendu des Prestarambes, & cela fut cause qu'il fit fort agrandir Sporounde & les autres lieux sur les montagnes pour en rendre le commerce plus facile. Il régna 34 ans & enfin résigna l'empire à un autre, à l'exemple de ses devanciers.

DUMISTAS IVe
Vice-roi du Soleil.

A Sevarbrontas succéda Sevardumistas, Strokarambe d'origine. Il voulut étendre ses limites & subjuguer une nation qui habitait les parties inférieures du fleuve, environ quatre-vingt lieues au-dessous de Sevarinde, mais le conseil s'y opposa & ne voulut pas souffrir que sans nécessité on conquit de nouvelles terres contre les maximes de Sevarias qui avait ordonné qu'on fît bien valoir le pays des environs de Sevarinde avant qu'on touchât aux terres plus éloignées, à moins que ce ne fût sur le chemin de Sporounde. Voyant donc que son dessein ne plaisait pas, il s'attacha à faire valoir l'agriculture & faire construire de nouvelles osmasies en divers endroits, & surtout à la ville d'Arkropsinde d'où il était natif. Il institua de nouvelles cérémonies dans la religion seulement pour la pompe extérieure comme aussi dans l'osparenibon ou solennité du mariage. A tout cela il ajouta divers règlements touchant les réjouissances publiques, institua de nouvelles danses dans l'erimbasion ou fête du Soleil, qui s'observent encore aujourd'hui. On tient que, n'ayant pu réussir dans le dessein de faire la guerre, il prit des routes toutes contraires, & s'amusa à l'institution de plusieurs cérémonies. Son règne ne fut que de onze ans & il fut le premier qui garda l'empire jusqu'à la fin de ses jours. Il est vrai qu'un accident en fut cause car il mourut soudainement d'une chute, ce qui causa un interrègne de quinze jours seulement.

SEVARISTAS Ve
Vice-roi du Soleil.

A sa place fut élu Sevaristas, issu de Sevarias & en la personne duquel le sang de ce premier vice-roi du Soleil remonta sur le trône. Les vertus & les grâces qui brillaient en lui donnèrent de grandes espérances de son règne, & l'on crut qu'il remplirait dignement la place de la personne illustre dont il avait l'honneur de descendre. On ne s'y trompa point aussi car il en fut la vive image & le parfait imitateur. Il n'avait que trente ans quand il fut élevé au gouvernement, mais dans cet âge il avait une prudence & une sagesse extraordinaire. La nation s'était extrêmement accrue de son temps & la paix & l'abondance y fleurissaient partout; si bien que son règne fut heureux, même dès son commencement. Et comme il avait beaucoup de sujets qu'il fallait employer selon les maximes de l'Etat, il entreprit des ouvrages d'un grand travail & d'une difficulté presque insurmontable. Premièrement, il fit achever le palais de Sevarinde & les murailles de l'île; il y fit bâtir le grand amphithéâtre & fit percer la montagne dont nous avons parlé dans la première partie de cette relation.

Il renouvela le commerce avec la Perse & les autres pays de notre continent que Sevarbrontas avait défendu, mais il en changea la manière & voulut seulement que quelques-uns des Sevarambes vinssent voyager parmi nous pour y apprendre toutes les sciences & les arts qu'ils jugeraient pouvoir contribuer au bonheur & à la gloire de leur nation, sans qu'il leur fût permis de nous rien faire connaître de leur pays.

Ses soins achevèrent de polir ces peuples & d'établir parmi eux les belles sciences, les beaux-arts & les grands spectacles publics. Il institua la fête nommée Khodimbasion, c'est-à-dire la fête du grand Dieu dont Sevarias avait eu la première idée & que ses successeurs n'avaient pas voulu instituer de peur de ne pas bien comprendre le sens de ce législateur. Mais celui-ci, soit par le privilège du sang, ou qu'il eût mieux compris que les autres l'intention de son illustre prédécesseur, passa par-dessus toutes ces difficultés & voulut, après en avoir réglé la solennité, qu'elle fut célébrée au commencement de chaque dirnemis, c'est-à-dire, de sept en sept ans. Il la fit célébrer six fois lui-même, car il régna quarante-sept ans, au bout desquels il se démit de l'empire & vécut encore douze ans.

KHEMAS VIe
Vice-roi du Soleil.

A ce prince illustre succéda Sevarkhemas qui fut grand naturaliste & qui s'attacha fort à faire valoir la connaissance des simples & des métaux dont il découvrit plusieurs mines & même de riches mines d'or dont il se servit pour l'ornement du temple du Soleil & du palais de Sevarinde, car on n'en fait point de monnaie en ce pays-là où elle n'est pas nécessaire & où même l'usage en est défendu par les lois fondamentales de l'Etat.

Ce fut lui qui fit mettre autour du grand globe lumineux du temple de Sevarinde, qui représente le Soleil, cette grande plaque d'or massif coupée & gravée en rayons qu'on y voit aujourd'hui. Il régna quarante-trois ans & résigna l'empire.

KIMPSAS VII
Vice-roi du Soleil.

A Sevarkhemas succéda Sevarokimpsas. Celui-ci fut un grand voyageur dans ses Etats dont il vit jusqu'à la moindre osmasie. Il aima fort les jardinages, fit accommoder les chemins & y fit planter partout des indices ou des termes pour la commodité des voyageurs. Il fit mesurer & marquer la distance des lieux & ordonna que dans toutes les villes on tiendrait des femmes esclaves pour le service des passants. Il fit la guerre aux Stroukarambes méridionaux, peuples fiers & brutaux qui n'avaient jamais reconnu l'autorité de Sevarias, qui en avait méprisé la conquête & qui avait même exhorté son successeur de ne les point attaquer le premier, mais de se contenter des terres qu'il lui avait résigné; elles étaient bien cultivées & capables de nourrir six fois plus de peuple qu'il n'en avait. Depuis ce temps-là, on avait méprisé ces barbares & l'on ne leur avait rien dit tant qu'ils s'étaient tenus dans le respect; mais ayant eu l'audace de faire une irruption dans les terres de Sevarokimpsas, il entra chez eux à main armée, les défit en plusieurs rencontres & leur imposa un tribut annuel de filles & de garçons pour être les esclaves des Sevarambes. Et parce que dans leurs montagnes on trouva de fort bonnes mines, il y fit bâtir des forteresses & y laissa des garnisons où la jeunesse des Sevarambes va servir tour à tour, selon l'ordre & le temps établi. Il régna ving-huit ans & résigna l'empire.

MINAS VIIIe
Vice-roi du Soleil.

C'est lui qui règne à présent & par l'ordre duquel nous fûmes menés à Sevarinde. Ce Sevarminas a déjà gouverné longtemps, & lorsque je partis de ce pays pour venir en Perse, on disait qu'il allait résigner l'empire parce qu'il se sentait déjà vieux. Il a fait faire plusieurs choses & entre autres le grand aqueduc qui porte à Sevarinde toute l'eau d'une rivière qui descend d'une montagne à six ou sept milles au-delà du fleuve. Son prédécesseur avait commencé cet ouvrage & il l'acheva pendant les douze premières années de son règne.

C'est un homme fort juste & fort sévère, voulant être obéi mais aimant d'ailleurs la nation dont il est aussi fort aimé. J'ai vécu treize ou quatorze ans sous sa domination & vu plusieurs choses qui se sont exécutées pendant ce temps-là, ayant pris peine d'observer les lois & les mœurs de ces peuples, dont il est, je pense, temps que je traite plus particulièrement que je n'ai encore fait.

Des lois, mœurs & coutumes
des Sevarambes d'aujourd'hui.

Dans l'histoire de Sevarias & de ses successeurs, j'ai donné un tableau raccourci des lois de ces peuples & fait voir quelles étaient les principales maximes de leur gouvernement. Je pourrais ici m'étendre plus loin sur cette matière & décrire tous les règlements & toutes les ordonnances qui ont été faites par les vice-rois du Soleil depuis Sevarias jusqu'à Sevarminas, à présent régnant; mais comme une telle déduction serait trop long & trop ennuyeuse, je me contenterai d'en dire ici ce qu'il y a de plus remarquable.

Ce gouvernement est donc monarchique, despotique & héliocratique au premier chef. C'est-à-dire que la puissance & l'autorité suprême réside en un seul monarque; que ce monarque est seul maître & propriétaire de tous les biens de la nation, et que c'est le Soleil qu'on y reconnaît pour roi souverain & pour maître absolu. Mais si, en second lieu, on a égard à l'administration de l'Etat de la part des hommes, on trouvera que cet Etat est une monarchie successive & despotique, mêlée d'aristocratie et de démocratie.

Cela paraît en ce que le vice-roi, qui est le seul homme qui représente le monarque & le seigneur, n'est pas seulement élevé à cette dignité par le choix du Soleil mais aussi par l'élection du grand conseil & par celle du peuple. Car lorsqu'il s'agit d'élire un vice-roi, le grand conseil choisit de son propre corps quatre personnes qui jettent au sort entre elles; & celui à qui la figure du Soleil échoit est par là déclaré chef, comme par le choix de ce bel astre.

Or tous ceux qui sont élevés aux offices le sont premièrement par le choix du peuple dans chaque osmasie jusqu'à la charge d'osmasiontas, ou cœnobiarque; & quand un homme est parvenu à ce rang, il est membre du conseil général & a voix délibérative & négative pour l'osmasie qu'il représente. Au commencement, quand la nation était encore petite, ces osmasiontes étaient du conseil ordinaire mais, comme le nombre s'en augmenta, on les fit tous du conseil général & l'on en prit un pour le conseil ordinaire qui représentait quatre osmasies; ensuite, il en représentait six & présentement il en représente huit. De ces huiteniers qu'ils appellent brosmasiontes, on choisit ceux qu'on veut faire sénateurs selon le temps de leur réception; & ainsi le plus ancien d'entre eux remplit la place du sénateur nouvellement décédé. Je dis le plus ancien en office, car on n'y regarde pas à l'âge. Ces sénateurs sont présentement au nombre de vingt-quatre qui assistent le vice-roi dans toutes les grandes affaires & composent le grand conseil d'Etat. On les appelle sevarobastes, c'est-à-dire, aides de Sevarias ou de ses successeurs.

Il y a un autre corps inférieur, composé de brosmasiontes au nombre de trente-six d'où l'on tire des gens pour les élever à la dignité de sevarobastes quand il y a quelque vacance ou pour les faire gouverneurs des villes de la campagne; excepté celles de Sporounde et d'Arkropsinde qui sont gouvernées par un sevarobaste, tels que sont Albicormas & Brasindas parce que ces gouvernements sont fort considérables.

Outre le soin de donner des conseils au vice-roi, presque tous les sevarobastes ont quelque charge particulière & des plus considérables de l'Etat, comme celle de général d'armée, d'amiral, de préfet des édifices, des vivres, des sacrifices, des écoles, des fêtes solennelles & de plusieurs autres choses, & ils ont chacun leur conseil particulier pour l'exercice de ces charges.

Chaque gouverneur de ville a aussi son conseil particulier pour le gouvernement de sa place ou province ; ainsi qu'il nous parut d'abord à Sporounde, qui est le premier gouvernement & le plus considérable de tout l'Etat, & comprend toutes les villes d'au-delà des monts & tout ce qui est resté de la nation des Prestarambes qui, pour la plus grande partie, ont quitté leur pays pour revenir en Sevarambe. On envoie en leur place toutes les personnes défectueuses ou de corps ou d'esprit ; & c'est de là qu'on appelle le pays Sporombe, comme nous avons déjà dit.

Outre ces magistrats & officiers que je viens de nommer, il y en a plusieurs autres inférieurs, entre lesquels ceux qui ont la conduite de la jeunesse sont fort considérés parce que de la bonne éducation des enfants dépend le salut de l'Etat & celui de toute la nation.

Les intendants de plusieurs arts sont aussi fort estimés, particulièrement ceux qui ont le soin de l'agriculture ou l'intendance des édifices parce que ces deux emplois sont les plus utiles & ceux auxquels la nation s'exerce le plus.

Et comme les magistrats sont élevés au dessus du peuple, & leurs fonctions sont plus nobles que celles des gens du commun, ils méritent de plus grandes récompenses ; ils en reçoivent aussi de proportionnées au rang qu'ils tiennent dans la république. Premièrement, ils ont la gloire de commander & le plaisir d'être obéis. Les lois leur permettent d'épouser plus de femmes que les autres sujets & d'avoir chacun un nombre d'esclaves pour les servir. Ils sont ordinairement mieux logés, mieux nourris & mieux vêtus que les particuliers, & tout le monde les respecte & les honore selon leur qualité. D'ailleurs, dès le moment qu'un homme est entré dans la magistrature, il peut aspirer à la souveraine puissance & y monter par les divers degrés où il faut passer. Tous les vice-rois depuis Sevarias y sont arrivés de cette manière ; on n'en a point d'autre pour y parvenir ; & cela fait que tous ceux qui ont du mérite & de l'ambition tâchent de s'acquérir l'amour & l'estime de leurs concitoyens pour avoir leurs suffrages lorsqu'il s'agit de quelque élection. Si l'on fait une sérieuse réflection sur ces coutumes & sur ces manières des Sevarambes, on trouvera que, dans le fond, nous avons les mêmes désirs & le même but qu'eux, dans le soin que nous prenons d'avancer notre fortune pour jouir des commodités de la vie. Mais il y a cette différence entre eux & nous, que les moyens dont ils se servent pour s'élever sont tous honnêtes & légitimes tandis que le plus souvent nous mettons en usage les crimes & les infamies pour nous tirer de la bassesse & de la misère ; si par des voies justes ou injustes nous acquérons des richesses & des honneurs, nous en abusons ordinairement ou les laissons à nos enfants avec plein pouvoir d'en disposer comme il leur plaît. Mais les Sevarambes, auxquels il n'est permis de faire que de bonnes actions, ne peuvent conserver leurs biens & leurs dignités que par une constante pratique de la vertu, & ne laissent à leurs enfants que leur bon exemple à imiter.

S'il arrivait un interrègne, le plus ancien des sevarobastes gouvernerait à la place du vice-roi jusqu'à ce que le grand conseil eût choisi un successeur. La première chose que fait un nouveau lieutenant est de convoquer le conseil général de toute la nation où tous les osmasiontes & généralement tous les grands officiers assistent. Alors il leur déclare le choix que le Soleil à fait de sa personne & demande s'ils ne veulent pas volontairement se soumettre à la volonté de leur Dieu & de leur roi & le reconnaître pour son lieutenant. A quoi tous crient à haute voix *Erimbas imanto*, c'est-à-dire, le roi de la lumière soit obéi. Après cela on le suit au temple où il offre des parfums au Soleil & lui rend grâces de la faveur spéciale qu'il lui a fait; puis il se consacre à son service, lui promet fidélité, & au peuple justice & protection. Après cela, il va s'asseoir sur le trône où nous vîmes Sevarminas quand il nous donna audience. Tous les sevarobastes le suivent, & le plus ancien d'eux lui met sur la tête la gloire ou l'ombrelle radieuse dont nous avons parlé, & chacun des sénateurs lui promet aide & fidélité; & tous les autres, soumission & obéissance à lui & à son conseil. Alors, s'il a quelque loi à proposer, il le déclare devant tous les assistants, l'appuie de raisons, en fait donner des copies à tous les osmasiontes & les prie de la bien examiner & de lui dire leur sentiment. Neuf jours après, dans une autre assemblée pareille à celle-ci, la loi est confirmée & établie devant tous, et chacun en prend des copies pour porter chez soi. Ensuite, le vice-roi congédie tout ce monde & s'en va lui-même à son palais.

Toutes les fois qu'il s'agit de faire passer quelque nouvelle loi, on convoque ainsi ce conseil général, & tout s'y fait de la manière que je viens de dire.

Les charges & les offices ne subsistent qu'autant de temps qu'il plaît au vice-roi & à son conseil; mais il arrive rarement qu'on les ôte à ceux qui en sont pourvus, à moins qu'ils les résignent eux-mêmes (ce qu'il font ordinairement quand ils ont atteint l'âge de soixante ou soixante-dix ans) ou bien quand ils font mal leur devoir, ce qui se voit rarement. Mais si par hasard il arrivait que le vice-roi fût méchant, impie & tyrannique, & qu'il voulût violer les lois fondamentales, en ce cas-là on ferait tout ce qu'on pourrait pour le ramener à la raison; & si enfin on n'y pouvait pas réussir, alors le plus ancien sevarobaste convoquerait le conseil général & leur en dirait les causes, leur demandant leur avis; & s'ils ne trouvent pas à propos de demander au Soleil un tuteur pour son vice-roi afin de faire exécuter ses lois & les maintenir dans leur entière force & autorité, selon les constitutions de Sevarias & de ses successeurs. A cela, les autres répondraient affirmativement, & alors tous iraient au temple &, après avoir offert de l'encens & fait une prière au Soleil, ils jetteraient au sort parmi les sevarobastes, & celui à qui la figure du Soleil écherrait, serait déclaré tuteur du vice-roi qui en cette occasion doit être supposé avoir perdu le bon sens. Après cela, il ne serait plus reçu dans le conseil & on le garderait dans un palais à part où, néanmoins, il serait traité avec toute sorte de douceur & de respect, jusqu'à ce qu'il plairait à la Divinité de lui rendre sa raison égarée; & quand il paraîtrait qu'il serait revenu à lui-même, & qu'il voudrait faire son devoir, alors il serait publiquement remis dans son autorité & dans l'exercice de sa charge, de la même manière dont il en aurait été privé.

C'est là une clause des lois de Sevarias sur ce sujet en cas que telle chose arrivât, mais elle n'est pas encore arrivée, ni peut-être n'arrivera-t-elle jamais. La même clause regarde ceux qui en effet seraient hors de leur bon sens & qui ne voudraient pas volontairement résigner l'empire.

Sevarias a laissé des formulaires pour toutes ces choses comme aussi pour quelques oraisons qu'on doit faire au Soleil en diverses rencontres, & surtout celle que nous avons traduite, laquelle doit être récitée toutes les fois qu'on procède à l'élection d'un vice-roi.

Je pense qu'il est maintenant à propos de faire voir comment subsiste ce grand Etat, & de quelle manière on y fait des magasins publics, & comment on en dispose ensuite.

Nous avons déjà fait voir qu'une des principales maximes du gouvernement était d'ôter la propriété des biens aux sujets & de la laisser toute entière au souverain. Cela s'est toujours pratiqué depuis Sevarias; pour pouvoir entretenir les gens & les faire vivre chacun à son aise, on a fait des magasins publics de toutes les choses nécessaires & utiles à la vie. On en a fait aussi de celles qui servent aux honnêtes plaisirs; & c'est de ces magasins que l'on les tire pour en départir à chaque osmasie, selon ses besoins. Chaque osmasie a son magasin particulier & se fournit de temps en temps des magasins généraux pour pouvoir distribuer à chacun ce qui lui est nécessaire, soit pour sa subsistance, soit pour l'exercice de son art ou métier. Aux osmasies de la campagne, on s'attache principalement à la culture des terres, & l'on nourrit le peuple des fruits qu'on en recueille. Premièrement, chaque osmasie champêtre prend du blé, du vin, de l'huile & autres fruits tout autant qu'il lui est nécessaire pour continuer l'agriculture & pour nourrir toutes les personnes qu'elle contient. Le surplus est envoyé aux magasins publics. On en fait de même des bestiaux dans les lieux où l'on en nourrit en grand nombre.

On a des préfets pour la chasse, pour la pêche & pour toutes les manufactures qui prennent les matières nécessaires à leurs ouvrages dans les lieux où elles croissent, & les font transporter dans ceux où l'on les travaille. Par exemple, il y a des lieux où l'on fait du coton, du lin, du chanvre & de la soie. Ceux qui ont l'intendance de ces choses en font des amas & les envoient aux villes où l'on en fait des étoffes ; & des villes on envoie ces étoffes à tous les lieux de la campagne où l'on en a besoin. On en fait de même de la laine, du cuir, des métaux & de toutes les autres choses dont on se sert dans la vie. Pour ce qui est des matériaux dont on bâtit, l'intendant des bâtiments en fait faire des magasins & en tire tout ce qui lui est nécessaire pour la construction des nouveaux édifices ou pour la réparation & l'entretien des anciens. On en fait de même pour les choses destinées aux réjouissances publiques, aux solennités, aux spectacles, & il y a sur toutes ces choses des intendants & des officiers sous eux qui commandent à un certain nombre de personnes destinées à travailler à tous ces ouvrages.

Il y a diverses osmasies où l'on élève les enfants de l'un & de l'autre sexe, mais chaque sexe à part ; & il y a là-dedans des directeurs & des précepteurs qui prennent soin d'instruire la jeunesse. Il y en a où on leur enseigne des arts & des métiers, & chacune de ces osmasies a ses magasins particuliers, ses officiers & un nombre d'esclaves pour faire les ouvrages les plus sordides. De ces magasins particuliers on tire ce qui est nécessaire à l'entretien de chaque personne.

Si l'on considère la manière de vivre des autres nations, on trouvera que dans le fond on a des magasins partout, que les villes tirent de la campagne & la campagne des villes ; que les uns travaillent de leurs mains & les autres de leurs têtes ; que les uns sont nés pour obéir & les autres pour commander ; qu'on a des écoles pour l'éducation de la jeunesse, et des maîtres pour leur enseigner des métiers ; que dans tous les emplois de la vie il y en a pour la nécessité de subsister, d'autres pour vivre plus commodément ; & enfin, d'autres purement pour le plaisir. Les choses sont les mêmes, dans le fond, mais la manière de les distribuer est différente. Nous avons parmi nous des gens qui regorgent de biens & de richesses & d'autres qui manquent de tout. Nous en avons qui passent leur vie dans la fainéantise & dans la volupté, & d'autres qui suent incessamment pour gagner leur misérable vie. Nous en avons qui sont élevés en dignité et qui ne sont nullement dignes ni capables d'exercer les charges qu'ils possèdent ; & nous en avons enfin qui ont beaucoup de mérite mais qui, manquant des biens de la fortune, croupissent misérablement dans la boue & sont condamnés à une éternelle bassesse.

Mais parmi les Sevarambes, personne n'est pauvre, personne ne manque des choses nécessaires & utiles à la vie, & chacun a part aux plaisirs & aux divertissements publics, sans que pour jouir de tout cela il ait besoin de se tourmenter le corps & l'âme par un travail dur & accablant. Un exercice modéré de huit heures par jour lui procure tous ces avantages, à lui, à sa famille & à tous ses enfants, quand il en aurait mille. Personne n'a le soin de payer la taille, ni les impôts, ni d'amasser des sommes d'argent pour enrichir ses enfants, pour doter ses filles, ni pour acheter des héritages. Ils sont exempts de tous ces soins & sont tous riches dès le berceau. Et si tous ne sont pas élevés aux dignités publiques, du moins ont-ils cette satisfaction de n'y voir que ceux que le mérite & l'estime de leurs citoyens y ont élevé. Ils sont tous nobles & tous roturiers, & nul ne peut reprocher aux autres la bassesse de leur naissance, ni se glorifier de la splendeur de la sienne. Personne n'a ce déplaisir de voir vivre les autres dans l'oisiveté, pendant qu'il travaille pour nourrir leur orgueil & leur vanité. Enfin, si l'on considère le bonheur de ce peuple, on trouvera qu'il est aussi parfait qu'il le puisse être en ce monde & que toutes les autres nations sont très malheureuses au prix de celle-là.

Si l'on compare aussi le bonheur des rois, des princes & des autres souverains avec celui du vice-roi du Soleil, on trouvera qu'il y a des différences notables. Ceux-là ont ordinairement de la peine pour tirer les subsides nécessaires au soutien de leur Etat, & sont souvent contraints d'user de mille inventions ou de mille cruautés pour venir à leurs fins. Celui-ci n'a que faire de tous ces moyens. Il est déjà le maître absolu de tous les biens de la nation, & nul de ses sujets ne peut lui refuser l'obéissance qui lui est due, ni prétendre aucun privilège particulier. Il donne & ôte quand il lui plaît; il fait la paix & la guerre quand il le trouve à propos; tout le monde lui obéit & nul n'oserait résister à sa volonté. Il n'est pas exposé aux rébellions & aux soulèvements des peuples; personne ne doute de son autorité, & tout le monde s'y soumet; il ne la doit à personne & personne n'ose entreprendre de la lui ôter. Car qui serait si téméraire que de se révolter contre le Soleil & contre ses ministres ? Qui serait si vain que de se croire plus digne de commander que ceux que ce roi lumineux a choisi pour être ses lieutenants. Et quand il y en aurait quelqu'un d'assez insensé pour vouloir usurper le gouvernement, comment le pourrait-il faire & où trouverait-il des gens qui voulussent appuyer sa folie & devenir esclaves pour le rendre souverain ? Ajoutez que la religion lie fort les Sevarambes à l'obéissance de leurs supérieurs car ils ne reconnaissent pas seulement le Soleil pour leur roi mais ils l'adorent comme leur Dieu & croient qu'il est la source de tous les biens qu'ils possèdent; de sorte qu'ils ont une grande vénération pour ses lois & pour le gouvernement qu'ils croient qu'il a lui-même établi parmi eux par le ministère de Sevarias. D'ailleurs, leur éducation est si bonne & ils sont accoutumés de si bonne heure à l'obéissance de ses lois qu'elle leur est presque naturelle ; & ils s'y soumettent d'autant plus volontiers que plus ils raisonnent & plus ils les trouvent justes & raisonnables.

De l'éducation des Sevarambes.

Leur sage législateur, faisant de si belles lois pour ses peuples, n'avait garde de négliger le soin de faire élever la jeunesse, sachant bien que de leur éducation dépend la conservation ou la ruine de ces mêmes lois, & que la corruption des mœurs produit ordinairement de grandes illusions dans la politique. Il est bien difficile qu'un homme vicieux & mal élevé soit jamais un habile ministre ni un bon sujet. Car d'un côté, la violence de ses passions l'entraîne dans le vice, & de l'autre, son ignorance ne lui permet pas de faire un juste discernement du bien & du mal, du vrai & du faux. Les hommes ont naturellement beaucoup de penchant au vice, & si les bonnes lois, les bons exemples & la bonne éducation ne les en corrigent, les mauvaises semences qui sont en eux s'accroissent & se fortifient, & le plus souvent, elles étouffent les semences de vertu que la nature leur avait données. Alors ils s'abandonnent à leurs appétits déréglés &, laissant l'empire de leur raison à leurs passions impétueuses & farouches, il n'y a point de maux où elles ne les précipitent. De là viennent les violences & les rapines, l'envie, la haine, l'orgueil & le désir de dominer ; les rébellions, les guerres, les massacres, les incendies, les sacrilèges & tous les autres maux dont les hommes sont ordinairement affligés.

Une bonne éducation corrige le plus souvent, & même quelquefois étouffe les semences vicieuses qu'ont les hommes, & cultive celles qu'ils ont pour la vertu.

C'est ce que comprit fort bien le grand Sevarias, & c'est pour cette raison qu'il fit plusieurs ordonnances pour l'éducation des enfants. Car premièrement, ayant reconnu que leurs pères & leurs mères les gâtent le plus souvent, ou par une folle indulgence ou par une trop grande sévérité, il ne voulut pas laisser ces jeunes plantes entre les mains de personnes si peu capables de les cultiver.

Pour cet effet, il institua des écoles publiques pour les y faire élever parmi leurs égaux & sous la conduite de personnes choisies & habiles qui, n'étant préoccupées ni d'amour ni de haine, instruisaient indifféremment tous les enfants par préceptes, par corrections & par exemples, pour les porter à la haine du vice & à l'amour de la vertu. Mais afin que les parents ne pussent les contrarier dans l'exercice de leurs charges, il voulut qu'après qu'ils auraient rendu à leurs enfants les premiers soins paternels & témoigné leurs premières tendresses à ces précieux fruits de leur amour, il voulut, dis-je, qu'ils se dépouillassent de leur autorité paternelle pour en revêtir l'Etat & les magistrats qui sont les péres politiques de la patrie.

Selon cette ordonnance, dès que les enfants ont atteint leur septième année, à de certains jours réglés & quatre fois tous les ans, le père & la mère sont obligés de les mener au temple du Soleil où, après qu'on les a dépouillés des habits blancs qu'ils portaient depuis leur naissance, on les lave, on leur rase la tête, on les oint d'huile, on leur donne une robe jaune & puis on les consacre à la Divinité. Le père & la mère se démettent entièrement de l'empire que la nature leur avait donné sur eux, ne se réservant que l'amour & le respect, & dès ce moment ils deviennent enfants de l'Etat. Incontinent après, on les envoie à des écoles publiques où, pendant quatre ans entiers, on les accoutume à l'obéissance des lois, on leur enseigne à lire & à écrire, on les forme à la danse & à l'exercice des armes.

Quand ils ont ainsi demeuré quatre ans dans ces écoles & que leur corps s'est fortifié, on les envoie à la campagne où ils apprennent, pendant trois ans, à cultiver la terre, à quoi on les fait travailler quatre heures du jour & on les fait exercer les quatre autres heures aux choses qu'ils avaient déjà apprises dans les écoles. On élève les filles de la même manière que les garçons, sans beaucoup de différence, mais c'est en des lieux séparés, car on a des osmasies pour les deux sexes &, d'ordinaire, celles de la campagne sont éloignées les unes des autres.

Lorsqu'ils sont parvenus à leur quatorzième année, on leur fait changer de demeure & d'habit; on leur ôte leurs vêtements jaunes pour leur en donner de verts; & alors, on les appelle en langue du pays, *edirnai* c'est-à-dire, vivant dans le troisième septenaire de leur âge. Ceux du premier septenaire sont appelés *adirnai*, & ceux du second *gadirnai*. On les appelle autrement, de la couleur de leurs habits, *alistai*, c'est-à-dire, blancs, *erimbai*, c'est-à-dire, solaires ou jaunes, & *forunai*, c'est-à-dire, verts. Pour les filles, on ne fait que changer la terminaison *ai* en *ei*, comme *adirnei*, *alistei*, & ainsi des autres. Alors, on leur enseigne les principes de la grammaire & on leur donne le choix d'un métier auquel, quand ils ont fait quelque temps d'épreuve, si l'on voit qu'ils y sont fort propres, on les donne à des maîtres qui ont soin de les leur enseigner; mais s'ils n'y ont pas de fort grandes dispositions, on leur donne le choix d'être laboureurs ou maçons, qui sont les deux plus grands exercices de la nation.

Pour les filles, on les élève à des métiers affectés à leur sexe qui ne sont pas si pénibles que ceux des garçons. Elles s'occupent à filer, à coudre, à faire de la toile & à plusieurs autres exercices, où la force du corps n'est pas si nécessaire qu'à ceux des hommes.

Quand elles ont atteint leurs seizième année & les garçons leur dix-neuvième, alors il leur est permis de faire l'amour & de songer au mariage, ce qui se fait de la manière suivante.

Quand ils sont parvenus à cet âge, on leur permet de se voir en présence de leurs conducteurs à la promenade, au bal, à la chasse, aux revues & à toutes les solennités publiques. Dans ces occasions, les garçons peuvent s'adresser aux filles & leur dire librement, je vous aime, & les filles peuvent sans honte recevoir leur déclaration. La naissance, les richesses, les charges, ni tous les autres dons de la fortune, ne font point de différence entre eux, car ils sont tous égaux en cela & ne diffèrent que de sexe & de trois années d'âge que les garçons ont au-dessus des filles : car les mariages inégaux ne sont permis qu'à celles qui ne pouvant trouver de mari particulier sont obligés de choisir un homme public pour les tirer d'entre les vierges. S'il y en a que quelque infirmité naturelle ou quelque accident exempte de l'obligation de se marier, on les envoie en Sporoumbe; car on ne veut pas voir de telles gens en Sevarambe. Dans les assemblées des filles & des garçons, l'amour joue son rôle & fait de grandes conquêtes sur les cœurs. Chacun tâche de se faire aimer & par la beauté de son visage & par les charmes de son esprit. Ceux en qui l'on en voit briller beaucoup & qui ont aussi de la probité & de la vertu, sont le plus souvent préférés aux autres, & les filles prudentes voient bien qu'ils parviendront facilement aux charges & qu'ainsi elles auront part aux honneurs & aux dignités de leurs maris. Mais il s'en trouve dont la prudence est toute contraire; car de peur qu'un homme de mérite, parvenant aux emplois, n'ait en même temps le privilège dû à sa charge, qui est d'avoir plus d'une femme, s'il le veut, elles aiment mieux épouser une personne sans mérite que de s'attacher à un homme qui, s'élevant dans la fortune, pourrait partager un cœur qu'elles voudraient posséder tout entier. Ainsi, chacun accommode sa politique à son inclination; les uns aiment les plaisirs, les autres les honneurs, & chacun à son penchant particulier.

Comme les Sevarambes ont naturellement de l'esprit & qu'ils sont bien élevés & fort polis, les amants ne manquent pas dans les rencontres de mettre en usage les présents de fleurs & de fruits, les rires, les chansons & les beaux discours pour témoigner leur passion à leurs maîtresses. Tout cela leur est permis, & personne n'y trouve à redire : au contraire, on méprise ceux qu'on ne voit pas touchés d'amour, on les regarde comme des gens de méchant naturel, & comme des citoyens indignes des faveurs de la patrie.

Mais dans toutes ces occasions, on ne s'écarte que rarement des règles de la modestie, & l'on ne fait ni ne dit rien qui puisse choquer la pudeur; car cela est expressément défendu, & les plus impudents mêmes n'oseraient rien faire contre la bienséance, parce qu'ils ne parlent aux filles qu'en public & devant leurs gouvernantes.

Pendant dix-huit mois, les filles à marier, qu'on appelle *embei*, & les garçons, *sparai*, ont le loisir de se voir, de se connaître & de s'aimer sans rien conclure, mais ce temps-là étant expiré, c'est la coutume de tomber d'accord & de se donner la foi, après quoi les rivaux rejetés se retirent & la fille ne reçoit que l'amant qui lui a promis le mariage. Quand le temps de l'osparenibon, c'est-à-dire des solennités du mariage est venu, ils vont au temple & sont mariés en la manière dont nous avons fait la description dans la première partie de cette histoire.

Quand ils sont mariés, on donne des habits bleus aux garçons à cause de sa vingt & unième année, on en donne aux filles aussi parce qu'elles leur sont jointes. Mais pour marquer que la fille n'est pas encore parvenue à sa quatrième dirnemis, c'est-à-dire, au-delà de vingt & un ans, elle porte des manches vertes sur son habit bleu jusqu'à ce qu'elle ait vingt & un ans complets. Alors, elle prend un voile sur la tête & cache ses cheveux qu'elle laissait voir à découvert avant cet âge-là.

Le soir de la noce, on leur fait un festin où il se trouve grand nombre de gens de tous âges & de tous sexes & où la musique & la danse ne manquent pas. Cela se fait dans une des salles de l'osmasie où ils doivent demeurer & dans laquelle on leur a préparé deux chambres de plain-pied, dont l'une regarde sur la rue & l'autre sur la cour, & c'est là qu'ils consomment leur mariage; mais on ne leur permet de coucher ensemble que de trois nuits, une pendant les trois premières années de leur union, & puis de deux nuits une jusqu'à leur vingt-huitième année; après quoi ils sont libres & peuvent coucher ensemble quand il leur plaît. Le plus grand honneur des femmes est d'aimer leurs maris & d'élever elles-mêmes plusieurs enfants à la patrie. Entre les femmes des particuliers, celles qui en ont le plus sont les plus honorées, mais parmi les femmes des magistrats on regarde le mari. Les femmes stériles sont fort méprisées, & lorsqu'un homme en a gardé une cinq ans, il lui est permis d'épouser quelque veuve ou quelque fille qui ne trouve point de mari ou de tenir une esclave en qualité de concubine. L'unique moyen qu'ont les femmes stériles d'effacer leur opprobre est de servir les malades, ou si elles sont habiles, de s'employer à l'éducation de la jeunesse. Chaque mère est obligée d'allaiter son enfant à moins qu'elle ne fût si faible que de ne pouvoir pas le nourrir sans beaucoup hasarder sa santé; car en ce cas-là, on lui donne une autre nourrice de celles qui ont perdu leurs enfants; celles-ci sont fort estimées quand, au défaut de leur propre fruit, elles nourrissent celui d'une autre & élèvent un enfant à la patrie.

Voilà quelle est la manière ordinaire d'élever & de conduire la jeunesse parmi les Sevarambes. Mais ceux de leurs enfants qui ont un génie extraordinaire & qui sont propres aux belles sciences & aux arts libéraux, ne sont pas élevés de même; car on les exempte des travaux du corps pour les employer à ceux de l'esprit. Pour cet effet, il y a des collèges faits tout exprès pour leur éducation, & c'est du nombre de ceux-ci qu'on prend de sept en sept ans des gens pour voyager dans notre continent & pour y apprendre tout ce que nous avons de particulier; ce qu'ils ont pratiqué depuis que Sevaristas en rétablit le commerce & ordonna ces sortes de voyages. Ceux-ci ne peuvent sortir du pays sans y laisser au moins trois enfants pour une assurance de leur retour; je ne sais si c'est la raison pourquoi ils ne manquent jamais, s'ils le peuvent, de retourner chez eux, mais je n'ai pas ouï dire que depuis qu'on a établi cette coutume il s'en soit trouvé un qui ait déserté sa patrie pour demeurer ailleurs, & que ceux qui ne sont pas morts dans leurs voyages aient manqué d'aller revoir leur pays.

Ces voyages sont cause qu'il y a plusieurs personnes à Sevarinde & aux villes d'alentour qui savent parler diverses langues de l'Asie & de l'Europe qu'ils enseignent d'ordinaire à ceux qui sont destinés pour le voyage avant qu'ils partent de leur pays, & c'est la raison pourquoi Sermodas, Carchida & les autres furent d'abord avec nous parce qu'ils savaient plusieurs de nos langues, ayant conversé des années entières parmi les Asiatiques & les Européens, sans qu'on sût de quel pays ils venaient, car ils passent d'ordinaire pour Persans ou pour Arméniens.

Fin du premier tome de la deuxième partie.

EXTRAIT DU PRIVILÈGE DU ROI.

Par grâce et privilège du roi, donné à Versailles le vingtième jour d'août 1677. Signé par le roi en son conseil, DALENCE'; il est permis au sieur D.V.D.E.L. de faire imprimer la première & seconde partie de l'Histoire des Sevarambes, &c. durant le temps & espace de dix ans, à compter du jour que ledit livre sera achevé d'imprimer pour la première fois; & défenses sont faites à tous imprimeurs, libraires & autres, de l'imprimer ou faire imprimer, vendre ni débiter, sans le consentement dudit exposant, à peine aux contrevenants de trois mille livres d'amende & confiscation des exemplaires, &c., ainsi qu'il est plus amplement porté par ledit privilège.

Achevé d'imprimer pour la première fois le 18 décembre 1677.

HISTOIRE DES SEVARAMBES,

PEUPLES QUI HABITENT
une partie du troisiéme Continent,
communément appellé
LA TERRE AUSTRALE.

Contenant un conte exact du Gouvernement,
des Mœurs, de la Religion, & du langage
de cette Nation, jusques aujourd'huy inconnuë aux Peuples de l'Europe.

SECONDE PARTIE.
Tome II.

A PARIS,

Chez l'Autheur, ruë de Bussi, Faux-bourg
S. Germain, proche le petit Marché, entre
un Apotiquaire et un Patissier.

Et chez ESTIENNE MICHALET, ruë Saint
Jacques, à l'Image S. Paul proche la
Fontaine S. Severin.

M. DC. LXXVII.
Avec Privilege du Roy.

HISTOIRE DES SEVARAMBES.

Des mœurs & coutumes particulières des Sevarambes.

Le gouvernement sous lequel vivent les Sevarambes, & l'éducation qu'ils recçoivent, ne peuvent pas manquer de faire de grandes impressions sur leurs esprits & de les tourner au bien s'ils y ont quelque penchant naturel. Sevarias remarqua, d'abord, que l'humeur de ces peuples était un peu fière, & cela continue toujours. Il est vrai que leur éducation tourne cette fierté en une noble ambition de bien faire & d'acquérir de l'estime; si bien que, ce qui dans un autre Etat serait un penchant au vice, leur sert ici d'un aiguillon à la vertu. Ils sont fort amoureux des louanges, & lorsque quelqu'un de leurs magistrats les loue en la présence de leurs égaux de s'être bien acquittés de leur devoir, ou d'avoir fait quelque action généreuse, ils en sont plus contents que nous ne sommes quand on nous fait de riches présents. Les femmes ne sont pas moins avides de louanges que les hommes, ce qui se remarque surtout en celles qui ont nourri beaucoup d'enfants & qui ont toujours fait profession d'honneur & de chasteté. Elles en conçoivent une fierté qui se lit sur leur visage malgré toute la modestie dont elles tâchent de la voiler. Parmi elles, il n'est rien de plus détestable que le nom d'une débauchée, & elles se croiraient criminelles si elles avaient seulement parlé à une personne qui n'eût pas bonne réputation ou qui aurait dit quelque chose de contraire à la pudeur de leur sexe. Avec tout cela, elles ne sont pas sottement scrupuleuses; car conversant tous les jours & dans le travail & dans le repas avec leurs concitoyens et concitoyennes, elles sont fort familières & disent fort librement leurs sentiments, mais c'est toujours avec beaucoup de modestie. Les hommes n'en font pas une profession guère moins sévère, & l'on aurait une très mauvaise opinion d'eux s'ils avaient fait ou dit quelque chose de sale & de malhonnête devant les dames. Ils sont fort soigneux de s'acquérir l'amour & l'estime de tout le monde parce que c'est le moyen de parvenir aux charges; si bien que, parmi ceux qui aspirent aux dignités, on voit une honnête émulation qui leur fait prendre soigneusement garde à toutes leurs actions, de peur d'acquérir du blâme au lieu de gagner du crédit. La médisance & les calomnies sont sévèrement punies parmi eux, & s'il arrive qu'un d'entre eux accuse quelqu'un de ses concitoyens & ne puisse pas prouver son accusation, il n'est pas seulement noté d'infamie mais il est encore sévèrement châtié par les lois. Ils font tous profession de dire la vérité ou de se taire, & l'on punit rigoureusement les enfants quand on les a surpris dans un mensonge de quelque qualité qu'il puisse être, ce qui les accoutume de bonne heure à dire la vérité, ou à ne rien dire du tout. Si on leur demande quelque chose qu'ils n'aient pas envie qu'on sache, ils ne répondent rien, & si l'on persiste à les presser, il s'en fâchent beaucoup & ne manque pas de traiter d'importuns ceux qui les pressent ainsi. Il n'y a pas lieu de s'étonner que parmi les gens élevés comme eux, & qui vivent sous un tel gouvernement, il y ait si peu de personnes adonnées au mensonge; car ils n'ont pas les motifs de mentir qu'ont les autres nations. Ils n'y sont point forcés par la pauvreté ni attirés par l'espoir du gain, ni portés par la crainte ou l'espérance de plaire ou de déplaire à leurs supérieurs.

D'ailleurs, quand les exemples sont généraux dans une nation, il n'y a que les vicieux & les perdus qui veuillent s'écarter de la règle commune & faire des actions contraires à la coutume & aux maximes approuvées de tout le monde. Parmi les Sevarambes, l'exemple des vicieux incorrigibles ne va jamais guère loin car on les châtie fort sévèrement; & quand on voit qu'ils ne s'amendent point, on les envoie aux mines, loin de la société des honnêtes gens.

Pour ce qui est des serments & des blasphèmes, on ne sait pas seulement ce que c'est, & l'on peut dire d'eux que sans avoir jamais vu l'Evangile, ils en observent beaucoup mieux les règles en ce point que les Chrétiens mêmes; car tous leurs discours sont exempts de jurements, & ils n'ont que *oui* pour affirmer & *non* pour nier.

L'ivrognerie y est tout à fait inconnue & ne peut avoir lieu parmi eux; car outre qu'elle serait rigoureusement punie, il leur serait difficile d'avoir de quoi s'enivrer parce qu'ils n'ont ni taverne ni cabarets & que, mangeant tous en public, chacun a seulement ce qu'il peut manger & boire sans sortir des bornes de la modération. D'ailleurs, il ne leur est pas permis de boire du vin ni d'aucune liqueur fermentée qu'ils ne soient mariés; de sorte qu'ils sont élevés à la sobriété & en contractent une habitude avant que de pouvoir se débaucher. Les vices auxquels ils sont naturellement les plus enclins sont l'amour & la vengeance; mais les lois remédient aux excès du premier en ordonnant le mariage à la jeunesse dès qu'elle est capable de cette passion; pour l'autre, leur éducation la corrige beaucoup; parce qu'étant élevés ensemble, ils s'accoutument dès leur enfance à souffrir beaucoup de choses de leurs compagnons, soit par la nécessité de ne pouvoir faire autrement, soit par l'obéissance qu'ils rendent à leurs supérieurs qui ne manquent pas de les mettre d'accord dès qu'il y a quelque démêlé considérable parmi eux.

Ils sont naturellement fort gais, aimant à se divertir quand ils sortent de leur travail journalier. La danse, la musique, la course, la lutte & divers jeux qu'ils ont parmi eux, sont leurs récréations les plus ordinaires. Ils sont fort robustes & jouissent d'une grande santé pour la plupart, ce qui vient en partie de leur naissance, en partie de leur manière de vivre & en partie de leur gaieté.

De leur naissance, parce que leurs pères & mères, étant personnes que l'amour unit, ils s'aiment beaucoup mieux que ne font ceux qui se marient pour d'autres considérations.

Et parce qu'ils ont un grand égard à la génération, ils n'habitent que rarement ensemble, & de là vient qu'ils font des enfants plus forts & plus vigoureux qu'on ne fait dans les lieux où l'on n'a pas tous ces égards. Et comme les femmes mariées sont fort honorées quand elles en élèvent beaucoup, elles se font une vertu de ne pas souffrir le commerce trop fréquent de leurs maris qui est contraire à la génération & qui fait que, le plus souvent, ils font des enfants faibles & sujets aux maladies, qui meurent dans leur plus tendre jeunesse ou qui, s'ils échappent, deviennent rarement hommes robustes & vigoureux.

La manière de vivre de ces peuples contribue aussi beaucoup à fortifier leurs corps car ils vivent dans la sobriété sans jamais sentir ni faim ni soif. Ils font beaucoup d'exercice, mais c'est un exercice modéré, & comme ils ne sont sujets à aucune débauche, on ne voit chez eux ni goutteux ni graveleux, ni de ces sortes de gens qui parmi nous sont attaqués de maladies sales & infâmes, que la pudeur empêche de nommer.

Leur divertissements & leur gaieté contribuent aussi beaucoup à la santé de leurs corps qui n'est jamais interrompue par les soucis & les chagrins dont est dévorée l'âme de ceux qui sont obligés tous les jours de subvenir à leurs nécessités présentes, ou à celles de leurs familles, & à se munir contre celles où ils peuvent tomber dans la suite. Ils n'ont ni souci ni avarice ; ils ne manquent jamais de rien, & leur plus grand soin est de jouir avec modération des plaisirs légitimes de la vie. Cela n'est pas seulement cause qu'ils sont généralement fort sains & fort robustes, mais aussi qu'ils vivent longtemps ; & c'est une chose ordinaire parmi eux que d'y voir des vieillards de cent & de cent vingt ans. Ils sont presque tous grands & de belle taille, & ceux de la taille médiocre parmi eux seraient de la plus haute parmi nous. On y voit plusieurs hommes de six à sept pieds de haut, & parmi les femmes on y en voit de hautes à proportion. Ce n'est pas qu'il n'y en ait beaucoup de plus petites, mais ce n'est pas chose étonnante d'y voir des hommes de sept pieds de haut, qui parmi nous passeraient pour des géants.

Tout ce qui contribue à leur force & à leur santé ne contribue pas moins à la beauté de l'un & de l'autre sexe ; car quoiqu'on n'y voie guère de ces beautés fines & délicates qui ressemblent à des poupées de cire, néanmoins on y voit des hommes & des femmes qui ont les traits beaux & réguliers, la peau douce & unie, le corps dodu & potelé, le teint passablement blanc & vif & un air mâle et vigoureux qui ne se rencontre que rarement parmi nous. Ils ont généralement les cheveux noirs & les yeux de même couleur. Il y en a aussi qui ont les cheveux d'un châtain clair, mais on y voit fort peu de gens blonds. Leurs habits sont très propres mais très simples & sont faits ou de toile ou de coton, ou de laine ou de soie, dont il y a chez eux de trois sortes. La première se fait d'une espèce d'herbe qu'on sème comme le lin ; l'autre de l'écorce intérieure d'un arbre dont on a grand nombre en ce pays-là, & la dernière par le moyen des vers à soie, comme celle que nous avons. Ils usent aussi de draps d'or & d'argent, mais cela est réservé aux grands officiers – l'or & les pierreries au vice-roi, l'écharpe de toile d'or aux sevarobastes seulement, & l'argent aux osmasiontes & brosmasiontes. Les officiers inférieurs & leurs femmes portent la soie ; & les étoffes de lin, de chanvre, de laine & de coton sont pour le commun peuple. Les habits sont de diverses couleurs selon les divers âges, & l'on change ces couleurs de sept en sept ans. Ceux des petits enfants sont blancs, comme nous avons déjà dit ; aux blancs succèdent les jaunes, aux jaunes les verts, aux verts les bleus, aux bleus les rouges qui sont de deux sortes, l'un pâle & clair, & l'autre obscur ; deux sortes de gris succèdent au rouge, au gris le minime ou couleur de suie, & enfin le noir dont sont vêtus tous les gens âgés. La pourpre, l'or & l'argent sont réservés aux magistrats, & par ces différentes couleurs d'habits on voit la différence des âges & des dignités. Quelques-uns pourront se moquer de cette bigarrure, mais quand ils sauront qu'outre les offices, toute la supériorité de ces peuples, les uns sur les autres consiste dans l'âge, & que ces couleurs sont nécessaires pour les faire connaître afin qu'on puisse rendre l'honneur qui est dû à chacun selon son degré, je crois qu'ils ne s'en moqueront plus. Les étoffes bigarrées sont réservées aux esclaves & aux étrangers, & c'est la raison pourquoi les habits qu'on nous donna en étaient tous faits.

Les hommes couvrent leur tête de bonnets & de chapeaux de même couleur que leurs habits. Avant le mariage, ils laissent croître leurs cheveux mais, étant mariés, ils les coupent jusqu'aux oreilles. Ils portent des caleçons, des vestes & des robes qui leur pendent jusqu'au milieu de la jambe. Ils se ceignent d'une ceinture & usent de bandes de toiles peinte autour de leur col en forme de cravates. Ils usent aussi de gants, de bas, de souliers de cuir & d'espadrilles de corde, comme nous, & ils en font, de plus, de l'écorce d'un arbre qui nous est inconnu.

Les femmes sont coiffées diversement selon leur âge. Les filles accommodent leurs cheveux en diverses manières & ne mettent rien sur leurs têtes que lorsqu'elles vont au grand air; car alors elles se couvrent de certaines ombrelles ou chapeaux faits d'une herbe dont on tire une espèce de soie; & toutes les femmes s'en servent dans ces occasions. Les mariées sont toujours voilées de certaines coiffes de toile ou de soie de la couleur de leurs habits.

Celles qui ont eu des enfants portent autant de bandes de soie, couleur de pourpre, qu'elles en ont élevé jusqu'à l'âge de sept ans, car ceux qui sont morts au-dessous de cet âge ne sont comptés pour rien, & les mères n'en sont pas plus honorées, ce qui les rend fort soigneuses de les élever. Le reste de leur habit ne diffère de celui des hommes qu'en ce que leurs robes sont plus longues & qu'elles sont ouvertes au sein.

On leur donne tous les ans deux habits neufs, l'un de lin ou de coton & l'autre de laine. Les hommes en ont autant & les enfants aussi, de sorte qu'on les voit toujours propres & bien vêtus. On leur donne à chacun une fourniture de linge de trois en trois ans, & l'on renouvelle leurs meubles seulement quand ils en ont besoin. Tout ce meuble consiste en des lits, des tables, des sièges & en quelque peu de vaisselle, car ils n'ont pas besoin d'autre chose, parce qu'ils n'apprêtent point leurs viandes & que, mangeant en commun dans toutes les osmasies, on leur apprête tout ce qu'il leur faut.

Il font généralement trois repas le jour, qui sont le déjeuner, le dîner & le souper. Ces deux premiers se font en public & le dernier en particulier, car il est permis à chacun de manger le soir chez lui avec sa femme & ses enfants, ou avec tel de ses amis qu'il lui plaît.

Souvent, ils font entre eux de petites sociétés particulières & se divertissent ensemble ou dans leurs chambres ou en public; mais ce n'est que quand ils ont fini leur travail. Par ce moyen, chacun choisit la compagnie de ceux qui lui plaisent le plus, & satisfait son inclination.

Le bain est fort usité parmi eux, & en hiver ils se baignent toujours dans des bains chauds qu'on fait dans chaque osmasie, du moins une fois en dix jours. En été, ils se baignent le soir dans les rivières, & les hommes mariés avec leurs femmes s'y mêlent, les uns avec les autres, fort librement, mais les filles & les garçons se baignent à part, & pour cet effet, il y a des lieux différents destinés pour eux.

Le public fait souvent des parties de chasse & donne la liberté aux hommes & aux femmes de s'y trouver; tantôt à de certaines compagnies & tantôt à d'autres. On en fait de même pour la pêche, & pour cet effet, il y a des gens qui sont ordinairement employés à ces exercices.

Les heures de travail sont réglées, & l'on sonne la cloche pour éveiller les gens & pour les avertir de leur devoir. En été, on se lève de fort matin à cause de la longueur des jours, & en hiver plus tard, à cause de leur brièveté, & l'on avance ou recule les heures selon la différence des saisons.

Les personnes malades sont exemptées du travail durant leur maladie, comme aussi tous ceux qui ont passé soixante ans, s'ils veulent user de leur privilège; mais la grande habitude qu'ils ont pris à travailler, & la honte de ne rien faire, ne leur permet guère de s'en exempter quand ils se portent bien. Les femmes grosses & les nourrices en sont aussi exemptes, mais quand elles peuvent faire quelque ouvrage aux heures de loisir, elles aiment mieux travailler que de ne rien faire.

La salutation des Sevarambes est différente selon les personnes. Quand ils passent devant un magistrat, ils se découvrent & font une inclination du corps qui est plus ou moins profonde que ce magistrat est éminent. Aux vieillards ils découvrent seulement la tête sans faire aucune inclination; à leurs égaux ils font seulement un geste de la main, la posant sur leur poitrine & puis la laissant tomber à côté. Les femmes font la même chose, hormis les filles qui, au lieu de se découvrir la tête, y mettent leur main gauche quand elles saluent quelque officier, ou les vieilles gens.

Les magistrats saluent la jeunesse avec un geste de la main, & quand ils veulent donner une marque particulière de leur faveur à quelqu'un d'entre eux, ils le baisent au front. Ce n'est pas la coutume de baiser les femmes ni les filles en les saluant, ni même de les toucher, & il y a peu de personnes de ce sexe qui aient jamais été baisées que par leur père & leur mère dans leur première enfance, & le premier baiser de bouche qu'elles reçoivent des hommes est celui que leur fait dans le temple leur nouvel époux, le jour de leur mariage. Ce n'est pas qu'il ne soit permis aux filles de donner leur main à baiser à quelqu'un de leurs amants, mais cela se fait fort rarement & par une grâce toute particulière. C'est dans les danses & non ailleurs que les jeunes hommes ont la liberté de leur toucher la main, & pour les personnes d'un même sexe, il leur est permis de se la donner en signe d'amitié. Pour les compliments qu'ils se font lorsqu'ils se saluent, ils sont différents; le plus ordinaire est celui-ci: *Erimbas erman*, c'est-à-dire, Que le Soleil vous aime.

Il arrive rarement que les femmes y fassent brèche à leur honneur, bien que cela arrive quelquefois, comme le lecteur aura pu observer dans le châtiment d'Ulisbe & de ses compagnes, & dans celui des jeunes hommes de l'armée dont nous avons parlé; ce qui fait voir qu'il y en a qui désireraient bien satisfaire à leur passion mais il y a trois choses qui les empêchent ordinairement, à savoir la rigueur des lois, la rareté des occasions & le soin qu'on prend de marier tôt les jeunes gens, comme nous avons dit ailleurs. Toutefois, ces raisons sont bien souvent moins puissantes que leurs impatiences amoureuses, comme il arriva trois ans après notre établissement à Sevarinde à quelques amants trop amoureux pour attendre avec patience leur osparenibon, qui leur semblait trop longtemps à venir.

C'était deux jeunes hommes dont l'un s'appelait Bemistar & l'autre Pansona. Le premier avait une sœur nommé Bemiste qui lui ressemblait parfaitement & qui n'avait qu'un an moins que lui. Ils étaient tous deux d'une taille, il avaient la voix fort semblable, & jamais deux personnes ne se ressemblèrent mieux. Dans l'osmasie de Bémiste il y avait une fille fort belle, nommé Simmadé, dont Bemistar était éperdument amoureux, & elle de lui. L'amour de ces deux personnes fit naître de l'amitié entre Bemiste & Simmadé, celle-ci s'attachant à l'autre parce qu'elle était sœur de son amant, & l'autre à celle-ci parce qu'elle était maîtresse de son frère. Si bien qu'ayant lié une forte amitié, elles étaient presque toujours ensemble & surtout la nuit; car étant si bonnes amies, elles avaient fait en sorte de n'avoir qu'une même chambre & un même lit. Bemiste était aimée de Pansona & l'aimait aussi de son côté, & cette même raison avait obligé son amant de faire une aussi étroite amitié avec son frère que Simmadé avait fait avec elle; de sorte qu'ils logeaient & couchaient aussi ensemble & se faisaient confidence de leur amour. Par le moyen de Bemistar, qui pouvait librement entretenir sa sœur, Pansona avait souvent le bonheur de voir sa chère Bemiste & de lui dire tout ce qu'il voulait en présence de son frère, & celui-ci était bien aise de la compagnie de cet amant de sa sœur afin qu'il parlât avec elle pendant qu'il entretiendrait sa chère Simmadé. Ils avaient de ces entretiens le plus souvent qu'il leur était possible. Ils sentaient tous les jours augmenter leur amour par les témoignages mutuels qu'ils s'en donnaient, les uns aux autres, & cela causait en eux des ardeurs & des impatiences qu'ils avaient beaucoup de peine à retenir. Ils faisaient souvent des vœux pour l'arrivée du jour heureux qui devait mettre fin à leurs peines par l'accomplissement de leurs désirs; mais ce jour tardait longtemps à venir pour des amants dont les jeunes cœurs étaient épris d'une passion violente. Bemistar était le plus bouillant & le plus emporté de tous, & son impatience lui mit dans l'esprit un expédient pour soulager sa peine en trompant la vigilance des gardes de l'osmasie où sa maîtresse demeurait. Il s'imagina que s'il pouvait persuader sa sœur de changer d'habit avec lui & de venir coucher avec Pansona, il pourrait facilement occuper sa place dans le lit de Simmadé. Dans cette pensée, il consulta son ami qui, n'étant pas plus sage que lui & qui, ayant moins à risquer, le poussa tout autant qu'il le put dans ce dessein. Les voilà donc tous deux dans un même sentiment, mais la difficulté était d'y faire aussi entrer les filles. Ils trouvaient cela fort difficile, mais enfin ils se résolurent de l'entreprendre & d'en venir à bout s'il était possible. Après cette résolution, ils firent tous leurs efforts pour séduire ces innocentes filles, & animèrent si bien leurs discours & leurs persuasions que, dans un mois de temps, ils les firent consentir à leur dessein amoureux. Ils prirent donc si bien leur temps en un jour solennel auquel tout le monde était occupé à la célébration de la fête, que le frère & la sœur changèrent d'habit &, par ce moyen, de demeure & de logement. Ainsi Pansona eut l'entière jouissance de Bemiste & Bemistar celle de sa chère Simmadé ; après quoi, quand la solennité, qui dura sept jours, fut sur sa fin, ils rechangèrent d'habit, & ainsi chacun d'eux retourna chez soi fort content & fort satisfait d'avoir tout à son aise joui de son amour.

Mais comme les choses violentes sont rarement de durée, le feu de l'emporté Bemistar s'éteignit par la jouissance & céda à de nouvelles flammes. Pendant qu'il avait demeuré avec sa maîtresse, il avait conversé librement avec plusieurs autres filles de l'osmasie entre lesquelles il en avait vu une nommé Ktalipse, en qui il lui semblait avoir trouvé beaucoup plus de charmes que dans Simmadé, dont il commençait à se dégoûter trois jours après en avoir joui. Il dissimula pourtant ses sentiments & ne fit point paraître à sa maîtresse aucun relâchement dans sa passion. Mais dans toutes les occasions qu'il put avoir de parler à Ktalipse, il tâcha de s'insinuer dans sa bienveillance avant de sortir du lieu où elle demeurait. Cependant, il s'enquit avec soin qui étaient les amants de cette fille, & trouva qu'elle en avait trois ou quatre, entre lesquels il y en avait un qu'elle préférait à tous les autres. Il fit connaissance avec lui le plus tôt qu'il put, lui fit confidence de son amour avec Simmadé, sans pourtant lui rien dire de ce qui s'était passé de particulier entre eux ; & il lui fit connaître que, par le moyen de sa sœur, il pourrait fort avancer ses affaires auprès de sa maîtresse. L'autre, qui ne demandait pas mieux, le prit au mot & le pria de gagner Bemiste en sa faveur afin qu'elle lui rendît de bons offices auprès de Ktalipse. Dès que Bemistar eut reçu de lui cet ordre, qu'il avait lui-même recherché, il ne manqua pas de recommander ses affaires à sa sœur & de l'obliger d'en parler à Ktalipse. Celle-ci écouta volontiers tout ce qu'on lui disait en faveur d'un homme qu'elle aimait déjà ; si bien qu'elle prit Bemiste en fort grande amitié. Elles étaient fort souvent ensemble, & Simmadé en aurait pu être jalouse si elle n'eût été de la confidence. Et comme c'est la coutume des jeunes filles de cet âge de coucher souvent ensemble quand elles s'aiment & qu'elles demeurent dans une même osmasie, Ktalipse voulut quelquefois partager ce bonheur avec Simmadé & changer de lit avec elle pour parler plus commodément de son amour avec Bemiste qui, cependant, avertissait son frère de tout ce qui se passait, afin qu'il en pût instruire l'amant de son amie. Le rusé Bemistar, ravi de voir les choses venues au point où il avait bien prévu qu'elles arriveraient, exhorta sa sœur de coucher souvent avec Ktalipse, de s'insinuer bien avant dans son amitié, & de rendre à son ami tous les bons offices qu'elle pourrait. Elle qui ne pénétrait pas dans les desseins de son frère, fit en cette rencontre tout ce qu'elle put pour servir celui qu'il lui recommandait, & elle y réussit si bien que Ktalipse conçut pour lui un amour fort sincère, mais en même temps fort chaste & fort pur, dans la vue de l'épouser. Le jeune homme, qui reconnut bientôt les bons offices que Bemistar & sa sœur lui avaient rendus, ne pouvait assez leur en témoigner sa reconnaissance, & confirmait de plus en plus sa maîtresse dans l'amitié qu'elle avait pour Bemiste.

Cependant, les quatre heureux amants attendaient avec impatience qu'il vînt une autre solennité pour favoriser une seconde entrevue, & la fête de l'osparenibon, qui dure cinq jours à Sevarinde, n'étant pas éloignée, ils espéraient qu'elle favoriserait autant leurs desseins qu'avait fait la fête précédente. Mais les espérances que leur donnait la commodité de cette solennité avait des fins fort différentes ; car le rusé Bemistar n'en attendait pas moins que la jouissance de Ktalipse & ne regardait la possession de Simmadé que comme un moyen pour parvenir au principal but de ses désirs. Pour donc y arriver plus sûrement, il obligea sa sœur, soit par prières, soit par menaces, de persuader à Ktalipse de recevoir son amant qui avait trouvé, disait-il, un moyen assuré de venir de nuit dans sa chambre sans y être aperçu ni même soupçonné tant que la fête durerait. Bemiste, selon les ordres de son frère, ne manqua pas de prendre la meilleure occasion qu'elle pût trouver ; car après avoir rendu à Ktalipse une lettre de son amant, qui était fort tendre & fort passionnée, & vu qu'elle en avait le cœur touché, elle crût que c'était le temps le plus propre pour lui faire la proposition de le recevoir. Elle la fit donc avec toute l'adresse dont elle était capable ; mais ce fut sans aucun succès. Ktalipse lui témoigna d'abord de l'horreur pour ce dessein, lui dit qu'elle ne sacrifierait jamais son honneur à sa passion, & que si elle ne pouvait posséder son amant par des voies légitimes, elle renonçait à sa possession. Peu après, elle lui fit voir quelles seraient les suites funestes d'une entreprise si téméraire, & lui dit que si une autre qu'elle lui avait fait une pareille proposition elle l'en haïrait, toute sa vie. Elle ajouta qu'elle commençait fort à douter de la sincérité de son amant, puisqu'il avait pû douter de sa vertu, & que cela lui faisait voir clairement qu'il n'était pas si honnête homme qu'elle l'avait cru. Bemiste, voyant la colère de cette fille, crut qu'il fallait tourner la chose adroitement pour ne pas rompre avec son amie ; si bien que, prenant un autre air, se mettant à rire, & puis la baisant et l'embrassant étroitement, elle lui dit qu'après cette preuve qu'elle venait de lui donner de sa vertu, elle avait sujet de l'aimer plus que jamais ; qu'elle n'avait fait cette proposition que pour l'éprouver ; que son amant n'y avait point de part ; & qu'elle lui conseillait de persister dans ces nobles & généreux sentiments sans jamais prêter l'oreille à rien qui pût être contraire à son honneur ou à son devoir. A tout cela elle ajouta que, si son amant avait eu seulement la pensée de l'employer dans aucun dessein illégitime, elle ne lui pardonnerait jamais une telle offense. Ces discours artificieux apaisèrent entièrement la sincère Ktalipse, & la conversation finit par de nouvelles assurances d'estime & d'amitié.

Peu de jours après, Bemiste fit savoir à son frère ce qui s'était passé entre elle & Ktalipse, & lui donna ce chagrin de voir son dessein avorter & ses espérances presques éteintes ; car il se proposait d'entrer la nuit dans le lit de Ktalipse sous le nom de son amant, & de tromper ainsi cette innocente & vertueuse fille. Mais malgré ce mauvais succès, il ne perdit pas tout à fait l'espérance d'en venir à bout par quelque autre moyen. Il ne pressa donc plus sa sœur que de l'entretenir toujours dans son amitié, & il attendit le plus patiemment qu'il put l'arrivée de la solennité. Enfin elle arriva, & il ne manqua pas de changer d'habit avec sa sœur & d'aller coucher avec Simmadé ; mais les caresses qu'il lui faisait étaient toutes feintes, & si elle y eût pris garde de bien près, elle aurait aisément pu connaître qu'un autre objet qu'elle captivait le cœur de son amant ; mais comme elle ne le soupçonnait en rien, & qu'il savait bien déguiser ses sentiments, elle le crut toujours fidèle. Cependant, il lui demanda comment il se ménagerait avec Ktalipse qui, le prenant pour sa sœur, le pressait de venir quelque fois coucher avec elle, de quoi il aurait peine à se défendre si elle continuait. Cela fit rire Simmadé de voir son amant réduit à la nécessité de refuser une si belle fille. Il faisait semblant d'en rire aussi, mais la troisième nuit, ayant prit son temps quand Simmadé était endormie, il lui mit dans les narines d'une certaine drogue, assez commune en ce pays-là, qui la plongea dans un très profond sommeil ; & lorsqu'il la sentit ainsi endormie, il se leva &, sortant de sa chambre, il s'en alla heurter à celle de Ktalipse qui en était fort proche. Cette fille, prenant sa voix pour celle de Bemiste, lui ouvrit d'abord la porte, & Bemistar, étant entré, il la pria de dire à sa compagne d'aller occuper sa place au lit de Simmadé parce qu'elle la voulait entretenir sans témoin. Et comme dans de pareilles rencontres, elles avaient déjà accoutumé d'en user ainsi, il se vit bientôt seule avec Ktalipse, & dans sa chambre & dans son lit. Alors se sentant dans un lieu si propre à contenter ses désirs, il voulut se rendre possesseur de cette belle personne, mais dès qu'elle aperçut qu'elle avait un homme entre les bras, s'imaginant qu'il avait contrefait la voix de Bemiste pour venir ainsi lui voler ce qu'elle avait de plus cher, elle fit de si hauts cris que dans peu de temps elle eut alarmé toute l'osmasie. On vint promptement à son secours, mais avant que personne fût arrivé, Bemistar s'était évadé hors de sa chambre & s'était fourré parmi la multitude des femmes qui venaient de tous côtés, les unes avec des flambeaux à la main & les autres avec des armes. On demande à Ktalipse quelle était la cause de ses cris & pourquoi elle était si égarée? Sa compagne revient de la chambre de Simmadé qui, seule de toute l'osmasie, dormait encore d'un profond sommeil, & la prenant par la main:

> Ma chère amie, lui dit-elle, qu'est-ce qui vous est donc arrivé depuis que je vous ai quittée, & d'où vient cette grande émotion & l'étrange alarme que je vois ici dedans? Parlez, ma chère, et faites-nous connaître la cause de vos cris & de votre frayeur.

A toutes ces demandes Ktalipse ne répondait rien: mille différentes pensées lui occupaient l'esprit; il lui souvint de la proposition que lui avait fait Bemiste, quelque temps auparavant, de recevoir son amant, s'il la venait trouver dans sa chambre. Elle s'imagina que, n'ayant pu avoir son consentement dans ce dessein, il l'avait entrepris sans lui en rien dire, croyant venir facilement à bout d'elle quand il la tiendrait entre ses bras. La pensée d'une entreprise si téméraire lui donnait d'abord de l'indignation; mais peu après, l'affection & la pitié se mêlant ensemble lui faisaient envisager cette action comme un effet de l'amour violent que son amant avait pour elle; si bien que, dans ce moment, elle se repentait d'avoir fait du bruit & s'accusait de ne s'être pas défendue autrement que par des cris. Le chagrin qu'elle en avait était d'autant plus grand qu'elle voyait que ses cris avaient causé une étrange confusion dans l'osmasie, ce qui exposait son amant à des peines & à des châtiments très sévères & la rendrait elle-même le sujet des discours & des railleries de toute la nation. Ces réflexions étaient fort raisonnables, mais elles venaient un peu tard, & elle eut beau garder le silence pendant qu'elle était encore toute éperdue; il fallut enfin dire la cause de ses cris. Sa compagne lui demanda qu'était devenue Bemiste, & dit à toute la compagnie comment elles avaient changé de lit. On va la chercher dans la chambre de Simmadé qui dormait encore, qui était toute seule & qui ne répondait nullement aux demandes qu'on lui faisait. On l'appelle, on la tire, on la pince pour l'éveiller mais elle dort toujours. Là-dessus, quelques filles vont crier qu'elle était morte, & cela donne une nouvelle alarme beaucoup pire que la première. On lui tâte le pouls, on lui met la main sur le cœur & on la trouve pleine de vie mais dans un profond assoupissement. On en demande la cause & l'on trouve enfin dans ses narines la drogue que Bemistar y avait mise. Cela donne un nouveau sujet d'étonnement, & personne ne savait qu'en juger, lorsqu'on apporte d'un certain esprit qu'elle n'eut pas plutôt senti qu'elle revint de son assoupissement. On peut facilement s'imaginer quelle fut la surprise de cette fille quand, à son réveil, au lieu de son amant elle vit tant de femmes autour d'elle qui lui faisaient des questions & qui disaient cent choses où elle ne comprenait rien. Elle crut d'abord que toutes ses intrigues étaient découvertes & que son amant avait été trouvé dans son lit. Cette pensée & le remords de sa conscience, joint à sa faiblesse que lui avait causée la drogue qui l'avait assoupie, lui donnèrent une si vive douleur qu'elle en tomba dans une profonde & dangereuse pamoison. Ce nouvel accident étonna bien des gens & donna lieu à de nouveaux discours.

Mais pendant qu'on lui donne secours, retournons à l'innocente Ktalipse qui, ne pouvant plus garder le silence & songeant enfin qu'il valait mieux perdre son amant que son honneur, dit tout haut qu'un homme qu'elle ne connaissait pas était entré dans sa chambre sous le nom de Bemiste dont il contrefaisait la voix, & qu'il avait voulu lui faire violence, ce qui l'avait obligée à crier au secours. Cette confession étant faite devant la gouvernante de l'osmasie, elle fit aussitôt redoubler la garde des portes & appeler Bemiste. On la cherche de tous côtés, on fait retentir son nom par toute l'osmasie mais elle ne se trouve point; on trouve bien ses habits, mais on ne peut trouver la personne, quelque diligence qu'on fasse. Après l'avoir longtemps cherchée en vain, on fait venir toutes les filles, on les examines toutes, mais on ne trouve point de garçon parmi elles. Cela fait qu'on parle diversement de Ktalipse & qu'on doute de ce qu'elle avait dit, mais elle persiste & assure qu'un homme avait voulu la forcer dans son lit. Là-dessus, on cherche de nouveau par tous les coins de l'osmasie, sans négliger aucun endroit, mais inutilement; on ne trouve point d'homme, & Bemiste ne se trouve pas non plus. Cependant, le jour étant venu, quelques filles qui avaient fait dessein de se baigner, entrent dans le bain & trouvent la feinte Bemiste qui, après avoir fait quelque temps le plongeon, fut enfin contrainte de reprendre l'air & de s'exposer à leur vue. Ces filles, l'ayant reconnue, en avertissent la gouvernante qui vient se saisir de sa personne & qui, l'ayant visitée, trouva sans beaucoup de peine de quel sexe était le galant qu'on reconnut pour être le frère de Bemiste. Cependant, Simmadé était revenue à elle, & Ktalipse, ayant su que c'était Bemistar qui l'avait voulu surprendre, découvrit les pratiques de sa sœur & dit à la gouvernante qu'elle avait voulu lui persuader de recevoir son amant dans son lit, sans doute dans le dessein d'y introduire son frère. Là-dessus, on entra dans un juste soupçon de toute l'intrigue; & bien que le prisonnier ne voulût rien confesser, on envoya visiter sa chambre & on y trouva la véritable Bemiste couchée avec son amant. On les examina tous trois touchant Simmadé, mais ils ne voulurent jamais l'accuser, & elle aurait pu passer pour innocente si elle ne se fût accusée elle-même & n'eût confessé sa faute à ceux qui l'examinaient. On envoya quérir la justice, mais avant de lui remettre Bemistar entre les mains, les filles de l'osmasie lui déchirèrent toute la peau à coups de verges.

Cette aventure fit fort grand bruit à Sevarinde, & l'on en sut bientôt toutes les particularités. Peu de temps après, ces infortunés amants furent publiquement fouettés autour du palais, & Ktalipse fut visitée, mais on la trouva pure, ce qui donna beaucoup de joie à son amant qui l'épousa quelque temps après & qui, je pense, vit encore heureusement avec elle.

Voilà comment quelquefois l'amour se joue de la vigilance des gardes les plus sévères & porte les amants aux entreprises les plus hasardeuses. Tout le monde n'obéit pas également aux lois, quelques douces & raisonnables qu'elles paraissent être, & partout on trouve des gens qui n'en appréhendent pas tant la sévérité, qu'ils aiment la passion aveugle qui les porte à les violer malgré la rigueur des châtiments qu'elles ordonnent.

Les Sevarambes divisent le temps comme nous, par années ou révolutions solaires. Ils le subdivisent aussi par mois ou révolutions lunaires & par demi-révolutions; car ils ne comptent point par semaines. Les trois premiers jours de la nouvelle lune & les trois premiers après qu'elle est dans son plein, sont des jours de fête parmi eux, & ils ne travaillent que trois heures du matin, & le reste du jour se passe en réjouissances.

On voit parmi eux presque tous les instruments de musique qu'on voit dans notre continent & quelques autres que nous n'avons pas. Ils ont retrouvé l'invention des hydrauliques qu'avaient autrefois les Grecs & les Romains qui est perdue parmi nous, & ils se vantent même d'y avoir beaucoup ajouté. Quoi qu'il en soit, il est certain que leurs hydrauliques ou orgues d'eau sont incomparablement meilleurs que ceux où l'on ne sert que du vent. Leurs airs & leurs chansons ont quelque chose de si majestueux & de si charmant tout ensemble que ce n'est pas sans raison que Maurice trouva leurs concerts beaucoup meilleurs que les nôtres. Ajoutez à cela qu'étant plus robustes & plus puissants que nous, ils ont aussi la voix plus mâle & plus éclatante. De plus, il suivent les règles de la poésie métrique qui est infiniment plus forte & plus énergique que nos barbares vers rimés, comme nous le dirons ailleurs. A tous ces avantages on peut ajouter que, lorsqu'on trouve dans la nation quelque enfant qui a la voix excellente, on l'instruit dès l'âge de sept ans

& on le consacre au Soleil pour être l'un des chantres qui chantent les hymnes qu'on a composés à sa louange.

Pour la peinture, la sculpture, la gravure, la broderie & tous ces autres arts qui sont plus pour la curiosité que pour l'utilité, ils ne sont point exercés par le peuple, mais il y a des lieux où des personnes choisies & qui excellent dans tous ces beaux arts, travaillent pour les ornements publics.

On ne voit guère parmi eux ni carosses, ni chaises, ni litières, à moins que ce ne soit pour des gens malades ou des officiers un peu âgés. Les maladies sont en petit nombre parmi eux, & peu de gens en sont attaqués, si ce n'est de quelque fièvre ou de quelque pleurésie, qui vienne de trop grande abondance de sang, ou de quelque exercice trop violent.

Leurs maisons sont si bien percées & si bien aérées, & ils y vivent si proprement, que cela ne contribue pas peu à leur santé comme aussi leur manière de vivre sobre & réglée, leurs exercices modérés & la salubrité de l'air qu'ils respirent & des viandes dont ils se nourrissent. Aussi ne sont-ils guère incommodés de médecins & d'apothicaires, quoiqu'il y en ait d'établis par le magistrat, mais ils font grand cas des chirurgiens. Ceux-ci sont principalement employés à embaumer les corps des magistrats illustres qui ont bien mérité du public, & ils y sont si adroits que j'ai vu de ces corps embaumés depuis plus de cent ans qui semblaient être vivants, sans que l'air leur nuisît aucunement quand on ouvrait les caisses où ils sont enfermés. Pour le reste du peuple, on brûle leurs corps quand ils sont morts, & l'on recueille les cendres de quelques-uns dans des urnes, à la manière des anciens Romains.

Quand ils brûlent un corps, ils croient que la fumée en emporte les parties les plus subtiles vers le Soleil & qu'il n'y a que les plus terrestres qui demeurent dans les cendres.

De la manière dont on exerce la justice parmi les Sevarambes.

Comme ils n'ont rien en propre, on ne voit jamais de procès civil parmi eux. Il n'y a que des causes criminelles qui sont jugées par les osmasiontes lorsque le fait a été commis dans leur jurisdiction. Chaque juge est assisté par ses deux lieutenants & par trois vieillards du lieu, lesquels le criminel a la liberté de choisir. Si le crime a été commis par des gens ou contre des personnes qui demeurent dans des osmasies différentes, alors la cause est portée devant un brosmasionte & les osmasiontes intéressés, qui tous ensemble jugent souverainement, si ce sont de petits crimes; mais les plus grands se jugent devant un brosmasionte

& ses huit assistants, & l'on peut appeler à eux pour les affaires considérables. Dans les crimes d'Etat les causes sont portées devant un Sevarobaste & douze assistants, tous brosmasiontes ; & si le fait est fort extraordinaire, on le plaide devant le vice-roi même & son conseil. Les accusateurs & les accusés peuvent eux-mêmes plaider leur cause ou employer quelqu'un de leurs amis qui sache mieux plaider qu'eux.

J'ai souvent assisté aux tribunaux pour voir la décision des causes & leur manière de les juger, qui est assurément fort digne de louange, tant à cause de la patience & de la modération des juges, qu'à cause du respect et de la vénération qu'on a pour eux. On n'y entend point ces crieries & ce tumulte qu'on fait en Europe dans les cours où l'on décide les procès. Tout se fait ici avec un silence & un ordre merveilleux, & il arrive rarement qu'on y rende des jugements iniques, comme on fait le plus souvent parmi nous où l'ambition, l'avarice & l'envie corrompent l'esprit des juges & leur font prononcer des sentences contraires à l'évidence du droit & aux lumières de la raison. Néanmoins, la passion règne partout où il y a des hommes, la différence n'est qu'au plus et au moins, & la faveur ou la ruse l'emportent bien souvent contre la justice & l'innocence. Cela me parut un jour à la ville d'Arkropsinde, à l'occasion d'une sentence que prononça un juge nommé, Nerelias, dans une cause qui lui avait été différée.

Un jeune homme, fort honnête & fort savant dans les mathématiques, & surtout dans la partie de cette science qu'on appelle mécanique, avait trouvé l'invention de faire monter l'eau jusqu'à une hauteur prodigieuse par le moyen d'une machine qu'il avait imaginée & dont il croyait que l'effet serait infaillible. Mais comme il ne voulait pas que personne sût cette affaire, jusqu'à ce qu'il la démontrerait en public, au temps qu'on distribue les prix de la gloire à ceux qui ont fait quelque chef d'œuvre, il s'adressa à un homme de sa connaissance qui avait l'art de parfaitement bien peindre au crayon. Il lui fit connaître le besoin qu'il avait de sa main pour représenter sur le papier la machine qu'il avait imaginée, & le pria en même temps de travailler pour lui. L'autre s'engagea sans difficulté à cet ouvrage & lui promit de travailler incessamment à crayonner sa machine selon le modèle qu'il lui en donnerait. Le mathématicien, ayant tiré cette promesse, donna au peintre une partie des figures qu'il avait grossièrement tracées de sa propre main, & le pria de les peindre au net avant que la solennité des prix fut arrivée. Après cet engagement, il se passa beaucoup de temps pendant lequel, soit par malice ou par fainéantise, le peintre ne travailla presque point à l'ouvrage qu'il avait entrepris, ce qui lassa la patience du mathématicien & l'obligea de lui demander ses modèles & de se fâcher contre lui de ce qu'il lui faisait perdre le temps & le moyen de remporter le prix entre ceux de son art. Mais le peintre se moqua de ses plaintes &, après l'avoir longtemps amusé en vaines promesses, lui dit enfin qu'il ne voulait pas lui rendre ses originaux, s'il ne jetait un de ses ennemis du pont d'Arkropsinde dans le fleuve. Il voulut exiger cela de lui parce que ce mathématicien était un homme d'une force prodigieuse. Cette demande surprit un peu ce jeune homme parce qu'elle était injuste & bizarre; néanmoins, la crainte qu'il eut de ne pas avoir son ouvrage prêt dans le temps qu'il lui était nécessaire, fit qu'il donna sa parole au peintre de faire ce qu'il lui demandait pourvu qu'il achevât dans dix jours l'ouvrage qu'il avait entrepris pour lui. L'autre en tomba d'accord, & le désir de faire un affront à son ennemi par le moyen d'une tierce personne, sans s'exposer lui-même au danger, fit qu'il travailla sans cesse à l'ouvrage qu'il avait commencé longtemps auparavant; si bien qu'il l'acheva dans le jour qu'il lui avait promis. Il le fit ensuite savoir au mathématicien & lui offrit de lui donner tout ce qu'il avait fait pour lui, s'il voulait exécuter la promesse qu'il lui avait faite de jeter son ennemi dans le fleuve. Bien que le mathématicien vît sa malice & sa lâcheté, il ne laissa pas de lui confirmer la parole qu'il lui avait déjà donnée, & le pria seulement de trouver un moyen pour attirer sur le pont la personne qu'il devait jeter dans le fleuve. Le peintre ne manqua pas d'en rechercher l'occasion &, l'ayant trouvée, il mena son champion sur le pont où son ennemi était occupé à regarder quelque exercice qu'on faisait dans l'eau. Il le montra au mathématicien qui le prit au milieu du corps après lui avoir déclaré la cause de son action &, malgré toute la résistance qu'il put faire, il le précipita dans la rivière. Après cela, il demanda ses papiers au peintre qui les lui rendit incontinent. Il ne les eut pas plutôt serrés qu'il lui dit que puisqu'il l'avait tenu longtemps en suspens par de belles paroles & ensuite avait exigé de lui un service qui le rendait l'instrument de son injuste vengeance, il n'était pas moins raisonnable qu'il se servît de ses propres forces pour satisfaire son juste ressentiment. Alors, sans tarder davantage, il prit le peintre & le jeta dans le fleuve, lui disant d'aller tenir compagnie à l'autre qui méritait moins que lui le traitement qu'il avait reçu. Le fleuve Sevaringo est fort large & fort profond, & les ponts d'Arkropsinde ne sont pas fort hauts; c'est pourquoi ces deux personnes que le mathématicien y avait jetées ne se firent aucun mal, & sachant tous deux bien nager, ils n'auraient couru aucun risque de se noyer s'ils ne se fussent pris l'un l'autre dans l'eau où ils avaient été jetés presque dans un même temps & dans un même endroit. Le premier attaqua le peintre, l'ayant atteint à la nage, & ne voulut pas porter plus loin les effets de sa vengeance. Il se fit donc un combat fort extraordinaire entre eux; & si quelques gens n'y fussent accourus avec des bateaux pour les séparer & les tirer de l'eau, l'un des deux y aurait sans doute été noyé. L'ennemi du peintre l'avait déjà pris par les cheveux, lui avait donné plusieurs coups sur le visage & l'allait étouffer dans l'eau, quand ces bateaux lui arrachèrent des mains ce misérable & les tirèrent tous deux à terre, pour les mener ensuite en prison jusqu'à ce que la justice connût de leur différend. Cependant, le mathématicien après avoir vu du rivage où il était allé incontinent après qu'ils les eut jetés dans l'eau, qu'on les menait devant le juge, s'y en alla aussi lui-même & fut envoyé en prison avec eux. A quelque temps de là, les trois criminels furent appelés en jugement devant ce Nerelias dont nous avons parlé, qui, s'étant laissé prévenir, condamna le mathématicien & celui qu'il avait jeté le premier dans l'eau à six mois d'emprisonnement, & déclara le peintre innocent quoi qu'il fût le plus coupable. Lorsqu'il prononça ce jugement, le mathématicien eut beau lui représenter la vérité du fait & justifier l'ennemi du peintre, qui était tout à fait innocent; il ne voulut pas seulement l'écouter ni entendre les témoins qu'il avait menés avec lui. Ce Nerelias était un homme assez éclairé & bon justicier quand il n'était pas prévenu, mais la moindre personne qui allait le solliciter & lui recommander sa cause avant le jugement était mieux écoutée que tout autre ne l'était ensuite dans l'audience. Outre cela, il avait une maxime très fausse dans ses jugements, c'est qu'il soutenait plutôt les esclaves & les gens sans honneur que les personnes de mérite. Cela s'était vu en diverses sentences qu'il avait données, mais comme c'était dans des affaires moins éclatantes que celle-ci, il n'avait jamais été châtié de ses injustes décisions. Il était fantasque & bourru & sur le moindre sujet condamnait ceux qui avaient eu le malheur de lui déplaire, quelque juste que fût leur cause. Le mathématicien, qui était homme de cœur & de probité, fut extrêmement irrité de l'injustice qu'on lui avait faite, & tourna toute sa colère contre son injuste juge dans l'espérance de s'en venger quelque jour s'il en pouvait avoir l'occasion. Cependant, il fut obligé de subir la sentence parce qu'il n'en pouvait appeler qu'aux censeurs lorsqu'ils feraient leur censure, ce qui se fait publiquement de trois en trois ans, & c'est alors qu'il n'est pas seulement permis, mais qu'il est même enjoint à tous ceux qui ont cause de se plaindre de l'injustice des juges. Il crut donc qu'il valait mieux attendre un temps si favorable à son dessein que de faire du bruit & des plaintes inutiles. Le temps de cette censure n'était pas loin, & comme elle se fait par des sevarobastes & dans la ville & dans tous les sièges judiciaux de la campagne, il ne douta point que ces grands ministres n'examinassent sa cause avec plus de justice & d'exactitude que n'avait fait Nerelias qui, s'étant laissé prévenir par quelques amis du peintre, n'avait pas seulement voulu ne pas l'écouter &, l'avait même traité indignement, sans répondre que par des regards de mépris, accompagnés de menace, au respect & à la soumission qu'il lui avait témoignée quand il lui avait demandé audience. Heureusement pour lui, un sevarobaste qui était homme d'esprit & grand amateur des sciences & des beaux arts, fut envoyé cette année à la ville d'Arkropsinde pour y exercer la censure. Le mathématicien lui fit ses plaintes contre Nerelias, en fut favorablement écouté, & il lui montra même quelques pièces de son dessein que le sevarobaste approuva fort, quoique Nerelias sans l'avoir aucunement examiné l'eût traité de chimérique & de confus. Plusieurs autres personnes, ayant joint leurs plaintes à celles du mathématicien, les censeurs furent fort irrités contre ce juge inique, qui avait été si déraisonnable que de condamner des gens sans examiner leur cause & sans vouloir même les écouter, ce qui parmi ces peuples passe pour la plus grande des injustices, & c'est plus pour cela qu'autre chose qu'on punit un juge. Nerelias fut appelé devant les censeurs &, en leur présence, le mathématicien, qui était un fort honnête homme & qui ne manquait pas d'éloquence, prouva ce qu'il avait avancé contre lui, de sorte que les censeurs, tant pour la sentence injuste qu'il avait donné dans cette cause, que pour plusieurs autres mauvais jugements, fut démis de sa charge, réduit à la condition de vivre en homme privé & exposé à la haine et au mépris de tout le monde. Mais il ne vécut pas longtemps dans cet état; car ne pouvant supporter la douleur & la honte de sa démission, il en perdit le repos & le jugement; et enfin, par un juste désespoir, il se précipita du pont d'Arkropsinde dans le fleuve, au même endroit où le mathématicien avait jeté le peintre & son ennemi. Mais il n'en sortit pas en vie comme les autres; car s'étant abandonné au courant de l'eau, il en fut étouffé avant qu'on pût l'en tirer, & finit ainsi sa vie. Voilà comment le ciel punit les crimes des juges iniques & fait voir par de sévères châtiments qu'il n'est rien qui lui déplaise davantage que les actions de ceux qui abusent de leur autorité pour opprimer les innocents. J'étais dans la ville d'Arkropsinde lorsque les censeurs examinèrent la sentence de ce Nerelias, & j'entendis peu de temps après raconter à Sevarinde quelle avait été sa fin malheureuse.

On ne punit jamais de mort, à moins que ce soit pour quelque crime fort énorme, mais on condamne à plusieurs années d'emprisonnement selon la qualité du crime. Dans ces prisons on est obligé de travailler beaucoup & l'on y est souvent châtié &, de temps en temps, les coupables sont tirés dans les rues pour y être publiquement fouettés autour du palais & puis ramenés en prison jusqu'à ce que le temps ordonné pour leur châtiment soit expiré. Quand je demandais aux Sevarambes pourquoi on ne punissait pas les crimes de mort, ils me disaient qu'il y aurait de l'inhumanité & de la folie à le faire. De l'inhumanité à faire mourir un concitoyen & lui ôter ce qu'on ne peut pas lui donner, & de la folie, à détruire une personne qui peut expier son crime par des services utiles au public. Ils ajoutaient qu'on punit assez un criminel quand on le fait travailler longtemps dans une prison où il souffre une longue mort & d'où on le tire de temps en temps pour montrer exemple aux autres & leur mettre souvent devant les yeux la punition qu'on souffre pour les crimes qu'on a commis. Ils disaient encore qu'on avait trouvé par expérience que les hommes craignaient plus ces longs châtiments qu'une mort prompte qui les tirerait tout d'un coup de leurs misères. On envoie souvent les malfaiteurs pour travailler aux mines &, d'autres fois, on les garde dans les maisons de correction, selon qu'on a besoin de les employer.

Tout le monde a la permission de mener celui qu'il accuse devant le magistrat, pourvu que ce soit une personne privée, & de se rendre prisonnier avec lui ; si l'accusé ne veut pas le suivre & qu'il ne soit pas assez fort pour l'y contraindre, tout le monde est obligé de lui prêter main forte dès qu'il crie : *Sevariastei somés antai*, c'est-à-dire, on viole ou désobéit aux lois de Sevarias. Dès qu'on entend ces mots, on court de toutes parts pour arrêter l'accusé qui rend par cette désobéissance son affaire beaucoup pire qu'elle n'était auparavant. Voilà en abrégé comment on exerce la justice parmi ces peuples, où l'on n'est pas longtemps à décider les causes, parce qu'il n'y a ni gain ni profit à les tirer en longueur.

De la milice des Sevarambes.

Bien que cette nation n'ait jamais de guerre, elle ne laisse pas d'être toujours armée, de s'exercer perpétuellement aux armes & d'en faire un de ses principaux emplois. Dès le jour qu'un garçon ou une fille ont été adoptés par l'Etat, ce qu'on fait lorsqu'ils ont atteint l'âge de sept ans, comme il a déjà été dit, on leur apprend à manier les armes, & c'est un de leurs exercices journaliers jusqu'à l'âge de quatorze ans. Alors on leur enseigne un métier mais, cependant, on les oblige à faire l'exercice durant quelques heures dans tous les jours de fête dont il y a six chaque mois outre plusieurs grandes solennités dans l'année. Aux jours de fêtes ordinaires, ils s'exercent chacun dans son osmasie seulement ; mais aux fêtes solennelles, on fait des revues générales, & chacun est obligé de s'y trouver, à moins qu'il ait quelque excuse légitime pour s'en dispenser. Ce n'est pas seulement les hommes qui s'exercent aux armes, les femmes s'y exercent aussi depuis l'âge de quatorze ans, jusqu'à celui de quarante-neuf, après quoi tous sont exempts des devoirs de la milice. De plus, toute la nation est divisée en douze parties, dont l'une est toujours en armes & sert trois mois à l'armée; car cela se fait tour à tour si bien que de trois en trois ans tous ceux qui ne sont pas exempts du service sont obligés de servir trois mois à l'armée qui se tient aux champs & qui campe comme si elle avait des ennemis à combattre. On aura pu voir quel est l'ordre de leurs armées dans la première partie de cette relation où j'en ai assez amplement fait la description. Présentement, j'ajouterai qu'il y a toujours quatre armées dans Sevarambe & deux dans Sporombe, dont deux sont toujours opposées, l'une à l'autre, & tâchent de se surprendre comme s'ils étaient effectivement ennemis, & la rigueur de la discipline y est aussi ponctuellement observée que s'il y avait une véritable guerre.

Outre cela, on tire de chaque tribu un nombre de soldats pour aller aux mines garder les forteresses qu'on y bâtit du temps de Sevarokimpsas qui subjuga une nation des Stroukarambes qui avait été assez hardie pour faire des courses dans ses Etats. Ceux qui sont envoyés à la garde de ces forteresses y demeurent toujours six mois, après quoi on les relève, & ils s'en retournent chez eux, & cela leur arrive une fois en douze ans seulement. Mais s'il y avait une véritable guerre, alors quelques-unes des armées qui sont en campagne, seraient obligées de marcher. Outre cela, il y a tous les jours trois mille hommes à la garde du palais du vice-roi, deux mille d'infanterie & mille de cavalerie; mais les femmes sont exemptes de ce service comme aussi de celui des mines. Chaque gouverneur a aussi sa garde particulière qui est proportionnée à la grandeur de son gouvernement, & ainsi la douzième partie de ceux qui ne sont pas exempts de la milice est tous les jours actuellement en armes. Pour l'entretien de ces armées on a des chariots & des munitions de bouche & de guerre, de l'artillerie & tout ce qui est nécessaire dans ces occasions, où l'on fatigue autant les soldats que si la guerre était véritable. Tous les généraux sont du grand conseil d'Etat &, à moins d'être sevarobaste on ne peut commander une armée. Les lieutenants généraux sont tous brosmasiontes, & pour les autres officiers, on les fait indifféremment parmi le peuple. Ils ont une jurisdiction militaire mais il est permis aux officiers supérieurs d'appeler du jugement du général à celui du vice-roi dans certaines causes. Ils divisent leurs soldatesques en trois corps, à savoir celui des gens mariés qui vont ensemble, celui des filles, & celui des garçons, comme nous l'avons déjà montré. Ces corps sont partagés par régiments de douze cents personnes, ces régiments en douze compagnies de cent personnes chacune, & ces compagnies sont distribuées en douzaines, sur chacune desquelles il y a un douzenier. Il y a aussi deux cinquanteniers dans chaque compagnie & ce sont les officiers inférieurs. Les supérieurs sont deux enseignes, deux lieutenants & deux capitaines, tous subordonnés les uns aux autres, ensuite les colonels qui sont aussi deux dans chaque régiment & enfin les officiers généraux.

Quant à la mer, ils y ont aussi des vaisseaux de diverses grandeurs dont quelques-uns sont toujours armés. Au lac de Sporascompso, ils ont trente ou quarante vaisseaux ou galères, prêtes à mettre en mer quand il plaît à l'amiral, qui est toujours du nombre des sevarobastes. Il y a deux amiraux, l'un sur le fleuve Sevaringo & l'autre sur les mers de Sporonde. Il y a sur le fleuve un nombre presque infini de bâtiments grands ou petits qui dépendent de l'amiral. Ils servent à la pêche ou pour transporter les denrées de tous les côtés du fleuve qui est fort long & fort profond, & qui reçoit plusieurs rivières navigables avant d'arriver à la mer. Il s'y décharge à près de cent lieues au-dessous de Sevarinde, & cette mer est une mer intérieure qui, comme l'on croit, n'a point de concours avec l'océan & qui s'étend jusqu'au-dessous du pôle antarctique, ce qui jusqu'ici nous a été inconnu. J'en ai fort ouï parler à des Sevarambes qui avaient navigué fort loin dans cette mer & qui en disaient des choses fort étranges. Premièrement, ils disaient que le fleuve Sevaringo se déchargeait dans un bras ou détroit de cette mer qui s'avance plus de cent vingt lieues entre les terres & qui, en des endroits n'a pas plus de quatre ou cinq lieues de large, mais qu'il allait toujours en s'élargissant vers la grande mer, jusqu'à un certain endroit où il se rétrécissait encore entre deux hautes montagnes, où il n'avait pas plus de deux lieues de large. Ils ajoutaient que dans ce détroit ils avaient remarqué une espèce de flux & reflux comme dans l'océan, mais qu'il n'était pas si fort. Qu'au-delà de ce détroit, la mer s'élargissait fort de tous côtés, & qu'ils y avaient vu diverses îles couvertes d'arbres; que ces îles & les rivages de la mer & du canal étaient en divers endroits habitées par des peuples grossiers & sauvages qui, à la vérité, adoraient le soleil, la lune & les étoiles, mais que les erreurs de Stroukaras étaient reçues parmi plusieurs d'entre eux. Nous parlerons tantôt de cet imposteur, célèbre dans ces parties du monde, quand nous viendrons au chapitre de la religion des Sevarambes. Ils ajoutaient encore que dans ces mers on trouvait des monstres & des poissons fort différents de ceux de l'océan, & que le canal avait une quantité prodigieuse de ces poissons dont quelques-uns des habitants des rivages tirent leur principale nourriture. Que d'ailleurs leur pays est fort bon & la terre fort grasse, de sorte qu'elle leur pourrait rendre beaucoup de fruits s'ils avaient l'industrie de la cultiver.

La première fois que les Sevarambes allèrent à la découverte de ces mers, ce qui fut sur la fin du règne de Sevarias, ils furent attaqués par un fort grand nombre de ces barbares qui vinrent à eux dans leurs canots & qui voulurent s'emparer de leurs navires, mais l'artillerie & la mousqueterie venant à jouer sur eux, ils en furent si épouvantés qu'ils se mirent tous en fuite & n'ont jamais depuis osé attaquer. Au contraire, ils viennent rendre des soumissions à tous les vaisseaux qu'ils voient passer près de chez eux, & leur portent des présents. Ils vont tous nus, quoique dans l'hiver ils se couvrent des peaux des bêtes qu'ils tuent à la chasse, qu'ils rendent fort souples par le moyen de la cervelle de ces mêmes animaux, dont ils se servent pour les accommoder. Ils sont plus ou moins grossiers selon qu'ils s'approchent ou s'éloignent du soleil, & dans des îles fort avancées dans la mer il y a des habitants fort barbares avec qui les Sevarambes n'ont jamais pu lier de commerce assuré. Ces îles sont plusieurs en nombre, presque en vue les unes des autres, & s'étendent en long vers le pôle à plus de cent lieues du rivage. Quelques-unes sont passablement grandes mais la plupart n'ont pas plus de neuf ou dix lieues de diamètre, & d'autres en ont beaucoup moins. Du temps de Sevaristas, on alla fort avant dans cette mer, & jusqu'à bien près du pôle, sans y trouver aucune glace, bien qu'il y en eût sur les rivages en des endroits beaucoup plus près du soleil. Depuis ce temps-là, on a passé par delà le pôle même sans courir aucun risque. L'on a trouvé que la mer y était beaucoup plus calme que proche des rivages, quoiqu'elle y eût une espèce de flux & de reflux &, en des endroits, des courants assez rapides mais qui n'étaient pas dangereux & qui, au contraire, se sont trouvés fort utiles pour la navigation en de certaines occasions.

La seule curiosité a porté les Sevarambes à découvrir ces mers car ils n'en tirent pas de grands avantages, leur gouvernement étant tel qu'ils ne se soucient nullement du commerce des autres nations, & ils n'ont entrepris cette navigation que pour satisfaire leurs esprits. Ils en tirent pourtant beaucoup de cristal de roche & de fort belles perles qu'on prend dans certaines îles de cette mer. Un pilote, nommé Chicodan, avec qui j'avais fait amitié & qui m'entretenait souvent de ses voyages, me fit voir plusieurs perles qu'il avait apportées de ces contrées, où elles sont fort communes, & m'en donna sept fort grosses & fort fines que j'ai depuis portées en Asie & que j'ai vendues pour des sommes considérables. Néanmoins, celui qui me les donna n'en faisait pas plus de cas que nous faisons en Europe des bracelets de verre.

Avant mon départ de Sevarinde, Sevarminas avait dessein d'envoyer des vaisseaux pour une entière découverte de cette mer, qui est fort grande & qu'on croit n'avoir aucune communication avec l'Océan, si ce n'est par des conduits souterrains. Pour faciliter ces voyages, ils ont bâti des forteresses en divers endroits du canal & même dans quelques-unes des îles fort avancées dans la mer. Aux lieux où le froid est véhément, ils ont fait des maisons fort épaisses sous la terre & les ont voûtées par le haut ; par ce moyen, les esclaves ou les criminels qu'ils y envoient ne sentent presque point l'incommodité du froid, encore que souvent leurs maisons soient couvertes de neige, car sous ces voûtes il fait une chaleur tempérée, même au milieu de l'hiver. Il semble qu'étant si bien postés & si bien pourvus des choses nécessaires pour une découverte, ils découvriront avec le temps toute cette mer.

J'ai souvent demandé aux Sevarambes pourquoi ils ne se rendaient pas maîtres de tous les rivages du fleuve & du canal jusqu'à la mer. Ils répondaient qu'ils en seraient maîtres quand ils voudraient & qu'ils l'étaient déjà par le moyen de leurs frégates, de leurs galiotes & de quelques forts qu'ils ont sur le rivage; mais que pour les terres, ils ne s'en souciaient pas parce qu'ils n'en avaient pas encore besoin. Qu'ils croyaient néanmoins que, leur nation venant à s'augmenter, comme elle fait tous les jours, ils seraient enfin contraints d'étendre leurs colonies plus loin du côté de cette mer & de s'emparer peu à peu de tous les rivages du fleuve. Toutefois, que cela se ferait insensiblement & seulement quand la nécessité les y forceraient; car autrement ils ne le feraient pas parce qu'une des principales maximes de leur gouvernement est de ne point usurper le bien d'autrui mais plutôt de l'acheter, comme ils ont fait le terrain où ils ont bâti leurs forts. Les naturels habitants du pays le leur ont vendu pour du vin & pour des étoffes & autres marchandises.

Le fleuve Sevaringo est si grand & si profond que, depuis Arkropsinde jusqu'à la mer, il n'y a point d'endroit où il n'ait plus de quinze pieds d'eau, lors même qu'elle est la plus basse. Son cours est si lent & si doux qu'en divers endroits il est difficile de remarquer le courant de l'eau. Cela vient de ce qu'il passe au travers d'une plaine qui a plus de cent lieues de longueur & qui est fort unie tout le long du fleuve, bien qu'en d'autres endroits on y voie plusieurs buttes ou petites collines. A trois lieues au-dessous de l'île où Sevarinde est située, une grande rivière vient des montagnes qui regardent l'orient, & elle se jette dans le fleuve Sevaringo qui, après la conjonction de cette eau, est fort large & fort profond. J'ai ouï dire qu'il reçoit plusieurs autres rivières avant d'entrer dans la mer, & qu'à son embouchure il y a plus de six lieues de large. En cet endroit on dit qu'il y a de grands serpents qui viennent quelquefois happer les pauvres Austraux dans leurs canots s'ils ne prennent pas garde.

De la cour du vice-roi du Soleil.

Ce prince demeure dans le palais magnifique dont nous avons déjà parlé, & tous les sevarobastes y demeurent aussi pour pouvoir plus commodément l'assister dans ses conseils. Le nombre de ses officiers & de ses domestiques est médiocre, mais si on y comprend toutes les familles des sénateurs qui sont les principaux de sa cour, on trouvera qu'elle est fort nombreuse. Tous les brosmasiontes le vont servir tour à tour & en tirent un grand honneur. Les officiers de l'Etat sont bornés dans le nombre de leurs femmes & de leurs domestiques, mais le seul vice-roi n'est point limité ; néanmoins, c'est sa coutume de ne prendre pas plus de douze femmes, à l'exemple de Sevarias qui n'excéda jamais ce nombre. Celle qu'il épouse la première, après son élévation à l'empire, est la plus considérée, & on la regarde comme la véritable vice-reine, s'il m'est permis de parler ainsi. Elle doit être du sang de Sevarias car on a voulu rendre cet honneur à ce grand homme en élevant sur le trône quelque femme de sa race, puisqu'il n'avait pas voulu rendre l'empire héréditaire aux hommes descendus de lui. Toutes les autres femmes gardent le nom qu'elles portaient avant leur mariage avec la seule addition de la syllabe *es* ou de la seule lettre *s* si leur nom est terminé en *e*, mais celle-ci porte le nom du vice-roi &, selon cette coutume, celle qui règne aujourd'hui, étant femme de Sevarminas, s'appelle Sevarminés.

Les femmes de tous les autres officiers ont aussi leur nom en *es* mais la première qu'ils ont épousée porte elle seule le nom de son mari, & si elle meurt, la seconde le prend, & ainsi de suite. Quand il y a dans la nation quelque fille d'une extraordinaire beauté, on la fait voir au vice-roi qui la prend pour lui s'il veut, & s'il ne la veut pas, il la donne à celui de ses sénateurs qu'il veut obliger par ce présent, pourvu que le nombre des femmes qu'il doit avoir ne soit pas complet. Chacun de ces sénateurs ou sevarobastes peut en avoir jusqu'à huit, un brosmasionte jusqu'à cinq, & un osmasionte jusqu'à trois. Ils peuvent aussi avoir autant d'esclaves concubines que de femmes mariées, mais cela se voit rarement. Les officiers inférieurs peuvent en avoir jusqu'à deux, & autant d'esclaves, mais les gens du commun ne peuvent en avoir qu'une & une concubine, en cas que la femme soit stérile. Et si l'esclave était stérile aussi, ils peuvent la changer pour une autre. Il est aussi permis à tous les hommes de changer de femme avec leurs concitoyens, pourvu qu'ils en conviennent tous deux & que les femmes y consentent, & cela se pratique souvent quand ils ne peuvent s'accorder ensemble. Mais cela ne se fait qu'entre personnes d'un même rang car les femmes n'aiment pas prendre un homme inférieur à leur premier mari. S'ils ont eu des enfants avant leur séparation qui soient au-dessous de l'âge de sept ans, la femme les prend avec elle & a soin de les élever jusqu'à ce que l'Etat les adopte. Mais il arrive rarement que ceux qui ont eu des enfants se séparent ainsi, bien qu'il leur soit permis par les lois. Cela même ne se fait jamais sans quelque espèce d'infamie car tout le monde a mauvaise opinion de ceux qui rompent un lien aussi fort qu'est celui des enfants communs à la femme & au mari.

Ces sortes de séparation se font néanmoins beaucoup plus souvent parmi les officiers que parmi le commun peuple, parce qu'ayant plusieurs femmes, leur amour est partagé & n'est pas si fort que lorsqu'elle se conserve entière pour une seule personne. Il n'est pas permis aux filles de se marier avant l'âge de dix-huit ans, ni aux garçons avant celui de vingt & un, comme il a déjà été dit, & de l'autre côté, il est défendu aux veuves qui ont atteint l'âge de soixante ans, & aux hommes qui ont passé celui de soixante-dix, de contracter de nouvelles noces. Mais si un homme de cet âge est fort robuste & d'une constitution à ne pouvoir se passer de femme, on lui donne une esclave pour concubine. Pour subvenir au besoin qu'on a de grand nombre de ces esclaves, on a imposé un tribut d'enfants à quelques nations voisines, & on en achète des autres nations qui quelquefois sont bien aises de se défaire de leurs enfants quand ils en ont plus qu'ils n'en peuvent nourrir.

Sevarminas mange en public aux jours de fête mensuels & dans toutes les grandes solennités, & alors il est dans une grande salle garnie en haut & de tous côtés de grandes pièces de cristal qui, comme des miroirs, multiplient les objets & font un effet merveilleux. Il est assis au bout d'une longue table avec sa femme Sevarminés, & aux côtés de la table sont assis les sevarobastes qui sont servis par des brosmasiontes, & ceux-ci sont aidés par des osmasiontes qui se tiennent derrière eux & leur donnent les viandes qu'ils doivent mettre sur la table. Toute la vaisselle de service est de pur or massif, & pendant que le vice-roi dîne, plusieurs concerts de musique jouent pour lui donner du plaisir. Il se promène quelquefois en public, soit dans les rues de Sevarinde ou dans les champs d'alentour, où il a un très beau jardin proche du fleuve.

Ce jardin est un des plus agréables du monde, soit à cause de la beauté du climat, soit par la fertilité de la terre & soit enfin par la commodité des eaux qui l'arrosent & qui l'embellissent. Il est de figure carrée & n'est point environné de murailles mais il est ceint d'un profond fossé plein d'eau claire & d'un nombre prodigieux de toutes sortes de poissons de rivière & d'étang. Ce fossé aboutit au fleuve qui borde le jardin d'un côté & qui coule contre une longue terrasse soutenue d'une forte muraille comme est celle dont toute l'île est environnée. Tout le terrain de ce jardin a près d'un mille de diamètre &, pour le moins, trois de circuit, y compris les fossés. Voici en peu de mots comme il est aménagé.

Premièrement, quand on y va de Sevarinde, on passe dans de grandes allées d'arbres touffus dont la plus grande, qui est celle du milieu, aboutit à la porte du jardin. De chaque côté de cette porte règne un bâtiment d'environ trente pieds de hauteur, de cent vingt de large & de cent pas de long, bordé sur le haut d'une belle balustrade faite de marbre de diverses couleurs & distinguée de distance en distance de statues élevées sur des piédestaux. Il y en a une semblable, du côté du jardin, qui borde le haut de ce bâtiment & qui ne cède en rien à la première. Entre ces deux balustrades on voit un grand espace pavé de grandes pierres couvertes de verdure en des endroits, & de sable dans d'autres, & le tout est distingué par compartiments, ornés de diverses caisses où sont plantés des arbres nains & de divers pots où croissent plusieurs sortes de belles fleurs. Tout cela est distingué de temps en temps par des statues & de petites fontaines qui arrosent & embellissent ce jardin à fleurs. C'est une espèce de belvédère qui, régnant sur le jardin, est un lieu très commode pour en découvrir facilement toutes les beautés. Au-dessous de ce belvédère, il y a diverses grottes & divers appartements frais où l'eau coule de toutes parts quand on la veut faire couler. Sous la balustrade dont nous avons parlé, on voit, & par dehors & par dedans, de grands portiques où l'on peut commodément se promener à l'ombre à toute heure du jour parce que lorsque le soleil luit d'un côté, l'autre côté est à couvert de ses rayons.

Quant au jardin, il est tout disposé en allées, en parterres & en compartiments carrés, distingués d'arbres, de fontaines, de statues & de fleurs. Il y a des berceaux touffus, un labyrinthe &, sur le fond, des petits bois de cèdre, de palme, de laurier, d'orangers & de divers autres arbres qui font un bocage fort touffu, fort frais & fort agréable. Mais ce qu'il y a de plus merveilleux & sur quoi je m'étendrai le plus, sans m'amuser à décrire les autres particularités, est le mont d'eau qu'on voit au centre de ce jardin. Ce mont a cent cinquante coudées de hauteur & cinquante de diamètre, & a la figure d'un pain de sucre. Il est creux dans le milieu, comme un cône de carton, & dans cette concavité l'on voit les vastes tuyaux qui servent à conduire l'eau vers le sommet du mont & vers tous ces côtés. Au dehors & tout alentour du mont, il y a divers petits étages disposés dans une distance convenable, les uns des autres, pour retenir l'eau & pour faire des nappes et des cascades. Au sommet du mont, il y a un bassin ou réservoir où tombe toute l'eau que, par le moyen des tuyaux, on conduit fort haut où elle est enfin poussée dix ou douze pieds dans l'air de la grosseur de trois hommes. De là, elle tombe dans le bassin & puis se distribue également de tous les côtés du mont & le couvre si bien de son cristal mouvant qu'on ne voit rien du bâtiment ; & le tout ressemble à une montage d'eau. Outre les tuyaux qui aboutissent au sommet du mont, il y en a une infinité de plus petits qui aboutissent à ses côtés & par le moyen desquels on rend le mont tout hérissé de jets d'eau que l'on dirige en haut, en bas, à côté et de la manière qu'on veut, ce qui fait un effet admirable.

Sevarminas, aujourd'hui régnant, a fait faire ce bel ouvrage qui, à mon avis, est dans son genre le plus admirable qui soit au monde. Il y a mêlé l'utilité au plaisir car, de ce mont élevé (où il a fait venir l'eau d'une rivière qui est au delà du fleuve & qu'il a prise de loin sur des hauteurs), il ne tire pas seulement tous les jets d'eau qui arrosent & embellissent son jardin, mais il en fait aussi conduire une bonne partie à Sevarinde pour la commodité de ses habitants. Au pied de ce mont on a fait un beau canal qui sert à conduire les eaux qui en tombent jusque dans le grand bassin qui est au bout de l'île & dans lequel se font les exercices navals. Les tuyaux dont on se sert pour conduire les eaux jusqu'au mont, ne sont ni de plomb ni de cuivre mais d'un autre métal qui tient un milieu entre ces deux-là & qui nous est inconnu en Europe, quoi qu'il soit fort commun à Sevarinde. Les statues & les piliers que nous prîmes d'abord pour du bronze sont faits de ce métal qui en a presque la couleur mais qui n'est pas tout à fait si dur & qui est beaucoup plus ferme que le plomb & de beaucoup meilleur usage. Il ne se rouille jamais &, à la réserve de l'or, il n'y point de métal qui dure si longtemps. On l'appelle en langue du pays, plocasto, et l'on s'en sert à divers usages avec beaucoup d'utilité.

Quand le vice-roi va se divertir dans ce jardin, & que la chose est publique, il s'y fait porter dans un chariot tout éclatant d'or & de pierres précieuses qui est suivi de plusieurs autres chariots & d'une partie de ses gardes, montés sur des chevaux & sur des bandelis. Quelquefois, il va lui-même à cheval, & surtout quand il sort de la ville ; mais quand il va à l'amphithéâtre, il y est ordinairement porté sur les épaules des hommes, à couvert d'un dais fort riche & fort éclatant.

Cet amphithéâtre est à un mille au-dessus de Sevarinde & proche du lieu d'où l'on a tiré la pierre dont il est construit. C'est le bâtiment le plus gigantesque qui soit peut-être au monde & dont les murailles sont les plus solides, étant faites de pierres d'une prodigieuse grandeur. Il est de figure ronde & a deux cents pas de circuits au dehors & cinquante de diamètre au-dedans. Il y a tout autour du parterre des piliers d'une longueur & d'une grosseur prodigieuses pour en soutenir la voûte qui est fort haute & qui est aussi percée en divers endroits de grandes fenêtres vitrées de cristal par où vient un fort grand jour au milieu du parterre. Tout alentour de ces piliers, il y a une autre voûte fort spacieuse, soutenue d'autres grands piliers plus bas, & encore une autre voûte plus basse autour de celle-là. Toutes ces voûtes sont éclairées par des fenêtres extérieures, élevées les unes sur les autres. Au-dehors & sur ces voûtes, il y a une grande terrasse par laquelle on monte tout alentour de l'amphithéâtre, jusqu'à bien haut vers le sommet, après quoi on monte jusqu'au faîte par un chemin pavé, entrecoupé de diverses marches ou degrés qui aboutissent à une grande plateforme, bordée tout alentour d'une belle balustrade. Cette plateforme est si haute que de là on découvre fort loin dans la plaine, comme si l'on était sur une montagne. Au milieu de cette plateforme, on a élevé un globe de cristal qui n'a pas moins de douze pieds de diamètre. Ce globe est creux au dedans & percé par le haut & par le bas, & le trou d'en bas est assez grand pour le passage d'un homme qui, sur la nuit de toutes les fêtes solennelles, y allume un grand fanal pour illuminer le globe; celui-ci étant illuminé se voit de fort loin & ressemble à la lune quand elle est dans son plein. J'admirai fort ce globe prodigieux qui est tout d'une pièce, & je m'étonnai qu'étant de cristal, on l'avait pu faire si grand, mais on me dit qu'on avait à Sevarinde le secret de fondre le cristal comme nous fondons le verre, & que même on le maniait plus facilement. On entre dans l'amphithéâtre par quatre grandes portes &, au-dedans, il y a divers sièges & trois galeries, l'une sur l'autre, qui contiennent une prodigieuse quantité de monde. On y voit plusieurs belles statues & divers autres ornements d'architecture dont la description serait trop longue & trop ennuyeuse; c'est pourquoi je m'en abstiens.

A douze pas de l'amphithéâtre il y a une ceinture de muraille de vingt pieds de haut &, au-dedans de cette muraille en divers endroits, il y a des tanières où l'on tient diverses bêtes farouches qu'on fait entrer dans l'amphithéâtre par des passages pratiqués jusqu'au parterre quand on les y veut combattre, ce qui se fait dans toutes les fêtes solennelles. La jeunesse s'y exerce aussi à la lutte, à la danse, à l'escrime & à diverses actions d'agilité. On y représente des pièces de théâtre, on y récite des ouvrages d'éloquence & de poésie & l'on y joue de divers instruments. Il y a des prix d'honneur pour ceux qui excellent, & ces prix consistent en fleurs artificielles faites d'or ou d'argent ou d'autres métaux peints ou émaillés, en épées, en médailles & en instruments de musique. Quand ces exercices sont achevés, on porte ceux qui ont gagné le prix sur des chars de triomphe jusqu'au temple du Soleil où ils offrent des parfums à ce bel astre en signe de reconnaissance.

Outre ces exercices qui se font sur terre & dans l'amphithéâtre, on en a d'autres qui se font sur l'eau & dans un lieu fait exprès pour ce dessein. C'est au bas de l'île où l'on a fait un grand lac ou bassin environné d'une fort épaisse muraille comme est celle qui borde toute l'île. Au-dedans de ce bassin, qui est fort grand & de figure ovale, on a bâti trois rangs de portiques ou galeries soutenues par des piliers qui ont le pied dans l'eau, si bien que les bateaux peuvent se mettre à couvert sous ces portiques. On s'exerce dans ce bassin aux combats navals &, aux jours de solennité, j'y ai vu plus de trois cents barques ou bateaux de chaque côté qui se mettaient en ordre & qui donnaient des batailles feintes dont la représentation était fort agréable. Les frégates & les barques un peu grandes, qui avaient du canon & de la mousqueterie, tiraient comme nous faisons sur mer, & il n'y manquait que les balles pour rendre le combat véritable. Les petits bateaux qui sont en grand nombre ont une autre manière de combattre : car comme ils sont fort plats, on n'y peut rien mettre de pesant, si bien qu'on n'y voit point d'artillerie, mais on y voit seulement de jeunes hommes en caleçon qui portent de grandes rondages de bois sur l'estomac &, à la main, une lance obtuse & fort grosse au bout. Avec ces lances ils s'entrechoquent & tâchent de s'entrepousser dans l'eau, ce qui ne se fait pas sans bien divertir les assistants. Ceux qui ont été jetés dans l'eau ne peuvent pas remonter sur des bateaux mais ils sont obligés de se retirer & de se confesser vaincus. Quelquefois, les combattants sautent d'un bateau à l'autre, en chassent les contrevenants & s'en rendent les maîtres ou les font couler à fond, ce qui est estimé être de la dernière bravoure.

Il y a aussi des rameurs qui tâchent de se surpasser les uns les autres à force d'aviron, & ceux qui peuvent le plustôt arriver au bout de leur carrière sont ceux qui emportent le prix. Les nageurs s'exercent aussi à leur mode, & celui qui nage le mieux emporte la victoire & la récompense proposée au vainqueur. Je n'ai jamais vu des hommes nager si adroitement ni avec tant de force que les nageurs que j'ai vu dans ce bassin. Ils vont presque aussi vite qu'un bateau, & si je ne l'avais pas vu, j'aurais de la peine à le croire. Il est vrai que si l'on considère la force & l'agilité naturelle des Sevarambes, la chaleur du climat, la situation commode de Sevarinde & les récompenses d'honneur qu'on donne aux victorieux, on ne trouvera pas étrange que, s'adonnant fort à cet exercice, il s'y trouve de si bons nageurs. Entre ce bassin & la ville il y a plusieurs rangs d'arbres touffus qui font des allées larges où l'on s'exerce souvent à la course. Il y a par toute l'île & presque dans tous les champs d'alentour de ces allées d'arbres où l'on peut commodément se promener à l'ombre. Il y en a aussi sur tous les chemins de sorte que dans les chaleurs on peut voyager de tous côtés sans être incommodé comme dans les autres pays où ces commodités ne se trouvent pas. Ces plaines sont aussi arrosées par divers canaux qu'on a tirés des montagnes ; l'eau qu'on en fait venir, se répandant partout où l'on veut, fertilise tout le pays & l'entretient dans une verdure perpétuelle malgré les grandes ardeurs du soleil qui est fort chaud dans ce climat.

Sevarminas se divertit aussi quelquefois à la chasse où l'on tue des lions, des tigres, des léopards, des ours, des erglantes, des abroustes, des cerfs, des bandelis & plusieurs autres animaux que nous n'avons pas en

Europe. Ces parties de chasse se font dans des forêts qui ne sont pas fort loin de Sevarinde, tirant vers la mer & tout le long du fleuve, ce qui fait qu'on y va souvent par eau. On fait aussi des parties de pêche, & quand cela se fait au temps des solennités, on y voit un très grand nombre de gens, hommes & femmes, qui en vont prendre le divertissement.

Pour le reste du temps, le vice-roi l'emploie à ses affaires ou à ses plaisirs particuliers avec ses femmes & ses amis. S'il a des enfants, comme cela ne manque guère, ils sont élevés en public comme ceux des autres ; ils ne prétendent rien à la succession & ne sont pas estimés être de meilleure naissance que le moindre du peuple, bien que ce leur soit un grand honneur d'avoir eu un vice-roi dans leur famille. Cependant, ils n'ont aucun privilège sur les autres, cela étant réservé aux seuls descendants de Sevarias.

Quant au reste, le vice-roi est le prince le plus heureux & le mieux obéi qui soit au monde & l'on ne voit point de peuple qui ait plus de véritable respect pour son souverain que les Sevarambes en ont pour le lieutenant du Soleil. Personne n'en médit, personne ne murmure contre lui & personne n'a lieu de se plaindre parce qu'on sait que tout ce qu'il fait est pour le bien public & qu'il n'entreprend rien sans l'avis de son conseil & sans l'ordre du Soleil, comme on fait accroire au peuple.

Description du temple du Soleil,
& de la religion des Sevarambes.

Ce temple est au milieu du grand palais dont nous avons parlé. Il fut bâti par Sevarias & n'est pas plus grand qu'une de nos plus grandes églises en Europe. Il n'en fit que les murailles les trois premières années qu'il employa à le bâtir. Ensuite, il y ajouta quelques ornements & ordonna si bien le tout qu'il laissa à ses successeurs le moyen d'y ajouter beaucoup de choses & d'achever ce qu'il n'avait qu'ébauché. Sevarbrontas, troisième vice-roi, qui fut grand architecte, embellit ce temple de tous les ornements de l'architecture & le rendit beaucoup plus beau qu'il n'était auparavant; mais tous les ornements qu'il y ajouta n'étaient que de pierre parce que de son temps les métaux étaient encore rares dans le pays. Il fit faire une balustrade de marbre pour séparer le chœur du reste du parterre & fit mettre du côté de l'autel une représentation du Soleil en marbre jaune, & de l'autre côté une grande statue de marbre blanc pour représenter la patrie, comme est celle que nous vîmes à Sporounde & dont nous avons fait la description. Il fit aussi faire trois rangs de galeries, l'une sur l'autre, pour y placer une partie du peuple. A cela il ajouta plusieurs autres choses dont une partie se voit encore & dont plusieurs ont été changées depuis.

Sevarkhemas, qui fut le sixième vice-roi & qui fut grand naturaliste, enrichit beaucoup le temple par le moyen des mines qu'il trouva de son temps & dont il tira beaucoup de riches métaux. Il fit changer la balustrade de marbre qui séparait le chœur du reste du temple, & en fit mettre une d'argent massif. Il fit mettre autour du globe lumineux de cristal que Sevaristas avait fait mettre à l'un des côtés de l'autel, au lieu de la représentation en marbre jaune, une grande plaque d'or taillée en rayons & parsemée de diamants & autres pierres précieuses d'un prix inestimable qui rendent un éclat merveilleux. Le globe de cristal du temple de Sevarinde est beaucoup plus grand & plus glorieux que celui de Sporounde, & jette une lumière beaucoup plus forte & plus éclatante. A l'un des côtés de l'autel, on voit la statue de Sevarias en or massif, & de l'autre celle de Sevarkhomedas, son successeur. A côté de ces deux, on voit la figure de tous les autres vice-rois qui ont régné depuis, chacun selon son rang, & toutes ces statues sont faites de pur or & de grandeur naturelle. Sur le milieu de l'autel, entre le globe lumineux & la statue, on ne voit qu'un voile noir, comme au temple de Sporounde. A côté des murailles, tout à l'entour du chœur, on voit de grands tableaux à l'huile où sont représentés tous les vice-rois avec les actions les plus mémorables qu'ils aient faites. Ces représentations sont faites par emblème ou par portraits naturels.

Durant le premier tableau, on voit Sevarias recevant de la main du Soleil les foudres du ciel & le livre des lois qu'il a depuis laissé aux Sevarambes. On y voit la représentation des deux batailles qu'il gagna sur les Stroukarambes, & la manière dont il fut élevé au gouvernement par l'ordre du ciel, & quelques autres passages remarquables de sa vie.

Au second, on voit Sevarkhomedas recevant le livre de la loi des mains de Sevarias ; on le voit ensuite faisant construire le tombeau de ce grand prince qu'on a bâti à l'un des côtés du temple. D'un autre côté, on le voit occupé à faire construire les ponts de Sevarinde, à faire bâtir des osmasies & à ordonner plusieurs choses qui se firent de son temps.

Dans le troisième, on voit Sevarbrontas avec une épée nue à la main droite & une équerre & un compas à l'autre, pour représenter la guerre qu'il eut contre les partis rebelles, & sa grande connaissance dans l'architecture. On voit dans le même tableau la représentation de plusieurs autres choses remarquables que fit ce prince.

Dans le quatrième tableau, on voit Sevardumistas tirant son épée à demi hors du fourreau & une main du ciel qui lui retient le bras : ce qui représente le dessein qu'il avait eu de conquérir quelques pays voisins mais qu'il en avait été empêché par les lois célestes de Sevarias. On le voit aussi faisant des sacrifices & instituant de nouvelles cérémonies.

Dans le cinquième paraît Sevaristas, plus jeune & plus beau que tous ses devanciers. D'un côté, l'on voit le grand amphithéâtre qu'il fit construire, & de l'autre, le palais qu'il fit achever. On voit encore plusieurs représentations des choses éclatantes qu'il fit durant son règne & entre autres le portrait d'une jeune fille admirablement belle qu'il tient par la main, & à ses pieds un jeune homme couché par terre avec un poignard dans le sein. Je demandai ce que ce portrait voulait dire & l'on me raconta l'histoire suivante que je lus ensuite tout au long dans la vie de ce prince.

Il y avait à Sevarinde, du temps de Sevaristas, un jeune homme, nommé Foristan, qui devint amoureux d'une fille, nommée Calenis. Dès l'âge de quatorze ans elle avait une beauté extraordinaire qui la faisait admirer de tous ceux qui la regardaient. Avec tant de charmes on peut bien s'imaginer qu'elle ne manquait pas d'amants, mais ce Foristan fut le premier qui lui parla d'amour & qui lui fit présent de son cœur. Il eut plusieurs rivaux qui ensuite en firent de même : néanmoins, comme il avait parlé le premier, qu'il était des mieux faits & des plus passionnés, aussi avait-il la meilleure place dans le cœur de sa belle maîtresse. Leur passion & leur beauté croissant avec leur âge, tous les amants de Calenis en concevaient de la jalousie contre Foristan ; mais bien qu'il se conduisît avec beaucoup de modestie, il avait néanmoins une secrète joie de se voir préféré à tous ses rivaux. Il attendait avec impatience le jour heureux qui devait mettre fin à ses peines par la possession du bel objet qui l'avait charmé, & ne s'attendait guère aux malheurs qui traversèrent le repos de sa vie & qui faillirent le perdre avant qu'il parvînt au moment heureux qui ensuite couronna tous ses travaux.

Un jour de solennité qu'il y avait une grande partie de chasse, il accompagna sa maîtresse & ses amies à la forêt. Elle était montée sur un bandelis blanc comme la neige, & avec ses habits de chasse elle brillait comme un soleil. Tous ses amants l'admiraient dans cet équipage & sentaient augmenter leur amour, mais ils sentaient en même temps redoubler leur envie quand ils voyaient qu'elle favorisait de ses plus doux regards le bienheureux Foristan. Il y en avait un entre tous les autres, nommé Cambuna, jeune homme violent qui ne supportait qu'avec peine le bonheur de son rival. Il était toujours auprès d'elle, autant pour donner du chagrin à Floristan que pour marquer sa passion à Calenis. Ce jour-là, les chasseurs trouvèrent dans un endroit de la forêt une troupe d'erglantes qui sont une espèce d'ours blancs mais beaucoup plus agiles que les ours ordinaires. Cela fut cause que la chasse tourna de ce côté-là & que tout le monde y accourut et, entre autres, la charmante Calenis, suivie de ses amants. On poussa les erglantes avec beaucoup d'ardeur & l'on en blessa plusieurs à coups de traits dont quelques-uns furent tués ; mais ceux qui n'avaient été que légèrement blessés devenaient plus furieux par leurs blessures & déchiraient presque tout ce qui se présentait devant eux. Il y en eut un de ceux-là qui, venant vers la troupe où était Calenis & ses amants, renversait tout ce qu'il rencontrait et aurait pu déchirer cette belle personne si Cambuna, qui se trouva commodément posté, n'eût poussé son cheval contre lui, & n'eût pour quelques moments arrêté la furie de cet animal. Mais dans ce choc, il fut si malheureux que son cheval se renversa sur lui, & l'erglante allait se lancer sur Calenis que son bandelis avait jetée à terre, si Foristan, qui était toujours auprès d'elle, ne lui eût mis son épée dans le corps jusqu'à la garde, & ne l'eût abattu mort à ses pieds. Il s'était jeté à bas de son cheval quand il avait vu le danger où était sa maîtresse, & cette prévoyance la sauva, elle & Cambuna. Mais Foristan n'en fut pas quitte à aussi bon marché qu'eux car, s'étant approché un peu trop près de l'erglante, cet animal furieux lui donna en mourant un coup de patte qui lui déchira une partie de la cuisse & lui fit perdre beaucoup de sang. Cependant, Calenis se sentait fort obligée à ces deux amants, mais bien que Foristan ne se fût pas exposé le premier au danger, parce qu'il n'était pas si bien posté, il n'avait pas montré moins de zèle pour son service. Il avait fait voir plus de prudence que Cambuna & avait même répandu son sang pour sauver la vie à sa maîtresse. Cette belle action de Foristan, qui surpassait celle de son rival, jointe à l'inclination de son cœur, obligèrent Calenis à lui donner des marques particulières de sa reconnaissance, ce qui jetait Cambuna dans une espèce de désespoir. Néanmoins, pour cette fois il dissimula son dépit ; ainsi, la chasse étant finie, chacun s'en retourna à Sevarinde.

Quelque temps après, Calenis devint malade d'une langueur qui lui ôta dans peu de jours & son éclat & son embonpoint ; son mal continua six ou sept mois, & on croyait même qu'elle en mourrait, & tous ses amants se retirèrent, à la réserve du seul Foristan qui persista dans son amour sans rien diminuer de la tendresse qu'il avait pour elle. Durant sa maladie, il lui rendit autant ou plus de soins qu'auparavant ; il lui donna mille preuves de son amitié & tâcha de la consoler en tout ce qu'il pouvait, s'affligeant lui-même pour l'amour d'elle, & se privant volontairement de tous les plaisirs de la vie. Après sept ou huit mois de langueur, elle fut enfin guérie par le moyen de quelque remède qu'on lui fit prendre, & dans peu de jours son embonpoint & son teint lui revinrent si bien qu'elle fut plus belle que jamais. Lorsque ses amants infidèles la virent dans cet état, ils sentirent rallumer leurs feux que sa maladie avait presque éteints, mais la honte de l'avoir abandonnée en empêcha la plupart de la rechercher de nouveau. Néanmoins, il y en eut quelques-uns qui furent assez hardis pour lui parler de leur passion. Elles les traita selon qu'ils l'avaient mérité, & leur dit franchement que, puisqu'ils avaient cessé de l'aimer dès qu'elle avait cessé d'être aimable, elle avait aussi cessé de les estimer, depuis qu'ils avaient cessé d'être fidèles ; que le seul Foristan avait été constant dans son amour & dans ses services, & qu'ainsi le seul Foristan était digne de son estime & de sa reconnaissance ; que désormais ils ne la vinssent plus importuner, & qu'ils ne la crussent pas assez injuste pour vouloir donner un cœur partagé à un fidèle amant qui lui avait conservé le sien tout entier. Par ces discours, Calenis se défit bientôt de ces amants importuns & leur fit sensiblement connaître qu'elle se réservait toute entière pour son fidèle Foristan. Cela les mettait au désespoir, & surtout le violent Cambuna qui ne pouvait supporter le bonheur de son rival & qui, dans cette disposition d'esprit, aurait volontiers sacrifié sa propre vie pour lui ôter la possession de Calenis.

Les Sevarambes ne portent jamais d'armes sauf en service de guerre ou à l'armée ou à la garde du vice-roi ou à celle de quelque grand officier. Cambuna, qui avait dessein sur la vie de Foristan, mais qui d'ailleurs était brave & peu capable de faire une lâcheté, chercha avec soin une occasion de se trouver en armes avec lui. Pour cet effet, il changea le jour de sa garde avec un de ses amis qui avait coutume de la monter chez le vice-roi le jour même que Foristan y venait. Ils s'y rencontrèrent, donc, tous deux armés ; Cambuna, ayant provoqué son rival par des paroles piquantes, & voyant qu'il se ménageait ou par la crainte des lois ou par le respect du lieu, tira l'épée contre lui & l'obligea de tirer la sienne pour se défendre. Ils se poussèrent plusieurs coups & furent tous deux blessés : Foristan eut le bras percé & Cambuna eut un coup d'épée au travers du corps ; mais leurs blessures, quoique grandes, ne se trouvèrent pas mortelles. Ce combat fit du bruit dans le palais, les combattants furent mis en lieu de sûreté &, leur audace ayant été extraordinaire, on fut obligé d'en avertir le vice-roi. Ce prince fut fort irrité contre eux, tant à cause de leur irrévérence pour le palais du Soleil que pour avoir perdu le respect qu'ils devaient à sa personne, & il commanda qu'on les punit selon la rigueur des lois.

Cependant, un troisième amant de Calenis, prenant ce temps qu'il crut être favorable à son dessein, employa un sevarobaste de ses amis pour la demander au vice-roi qui la lui donna à condition qu'elle y consentirait. Comme cette fille était d'une beauté extraordinaire, l'ordre aurait voulu qu'on l'eût présentée au vice-roi avant qu'il lui fût permis de s'engager à un autre, ce que sans doute on n'aurait pas manqué de faire, si la maladie dont nous avons parlé n'eût terni les charmes qui la rendaient digne de cet honneur. Après donc que le prince l'eut accordée à celui qui l'avait fait demander, cet amant fit tous ses efforts pour gagner ses bonnes grâces & pour en venir plus facilement à bout. Il lui représentait non seulement l'excès de son amour mais aussi la faveur qu'il avait auprès du vice-roi. Et pour lui ôter l'espérance de posséder Foristan, il ne manquait pas de lui mettre devant les yeux le pitoyable état auquel son action l'avait précipité; mais toutes ses raisons ne furent pas capables d'ébranler la constance de Calenis. Elle fut toujours fidèle à son cher Foristan & résolut, quoiqu'il en pût arriver, de n'épouser jamais d'autre que lui. Cependant, ce pauvre amant était presque guéri de ses blessures. Pour justifier sa conduite & pour éviter les châtiments où l'exposait l'audace d'avoir tiré l'épée dans le palais, il tâchait de faire voir la nécessité qui l'avait obligé de se défendre contre son rival. Après beaucoup de peines, il eut enfin le bonheur de se tirer d'affaires & de prouver par de bons témoins que Cambuna l'avait attaqué de dessein prémédité; que de son côté il avait tâché d'éviter le combat & qu'il n'avait tiré l'épée que par la seule nécessité de se défendre. Cette justification lui procura sa liberté & le moyen de revoir Calenis qui put à peine retenir les transports de joie que lui causait la vue de son amant. Mais ils ne jouirent pas longtemps du plaisir de se voir car, peu de jour après, Foristan fut obligé de se rendre à l'armée qui commençait d'entrer en campagne. Cela plongea ces pauvres amants dans un chagrin inconcevable, & leur mal était d'autant plus cruel qu'ils ne pouvaient y apporter aucun remède. Il fallut se résoudre à se séparer, ce qui ne se fit pas sans bien des sanglots & bien des larmes. Ils se promirent une fidélité éternelle &, comme le temps de leur osparenibon approchait, ils se consolèrent dans l'espérance de se voir bientôt heureux par leur légitime mariage. Foristan partit donc & s'éloigna pour trois mois de sa belle maîtresse pendant lesquels celui qui l'avait obtenue du vice-roi tâcha par toutes sortes de moyens d'ébranler sa fidélité; mais après avoir en vain usé de prières & de persuasions, il eut enfin recours à la ruse, à la violence & à l'autorité pour venir à bout de son dessein. Un cœur moins constant que celui de Calenis aurait sans doute succombé à de si puissants efforts, mais bien loin de faire la moindre impression sur son esprit, tout cela ne servit qu'à l'affermir dans les sentiments qu'elle avait pour Foristan. Toutefois, prévoyant qu'elle aurait de la peine à résister seule à des gens qui se prévalaient de la faveur du vice-roi, elle employa un de ses amis pour présenter une requête à ce prince. Dans cette requête, elle le suppliait de révoquer le don qu'il avait fait de sa personne & de lui permettre de se jeter à ses pieds pour lui faire savoir la violence qu'on faisait à sa liberté. Il lui accorda sa demande, & cette belle fille fut menée devant lui où, toute éplorée, elle lui fit ses plaintes de la manière la plus touchante. Sevaristas fut premièrement ébloui de l'éclat de sa beauté & ensuite sensiblement touché de sa douleur ; il témoigna même de la colère contre ceux qui avaient voulu lui faire violence ; il la consola par de douces paroles, lui promit de la protéger &, pour cet effet, il la fit mettre dans son palais auprès de la femme d'un sevarobaste. Ce fut là qu'il allait souvent la visiter &, après quelques conversations, il trouva tant de charmes dans sa personne qu'il en devint amoureux & lui en donna plusieurs témoignages. Elle en fut d'abord fort affligée, prévoyant bien qu'elle ne pourrait pas résister à un tel amant & qu'elle serait enfin contrainte d'être infidèle à Foristan ; mais elle ne pouvait éviter le malheur qui la menaçait. Quelque temps après cette recherche, la femme du sevarobaste avec qui elle demeurait, eut ordre de lui parler de l'amour du vice-roi et de lui faire savoir le dessein qu'il avait de l'épouser, ce qu'elle fit de la manière du monde la plus persuasive. Car comme elle trouva de la répugnance du côté de la fille, elle lui représenta les choses d'un air à ébranler la constance la plus ferme dont une femme puisse être capable.

> A quoi pensez-vous insensée, lui dit-elle, de refuser un mariage si éclatant & dont les plus belles & les plus relevées femmes du monde feraient leur plus grande ambition ? Pesez sérieusement les biens & les maux qu'une bonne ou une méchante conduite vous peuvent procurer. Si vous épousez Foristan, vous aurez en lui, je l'avoue, un homme dont l'âge est plus proportionné aux vôtre que celui de Sevaristas, & vous seule le posséderez tant qu'il sera homme privé & satisferez ainsi la passion & la reconnaissance qui vous attachent à lui. Mais que tout cela est peu au prix des avantages que vous trouverez en épousant Sevaristas ! Car premièrement, vous posséderez en sa personne le plus puissant & le plus bel homme de la nation. Il est vrai qu'il n'est pas des plus jeunes, mais aussi n'est-il pas fort vieux ; dans l'âge où il est, mis à part la grandeur de sa fortune, il est plus aimable que tous les jeunes hommes de Sevarinde. Les avantages de la jeunesse sont communs à tous les hommes & aux bêtes mêmes, mais ceux de la beauté du corps & de celle de l'âme ne sont accordés qu'à peu de gens, &bien souvent quand la nature les a donnés à un homme, elle n'y a pas ajouté ceux de la fortune, qui les font briller d'un nouvel éclat. Tout cela se trouve dans un degré suprême en la personne de notre vice-roi. Il est aussi beau qu'un homme le puisse être, & parmi tous les Sevarambes on n'en voit point qui ait cette douceur, cette mine charmante & ce port majestueux & presque divin qu'on voit éclater en lui. Pour ses hautes vertus, son esprit & son excellent naturel, il n'est pas nécessaire de vous en rien dire. Tout le monde sait que depuis le grand Sevarias, dont il est descendu, nous n'avons point eu de vice-roi qui eût l'âme si grande & qui méritait mieux que lui de monter sur le trône du Soleil. Sa fortune l'a élevé aussi haut qu'elle puisse élever un

homme, & il peut vous faire monter à un degré de grandeur & de gloire au-dessus de toutes les autres femmes. Il le fera sans doute, puisqu'il vous aime, & au lieu d'être la femme d'un particulier vous aurez le bonheur de posséder celui qui est maître de toute la nation & qui ne reconnaît que la Divinité au-dessus de lui. C'est sans raison que vous m'alléguez que vous avez engagé votre foi à votre amant & que vous lui êtes liée par amour & par reconnaissance. Tout cela serait bon à dire contre un particulier, mais contre le vice-roi ces excuses ne sont pas légitimes. Car premièrement, vous êtes à sa disposition selon les lois de l'Etat, & avant que vous aimassiez Foristan, Sevaristas pouvait vous prendre pour lui-même ou vous donner à un autre. Vous lui appartenez encore selon les même lois, & vous n'avez pu disposer de votre personne à son préjudice. Vous savez que cela est défendu aux jeunes filles à marier qui sont toutes enfants de l'Etat, dont il est le père politique. Mais même s'il n'avait pas ce droit, quel homme, je vous prie, pourrez-vous trouver qui soit plus digne de votre amour & que vous puissiez raisonnablement lui préférer ? Si vous avez aimé Foristan, n'est-ce pas pour cette raison qu'il vous a semblé plus aimable que tous ceux qui vous recherchaient ? Vous ne l'avez assurément aimé que pour l'amour de vous-même, parce que vous conceviez plus d'avantages dans sa possession que dans celle de vos autres amants. Faites que cet amour-propre agisse à présent en vous par les mêmes motifs. Si vous le consultez, il vous dira que Sevaristas, étant infiniment plus aimable que tout le reste des hommes, & vous aimant déjà passionnément, vous devez aussi l'aimer préférablement à tout autre, par la même raison qui vous fit donner la préférence à Foristan. Pour les raisons de reconnaissance & de gratitude que vous alléguez, elles sont fort faibles, & vous êtes plus obligée au vice-roi pour avoir jeté des regards favorables sur vous que vous ne l'êtes à votre Foristan pour tous les soins qu'ils vous a rendus. Si les biens qu'on peut recevoir à l'avenir doivent entrer en considération, voyez, je vous prie, quelle différence vous devez faire entre les soins que vous a rendus un homme du commun & les avantages que vous peut procurer le maître de tout l'Etat. Considérez, poursuivit-elle, ce que je viens de vous dire & ne refusez pas un honneur éclatant pour satisfaire une passion obscure. Mais si vous m'alléguez que vous ne posséderez pas seule le prince, comme vous pourrez posséder Foristan, je vous réponds que l'entière possession de ce dernier ne vous est assurée que pendant qu'il sera homme privé ; mais s'il parvient aux charges publiques, il pourra épouser d'autres femmes qu'il aimera peut-être mieux que vous, & si cela vous arrive, vous perdrez l'unique bonheur où vous aspirez. Il n'en sera pas de même à l'égard du vice-roi : car si d'un côté ses feux venaient à se ralentir, de l'autre vous pourriez du moins vous consoler des illustres avantages que vous auriez acquis par son alliance. Si donc vous êtes sensible à la gloire, vous reconnaîtrez que l'amour d'un souverain est infiniment plus glorieux que celle d'un sujet.

Ces puissantes raisons ébranlèrent beaucoup la constance de Calenis. Plus elle y faisait réflexion & plus elle les approuvait; quoiqu'elle en eût de cuisants remords, elle laissait peu à peu succéder l'amour de Sevaristas à celui de Foristan. Peu de jours après, son nouvel amant la fut visiter, & cette visite acheva de la faire succomber. Elle admira sa personne & toutes ses belles qualités, & il lui sembla que la peinture qu'on lui en avait faite n'était qu'un faible crayon de ce qu'elle voyait de ses propres yeux. Ainsi, l'ambition s'emparant de son cœur, cette passion puissante en effaça pour la plus grande partie l'image du malheureux Foristan que l'amour y avait gravée. Cette volage reçut avec joie la visite du prince; elle écouta tous ses discours avec plaisir &, devenant peu à peu familière avec lui, elle osa bien soutenir ses regards; elle osa même y répondre, & lui fit connaître qu'elle n'était pas insensible à ses peines. Enfin, après un mois, elle lui promit de lui donner sa main & d'oublier tous les hommes du monde pour l'amour de lui.

Voilà comment les têtes couronnées avancent bientôt leurs affaires & comment il leur est facile de vaincre les cœurs les plus rebelles. Mais il n'y a pas lieu de s'étonner que Calenis se laissât ainsi vaincre à un tel assaillant puisque Sevaristas était en sa personne un des plus aimables & des plus généreux hommes du monde & qu'il était capable d'ébranler par son mérite la constance la plus assurée, même s'il n'avait pas eu l'éclat de la haute fortune & de la majesté qui l'environnait.

Cependant, comme les actions des grands sont éclairées de tout le monde, & que le vice-roi ne cachait nullement l'amour qu'il avait conçu pour Calenis, ni le dessein qu'il avait de l'épouser, cette intrigue fut sue par toute la nation, & l'infortuné Foristan ne tarda pas longtemps à savoir quel redoutable rival son malheur lui avait suscité. Il en eut toute la douleur qu'un homme était capable de ressentir dans une pareille rencontre, & il ne trouva de consolation ni d'espérance que dans sa mort & son désespoir. La voix publique lui apprit le jour destiné aux noces de son inconstante maîtresse, & son cœur lui dit en même temps que ce devait être le dernier de sa vie. Il s'affermit dans ce sentiment &, tout plein de cette pensée, il prend le chemin de Sevarinde sans en demander permission à ses supérieurs, & il y arrive le jour propre de la solennité. Les cérémonies du mariage commencent; il entre dans le temple & se cache derrière un polier proche du lieu où Calenis devait donner la main au vice-roi. Alors au moment où elle allait la lui tendre:

> Arrête, s'écria-t-il, perfide, & ne viole pas durant ma vie une foi que mes services & tes serments te devaient rendre inviolables; attends ma mort qui va tout à l'heure suivre ton inconstance & rendre légitime une action que tu ne saurais faire sans devenir criminelle tant que je serai vivant.

Après ces mots, il s'avança vers elle &, aux yeux du vice-roi, il se plongea un poignard dans le sein. Cette action imprévue & extraordinaire surprit extrêmement Sevaristas & toute l'assemblée, mais la misérable Calenis en fut touchée jusqu'au fond du cœur. Dans un moment, l'image de son inconstance & de sa perfidie lui parut avec tant d'horreur que, le désespoir s'emparant de son âme, elle courut vers son misérable amant dans le dessin de lui arracher le poignard de la main & d'en percer son cœur infidèle pour lui témoigner son repentir & pour n'avoir qu'un même sort avec lui. Son action & ses regards où son désespoir étaient vivement peint firent connaître son intention à ceux qui la regardaient, & leur donnèrent le temps de prévenir son funeste dessein.

Cependant, par l'ordre de Sevaristas, on donna du secours au misérable Foristan qui n'était pas mort & dont la blessure ne se trouva pas mortelle ; mais elle aurait pu le devenir si la promesse que le vice-roi lui fit solennellement de lui céder Calenis, apaisant la douleur de son âme, n'eût donné à ce pauvre amant le désir de vivre pour la posséder. Il laissa donc bander sa plaie &, par bonheur, elle ne se trouva pas dangereuse. En peu de jours, il trouva de l'amendement à sa maladie & sentit doucement revivre ses espérances presque éteintes. Le vice-roi le fit souvent visiter, lui renouvela sa promesse, & enfin lui céda Calenis, quoiqu'il eût pour elle une passion fort tendre & un extrême désir de la posséder. Mais sa vertu imposa silence à sa passion & la fit céder à la justice & à la pitié. Aussi cette action généreuse lui acquit beaucoup d'estime & d'amour parmi ses sujets, & ses successeurs la trouvèrent si belle qu'ils la crurent digne d'être représentée dans son tableau. Pour l'affligée Calenis, après avoir témoigné un regret extrême à son amant de s'être laissée éblouir par le mérite de Sevaristas, elle épousa son cher Foristan par le commandement de ce généreux prince, & ils furent tous deux unis par les liens d'un légitime mariage selon la manière de leur pays. Cette histoire est écrite tout au long dans la vie de Sevaristas & c'est de là que je l'ai tirée.

Après cette digression, je viens au sixième tableau où l'on voit Sevarkhemas avec un sceptre d'or à la main droite & une poignée d'herbes & de fleurs à la gauche pour marquer sa connaissance des choses naturelles & principalement des plantes & des métaux dont il avait découvert diverses mines fort riches & fort utiles. On voit peints autour de lui plusieurs ouvrages d'or & d'argent dont il orna le temple & le palais du Soleil &, entre autres, les riches rayons qu'il vit mettre autour du globe lumineux.

Dans le septième & dernier tableau, l'on voit Sevarokimphas tenant une épée nue à la main & traînant après lui des esclaves enchaînés, ce qui représente la conquête qu'il fit des Austraux qui osèrent faire des courses dans ses Etats. On y voit aussi la représentation des termes ou indices qu'il fit planter sur tous les chemins, & plusieurs jardinages dont il embellit la campagne, comme aussi une longue suite de jeunes esclaves qui représentent le tribut d'enfants imposé aux vaincus.

Ce sont là tous les tableaux des sept vice-rois qui ont précédé celui qui règne présentement, & l'on y voit peintes en abrégé les plus signalées actions de leur vie. On voit encore leurs tombeaux ensuite de celui de Sevarias, & ils sont tous ornés de pièces de sculpture en marbre, en or ou en argent, très riches & très artistement élaborées. Au milieu du temple & contre une des galeries, se voit un orgue d'une grandeur extraordinaire dont tous les tuyaux sont d'argent doré &, vis-à-vis de cet orgue, un lieu destiné à divers instruments de musique & à des concerts de voix.

La voûte du temple est fort haute & fort enrichie de dorures & de peintures de grand prix qui lui donne un éclat merveilleux. Il y a beaucoup d'autres riches ornements que je passerai sous silence & je me contenterai de dire en peu de mots que ce temple est fort beau & fort magnifique, de même que le palais & l'amphithéâtre, & qu'une personne savante dans l'architecture en pourrait faire des descriptions admirables. Mais pour moi, qui ne suis pas du métier, je ne m'étendrai pas davantage sur cette matière, de peur aussi d'ennuyer le lecteur par un long détail. Je crois qu'il suffira, après ce que j'ai déjà dit, d'ajouter ici que je n'ai rien vu ailleurs de comparable à ces trois grands édifices, bien que j'aie voyagé presque par toute l'Europe & vu ce qu'elle a de plus rare & de plus curieux.

Et comme c'est dans ce temple principalement qu'on exerce la religion du pays, je crois que, sans plus tarder, il est temps de dire ici quelle est la croyance, la théologie & le culte religieux des Sevarambes.

De la religion des Sevarambes d'aujourd'hui.

Il y a plusieurs opinions différentes dans cette nation, comme dans les autres, touchant la divinité, mais il n'y a qu'un culte extérieur qui soit permis, bien que tous ceux qui ont des sentiments particuliers aient pleine liberté de conscience & qu'il ne leur soit même pas défendu de disputer contre les autres, pourvu que ce soit avec le respect & l'obéissance qu'on doit aux lois & au magistrat. Il y a même des collèges où, en certains temps de l'année, l'on fait des disputes publiques où chacun peut librement dire ses pensées & soutenir ses opinions sans aucun danger d'être blâmé ni maltraité de qui que ce soit. Car les Sevarambes ont pour maxime de n'inquiéter personne pour ses opinions particulières, pourvu qu'il obéisse extérieurement aux lois & se conforme à la coutume du pays dans les choses qui regardent le bien de la société. Ainsi, quand il s'agit de rendre la justice à quelqu'un ou de le recevoir dans quelque charge ou dignité, on ne s'informe pas de ses sentiments touchant la religion mais de ses mœurs & de sa probité. On n'exclut point les prêtres ni les ecclésiastiques du gouvernement civil, comme on fait presque partout ailleurs, & l'on croirait avoir violé le droit naturel & le droit civil si on avait refusé une charge publique à un prêtre par la seule raison qu'il est dans les ordres ecclésiastiques. Il n'en est pas moins pour cela membre de l'Etat, & n'a pas moins de part que les autres au gouvernement & à la société civile. Or, parmi les Sevarambes, cette société n'étant point partagée en diverses jurisdictions, ils obéissent tous à un souverain chef qui est lieutenant & grand-prêtre du Soleil. En la personne du vice-roi sont unis les titres de temporel & de spirituel, ce qui rend son autorité beaucoup plus entière & plus vénérable, parce que la prêtrise orne la vice-royauté & la vice-royauté donne du lustre & de l'éclat à la prêtrise. Ces deux offices étant donc unis dans le souverain, le peuvent aussi être dans les sujets, & un prêtre peut être en même temps dans les ordres ecclésiastiques & dans le gouvernement de l'Etat, même s'il avait des opinions particulières dans la religion, pourvu qu'au dehors il fasse le dû de sa charge & vive en homme de bien.

Les effets de ces maximes justes & raisonnables sont fort avantageux au repos & à la tranquilité publique qui est le but principal où doivent viser tous les sages politiques; parmi les Sevarambes, il y a diverses opinions touchant la Divinité, & on y voit fort souvent des controverses ouvertes où tout le monde peut aller, & pourtant il n'y a peut-être point de pays au monde où l'on s'échauffe moins pour la religion & où elle produise moins de querelles & de guerres; au lieu que dans les autres Etats on la fait souvent servir de prétexte aux actions les plus inhumaines & les plus impies sous le masque de la piété. C'est sous ce prétexte spécieux que l'ambition, l'avarice & l'envie jouent leur rôle abominable & qu'elles aveuglent les misérables mortels au point qu'elles leur font perdre tous les sentiments d'humanité, tout l'amour & le respect qu'ils doivent au droit naturel & à la société civile, & toute la douceur & la charité que les saintes maximes de la religion recommandent. De là vient que de la chose la plus sainte & la plus sacrée ils en font bien souvent la plus cruelle & la plus pernicieuse; ce qui ne leur devrait inspirer que la douceur, la justice & l'innocence, ne leur inspire le plus souvent que la rage, l'injustice & la cruauté.

Il n'en est pas de même parmi ces peuples heureux, où personne ne peut opprimer son prochain ni violer aucunement le droit naturel sous aucun prétexte de religion; où l'on ne saurait émouvoir une populace farouche aux rébellions, aux massacres & aux incendies par un zèle inconsidéré, & où l'on ne peut enfin s'acquérir des biens & des honneurs, ni par les ruses ni par les fausses apparences d'une piété feinte & simulée. L'ambition n'aime que les hauteurs & les difficultés, & ne s'attache guère aux choses basses & faciles. Ainsi, parmi les Sevarambes, personne ne se pique d'être chef d'une secte parce que chacun peut facilement le devenir & parce qu'il est permis à tout le monde d'être de la religion qu'il veut. Personne ne se pique d'amasser des richesses parce qu'elles ne servent de rien & que, pour avoir beaucoup de trésors, on n'est ni plus riche ni plus heureux que le moindre de la nation; & personne enfin ne porte envie à son prochain, ni pour les dignités ecclésiastiques ni pour les rentes & les revenus qui leur sont attachés. De cette manière, chacun vit sous l'obéissance des lois & la crainte du magistrat; & bien qu'il soit permis à tout le monde de croire tout ce qu'il veut, il n'est pourtant permis à personne de troubler le repos public ni de violer les droits de la société sous quelque prétexte que ce puisse être. La curiosité est le seul motif de toutes leurs controverses, & l'on y traite la religion avec autant ou plus de modération que nous ne traitons la philosophie en Europe. Cela ne sera pas difficile à croire si l'on fait réflexion sur la manière dont on élève les enfants parmi les Sevarambes, où on les accoutume de bonne heure à vivre en société & à se respecter les uns les autres. On peut ajouter à ces raisons que la religion de l'Etat, tenant plus de la philosophie & du raisonnement que de la révélation & de la foi, ce n'est pas merveille si l'on en parle avec tant de sang-froid & si peu d'emportement.

De là vient que, si leur religion n'est pas la plus véritable de toutes, elle est du moins la plus conforme à la raison humaine, & qu'il n'y a que les célestes lumières de l'Evangile de grâce qu'on lui doive préférer. En effet, si l'on n'avait pas la révélation divine, il ne serait pas difficile d'approuver les opinions de ces peuples touchant la divinité; car premièrement, ils croient qu'il y a un Dieu souverain & indépendant qui est un Etre éternel, infini, tout puissant, tout juste & tout bon, qui gouverne & qui conduit toutes choses par une admirable sagesse.

Mais ils croient aussi que le monde est infini & n'admettent ni vide ni néant dans la nature. Quant aux globes particuliers qui sont partie du monde universel, ils croient qu'il y en a une génération comme de chaque animal, & que de la destruction des uns vient la naissance des autres. Là-dessus ils ajoutent que, quand on voit quelque grande comète au-dessus des planètes, c'est un globe qui se dissout par le feu, & que son corps qui ne paraissait auparavant que comme une étoile, venant à s'enflammer, il s'étend & se dilate, & qu'ainsi il paraît plus grand & plus visible à nos yeux. Sevarias douta longtemps s'il y avait de dieu outre le Soleil qui est le seul que les anciens Perses reconnaissaient; mais Giovanni, son gouverneur, qui était chrétien, après avoir en vain tâché de le lui prouver par le témoignage des saintes Ecritures, le lui persuada & le lui fit enfin comprendre par raisonnement naturel.

Il lui fit remarquer que les étoiles fixes étaient si loin du soleil, qu'elles n'en pouvaient recevoir qu'une faible clarté, & fort peu ou point du tout de chaleur; qu'elles avaient une lumière qui leur était propre & que, selon les apparences, elles étaient autant de soleils dans le monde universel, aussi grands & aussi glorieux que celui qui nous échauffe & qui nous éclaire. Or, cette multiplicité de soleils dans le monde & leur égalité sont choses incompatibles avec la Divinité suprême qui doit être une & qui ne souffre point d'égal. D'ailleurs, elle fait voir l'impuissance du soleil qui seul ne peut suffire au grand monde universel & qui n'en peut éclairer qu'une petite partie à l'égard du tout; d'où l'on peut facilement conclure qu'il n'est pas le Dieu souverain qui gouverne le monde, & qu'il faut qu'il y ait un être infini, invisible, indépendant & tout-puissant qui gouverne toutes choses par sa providence éternelle.

Ces raisonnements prévalurent sur Sevarias & lui firent admettre l'existence d'un Dieu suprême & invisible, plus grand que le Soleil, mais ils ne purent lui ôter de l'esprit que le Soleil ne fût aussi un dieu, sinon le Dieu souverain du ciel & de la terre, du moins un dieu subordonné ou l'un des grands ministres de Dieu dans la nature & celui qu'il a commis pour éclairer & réchauffer le globe de la terre que nous habitons & les planètes qui sont autour de lui, & qu'il crut être aussi de sa province & de sa jurisdiction. Il s'affermit de plus en plus dans cette opinion &, en mourant, la transmit à sa postérité qui la tient encore aujourd'hui & qui en fait le plus grand article de sa religion. On peut même tirer cette doctrine de son oraison au Soleil où il dit qu'on peut du moins le regarder *comme le canal favorable par où coulent jusqu'à nous les bienfaits & les grâces du grand Etre qui le soutient & dont il est le ministre visible & glorieux.*

Dans ces deux idées de la Divinité, les Sevarambes ont mis dans leurs temples un voile noir au-dessus de l'autel pour représenter ce Dieu éternel & invisible qu'ils ne connaissent point & qu'ils ne peuvent regarder qu'au travers des noires ténèbres dont leur entendement est enveloppé. Mais pour le Soleil qui, comme ils disent, est un dieu visible & glorieux, & le canal par où les hommes reçoivent la vie & tous les biens qui aident à la soutenir, ils croient qu'il doit être leur Dieu particulier, puisqu'il les éclaire & les nourrit; qu'ils sont tous obligés & par estime & par reconnaissance de lui adresser leurs vœux, de lui rendre leurs hommages & de lui diriger immédiatement leur culte religieux, comme au ministre du grand Dieu, qui l'a commis pour mouvoir & pour conduire le grand orbe que nous habitons & les autres qui sont de sa province ou jurisdiction.

Ils ajoutent que le grand Dieu, ne se rendant pas visible, il ne veut pas que nous le voyions autrement que des yeux de l'esprit, & qu'il se contente des respects & des sacrifices que nous offrons à celui qu'il a fait le dispensateur de toutes les grâces qu'il nous communique.

C'est ainsi que raisonnent ces pauvres aveugles qui préfèrent les faibles lueurs de leurs esprits ténébreux aux lumières éclatantes de la révélation & au témoignage de la sainte Eglise de Dieu. Néanmoins, ils ne laissent pas d'adorer le Dieu Eternel que les chrétiens adorent, & même lui ont institué une fête solennelle qu'ils appellent *Khodimbasion*, laquelle ils célèbrent de sept en sept ans. Toutefois, l'adoration qu'ils lui rendent est aussi ténébreuse que la connaissance qu'ils ont de lui ; c'est pourquoi ils en font le plus grand mystère de leur religion.

Pour ce qui est du culte du Soleil, il est clair & visible comme ce bel astre, & n'a pas des mystères profonds comme celui du Grand Dieu qu'ils appellent *Khodimbas*, c'est-à-dire roi des esprits ; car parmi eux, *khoda* veut dire un esprit, & *imbas* un roi ou monarque souverain, du mot *imba*, empire ou commandement, d'où se forme le verbe, *prosimbai*, commander souverainement. Ils appellent aussi le Soleil Erimbas, c'est-à-dire, roi de lumière, car en leur langue, *ero* signifie lumière. Outre ce nom, ils lui donnent plusieurs autres épithètes, à savoir *Phodariestas*, c'est-à-dire, source de vie, *Antemikodas*, miroir divin, & plusieurs autres noms que nous expliquerons ci-après.

Dans plusieurs conversations que j'ai eues avec eux sur ces matières, je les ai souvent ouï finir leurs discours par ce raisonnement, qu'il y avait dans la religion trois devoirs auxquels tous les autres se rapportent & auxquels tous les hommes sont indispensablement obligés. Le premier de ces devoirs, disaient-ils, lie toutes les créatures raisonnables au grand Etre des êtres par un respect & une vénération intérieure. Le second au Soleil par un amour & une reconnaissance accompagnée d'un respect & d'un culte extérieur, comme étant le Dieu particulier & le gouverneur du globe que nous habitons ; & le troisième à leur patrie ou pays natal où ils ont premièrement reçu la vie, la nourriture & l'éducation, ce qui oblige tous les hommes d'aimer le lieu de leur naissance & de le préférer à tout autre pays du monde. Ces trois choses sont aussi représentées dans leurs temples par le voile noir, par le globe lumineux & par la statue de la femme qui nourrit plusieurs enfants, qu'on voit dans le fond de leurs églises, au-dessus & à chaque côté de l'autel.

Les Sevarambes croient que le Soleil donne le mouvement à la terre & à toutes les planètes qui sont de sa province, & que tous ces orbes se meuvent concentriquement sur un cercle par la force des rayons qui émanent incessamment de son corps avec une grande rapidité & font tourner tous les corps qu'ils réchauffent & qu'ils éclairent, comme l'eau ou le vent font tourner une roue de moulin. Ils croient aussi que le Soleil est cause des vents & du flux & reflux de la mer. Ils croient que toutes les âmes, soit des hommes, soit des autres animaux, viennent du Soleil & qu'elles en sont les rayons les plus épurés avec la différence du plus et du moins. Parmi les grands esprits de cette nation, on est fort partagé touchant l'immortalité de l'âme, les uns y croyant & les autres n'y croyant pas. Mais parmi le peuple, tout le monde la croit immortelle, & c'est la religion de l'Etat, parce que c'était l'opinion de Sevarias, & qu'elle est plus plausible & plus agréable que l'autre. Ceux d'entre eux qui croient qu'elle soit matérielle, & qu'il n'y ait point d'être spirituel que le grand Dieu, disent qu'elle est immortelle de la même manière que le corps considéré dans la matière première qui peut bien changer de forme mais qui ne peut pas être anéantie. Toutefois, l'opinion commune est, qu'après cette vie, il y a des récompenses & des peines pour les bons & pour les méchants, & que les âmes des hommes, au sortir du corps, en vont occuper d'autres plus près ou plus loin du Soleil, selon le bien ou le mal qu'elles ont fait. On a tiré cette opinion de Sevarias, & l'on croit comme lui que l'âme des justes, après avoir passé en divers corps ou erré quelque temps dans les airs, soit dans l'orbe où nous sommes ou dans une des planètes, est enfin réincorporée au Soleil, dont elle n'est qu'un écoulement, & que là elle trouve son repos parfait & son entière félicité. Il s'en expliqua assez clairement avant sa mort, comme nous avons déjà fait voir, & ce qu'il en dit alors est généralement reçu comme une vérité incontestable. Pour l'âme des méchants, on croit qu'au sortir du corps elle en va occuper un autre dans des lieux plus éloignés de la face lumineuse du Soleil, & qu'elle est longtemps reléguée dans les pays froids parmi les neiges & les glaçons jusqu'à ce que venant à s'amender, elle approche toujours de ce bel astre où elle est enfin réincorporé quand elle a été purgée de ses vices & de sa corruption, comme celle des justes.

Ils croient aussi que l'âme des bêtes passe d'un corps à l'autre, mais ils ne croient pas, comme Pythagore, que l'âme d'un homme puisse passer dans le corps d'une bête, ni celle d'une bête dans le corps d'un homme ; ce qui fait que les Sevarambes ne font point de difficulté de tuer les bêtes pour se nourrir de leur chair.

Nous faisons ordinairement une distinction entre les animaux raisonnables & irraisonnables, mais ici on ne reconnaît point ce partage ;

car on croit que tous les animaux qui ne viennent que par la voie de la génération, & qu'on appelle des animaux parfaits, ont une certaine mesure de raison qui est plus grande ou plus petite, selon que leur âme est plus pure ou plus grossière. Ils croient que ces âmes émanent aussi du Soleil, mais qu'étant mêlées de l'air & des autres éléments, elles ne sont pas si pures ni si durables que celle des hommes, qui approchent plus qu'elles de la nature des esprits & qui, par conséquent, sont d'une consistance plus forte, & capables d'une plus longue durée. Les opinions sont fort partagées sur ce sujet; mais tous ne laissent pas de reconnaître que la religion de l'Etat est fort raisonnable, & personne ne fait difficulté d'assister aux assemblées publiques, aux sacrifices, aux hymnes & aux cantiques divers qu'on chante à la louange du Soleil.

Les seuls descendants de Giovanni, qui sont chrétiens, font secte à part, & n'y veulent point assister, car ils appellent idolâtrie ce que les autres nomment culte religieux. Ceux-ci sont en fort petit nombre & ne sont pas même fort bons chrétiens, car ils ont des opinions fort particulières & qui ne sont guère conformes aux dogmes de la sainte Eglise catholique.

Premièrement, ils ne croient pas que Jésus-Christ soit Dieu de sa nature mais seulement par assomption ou par association à la Divinité, & disent qu'avant qu'il eût pris la nature humaine pour travailler au mystère de notre rédemption, il n'était qu'un ange, mais le plus excellent de tous les anges, à qui Dieu avait donné toute plénitude de grâce, l'avait élu pour son fils, & choisi entre tous ses compagnons pour le faire l'instrument du salut des hommes & pour l'associer à son empire. Que pour cet effet, il lui avait donné verge de fer pour vaincre ses ennemis, pour abaisser la puissance de l'enfer & pour triompher avec ses élus du diable, du monde & de la chair. Mais il nient qu'il fut Dieu éternellement *a parte, ante*, comme on parle dans les écoles, & ils affirment que de sa propre nature il n'était qu'un ange créé; depuis qu'il s'est fait homme, selon eux, il est Dieu aussi par la volonté de Dieu, qui lui a donné toute puissance au ciel & en la terre, l'a adopté pour son fils d'une manière toute spéciale, & lui a dit de s'asseoir à sa droite, pour marque de l'autorité dont il l'a revêtue. Ainsi, ces pauvres hérétiques tâchent d'appuyer leur erreur par ces vains raisonnements & nient le très sacré mystère de la Trinité ou le conçoivent d'une manière fort différente de celle des bons catholiques; car, outre qu'ils nient la divinité éternelle du Fils de Dieu, ils disent que par le Saint-Esprit on ne doit entendre que l'accord qui est entre le Père & le Fils & la vertu qui procède de ces deux pour la régénération des fidèles, pour le soutien de l'Eglise & pour le gouvernement du monde. Quant au reste, ils croient presque tout ce que croit l'Eglise romaine, comme le purgatoire, la prière pour les morts, l'invocation des saints, le mérite des œuvres & plusieurs autres doctrines de l'Eglise catholique; mais ils ne croient pas au très sacré mystère du saint sacrement de l'autel, & disent que ce n'est qu'une cérémonie instituée par Jésus-Christ seulement pour nous faire souvenir du sacrifice de la croix & des promesses qu'il a faites à tous ceux qui croiraient en lui & qui tâcheraient de suivre le bon exemple qu'il a laissé aux hommes pour y régler leurs mœurs & y conformer leurs actions. C'est là le sentiment qu'ils ont de la sainte Eucharistie, en quoi, si je ne me trompe, ils sont semblables aux calvinistes & autres hérétiques que nous avons en Europe. Néanmoins, ils célèbrent extérieurement la messe à peu près de la même manière que nous, & ils ont retenu presque tous les ornements & les cérémonies de l'Eglise catholique & romaine. Ces chrétiens austraux, que du nom de leur fondateur nous pouvons appeler Giovannites, ont du moins cela de bon qu'ils honorent fort le pape, & disent unanimement qu'il est le plus grand de tous les évêques chrétiens & le vrai successeur de saint Pierre; mais ils disent aussi que tous les chrétiens ne sont pas obligés de lui obéir bien qu'il soit de leur devoir de le respecter. Quelques-uns assurent, néanmoins, qu'ils ne seraient pas fâchés de le reconnaître pour chef de leur Eglise, s'ils pouvaient tirer quelque assistance de lui pour l'agrandissement de leur secte dans les terres australes, mais qu'ils conçoivent que cela est presque impossible à cause du grand éloignement & à cause des lois des Sevarambes, qui ne veulent point diviser l'autorité en spirituelle & temporelle, comme les chrétiens, & qui ont uni ces deux jurisdictions en une seule personne. Le nombre des Giovannites n'est pas plus de dix ou douze cents dans toute la nation, & ils demeurent presque tous à Sevarinde dans une osmasie qu'on leur a donné pour y demeurer ensemble & pour prier Dieu à leur mode, sans trouble & sans inquiétude. Ils ont une espèce d'évêque & quelques prêtres sous lui qui font les fonctions de leur religion parmi eux; ils les honorent beaucoup & leur rendent des respects dignes de leurs offices. Ceux-ci sont les seuls qui fuient les assemblées & les sacrifices qu'on offre au Soleil, mais ils ne font point de scrupule d'assister à la fête du *Khodimbasion* parce que, disent-ils, elle est instituée en l'honneur du vrai Dieu.

Je demandai quelquefois aux prêtres giovannites s'ils n'avaient pas tâché de convertir quelques-uns des Sevarambes à la foi catholique. Ils me répondirent qu'ils l'avaient souvent tenté mais sans aucun fruit parce que ces peuples ont tant de zèle pour l'adoration du Soleil & s'appuient si fort sur la raison humaine qu'ils se moquent de tout ce que la foi nous enseigne, si elle n'est soutenue par la raison. Selon cette maxime, ils trouvent fort étranges les saints mystères de notre religion & traitent de ridicule tout ce qui surpasse leur entendement obscurci &

leur esprit ténébreux. Ils se moquent des miracles & disent qu'il n'y en peut avoir que par des causes naturelles, quoique les effets qu'elles produisent soient étonnants & passent pour des prodiges à notre égard. Mais, à l'égard de la nature, tout se fait dans un ordre réglé, selon les dispositions qui se trouvent dans les choses naturelles. Enfin, ces prêtres concluent que la conversion de ces pauvres infidèles était presque impossible, & que si Dieu ne faisait quelque grand miracle parmi eux pour confondre leur raisonnement & vaincre leur infidélité, il n'y avait pas lieu d'espérer qu'aucun d'eux voulût jamais embrasser la foi chrétienne. Ces mêmes prêtres ajoutent qu'ils savaient de Giovanni par tradition que, nonobstant la grande vénération que Sevarias avait pour le Soleil, il ne laissait pas de fort honorer Moïse & Jésus-Christ & de confesser que c'étaient du moins de grands hommes qui avaient laissé de belles lois & de beaux préceptes & tâché d'inspirer aux gens de leur temps l'amour & le culte du vrai Dieu pour les tirer de leur idolâtrie brutale. Il disait, de plus, que la morale de Jésus-Christ était excellente dans notre continent pour y corriger nos mœurs corrompues, & qu'elle semblait avoir quelque chose de divin en ce que, par l'espérance de la résurrection & plusieurs autres bonnes doctrines, elle tendait à une très bonne fin qui est d'adoucir la fierté des hommes, de vaincre leurs passions les plus farouches & d'établir parmi eux la piété, la justice, la tempérance & la charité. Mais il traitait la religion de Mahomet de profane & de sensuelle, & disait qu'elle portait à l'ignorance, au vice & à la cruauté; qu'elle avait pour principe la tyrannie, la persécution & l'infidélité, & que ceux qui en étaient les principaux possesseurs n'étaient qu'un corps ou une faction de gens avares, cruels & ambitieux qui se servaient du faux masque de la religion pour s'agrandir dans le monde, pour y gouverner les peuples ignorants comme s'ils étaient des bêtes, & pour en faire autant d'esclaves & d'instruments de leur avarice & de leur orgueil.

C'est ainsi que Sevarias parlait des mahométans & de leurs semblables, & il ne faut pas s'étonner car, outre les bonnes raisons qu'il avait en général de parler ainsi d'eux, il était porté particulièrement à les haïr parce qu'ils s'étaient emparés de la Perse, & que ses ancêtres et lui avaient longtemps fait sentir les effets de la tyrannie & de la cruauté qu'enseigne leur religion. Ils disaient, de plus, que Giovanni, leur fondateur, avait fait tous ses efforts pour lui persuader la religion chrétienne & la lui faire embrasser, mais qu'il n'en avait jamais pu venir à bout parce que son intérêt mondain & ses vains raisonnements s'étaient trouvés des obstacles insurmontables; qu'au reste, il était ennemi capital de l'idolâtrie païenne, qu'il traitait de ridicules toutes les fables des Grecs, & disait qu'ils avaient farci le culte du vrai Dieu qui, au commencement, était fort simple, de mille fictions extravagantes & de mille cérémonies vaines & superstitieuses qui choquaient en toute manière non seulement la vérité mais aussi le bon sens & la raison commune. Et c'est pour cette raison qu'il en défendit la lecture & le récit à ses successeurs & à ses peuples, estimant que cela ne ferait que corrompre les bonnes mœurs & remplir les esprits d'idées extravagantes.

Il appelait aussi fables & contes de vieille tout ce qu'on dit des lutins, des fées, des magiciens & des sorciers, & disait que ces opinions s'étaient établies parmi les hommes par les ruses & les finesses de quelques-uns qui, abusant de la crédulité & de l'ignorance des esprits faibles, leur avaient fait accroire toutes ces rêveries pour les captiver & dominer leurs consciences par la crainte de ces fantômes inventés à plaisir. Ses successeurs ont suivi ses sentiments, & dans toute cette nation on ne sait ce que c'est d'enchantements, de sortilèges ni d'apparitions. Néanmoins, ils en ont vu dans les nues car, du temps de Sevarokimpsas, on aperçut à Sporounde la figure de plusieurs vaisseaux qui représentaient une flotte, laquelle semblait aller à toutes voiles au milieu des airs. Cette apparition mit beaucoup de gens en cervelle & donna même de la crainte aux magistrats qui crurent que cela leur annonçait la venue de quelque armée navale qui pourrait ravager leurs côtes. Sur cette croyance, on fit marcher deux armées de Sevarambe à Sporombe & l'on fit équiper tous les vaisseaux qu'on put pour défendre le pays en cas qu'il fût attaqué par quelque nation étrangère ; mais après avoir usé pendant deux ans de cette précaution & vu qu'il n'arrivait rien de ce qu'on avait craint, on commença à ne plus craindre & à ne plus parler de cette apparition. Néanmoins, les savants, cherchant les causes naturelles d'un phénomène si étonnant, raisonnèrent longtemps là-dessus sans en pouvoir deviner la véritable cause, Vingt ans après, on vit encore une autre apparition de vaisseaux en l'air qui semblaient être agités de la tempête & dont on crut même en voir périr quelques-uns ; ce qui fournit un nouveau sujet d'étonnement & donna lieu aux gens de lettres de philosopher comme auparavant, mais ce fut avec aussi peu de lumière que la première fois. Enfin, comme on n'en parlait presque plus, il vint un vaisseau de Perse qui rapporta plusieurs jeunes hommes qui avaient été voyager dans notre continent & qui, dans leur passage, avaient été accueillis d'une tempête où ils avaient pensé périr, justement dans le temps qu'on avait vu l'apparition à Sporounde. Quelques-uns d'entre eux, ayant comparé le temps & la manière dont on racontait ce phénomène avec l'orage qu'ils avaient essuyé, & les navires de l'air avec une flotte de vaisseaux d'Europe qu'ils avaient rencontré sur la mer un peu avant la tempête, conclurent que ce qu'on avait vu dans le ciel n'était qu'une image de ce qui se passait alors sur l'océan, & que les objets inférieurs se peignent quelquefois dans les nues comme dans des miroirs qui, faisant une espèce de réfraction, portent les images qu'elles reçoivent dans quelque endroit de la terre opposé à l'angle de la lumière qui portait ces objets. Cette explication fut généralement reçue comme très vraisemblable & dissipa toutes les pensées mystérieuses qu'on avait eu sur ce sujet: de sorte que les Sevarambes ne craindront plus à l'avenir de pareilles apparitions, s'il en arrive à Sporombe ou ailleurs. Il est vrai que cette ville, étant située à une distance raisonnable de la mer dans un pays de plaines & au deçà des hautes montagnes de Sevarambe, semble être bien placée pour voir souvent de semblables spectacles & surtout depuis que les Hollandais & les autres nations de l'Europe font de si fréquentes navigations vers les Indes Orientales, vers la Chine & vers le Japon.

Il y a de l'apparence que tant d'apparitions d'armées combattantes qu'on a vu fort souvent en Europe, & où l'on distinguait de l'infanterie et de la cavalerie, des enseignes & des étandards, venaient de la même cause, & que dans le temps que les nues nous montraient toutes ces images, elles les recevaient de quelque autre endroit où étaient alors les véritables corps qu'elles représentaient en l'air. Chacun en croira ce qu'il lui plaira, pour moi, je pense que les Sevarambes ont du moins fait un jugement raisonnable sur cette matière, & qu'il n'y a pas tant de mystère que le commun peuple s'imagine. Mais, quoi que les Sevarambes ne croient plus rien de mystérieux dans ces apparitions, ils ne laissent pas de croire qu'il y ait au dessus de la basse région de l'air des substances aériennes que nous ne voyons pas parce qu'elles sont d'une matière si subtile que nos yeux grossiers ne les peuvent apercevoir. Il y a même à Sevarinde une secte de gens qui se vantent d'avoir eu du commerce avec les habitants des régions élémentaires, qu'ils disent être en très grand nombre, & qu'ils peuvent se rendre visibles par le moyen de l'air condensé qu'ils prennent dans la basse région & dont ils se font une espèce d'habit quand ils veulent se faire voir. Mais plusieurs traitent cette opinion de ridicule & de chimérique, & ceux qui la soutiennent pour gens qui ont l'imagination blessée ou qui veulent débiter leurs rêveries sous le prétexte de ce commerce prétendu. On dit même que le premier auteur de cette secte était descendu d'un des prêtres de Stroukaras, dont nous avons déjà parlé, qui par le moyen d'une pierre merveilleuse qu'il avait eue de père en fils, depuis cet insigne imposteur, se rendait le visage resplendissant comme s'il eût été irradié d'une lumière céleste. Il n'osa pas dire comme Stroukaras qu'il eût du commerce avec le Soleil parce que la religion que Sevarias avait établie était contraire à ses desseins, mais il dit qu'il conversait familièrement avec des peuples de la région élémentaire & qu'il était quelquefois transporté dans les airs où il goûtait avec eux des plaisirs infiniment plus doux que tous ceux qu'on goûte sur la terre. Pour donner du crédit à ses rêveries, il se servait, à l'exemple de Stroukaras, de cette pierre merveilleuse, & la mettait à la bouche, ce qui le plongait peu à peu dans un si grand assoupissement qu'il semblait être mort pendant une heure ou deux. Après cela, il s'éveilla, & à mesure qu'il ouvrait les yeux & qu'il se levait de terre, on voyait éclater sur son visage une lumière comme divine qui éblouissait tous ceux qui le regardaient, de sorte qu'ils ne pouvaient soutenir ses regards. Alors, il leur disait que son âme avait été transportée dans les airs parmi ces peuples élémentaires, où il avait joui de plaisirs inénarrables dans leur société. Par le moyen de cette pierre, il s'acquit une réputation de sainteté parmi ceux qui n'avaient pas encore tout à fait abandonné la religion de Stroukaras, & établit parmi eux l'opinion que plusieurs ont encore, qu'il y a des peuples élémentaires qui conversent quelquefois avec les hommes & qui sont d'une substance plus pure & plus spirituelle que la nôtre. Mais du temps de Sevaristas on découvrit cette fourbe: car comme cet imposteur était dans un profond assoupissement, un Sevarambe qui, pour découvrir la vérité, avait fait semblant d'être un grand zélateur de sa doctrine, aperçut la pierre qu'il avait à la bouche, la prit & l'emporta avec lui; après quoi, cet imposteur ne put plus exercer ces prestiges, & l'on trouva par expérience que la vertu secrète de cette pierre causait cet assoupissement puis cette lumière dans les yeux & sur le visage de tous ceux qui la mettaient à la bouche. On tient que Stroukaras s'en servit le premier & que, de là, il prit occasion de s'ériger premièrement en prophète & dans la suite d'aspirer à l'autorité suprême, à laquelle il parvint à la fin, comme nous ferons voir dans le troisième & dernier tome de cette seconde partie. Cependant, quoique l'imposture de celui qui s'en servait pour persuader à ses sectataires qu'il avait du commerce avec une nation céleste eût été découverte, elle ne laissa pas de conserver son crédit parmi eux, parce qu'ils avaient été remplis de cette croyance dès leur plus tendre jeunesse, & aussi parce qu'elle leur était agréable en ce qu'elle leur promettait une félicité éternelle parmi ces peuples élémentaires auxquels tous ceux qui auraient une vive foi devait être agrégés après leur trépas.

FIN

CONCLUSION
DE
L'HISTOIRE
DES
SEVARAMBES,

PEUPLES QUI HABITENT
une partie du troisiéme Continent,
communément appellé
LA TERRE AUSTRALE.

Contenant un conte exact du Gouvernement
des Mœurs, de la Religion, & du langage
de cette Nation, jusques aujourd'huy inconnuë aux Peuples de l'Europe.

SECONDE PARTIE.
Tome III.

A PARIS,

Chez l'Autheur, au bas de la ruë du Four proche le petit Marché,
Faux-bourg S. Germain, attenant un Boisselier.
Chez ETIENNE MICHALET, ruë Saint Jacques, à l'Image S. Paul
proche la Fontaine S. Severin. Et au Palais.

M. DC. LXXIX.
Avec Privilege du Roy.

HISTOIRE DES SEVARAMBES.

Lorsque Sevarias & ses Parsis arrivèrent aux terres australes, ils virent bien que les habitants de ce continent étaient adorateurs du Soleil, mais ils ne trouvèrent pas qu'ils fussent tous d'accord dans la manière de le servir. Au contraire, ils étaient divisés par des opinions différentes qui avaient été cause de longues guerres que les Stroukarambes avaient fait aux Prestarambes. Ces derniers se vantaient d'avoir retenu l'ancien culte du Soleil dans sa pureté, & accusaient les autres d'avoir innové & mêlé dans la religion les rêveries d'un faux prophète nommé des siens, Omigas, &, par eux, Stroukaras, c'est-à-dire, imposteur. Ils disaient que cet Omigas se vantait d'être fils du Soleil & qu'il avait séduit presque tous les habitants de ces pays à plus de cent lieues autour de Sevarinde. Selon le rapport des Prestarambes, il s'était attiré un renom de divinité par diverses ruses & par plusieurs faux miracles ; car comme il avait la connaissance de plusieurs simples, il en tirait des poisons fort subtils qui tuaient par le seul odorat ou par le seul attouchement &, par leur moyen, il se défaisait souvent de ceux qu'il trouvait contraires à ses desseins. Il avait aussi le secret de guérir quelques maladies, ce qui le rendait fort recommandable parmi ces peuples ignorants qui prenaient pour miracles de purs effets de la nature, & qui croyaient qu'il y eut en lui une vertu divine.

Mais entre tous les moyens dont il se servait pour autoriser ses impostures, celui de la pierre merveilleuse, dont nous avons parlé, était le plus efficace, & l'on dit qu'après l'avoir recouvrée, on ne sait de quelle manière, & après en avoir reconnu les vertus, il crut pouvoir s'en servir utilement pour persuader au peuple crédule qu'il avait du commerce avec le Soleil & que cet astre était son père. Plusieurs se laissaient d'autant plus facilement persuader à ses paroles, qu'ils croyaient qu'après avoir été pendant quelque temps dans un profond assoupissement, à son réveil son visage devenait si radieux que personne ne pouvait le regarder sans en être ébloui. Cette lumière faisait encore d'autant plus d'effet qu'il était fort bel homme & qu'il avait le don de bien parler & de dire les choses avec un air & une grâce qui charmait tous ceux qui l'écoutaient.

Par de telles & semblables ruses, cet imposteur s'acquit dans peu de temps beaucoup de réputation parmi la populace grossière qui le suivait partout & qui lui rendait une obéissance aveugle. Il subornait de temps en temps des gens qui contrefaisaient les aveugles & les boîteux & qui se disaient atteints de diverses maladies dont il prétendait les guérir au nom du Soleil. Et pour mieux se faire valoir parmi le peuple, il s'associa quelques-uns d'entre eux qui allaient parlant de ses miracles & de sa sainteté & qui ne manquaient pas d'exagérer toutes choses à son avantage. Plusieurs femmes le suivaient aussi car il était bel homme & il faisait dire à quelques-unes qu'il avait corrompues qu'il parlait familièrement avec le Soleil du sommet d'une haute montagne où il allait quelquefois passer des mois entiers. Là il se faisait porter des fruits & des viandes par des oiseaux qu'il avait instruits & que quelques-uns de ses disciples lui envoyaient de temps en temps.

Quand par tous ces artifices il se fut acquis une haute réputation parmi le peuple, il leur fit accroire que le Soleil lui avait commandé de se retirer dans un lieu sacré pour lui offrir journellement des sacrifices en reconnaissance de tant de bienfaits qu'il répandait tous les jours sur les hommes.

Pour cet effet, il choisit un bois toujours vert dans le fond d'une vallée qui était fort à l'abri du mauvais temps & au travers de laquelle on ne pouvait passer à cause d'une montagne raide qui en faisait une espèce de cul-de-sac. Là, dans un bocage épais & autour d'un arbre d'une prodigieuse grandeur, d'une longue durée, & dont il ne se trouve que peu dans le pays, il fit une espèce de temple de bois & l'environna d'une triple palissade pour en défendre l'accès. Il s'y logea ensuite avec ses principaux amis se servant de leur ministère & ne se montrant que rarement au peuple pour se rendre par là plus vénérable & plus respecté. Dans ce temple, ou aux environs, il faisait faire tous les jours des sacrifices au Soleil & y recevait les offrandes qu'on lui portait de tous côtés, par le moyen desquelles lui & ses associés vivaient à leur aise sans peine & sans souci, étant respectés de tout le monde & leur faisant accroire ce qu'ils voulaient.

Il y a dans ce pays une espèce d'aigle, couvert d'un plumage jaune &, qu'à cause de sa couleur, on appelle, *Erimfroda*, c'est-à-dire, l'oiseau du Soleil. Stroukaras & ses compagnons trouvèrent le moyen d'en apprivoiser plusieurs dans leur bocage où personne n'osait entrer sans leur permission, & de là il les lâchait souvent à la vue du peuple qui les voyant voler dans les nues à perte de vue, comme c'est la coutume de ces oiseaux, & puis revenir dans le bocage, crurent facilement que ces animaux allaient porter les messages de Stroukaras au Soleil & venaient lui en apporter les ordres & les commandements. Cependant, ses ministres faisaient valoir cette croyance tant qu'ils pouvaient, & confirmaient le peuple dans l'opinion que le Soleil tenait un commerce fréquent avec son fils par le moyen de ces oiseaux. Ils leur dirent de plus qu'ils avaient ordre de leur déclarer de la part de ce bel astre que le lieu où était son temple & tous les environs étaient sacrés, que de peur que quelque impie ne vint à profaner ce lieu saint, il était nécessaire d'y tenir nuit & jour des gardes armés tout alentour, & qu'il fallait que ces gardes y fussent entretenus aux dépens de la nation, qui tenait du Soleil & la vie & tous les biens nécessaires pour la conserver. On leur accorda bientôt cela, si bien que Stroukaras, ayant fait choix d'un bon nombre d'hommes propres à ses desseins, il en fit autant de gardes ou satellites de sa demeure & de sa personne & se fit considérer par les armes aussi bien que par la religion. Il était grand observateur des temps & des saisons, & prédisait souvent la tempête & l'orage quand il approchait, comme aussi les pluies & le beau temps, les bonnes & les mauvaises années. Quelque temps avant qu'une sécheresse, qui gâta tous les fruits, arrivât, il la prédit au peuple & leur fit accroire que le ciel les châtiait en cela, parce que plusieurs d'entre eux ne voulaient pas se soumettre aux ordres qu'il leur donnait de la part du Soleil. En effet, il y avait plusieurs personnes discrètes dans la nation, & surtout les principaux du peuple, qui connaissaient ses fourbes & qui ne voulaient nullement céder à ses ordres ni recevoir les superstitions qu'il voulait fourrer dans la religion. Toutefois, ils n'osaient s'y opposer ouvertement à cause du peuple que cet imposteur avait ensorcelé par ses artifices & ses faux miracles.

Par malheur, sa prédiction vint à s'accomplir, & la sécheresse perdit tous les fruits de la terre, ce qui lui attira de plus en plus l'admiration du peuple, qui crut fermement que la désobéissance des principaux avait attiré ce châtiment du ciel sur la nation. Stroukaras ne laissa pas échapper cette occasion de ruiner ses ennemis &, pour cet effet, il fit accroire à ceux qui favorisaient son parti que s'ils ne chassaient loin d'eux les rebelles & les impies, ils sentiraient de plus en plus le courroux de son père qui était irrité contre eux & qui brûlerait tous les ans les fruits, l'herbe & les grains dont ils tiraient leur nourriture & celle de leurs enfants.

La populace crédule se laissa remplir de cette croyance &, s'irritant contre les impies prétendus, offrit à Stroukaras de les bannir pour jamais du pays s'il voulait les nommer & les leur faire connaître.

Alors il leur nomma les principaux de la nation qui lui étaient les plus opposés, les accusa d'être la cause de tous les maux que le peuple souffrait, & leur dit que s'ils ne se repentaient ou ne s'éloignaient du pays, ils attireraient sur la nation des calamités beaucoup plus grandes. Ceux-ci tâchèrent de se justifier devant le peuple, firent voir qu'ils avaient suivi les traces de leurs ancêtres, & dans la religion & dans les bonnes mœurs, sans y avoir rien changé, & que s'ils n'avaient pas voulu recevoir les innovations de Stroukaras, ce n'était que parce qu'ils n'avaient pas cru le devoir faire. Qu'il ne leur paraissait point qu'il eût aucune autorité légitime pour changer les maximes de leurs pères & mêler ses nouvelles doctrines dans la religion des anciens. Que néanmoins, s'il pouvait leur faire paraître son autorité, ils s'y soumettraient comme les autres, dès qu'ils seraient convaincus qu'elle était légitime & qu'il était fils du Soleil. Ces raisons arrêtèrent pour un temps la furie du peuple, & quelques-uns d'entre eux représentèrent à Stroukaras qu'il était de la justice de les écouter avant de bannir des gens si considérables de leur patrie, & s'ils s'obstinaient dans leur incrédulité, après qu'il leur aurait fait paraître par ses miracles qu'il avait une autorité légitime, qu'alors il pourrait les chasser du pays avec justice. Stroukaras écouta cette proposition, sembla l'approuver & répondit que dans une affaire de cette importance il ne pouvait pas donner de réponse positive sans premièrement consulter la volonté de son père qui faisait la règle de toute ses actions. Que pour s'en instruire il lui offrirait un sacrifice tout extraordinaire & lui enverrait ses messagers volants qui lui rapporteraient les ordres de ce grand astre & lui diraient de sa part de quelle manière il se devait conduire dans cette occasion. Cette réponse satisfit tout le monde & calma les esprits pour quelque temps, ou du moins suspendit les effets de leur rage. A quelques jours de là, Stroukaras fit un sacrifice solennel devant tout le peuple &, en leur présence, il envoya ses oiseaux au Soleil & leur commanda de revenir du ciel le plus tôt qu'ils pourraient lui annoncer la volonté de son père. Ces oiseaux, selon leur coutume, prirent leur essor vers le Soleil & montèrent dans l'air jusqu'à ce qu'on les eût perdus de vue. Ils revinrent quelques heures après, en présence de tout le monde, & s'allèrent poser sur les épaules de Stroukaras qui les porta dans son temple, comme pour écouter en secret ce qu'ils avaient à lui dire de la part de son père. Il en sortit quelque temps après, & vint dire au peuple qui attendait sa réponse en grande dévotion, que le Soleil lui avait commandé de leur dire que, si dans vingt jours les personnes accusées venaient dans le bocage, elles seraient reçues à dire leurs raisons, & que, si elles ne pouvaient pas demeurer d'accord avec lui de son autorité légitime, il la confirmerait par un nouveau miracle de les convaincre, s'ils ne s'obstinaient volontairement à rejeter les témoignages du ciel. Cette proposition, quoique suspecte, fut reçue de ceux à qui elle était faite, parce que tout le monde la trouvait raisonnable & qu'ils ne la pouvaient refuser sans s'exposer à la furie du peuple : si bien qu'ils promirent de se trouver au temps & au lieu assigné pour examiner les raisons & les preuves que Stroukaras devait donner de son autorité prétendue.

Cependant, cet imposteur fit creuser une grande fosse dans son bocage &, quand elle fut faite, il y fit jeter des matières combustibles & puis la fit couvrir si adroitement qu'il ne paraissait pas qu'on eût remué la terre dans cet endroit. Ensuite, il fit faire une large feuillée par dessus qui couvrait non seulement cette fosse mais aussi une bonne portion de terre ferme tout auprès. Il y fit mettre des sièges pour y faire asseoir toutes les personnes qui devaient être de l'assemblée & en fit poser la moitié sur la fosse & l'autre moitié sur la terre ferme, laissant un espace entre deux. Il avait si bien ajusté toutes choses que l'on pouvait, par un chemin pratiqué du dehors jusqu'à la fosse, allumer les matières combustibles qu'il y avait fait mettre &, en tirant une cheville, faire abîmer la terre dont elle était couverte. Quand le jour dont on était convenu fut arrivé, les personnes qui devaient composer l'assemblée ne manquèrent pas de se trouver au bocage, & Stroukaras les fit mener sous la feuillée qu'il avait fait faire pour les recevoir, & fit asseoir ceux de son parti sur les sièges qui étaient posés sur le ferme, & ses adversaires sur ceux qu'on avait arrangés sur la fosse. Lorsqu'il sut que tout le monde était assis & qu'on n'attendait que lui, il alla trouver l'assemblée & commença la conférence avec ceux qui s'opposaient à sa doctrine. Chacun dit librement ses raisons, toutes choses furent débattues de l'un & de l'autre côté avec beaucoup d'ardeur, & Stroukaras mit toute son éloquence en usage pour persuader ses adversaires qu'il était fils du Soleil & que la doctrine qu'il avait prêchée & les miracles qu'il avait faits étaient des purs effets de l'obéissance qu'il rendait aux ordres sacrés de ce grand astre. Mais comme le parti contraire persistait dans son incrédulité & demandait des témoignages assurés de l'autorité dont il se vantait, alors il se leva sur ses pieds &, haussant les bras vers le ciel, il pria le Soleil son père de faire un miracle qui prouvât la vérité de ses paroles, & qu'il fit ouvrir la terre pour l'engloutir s'il avait rien avancé de faux ou qu'il punît de la même manière ceux qui s'opposaient à la doctrine céleste qu'il lui avait commandé de prêcher à son peuple. Aussitôt qu'il eut achevé de prononcer cette imprécation, ceux qui avaient le signal firent abîmer dans la fosse profonde les innocents infortunés qui étaient assis dessus, & l'on en vit sortir incontinent après une épaisse fumée qui fut suivie de flammes dont toute la feuillée & le bois qu'on avait mis dessus furent embrasés. Ainsi, par cette ruse détestable, Stroukaras fit périr les principaux de ses ennemis & s'établit plus que jamais dans l'esprit du peuple par ce miracle prétendu. Néanmoins, il y en eut plusieurs que cette imposture ne fut pas capable de convaincre & qui persistèrent dans leurs premiers sentiments. Il en fit massacrer un grand nombre mais, craignant que ses cruautés ne le fissent enfin haïr autant qu'elles le faisaient craindre, il fit publier que ceux qui ne voudraient pas se soumettre à la volonté de son père, selon qu'il la leur déclarait, eussent à se retirer au-delà des montagnes qui séparent la Sevarambe de Sporombe. Il y eut grand nombre de peuple qui aima mieux prendre ce parti que de changer leur religion ; & ainsi ces pauvres innocents furent contraints d'abandonner leur patrie ou de se voir cruellement massacrés. Après cela, cet imposteur, ne trouvant personne qui osât lui résister, redoubla ses gardes & se fit ensuite déclarer chef de toute la nation qui de son nom fut appelée la nation des Omigarambes jusqu'au temps de Sevarias. Quand il se vit à la tête de ces peuples, qu'il avait enchantés par ses prestiges, il ne crut pas les pouvoir gouverner en sûreté tant qu'ils auraient du commerce avec ceux qui ne voulaient pas se soumettre à lui, & qui pour la plupart avaient passé les monts & s'étaient retirés, comme nous venons de dire, dans le pays que présentement on nomme Sporombe, qui s'étend le long des côtes de l'océan vers le septentrion & vers l'orient.

Il persuada donc à ses sujets de leur faire la guerre pour les engager dans des haines & dans des inimitiés éternelles. Les autres, se voyant attaqués, songèrent à se défendre &, pour cet effet, choisirent parmi eux un brave homme, nommé Prestar, qu'ils firent leur capitaine général, le nommèrent Prestaras, & de son nom s'appelèrent Prestarambes. Celui-ci, étant homme habile & vigoureux, défendit ses nouveaux sujets contre leurs ennemis & les repoussa diverses fois au-delà des montagnes, avec grande perte de leurs gens, ce qui augmenta de plus en plus la haine de ces peuples contre les autres & les rendit ennemis irréconciliables.

Cependant, Stroukaras régnait absolument, faisait accroire tout ce qu'il voulait à ses sujets & leur persuadait par ses artifices & ses faux prodiges qu'il était fils du Soleil & le seul interprète de ses volontés.

Cela lui attira une opinion de divinité &, même avant sa mort, on commença de lui adresser des vœux, comme à la seule personne au moyen de laquelle on pouvait obtenir la faveur du ciel. Il ne se montrait plus au peuple &, depuis que l'âge eut terni sa beauté & affaibli son corps, il ne leur parlait que par ses ministres. Enfin, après avoir longtemps régné, quand il se sentit vieux & cassé & vit qu'il n'avait pas longtemps à vivre, il fit courir le bruit qu'il devait bientôt monter au Soleil, son père, & qu'il ne converserait plus visiblement avec ses sujets ; que néanmoins il ne laisserait pas de venir souvent au temple du bocage & que là, il leur déclarerait la volonté de son père & leur donnerait des témoignages du soin perpétuel qu'il voulait prendre de ceux qui auraient recours à lui. Que cependant, pour suppléer à son absence, il leur donnerait son fils & ses ministres pour les commander jusqu'à ce qu'il les eût plus pleinement instruit de sa volonté.

Peu de temps après que ces discours eurent couru parmi les peuples, & les eurent préparés à la soumission, il leur donna son fils qu'ils reçurent pour leur chef, après lui avoir témoigné le regret & la douleur que leur causait son éloignement, mais il les consola par l'espérance d'un prompt retour.

Cependant, il ordonna à son fils & à ses disciples de creuser le grand arbre qui était au milieu du bocage & d'y ensevelir son corps; peu de jours après, il rendit l'âme, mais on ne fit pas savoir sa mort ni son départ au peuple jusqu'à un certain jour qu'il fit des éclairs & des tonnerres épouvantables. L'on prit ce temps-là pour faire accroire à ses sujets que Stroukaras était monté au ciel mais qu'il en descendrait de temps en temps, comme il avait promis, pour leur déclarer la volonté du Soleil son père. Dès ce temps-là on le révéra comme un dieu, on lui offrit des sacrifices, & lorsqu'on trouvait quelque grande difficulté, soit dans la religion ou dans le gouvernement de l'Etat, on le priait de descendre du ciel pour déclarer la voie qu'on devait prendre. Pour cet effet, on faisait entrer un prêtre dans le grand arbre creux, et de là ce prêtre répondait comme un oracle à toutes les demandes qu'on lui faisait, comme si c'eût été Stroukaras.

S'il y avait quelque belle fille dans la nation, les prêtres ne manquaient pas de la demander & de faire accroire à ses parents que le fils du Soleil avait jeté ses regards favorables sur elle; pour la rendre un vaisseau de sainteté, il daignerait bien descendre du ciel pour s'unir à elle & cueillir la première fleur de sa jeunesse (car c'est ainsi qu'ils s'exprimaient). Ils ajoutaient que si la fille & ses parents avaient une véritable foi, & que s'ils recevaient cet honneur éclatant avec tout le respect & toute l'humilité convenable en une telle occasion, le divin Stroukaras ne manquerait pas de remplir la vierge d'un fruit sacré qui porterait la bénédiction du ciel à toute la famille. Que si cette vierge ainsi sanctifiée enfantait un garçon, il serait l'un des prêtres qui offrent des sacrifices au bel astre du jour; & que si, au contraire, elle concevait une fille, cette fille serait sainte, & l'homme qui l'épouserait, quand elle serait parvenue à l'état du mariage, se pourrait vanter d'être gendre du divin Stroukaras & petit-fils du Soleil. Qu'une alliance si illustre serait accompagnée de plusieurs autres avantages, outre le suprême bonheur qu'aurait la fille de se voir unie à un dieu. Le peuple crédule & superstitieux ajoutait facilement foi à toutes ces belles promesses, & il n'y avait point de pères ni de mères qui ne s'estimassent heureux d'avoir mis au monde une fille dont la beauté aurait pu plaire au divin fils du Soleil. Cette persuasion faisait que de tous les endroits du pays on menait au temple du bocage les plus belles filles qu'on pouvait trouver pour les offrir & les consacrer à Stroukaras. Quand les prêtres prenaient une de ces filles, il lui faisaient quitter ses habits profanes pour lui en donner de sacrés, après qu'elle avait été lavée dans un bain composé de plusieurs herbes aromatiques. La veille du jour où Stroukaras devait la visiter, on faisait des sacrifices & on chantait divers cantiques afin qu'il descendît du ciel & qu'il vint prendre possession de l'humble & sainte pucelle qui lui avait consacré sa virginité. Après toutes ces cérémonies, on laissait la fille toute seule avec un vieux prêtre qui lui faisait quitter tous ces habits & lui enseignait à faire cent postures lascives devant l'autel pour solliciter Stroukaras de la venir voir & prendre possession de sa personne. Pendant toutes ces cérémonies impures, les autres prêtres, qui s'étaient retirés pour la laisser seule avec son vieux directeur, s'allaient cacher derrière des jalousies d'où ils pouvaient voir par tout le temple sans être vus, & ils satisfaisaient leurs yeux impudiques par la vue de cette personne. Ensuite, ils jetaient au sort entre eux à qui en jouirait le premier et, lorsque les ténèbres de la nuit étaient venues, on menait la fille dans un lieu obscur, fait pour cet usage, où l'on lui commandait de se coucher sur un lit & d'y attendre avec grande dévotion la venue de son céleste amant. Quelque temps après, on faisait paraître comme des éclairs qui lui frappaient les yeux & qui lui inspiraient du respect & de l'étonnement. Ces éclairs étaient suivis d'un tonnerre artificiel que l'on faisait gronder pour la remplir de crainte & d'admiration, & elle ne manquait pas de prendre tous ces artifices pour autant d'avant-coureurs de l'arrivée de son glorieux amant. Néanmoins, il venait vers elle dans l'obscurité, après s'être bien parfumé, & unissait ainsi sa fausse divinité à la véritable humanité de cette crédule & dévote vierge. Ensuite, on la gardait de cette manière jusqu'à ce qu'elle fût enceinte, & puis on la rendait à ses parents qui la recevaient avec beaucoup de respect & d'humilité.

Ces sales pratiques s'exercèrent parmi ces peuples ensorcelés jusqu'à ce que Sevarias leur eût fait connaître les impostures de Stroukaras & celles de ses sacrificateurs; mais ceux qu'il ne soumit pas à sa puissance retiennent encore aujourd'hui ces coutumes abominables.

A cette imposture inventée pour satisfaire leur concupiscence, ces prêtres en ajoutaient une autre pour exercer leur cruauté contre ceux qui les désobligeaient ou dont les lumières leur étaient suspectes. Ils demandaient ces misérables de la part de Stroukaras pour être immolés à la colère du Soleil, lorsque les péchés du peuple l'avaient irrité contre eux, comme ils leur faisaient accroire, & l'unique moyen (selon leur dire) d'apaiser le courroux de cet astre était d'égorger ces malheureux pour laver dans leur sang les crimes de la nation & pour se conserver la faveur de Stroukaras.

Le fils de cet imposteur régna quelques années après lui, mais venant à mourir d'une mort subite, il n'eut pas le temps de nommer un successeur. Cela mit les prêtres dans une étrange division, & faillit les perdre tous parce qu'ils ne pouvaient s'accorder touchant la succession. Néanmoins, comme ils demeuraient dans un lieu où personne qu'eux n'osait entrer, ils tinrent la chose cachée jusqu'à ce qu'ils fussent tombés d'accord. Il y avait deux principales factions parmi eux, & les deux prêtres les plus autorisés étaient à leur tête. Tous les autres partis cédèrent à ces deux-là, & les uns se rangeant à l'un, & les autres à l'autre, ils se trouvèrent également partagés & s'opiniâtrèrent si fort, chacun à soutenir son propre parti, qu'il fut impossible de faire en sorte que l'un cédât à l'autre en la moindre chose du monde. Enfin, après plusieurs contestations, ils convinrent de se séparer, de faire un nouveau temple dans quelque endroit du pays, & de décider par le sort lequel des deux partis quitterait la vieille demeure pour aller habiter la nouvelle, & y établir le culte & la religion de la même manière qu'il était déjà établi dans le vieux bocage. Ayant donc vidé leur différend par cette voie, ils firent accroire au peuple que Stroukaras, pour leur commodité & pour les soulager du long chemin que plusieurs d'entre eux avaient à faire de leurs demeures jusqu'au temple, avait ordonné qu'on lui en ferait un nouveau dans un autre endroit qu'il avait choisi pour cet effet, & que là il leur rendrait ses oracles tout de même qu'au premier. Ils choisirent donc un autre bois où ils avaient trouvé un grand arbre de la même espèce que celui dont nous avons déjà parlé, & lorsqu'ils y eurent bâti un temple & qu'ils l'eurent environné de trois fortes palissades, ils y transférèrent la moitié de leur clergé. Dès qu'ils y furent établis, ils y offrirent des sacrifices & s'y gouvernèrent de la même manière qu'ils faisaient au vieux bocage, & Stroukaras y venait rendre ses oracles, tout comme il faisait à l'autre temple avant cette séparation.

Depuis ce temps-là, ces temples se multiplièrent beaucoup, & Stroukaras se trouvait à tous, tout à la fois, & rendait des réponses en un même moment dans plusieurs endroits différents & fort éloignés les uns des autres, sans que personne trouvât cela étrange, ou du moins en osât parler parce qu'il était dangereux, & que la funeste expérience de plusieurs avait fait voir qu'il valait mieux se taire que de s'opposer à des abus déjà autorisés par le temps, la coutume & de faux prodiges.

Sur ce sujet, je dirai ici une histoire remarquable que les Sevarambes savent par tradition & dont ils ont exactement conservé la mémoire. Ils disent qu'après la mort de Stroukaras, ses successeurs, pour faire valoir sa religion & la rendre plus vénérable, la confirmaient de temps en temps par de faux miracles & par de nouvelles cérémonies, se servant de toutes les ruses dont ils se pouvaient aviser pour donner du crédit à leurs innovations superstitieuses. Cela parut principalement en la personne d'un certain personnage, nommé Sugnimas, qui se vantait d'avoir quelquefois du commerce avec Stroukaras & d'avoir reçu de lui le don de prophétiser & de faire des miracles. Il n'était pas prêtre mais il était secrètement envoyé des sacrificateurs du temple du bocage qui l'avaient suborné de longue main pour faire accroire au peuple qu'il conversait familièrement avec le fils du Soleil & qu'il recevait de lui la vertu de faire des choses au-dessus des forces de la nature. Et comme lui et ceux qui l'avaient envoyé faisaient des observations fort exactes sur le temps & les saisons à l'exemple de Stroukaras, il prédisait souvent les orages & le beau temps, les bonnes ou mauvaises récoltes. Quelquefois, il faisait sécher les arbres fruitiers de ceux qu'il soupçonnait de ne pas favoriser sa doctrine, & disait devant tout le peuple: « Si j'annonce la vérité, que les arbres d'un tel sèchent dans trois jours; & si je prêche le mensonge, que je puisse sécher moi-même pour la punition de mon forfait ». Mais avant de prononcer cette imprécation, il était assuré que ces arbres sécheraient par le moyen d'une eau minérale qu'il avait déjà fait répandre au pied des arbres qu'il voulait ainsi priver de leur vigueur & de leur verdure. Si bien que l'effet suivait toujours ses paroles au grand étonnement de la populace crédule & superstitieuse.

Il se servait aussi d'une eau grâce à laquelle il se rendait le corps incombustible; lorsqu'il s'en était bien frotté, il marchait hardiment sur les charbons ardents & passait au travers des flammes sans courir aucun risque de se brûler. On trouva par expérience qu'il tirait cette eau de certains serpents qui sont en fort grand nombre au pied d'un rocher escarpé, tourné vers le midi dans les montagnes de Sporombe. Ces animaux, qui sont d'une nature extrêmement froide, se rassemblent à cet endroit à cause de la grande chaleur que la réverbération du soleil y fait contre ces rochers qui sont creux & unis & qui sont à peu près de la forme d'un miroir concave. Ce Sugnimas, ayant observé que ces serpents aimaient extrêmement la chaleur, voulut éprouver s'ils pourraient vivre dans le feu, ce qui réussit selon sa pensée. Après la première épreuve, il alluma un grand bûcher dans l'endroit où il avait remarqué qu'il y avait le plus de ces animaux, & vit, non sans étonnement, que tous ceux qui sentaient la chaleur du feu y venaient de tous côtés, se traînaient avec plaisir sur les charbons ardents, & bien loin de s'y brûler, ils y acquéraient de nouvelles forces. Or ces animaux n'étant point venimeux ni malfaisants, il les prenait facilement à la main sans en recevoir aucun dommage; il lui vint dans la pensée d'éprouver si leur graisse n'aurait pas la vertu de rendre le bois incombustible. Il en tua donc quelques-uns & en frotta de petits bâtons qu'il jeta ensuite au feu & vit qu'ils ne brûlaient non plus qu'une pierre. Après cette expérience, il en fit sur des créatures vivantes & enfin sur lui-même, & trouva que toutes les matières qu'il frottait avec soin de l'eau ou de la graisse qu'il tirait de ces serpents devenait impénétrable à l'activité du feu. Il tint cette découverte fort secrète & n'en parla qu'aux prêtres du bocage qui voulurent s'en servir comme d'un prodige pour confirmer de plus en plus la religion de Stroukaras & l'autorité qu'ils s'étaient acquise sur le peuple crédule. Ils gagnèrent donc Sugnimas, lui firent part de leur abondance & de leurs plaisirs, & se servirent de son ministère pour faire de nouveaux miracles parmi le peuple, ce qui leur réussit en diverses occasions.

Mais comme les choses les plus cachées se découvrent à la fin, le secret de Sugnimas fut découvert par un jeune homme qui avait du commerce avec sa femme; elle était irritée qu'il la négligeait pour se divertir avec d'autres dans le temple du bocage, & crut pouvoir lui rendre la pareille & prendre souvent avec un amant le plaisir qu'elle n'avait que rarement avec son mari. Le jeune homme dont elle fit choix était de ces familles qui ne croyaient nullement aux innovations de Stroukaras, bien que pour éviter les malheurs des Prestarambes, elles eussent fait semblant d'approuver ses impostures. Il gagna si bien le cœur de cette femme qu'elle lui découvrit tous les secrets de son mari, le commerce qu'il avait avec les prêtres & les moyens dont il servait pour faire ses miracles & surtout celui de passer par le feu sans se brûler. Ce jeune homme en fit des épreuves & trouva que sa maîtresse ne l'avait point trompé & qu'il pourrait, par les moyens qu'elle lui avait enseignés, faire autant de prodiges que Sugnimas & décrier les impostures de ce faux prophète devant tout le monde quand quelque occasion favorable s'en présenterait.

Il s'en présenta une, peu de temps après, où cet imposteur devait, devant tout le peuple en un jour de solennité, se vautrer dans un brasier pour autoriser une nouvelle cérémonie que les prêtres du bocage avaient établie. Toutes choses étant donc préparées, Sugnimas, après avoir publiquement fait l'éloge du divin Stroukaras & imploré son assistance, souhaita qu'il pût être réduit en cendres dans le brasier où il s'allait jeter, s'il avait rien avancé au peuple de contraire à la vérité & au culte qu'on devait rendre au Soleil & à son fils. Après cela, il se précipita dans les flammes & en sortit aussi sain qu'il y était entré, non sans causer une certaine admiration & un respect extrême dans l'esprit des assistants, à la réserve du jeune homme qui connaissait son imposture, & de deux ou trois de ses amis auxquels il l'avait découverte. Il s'était frotté de l'eau qu'il avait tirée de ces serpents & en avait fait faire de même à ses compagnons pour pouvoir d'autant plus facilement convaincre Sugnimas d'imposture. Quand ce fourbe eut achevé son miracle, le jeune homme, s'avançant vers lui, demanda audience & souhaita d'être paisiblement écouté de tout le peuple ; ce qu'ayant obtenu, il parla à peu près de cette manière.

> Tu viens, ô Sugnimas, de faire un grand miracle pour autoriser la doctrine de Stroukaras, & tu te vantes d'avoir reçu de lui cette vertu surnaturelle. Je te demande si tu es le seul qui l'ait reçue de sa bonté ou s'il a communiqué cette grâce à d'autres aussi bien qu'à toi ?

L'imposteur, qui croyait avoir seul le secret de faire ce prodige, & qui ne prévoyait nullement l'affront éclatant qu'on lui préparait, répondit hardiment qu'il était le seul à qui le divin Stroukaras avait donné la vertu de passer par le feu sans se brûler pour confirmer par ce signe miraculeux la vérité de sa doctrine. « Et si d'autres aussi bien que toi, lui répliqua le jeune homme, faisaient ce prodige pour faire que ta doctrine est fausse & que tu n'es qu'un imposteur, tout ce peuple que tu fascines n'aurait-il pas juste raison de croire que tous tes miracles sont des impostures & que ta doctrine n'est inventée que pour le séduire & le détourner du vrai culte du Soleil que toi & tes semblables ont farci de mille superstitions ? »

Sugnimas fut surpris de cette demande mais, comme il fallait répondre & qu'il ne craignait pas qu'on eût découvert son secret, il répondit sans s'ébranler & dit qu'à la vérité on aurait juste sujet de douter de ses miracles & de sa doctrine si d'autres que lui les pouvaient exercer pour une fin contraire à la sienne, mais qu'il ne croyait pas que cela fût possible & qu'il en défiait tous les hommes du monde. Alors le jeune homme, mettant bas ses habits, dit à haute voix qu'il allait faire voir à tout le monde que Sugnimas était un faux prophète, un fourbe & un imposteur, & qu'il souhaitait, si son témoignage n'était pas vrai, que le feu ardent où il s'allait jeter le pût réduire en cendres. Dès qu'il eut prononcé ces paroles, il se précipita dans les flammes, se vautra longtemps dans le brasier & en sortit enfin sans aucune brûlure ni aucun mal, au grand étonnement de tout le peuple & à la confusion de Sugnimas. Pour le rendre encore plus confus, il lui proposa de choisir sur le champ un des siens pour faire la même épreuve, offrant d'en faire autant de son côté ou qu'il confessât publiquement son imposture. Il ne répondit rien à ce discours, & le jeune homme, voyant qu'il avait la bouche close, dit tout haut qu'on pouvait facilement connaître par le silence de cet imposteur que son crime l'occupait, & que, pour l'en convaincre encore plus clairement, il ferait exercer le prodige qu'on venait de voir à deux ou trois personnes de la compagnie. Pour cet effet, il appela trois de ses compagnons dont les corps étaient préparés comme le sien, & leur dit de se jeter dans le feu ; ce qu'ils firent, l'un après l'autre, en présence de tout le peuple.

Cette aventure mit Sugnimas dans une espèce de désespoir & donna infiniment de chagrin aux prêtres du bocage qui, sachant que plusieurs du peuple commençaient à douter de leurs miracles & qu'ils en murmuraient assez ouvertement, crurent qu'ils perdraient tout leur crédit s'ils ne réparaient leur réputation par quelque coup d'adresse fatal à leurs adversaires. Ils consultèrent donc entre eux & trouvèrent enfin un moyen pour s'en venger & pour rétablir leurs affaires.

Le bocage où Stroukaras bâtit son temple est vers le fond d'un long vallon que forment certains rochers fort hauts & fort escarpés qui vont toujours en s'élargissant vers la plaine ; c'est cette vallée agréable où règne un printemps éternel que Stroukaras choisit entre tous les lieux du pays pour y faire sa demeure & y exercer sa nouvelle religion. Ce vallon se rétrécit peu à peu quand on monte vers les montagnes, & finit au pied d'un grand rocher qui s'élève en forme de coquille & du pied duquel sort un très grand nombre de grosses sources. A deux cents pas du rocher, dans l'endroit où se fait l'assemblage de toutes ces eaux, il se forme une espèce de rivière qui coupe le vallon en deux, & l'arrosant de temps en temps quand elle déborde, elle y entretient une abondance prodigieuse de toutes sortes de fruits & une verdure perpétuelle. Le temple est situé environ cent pas au-dessous du lieu où se fait l'assemblage de ces eaux, sur un terrain assez élevé où croissent plusieurs arbres qui forment un bocage épais, aussi agréable qu'on puisse voir.

Au commencement, Stroukaras se contenta d'environner ce bocage d'une triple palissade, mais depuis, on en a tiré une semblable tout au travers du vallon, d'un rocher à l'autre, pour en fermer tout à fait le bout d'en-haut & en défendre l'accès au peuple. Ainsi les prêtres jouissaient seuls de tout le terrain de la vallée, depuis la triple palissade jusqu'au rocher d'où sortent les belles sources qui forment une rivière de leurs eaux, fort près de leur origine. Dans l'espace qui est enfermé par la palissade, on avait trouvé, au pied d'un rocher, une grande quantité de bol ou craie rouge qui, étant détrempée dans l'eau, devient rouge comme du sang. Les prêtres du bocage s'avisèrent de se servir de cette terre pour faire un nouveau miracle & pour faire accroire au peuple que leurs adversaires avaient attiré sur eux le courroux du ciel en contrefaisant des prodiges qu'il ne leur avait été permis d'imiter qu'afin que le courroux du ciel éclatât plus manifestement contre les coupables. D'abord, ils ne s'opposèrent point au jeune homme ni à ses compagnons mais, faisant semblant d'admirer la vertu dont ils avaient donné des preuves si publiques, ils dirent qu'assurément ils avaient reçu de Stroukaras cette vertu divine mais que peut-être ils en avaient fait un mauvais usage. Que pour cet effet, ils avaient résolu de consulter le fils du Soleil pour savoir de lui la vérité, & pouvoir distinguer les vrais prophètes d'avec les faux. Pour cet effet, ils firent des sacrifices tout extraordinaires & prièrent la divinité de faire quelque miracle capable d'éclaircir leurs doutes & de leur montrer de quelle manière ils devaient se gouverner dans une affaire épineuse & pleine de contradictions si manifestes.

Cependant, ils firent un grand amas de la terre rouge dont nous avons parlée, la réduisirent en poudre & la détrempèrent soigneusement dans des réservoirs dont ils pouvaient facilement vider les eaux dans la rivière. Quand ils eurent préparé tous leurs matériaux, ils dirent au peuple qu'ils avaient vainement pendant plusieurs jours sollicité le divin Stroukaras de leur révéler sa volonté & de les tirer de la peine où ils étaient, qu'il avait témoigné de la colère contre tout le peuple & menacé de le punir sévèrement à cause de quelque grand péché qu'il avait commis. Mais qu'enfin, il s'était apparu au grand prêtre & lui avait dit que dans peu de jours il ferait un prodige qui avertirait le peuple de son devoir. Lorsqu'ils eurent répandu ce bruit, dans une nuit obscure & vers le point du jour, ils firent couler leurs eaux rougies dans le ruisseau & par ce moyen ils corrompirent la pureté de ses eaux & les rendirent de couleur de sang. Ces eaux sont extrêmement claires & salubres, & parce qu'elles passaient au pied du temple, les prêtres avaient depuis longtemps fait accroire au peuple qu'elles étaient sacrées & qu'elles avaient plusieurs vertus secrètes. Cette opinion était cause que de tous les lieux d'alentour on en venait puiser, & qu'en été tout le monde tâchait de s'y baigner. Quand donc ceux qui avaient accoutumé d'en venir prendre dès le matin en virent la couleur toute changée, ils répandirent bientôt la nouvelle de ce changement parmi le peuple. Les prêtres firent semblant d'être fort étonnés de ce nouveau prodige, dirent qu'il fallait là-dessus consulter Stroukaras, lui offrir de nouveau des sacrifices & tâcher de savoir la cause d'un changement si étrange & si peu attendu. Cependant, le peuple, voyant la couleur de l'eau, n'osant en boire, & se voyant obligé d'en aller chercher ailleurs qui n'était ni si saine, ni si agréable, se trouva fort incommodé, & crut facilement tout ce qu'on prit le soin de lui faire accroire. Au bout de trois jours, les prêtres dirent au peuple, impatient de savoir la réponse de Stroukaras, que ce divin fils du Soleil se laissant enfin toucher par les humbles supplications de ses ministres, leur avait dit que la rivière ne perdrait jamais sa couleur de sang, ni le venin mortel dont ses eaux étient imprégnées, jusqu'à ce qu'on répandrait dans sa source le sang criminel de ceux qui avaient contrefait les miracles de Sugnimas. Ils ajoutèrent que ces impies n'avaient eu cette puissance que pour en faire un bon usage, mais qu'ayant abusé de cette grâce du ciel, elle devait tourner à leur propre ruine ou à la destruction totale du peuple; & que c'était à eux de juger laquelle de ces deux choses il valait mieux choisir: ou de sacrifier ces âmes criminelles pour apaiser la divinité, ou d'attendre que son courroux exterminât toute la nation.

Cette réponse ayant été faite devant la populace, elle ne balança point dans le parti qu'elle devait prendre, & sans aucun délai, on alla saisir les quatre jeunes hommes qui avaient convaincu Sugnimas d'imposture. Ensuite, on les mit entre les mains des prêtres qui, après leur avoir fait souffrir les tourments les plus horribles dont ils se purent aviser, les égorgèrent enfin & jetèrent leurs corps dans la rivière. Peu de temps après les eaux perdirent leur couleur ensanglantée pour reprendre leur première pureté parce qu'on n'y jeta plus de la matière qui la souillait, & l'on fit accroire au peuple que ce changement était un effet du sacrifice qu'on avait fait au divin fils du Soleil dont la colère était apaisée par leur prompte obéissance à ses ordres sacrés. Le peuple fut d'autant plutôt persuadé que la colère de Stroukaras avait fait changer la couleur des eaux de cette rivière qu'il croyait par une vieille tradition qu'elles devaient leur origine à ce fils du Soleil & que, lorsque le vallon était fort aride, il avait miraculeusement fait sourdre ces belles sources en frappant du pied contre les rochers d'où elles coulent présentement.

Cette tradition est fondée sur ce que Stroukaras détourna le cours de ces eaux; à trente pas de leur source elles se précipitaient dans un gouffre ou conduit souterrain, d'où elles ne sortaient qu'à trois ou quatre lieues plus bas, après avoir coulé invisiblement sous la terre sans que personne l'eût jamais remarqué. Mais le subtil Stroukaras ne fut pas longtemps à y prendre garde & à se servir adroitement de cette remarque pour en tirer ses avantages. Quand donc il se fut bien établi dans le pays & dans le bocage, & qu'il en eut fermé l'accès par une triple palissade, il fit courir le bruit que son père voulait faire en sa faveur, & pour la commodité de ceux qui viendraient habiter les lieux des environs de sa demeure, un miracle fort éclatant par lequel ils connaîtraient la puissance qu'il avait donnée à son fils & le soin qu'il prenait de ceux qui avaient une vraie & vive foi en sa doctrine. Après avoir durant quelque temps semé ce bruit parmi le peuple, il fit travailler à une digue capable de détourner le cours des eaux du gouffre où elles se perdaient, & les fit couler tout le long du vallon dans un canal qu'il y avait fait faire exprès.

Il choisit un été fort sec pour faire voir dans cette saison le premier effet de son miracle. Quand le jour qu'il avait destiné pour cela fut arrivé, il prit avec lui un nombre de ses disciples & les mena dans le fond du vallon où il avait fait faire la digue qui devait détourner les eaux; en leur présence, il donna un coup de pied à une pierre qu'on avait placée dans une petite levée de terre tout vis-à-vis du canal ; cette pierre, étant ôtée de son lieu par le coup qu'il lui avait donné, ouvrit le premier passage à l'eau qui, depuis, a coulé dans le canal & qui arrose tout le vallon. De là, on prit occasion de dire que Stroukaras avait fait sourdre l'eau hors d'un rocher en le frappant de son pied, & ses disciples répandirent si bien ce faux miracle parmi le peuple qu'il fut généralement reçu de tous ceux qui suivaient la doctrine de cet imposteur. Depuis ce temps, les prêtres ont souvent détourné l'eau du canal pour la faire couler dans le trou souterrain quand ils voulaient châtier le peuple & leur faire accroire que Stroukaras était irrité contre eux, & se sont souvent servis de cette ruse pour faire passer les superstitions qu'ils voulaient établir, quand ils trouvaient qu'on leur faisait quelque résistance.

Les Prestarambes conservent la mémoire de ces événements jusqu'au jour présent & regardent comme de glorieux martyrs de leur religion les quatre jeunes hommes qui furent cruellement massacrés pour avoir découvert les impostures de Sugnimas.

Depuis ce temps-là, personne n'osa s'opposer à l'autorité des prêtres du bocage, & ils purent tout à leur aise faire des miracles & faire accroire au peuple crédule & superstitieux tout ce qu'ils lui voulurent persuader. Ils ne trouvaient point d'obstacles à leurs desseins, & les plus sages & les plus éclairés de la nation, quoiqu'ils connussent assez leurs impostures, étaient ceux qui s'y opposaient le moins & qui prenaient les premiers le parti de se taire, plutôt que de s'attirer leur haine & les tristes effets de leur cruauté.

Néanmoins, il leur arriva, une autre fois, une disgrâce sensible, à l'occasion d'une fille qui mit le feu à leur temple & qui fut cause de la perte de plusieurs d'entre eux. Les Prestarambes ont aussi conservé cette histoire dans laquelle ils étalent le courage & la fermeté de deux de leur martyrs qui se donnèrent volontairement la mort pour éluder les desseins & les efforts de leurs ennemis. Ils racontent cette histoire à peu près de cette manière.

Du temps du septième successeur de Stroukaras, il y avait une famille illustre qui ne demeurait pas loin du temple du bocage & qui avait conservé l'ancien culte du Soleil, quoique politiquement elle eût fait semblant d'approuver les innovations de cet imposteur. Dans cette famille, il y avait alors une jeune fille, nommé Ahinomé, qu'on avait destinée à un jeune homme de la même famille, nommé Dionistar, parce qu'ils étaient dignes l'un de l'autre & que de leur tendre enfance on avait remarqué entre eux une inclination mutuelle qui unissait étroitement leurs cœurs & rendait leur désirs conformes. Leur passion prenait tous les jours de nouvelles forces, & ils n'auraient pas tardé longtemps à consommer par l'hymen un amour qu'ils sentaient depuis leur plus tendre jeunesse, si les sœurs aînées d'Ahinomé n'eussent été des obstacles tout puissants à l'accomplissement de leurs désirs. Elles n'étaient point mariées, & la coutume du pays ne permettait pas aux cadettes de se marier avant que leurs aînées fussent conduites. Ces difficultés, que rien ne pouvait surmonter que le temps & la patience, faisaient souvent soupirer ces deux amants, & Ahinomé avait déjà atteint sa vingtième année avant qu'aucune de ses sœurs aînées fût engagée dans le mariage ; mais enfin la première se maria peu de temps après, & on parlait déjà de célébrer les noces de la seconde qui devaient être suivies de près par celles d'Ahinomé, si son malheur n'en eut autrement ordonné. Car, dans le temps qu'elle espérait le plus d'être bientôt unie avec son amant, son destin, contraire à ses désirs, voulut qu'un des prêtres du bocage devint éperdument amoureux d'elle sans lui en rien témoigner parce qu'il crut que l'unique moyen de jouir de sa personne était de la demander pour Stroukaras, selon la coutume reçue depuis longtemps. Elle n'était pas extraordinairement belle, & sa bonne mine & son esprit faisaient la meilleure partie de sa beauté. Il est vrai qu'elle était passablement bien faite, qu'elle avait un air viril & majestueux & faisait paraître dans ses discours & dans ses actions tant de bon sens & de probité, que ces qualités la rendaient plus aimable que la délicatesse du teint & des traits ne rendent plusieurs beautés fades qui ne sont propres qu'à regarder. Son amant était un jeune homme fort robuste & courageux qui faisait un esprit solide & une fermeté d'âme extraordinaire. La conformité de l'humeur de sa maîtresse avec la sienne était le plus fort lien qui unit leurs cœurs, & la longue habitude qu'ils avaient faite ensemble les liait encore plus étroitement l'un à l'autre.

Le prêtre qui était devenu amoureux d'Ahinomé savait avec tout le monde le dessein qu'ils avaient depuis longtemps de se marier, & craignant que s'il usait d'aucun délai, leur mariage ne se consommât, & qu'il se vît privé pour jamais de l'espoir de posséder Ahinomé, il résolut de mettre tout en usage pour prévenir le malheur qui le menaçait. Il communiqua donc son dessein à ses compagnons & implora leur secours dans une occasion où il s'agissait de sa misère ou de son bonheur. Il n'eut pas de peine à leur persuader de s'employer pour lui ; ils résolurent tous d'un commun accord de députer trois de leur corps vers le père d'Ahinomé pour la demander au nom de Stroukaras, auquel ils disaient qu'elle avait le bonheur d'avoir plu. Le père fut fort surpris de cette demande inopinée, & fut sur le point de les éconduire ; mais, considérant qu'il ne serait pas le maître de sa fille, qu'on le forcerait à la céder au fils prétendu du Soleil, & que cette violence serait suivie de la ruine de sa maison, il leur répondit prudemment qu'Ahinomé était dès longtemps engagée à Dionistar, mais qu'il ne doutait pas qu'elle ne fit céder la passion qu'elle avait pour ce jeune homme à son devoir, & qu'elle ne préférât l'honneur éclatant d'être unie à une personne divine, au plaisir de posséder un homme mortel. Il ajouta qu'il croyait qu'elle se porterait d'autant plus facilement à l'obéissance qu'elle devait aux ordres du ciel, qu'elle pourrait dans la suite épouser Dionistar. Que néanmoins, comme c'était une jeune fille dès longtemps engagée avec lui & sur le point de l'épouser, il se pourrait faire que cet ordre inopiné lui causerait de la surprise & de la douleur, qu'il leur demandait donc quelques jours pour la disposer à l'obéissance. Cette réponse modérée satisfit extrêmement les députés qui lui accordèrent dix jours de temps pour faire résoudre sa fille à consacrer sa virginité au divin Stroukaras.

Peu après, le père adroit fit peu à peu connaître à sa fille & à son amant le pitoyable était où la mauvaise destinée les avait précipités. Toute la famille en frémit, mais les deux amants en devinrent comme furieux. Dionistar fut sur le point d'aller dans le bocage, massacrer tous les prêtres qu'il y trouverait. Sa maîtresse ne fit pas moins paraître d'emportement & jura devant son père, ses frères & son amant qu'elle souffrirait les plus cruels tourments & la mort, même la plus épouvantable, avant qu'elle consentît à une pareille infamie. Les plus résolus de ses parents louèrent sa résolution & arrêtèrent entre eux que par adresse ou par force il fallait éluder les desseins des prêtres lascifs qui voulaient faire d'Ahinomé un instrument de leur détestable luxure. Quand les premiers mouvements de leur juste colère furent passés, & qu'une espèce de calme leur eut succédé, ils consultèrent entre eux aux moyens de se tirer adroitement de cette affaire ; après plusieurs avis donnés de part & d'autre, on prit enfin le conseil d'un ami de Dionistar comme le meilleur qu'on pouvait suivre dans le péril imminent qui les menaçait.

Il dit que, proche de sa demeure, il avait trouvé un antre secret dans un rocher, au pied duquel passait la rivière du vallon qui, dans cet endroit étant fort profonde, rendait le rocher presque inaccessible de ce côté-là. Il ajouta que le hasard lui avait découvert ce lieu secret car, étant fort adonné à la pêche & ayant une adresse particulière à plonger & à prendre le poisson avec la main dans les trous où il se retire souvent, il était allé un jour au pied du rocher où était cet antre ; qu'en plongeant, il avait trouvé dans l'eau une grande ouverture dans le roc où il avait passé & vu, de l'autre coté & dans la montagne, une grande voûte naturelle, éclairée par un autre trou élevé au-dessus de la rivière, environ la hauteur de quatre hommes ; que la curiosité l'avait porté à voir tous les endroits de cette voûte, & qu'il avait trouvé qu'elle était fort grande & que, du côté de la montagne, on en pouvait sortir pour entrer dans un petit terrain presque rond, environné de rochers escarpés & inaccessibles de tous les autres côtés; que dans ce terrain, qui pouvait avoir environ un jet de pierre de diamètre ou un peu davantage, il avait trouvé plusieurs arbres, les uns pourris, les autres dans leur force, & les autres encore jeunes. Il ajouta que l'eau de la rivière entrait fort avant dans un côté de la voûte souterraine d'où sortait une source extrêmement froide où il avait pris grande quantité de poisson & que c'était pour cette raison qu'il n'avait jamais parlé de ce lieu à qui que ce soit, de peur qu'on partageât avec lui la pêche agréable qu'il y faisait souvent, ou qu'on interrompît les douces rêveries qu'il entretenait quelquefois dans ce lieu frais & solitaire. Après avoir fait la description de cet antre & des commodités qu'on y trouvait, il conseilla à Dionistar & à sa maîtresse de s'y retirer, & promit de leur fournir abondamment toutes les choses nécessaires à la vie, s'ils se pouvaient résoudre à vivre quelque temps dans cette solitude jusqu'à ce qu'ils pussent passer les montagnes & se retirer en Prestarambe. Ce conseil fut approuvé de toute l'assemblée & surtout de la courageuse Ahinomé qui dit qu'elle se bannirait volontairement de la société des hommes pour demeurer dans cet antre & dans les lieux les plus affreux pour éviter l'infâme commerce des prêtres qui voulaient jouir d'elle sous un prétexte spécieux de religion & de piété; qu'elle était donc prête à se retirer dans ce lieu secret pour y finir le reste de ses jours quand même son amant n'aurait pas le courage de l'y accompagner. Ce discours fit rougir Dionistar qui, d'un ton emporté, lui répondit sur le champ qu'elle lui faisait tort de douter de son courage & de sa confiance; qu'après les preuves de sa fidélité, cette pensée était injuste & injurieuse, & qu'il serait fort honteux à un homme d'avoir moins de fermeté qu'une femme, & surtout dans une occasion où elle en faisait tant paraître pour l'amour de lui. «Finissez tous ces reproches, interrompit brusquement celui qui avait donné le conseil, vous êtes assez bien édifiés l'un de l'autre, songez seulement aux moyens d'exécuter votre résolution». Après cela, on tomba d'accord pour se sauver dans trois jours à la faveur de la nuit & que, cependant, l'ami de Dionistar partirait incessamment pour aller préparer la retraite de ces amants.

Cependant, le prêtre amoureux d'Ahinomé ne cessait de reprocher à ses compagnons le peu de soin qu'ils avaient eu de satisfaire à sa passion, & leur représentait le danger où il était de perdre, dans un si long espace qu'on avait donné au père de sa maîtresse, la première fleur de sa virginité, sans quoi il ne se souciait pas de la posséder & de profiter des restes dégoûtants de Dionistar, qu'il craignait qu'elle ne préférât à tout autre. Ses soupçons étaient d'autant mieux fondés qu'il était averti que cette fille & toute sa parenté n'approuvaient qu'en apparence la religion de Stroukaras. Il dit toutes ses raisons aux autres prêtres & sut si bien les animer qu'ils le suivirent avec une bonne escorte de leurs satellites au logis de sa maîtresse pour la demander à son père dans le temps qu'elle se préparait à la fuite. Ils environnèrent la maison & dirent à ceux qui leur demandèrent la cause de ce procédé, que le temps qu'ils avaient donné au père étant trop long, le divin Stroukaras en avait témoigné de la colère & leur avait commandé sous de grandes peines de lui mener, en toute diligence, la vierge dont il voulait prendre possession. On eut beau raisonner là-dessus, ils ne donnèrent à la fille que trois heures pour se préparer, pendant lesquelles elle eut le temps de dire à son amant qu'il devait être assuré de sa fidélité, qu'elle mettrait le feu au temple du bocage au premier vent qu'il ferait & que, si dans ce moment il la venait secourir avec ses amis & favoriser leur retraite, elle irait partout avec lui. « Prenez ce parti, Dionistar, lui dit-elle, puisque c'est le seul qui vous reste ; retenez votre colère, usez de conduite & de jugement, & soyez assuré que tant que je vivrai je ne vivrai que pour vous ; & que la mort la plus terrible me sera cent fois plus douce qu'une vie impure & criminelle ». Après ces paroles, elle mit le temps qui lui restait à s'ajuster pour être ensuite menée au temple, & fit une forte résolution de si bien dissimuler ses véritables sentiments, que les prêtres ne pussent aucunement découvrir les desseins qu'elle roulait dans son âme. On la conduisit au bocage avec la pompe ordinaire en de pareilles occasions ; elle fut reçue dans le temple & logée de la manière qu'on logeait les autres, & elle fit paraître extérieurement, & par sa mine & par ses discours, qu'elle était si satisfaite de l'honneur que le divin Stroukaras lui faisait que tous les prêtres crurent en effet qu'elle sentait une véritable joie en son cœur de se voir en état d'être bientôt unie au divin fils du Soleil. Le prêtre, son amant, le crut comme les autres, & fut ravi de la voir dans une disposition qui surpassait ses espérances. Il s'applaudit de ses bons succès & ne respirait que l'heure & le moment d'assouvir sa brutale passion avec une personne qu'il aimait éperdument : mais comme il fallait pendant quelques jours observer les cérémonies accoutumées dans de pareilles occasions, il fut obligé d'attendre qu'elles fussent achevées pour jouir ensuite de sa charmante Ahinomé. Il mit donc un frein à ses désirs jusqu'au jour où le vieux directeur la vint avertir de se venir présenter à l'autel pour solliciter le divin Stroukaras de vouloir descendre du ciel pour prendre possession de sa personne. Ahinomé savait déjà quelles postures lascives on faisait faire à celles qui s'étaient véritablement consacrées à ce faux prophète ; elle détestait en son cœur toutes ces impuretés mais elle s'était bien attendue qu'on les exigerait d'elle ; elle lui répondit avec une langueur affectée qu'elle ne souhaitait rien tant que de se voir unie avec le divin fils du Soleil, mais que pour son malheur elle n'était point en état de le recevoir, à cause de l'infirmité commune à toutes les personnes de son sexe. Elle lui demanda encore quelques jours de délai jusqu'à ce que sa personne fût pure & plus digne de recevoir son céleste amant. Cette réponse, que le vieux directeur entendit fort bien, lui fit obtenir le temps qu'elle demandait, pendant lequel elle se prépara à mettre le feu au temple, ou à mourir plutôt que de consentir aux sales désirs de ces imposteurs abominables.

Cependant, Dionistar, ayant assemblé un nombre assez considérable de ses fidèles amis, n'attendait que le signal, dont il était convenu avec sa maîtresse, pour se jeter sur les prêtres & pour l'enlever de vive force s'il ne pouvait le faire autrement. Elle ne manqua, après avoir bien pris ses mesures, de mettre le feu à son lit & à deux autres endroits du temple dans une nuit fort obscure. Le ciel favorisa si bien son entreprise qu'un vent qui s'était levé quelques heures auparavant, comme Ahinomé avait fort bien remarqué, porta les flammes partout dans le temple. L'alarme fut extraordinaire parmi les prêtres; quelques-uns furent brûlés dans leurs lits avant que d'en pouvoir sortir; les autres en sortirent tous nus & se sauvèrent dans le bocage pleins de crainte & d'étonnement. Les plus résolus tâchèrent d'éteindre les flammes victorieuses qui réduisaient en cendres la plupart de ce bâtiment de bois & qui, malgré les efforts de ces gens, en purgèrent dans peu d'heures les impuretés dont il était souillé. Plusieurs coururent aux portes de la palissade, les ouvrirent & crièrent au secours, & pendant cette consternation, Ahinomé se sauva dans les champs sans être aperçue d'aucun d'eux. Cependant, Dionistar & ses amis furent les premiers qui se présentèrent aux portes sous prétexte d'y venir pour éteindre le feu. Il chercha partout sa maîtresse &, ne la trouvant pas, il croit qu'elle ait péri dans l'incendie. Alors la fureur s'empare de son âme, il exhorte ses amis de paroles & d'exemple & tue à coups de massue tous les prêtres qu'il peut rencontrer. Le massacre fut terrible & l'aurait été beaucoup plus si Ahinomé, qui savait bien que son amant ne manquerait pas de la venir chercher, & qui, s'étant cachée derrière un arbre, l'avait vu passer avec sa troupe & se saisir des portes de la palissade, ne se fut enfin avancée pour dire à quelques-uns de ses compagnons qu'elle était sortie du bocage & qu'elle n'attendait que son amant pour se sauver avec lui. On en avertit le furieux Dionistar qui, à cette nouvelle, ramasse ses gens, sort de la palissade & va prendre sa maîtresse au lieu où elle l'attendait. Quand ils furent tous ensemble, ils se sauvèrent à travers des bois & marchèrent avec toute la diligence possible vers le lieu où ces deux amants devaient faire leur retraite, laissant les prêtres qui avaient échappé à leur juste ressentiment, dans une consternation extrême.

Le jour qui succéda à cette nuit affreuse, fit voir le triste ravage que les flammes avaient fait dans le temple qui était presque tout brûlé, & un grand nombre de prêtres que Dionistar & ses compagnons avaient sacrifiés à leur juste vengeance. Avant d'entrer dans la palissade, ils avaient pris soin de se frotter le corps & le visage d'un certain limon noir, qu'ils avaient préparé pour cet effet & qui les déguisait si bien, qu'ils ressemblaient plutôt à des diables qu'à des hommes. Les prêtres qui avaient échappé se souvenaient bien d'avoir vu de ces hommes effroyables & de les avoir vu assommer tous ceux qu'ils rencontraient devant eux; mais leur consternation & le déguisement dans lequel ils les avaient vus ne leur avait pas permis d'en reconnaître aucun. Cependant, tous les peuples des environs s'étaient assemblés vers le bocage & en considéraient le triste spectacle sans pouvoir deviner la cause d'une si étrange calamité. Chacun en raisonnait à sa mode, mais enfin, le soin que le père d'Ahinomé avait pris de répandre parmi eux que c'était des démons qui avaient fait ce ravage fut l'opinion la plus reçue parmi le peuple.

Mais les prêtres, s'étant remis de leur étonnement, ne raisonnaient pas de cette manière; ils examinèrent toutes choses avec soin, & soit par soupçon ou par quelques conjectures bien fondées, ils conclurent enfin que Ahinomé & son amant, qui ne paraissaient plus, étaient la cause de leur malheur. Ils se fortifièrent dans cette croyance &, pleins de cette pensée, ils envoyèrent des ordres vers les montagnes de Sporombe pour en faire soigneusement garder tous les passages & faire arrêter Dionistar & sa maîtresse, s'ils allaient de ce côté là pour passer à Sporombe.

Cependant, cette courageuse fille & son généreux amant, ayant trouvé toutes choses prêtes dans l'antre dont nous avons parlé, s'y retirèrent secrètement, & avec l'aveu de leurs parents, ils y consommèrent leurs longues & fidèles amours. Ils n'avaient du commerce avec personne qu'avec celui qui leur avait indiqué & préparé le lieu qui ne manquait pas de leur fournir de temps en temps tout ce qui leur était nécessaire. Ils vécurent de cette manière pendant l'espace de cinq ans sans jamais sortir de leur antre, & ils ne laissaient pas de vivre heureux dans leur solitude, puisque Dionistar faisait consister tout son bonheur dans la jouissance de sa fidèle Ahinomé & qu'elle mettait toute sa félicité dans la possession de son cher Dionistar. Ils se firent peu à peu une habitude de vivre seuls, qui leur fut même un peu fâcheuse dans la première année, mais elle fut adoucie dans la suite par les fruits que produisit leur amour. Ils eurent tous les ans un enfant, & Ahinomé s'occupait avec plaisir à les nourrir & à les élever pendant que son mari s'exerçait à cultiver le petit terrain de couvert qui était près de leur caverne & dont nous avons déjà parlé. Il en avait défriché la terre, y avait semé diverses sortes de légumes & des herbes nourrissantes, & il tirait des arbres qu'il y avait trouvé tout le bois qui lui était nécessaire.

La rivière & la source de l'antre leur fournissaient une grande quantité de poisson, ce qui, avec ce qu'on leur portait de temps en temps du dehors, les faisait vivre dans l'abondance avec toute leur famille. Ils avaient fait une grande hutte fort commode dans ce lieu découvert pour ne pas être obligés de demeurer dans la voûte souterraine dont l'humidité & l'obscurité n'étaient ni si agréables ni si saines que ce lieu découvert où ils respiraient le grand air. Les commodités de ce lieu & la proximité de leurs parents, dont ils pouvaient souvent apprendre des nouvelles, leur en firent trouver le séjour agréable ; ils ne songèrent plus à passer les montagnes pour se retirer à Sporombe, & ils résolurent de demeurer le reste de leurs jours dans cette aimable solitude où, sans doute, ils auraient pu vivre heureux si la fortune envieuse de leur bonheur n'en eut interrompu le cours par l'accident qui leur arriva cinq ans après leur retraite.

Quelques jeunes hommes, fort adonnés à la chasse d'un certain animal nommé dans ce pays, *darieba*, qui est une espèce de chat sauvage, mais dont la chair est fort délicate & la fourrure fort riche, en découvrirent un grand nombre sur les rochers escarpés, dans lesquels est l'antre & le terrain où Dionistar & sa famille s'étaient retirés. Le désir de tuer ces animaux obligea ces jeunes gens à grimper sur ces montagnes presque inaccessibles dans l'espérance d'y faire une bonne chasse. Ils y montèrent donc, & dans la poursuite de ces animaux ils vinrent près du lieu où était le terrain enfoncé de Dionistar, d'où ils virent sortir de la fumée sans voir aucun feu. Cela leur causa de l'étonnement & leur donna la curiosité de rechercher la cause de cette fumée & de s'approcher du lieu d'où ils la voyaient sortir. Ils s'en approchèrent donc & virent, du haut d'un rocher où ils étaient montés, le feu que Dionistar & sa femme faisaient dans leur terrain enfoncé pour y faire cuire leur viande. Ils les considèrent longtemps sans en être vus & sans faire de bruit, & puis ils allèrent raconter chez eux la découverte qu'ils avaient faite d'un homme, d'une femme & de leurs enfants qui vivaient seuls entre ces rochers escarpés, sans qu'ils pussent comprendre comment ils avaient pu descendre dans un lieu si enfoncé & si peu accessible. Ce rapport fit du bruit parmi les gens du pays, plusieurs voulurent voir eux-mêmes ce qu'ils avaient ouï rapporter aux autres, & il y alla tant de gens qu'il y en eut quelques-uns qui reconnussent Dionistar & Ahinomé. Les prêtres ne furent pas longtemps sans être avertis de cette découverte qui ralluma en eux le désir de venger sur ces pauvres amants l'injure faite à leur temple & à leur société. Ils ramassèrent donc les zélotes les plus scélérats qu'il y eut parmi leurs sectataires, & allèrent assiéger de tous côtés le terrain où l'on avait découvert nos deux amants. Mais comme le lieu était inaccessible à cause de sa profondeur

& de la raideur des rochers dont il était environné, tout ce qu'ils purent faire fut de leur tirer quelques flèches du haut en bas, qui, sans leur faire aucun mal, les avertirent seulement du danger où ils étaient dans ce lieu découvert; cela les obligea à se tenir sur leur garde & à se retirer dans l'antre prochain pour éluder les efforts de leurs ennemis.

Cependant les prêtres, songeant nuit & jour à leur vengeance, inventèrent une machine faite de racines d'arbre liées ensemble pour faire descendre des hommes dans le terrain que Dionistar semblait avoir abandonné, mais ils ne le purent faire sans que lui & sa femme ne s'en aperçussent, ce qui les obligea à songer à leur défense. Quand ils virent qu'on descendait cette machine dans laquelle on avait mis cinq hommes armés, ils se cachèrent derrière un petit rocher proche du lieu où ils devaient venir à terre, & lorsqu'ils les virent à la porté de leurs arcs, ils les percèrent en l'air à coups de traits & achevèrent de les tuer quand ils furent tout à fait descendus. La généreuse Ahinomé, avec un courage viril, seconda merveilleusement bien son mari & l'aida sans se relâcher à détruire tous ceux qui tentèrent la descente du lieu sur de semblables machines. Ces vains efforts mirent les prêtres dans une rage extrême; ils exhortèrent leurs gens à faire une entreprise plus vigoureuse que les premières, à ne pas souffrir qu'un homme & une femme impies triomphassent d'un grand nombre de personnes pieuses qui voulaient venger l'injure faite à leurs autels, & pour les émouvoir davantage, ils ne manquèrent pas de leur promettre la faveur de Stroukaras & les récompenses célestes qu'il donne à ceux qui l'aiment & qui le servent.

Ces exhortations & ces promesses réveillèrent le zèle de plusieurs personnes qui s'offrirent volontairement pour entreprendre tout ce qu'on leur commanderait, si bien qu'il fut résolu qu'on ferait un grand nombre de ces machines, mieux défendues que les premières, & qu'on les ferait descendre toutes à la fois, dans la pensée que Dionistar & sa femme, ne pouvant pas être partout, il ne leur serait pas possible d'empêcher la descente de tant d'ennemis, & qu'ils seraient enfin obligés de se rendre ou de se tuer eux-mêmes. Ce projet fut exécuté selon la résolution qu'on en avait prise, & Dionistar, qui l'avait déjà bien prévu & qui s'y était préparé, voyant descendre tant de machines à la fois, fut contraint de se sauver dans son antre dont l'entrée était fort étroite & qu'il boucha tout à fait quand il eut abandonné son terrain. Il se servit pour cela de grosses pierres & de grandes pièces de bois; il en avait fait provision pendant que ses ennemis se préparaient à donner le grand assaut qui les rendit maîtres du terrain enfoncé. Quand ils furent descendus & qu'ils crurent prendre nos fidèles amants pour les sacrifier à la vengeance des prêtres, ils furent bien étonnés lorsqu'après les avoir cherché longtemps parmi les arbres & les rochers, ils ne les purent trouver nulle part. Néanmoins, ils ne se rebutèrent point, & faisant une plus exacte recherche, ils reconnurent enfin le trou à travers duquel ils s'étaient sauvés dans la caverne. Ils tachèrent de le percer mais, comme ils n'avaient pas les instruments propres à un tel travail, ils se contentèrent de laisser quelques-uns de leur troupe dans le terrain, & se firent remonter sur la montagne pour aller faire leur rapport aux prêtres de toute la diligence qu'ils avaient faite, & pour aviser avec eux aux moyens de venir à bout de leur dessein.

Ceux-ci, voyant que leur ennemi avait encore échappé cette fois, & que le trou par lequel il avait passé avec sa femme les avait mis à couvert des tourments qu'ils leur préparaient, conclurent, après plusieurs raisonnements, qu'il fallait qu'il y eût dans la montagne quelque antre spacieux où ils s'étaient retirés, & que peut-être y avait-il d'autres issues que celle qu'on avait trouvée dans le terrain enfoncé. Dans cette pensée, ils ordonnèrent à un grand nombre de leurs zélotes de faire une recherche fort exacte autour de la montagne, ce qui fut fait dans peu de jours: mais on ne put trouver aucun endroit par où l'on pût entrer dans la caverne. Cela donna lieu de croire qu'il n'y avait pas moyen d'y entrer à moins que d'enfoncer ce trou, & que si l'on ne pouvait l'ouvrir, on ferait périr de faim Dionistar & sa femme dans leur tanière. On envoya donc plusieurs hommes dans le terrain enfoncé qui, à coups de leviers, tâchèrent d'ouvrir le trou que Dionistar avait bouché; mais il y avait mis tant de pierres & tant de pièces de bois en travers, qu'il ne fut pas possible de faire un passage pour entrer dans la caverne où il s'était mis à couvert de leur violence. On résolut donc, après plusieurs vains efforts de tenir une garde continuelle devant le trou & d'affamer ces infortunés dans leur antre, s'ils ne voulaient se rendre à discrétion.

Cependant, Dionistar & sa femme, prévoyant que leurs vivres ne dureraient pas longtemps, jugèrent bien qu'ils ne pourraient jamais échapper des mains de leurs ennemis qui leur feraient souffrir les tourments les plus horribles s'ils pouvaient devenir maîtres de leurs personnes. Ils conçurent aussi qu'ils serviraient au triomphe des prêtres orgueilleux & impitoyables, & cette pensée les affligeait plus que celle de la mort même. Il leur restait encore quelque espérance que leurs amis les viendraient secourir, mais quand après avoir passé quelques jours dans cette attente, ils virent que personne ne venait & qu'ils voyaient de l'ouverture élevée, qui donnait jour à l'antre du côté de la rivière, plusieurs de leurs ennemis qui allaient continuellement autour de leurs rochers pour empêcher leur évasion, ils cessèrent d'espérer & se résolurent à la mort.

Heureusement pour eux, le père d'Ahinomé avait retiré chez lui tous leurs enfants à la réserve du plus jeune qui était encore à la mamelle, parce qu'il leur était difficile de les nourrir dans leur antre. Le salut de leurs enfants les consolait extrêmement dans leur affliction; ils considéraient que ces précieux fruits de leur amour échapperaient à la rage de leurs ennemis & qu'ils vivraient en eux, même après leur trépas, malgré leur injuste sort qui tranchait le fil de leur vie à la fleur de l'âge. Ils en déplorèrent souvent la rigueur mais, voyant que ses arrêts étaient irrévocables, après s'être donné cent témoignages réciproques d'amour & de tendresse, ils formèrent la généreuse résolution de mourir plutôt que de tomber en la puissance de leurs ennemis, de les braver en mourant, en leur reprochant leurs crimes & leurs impostures. Dès qu'ils eurent fait cette résolution, ils songèrent aux moyens de l'exécuter, & puis ils s'y prirent de cette manière.

Nous avons dit que l'antre où ils s'étaient retirés était éclairé du côté de la rivière d'une grande ouverture élevée au-dessus de l'eau, environ la hauteur de quatre hommes. Sur le bord du trou qui servait de fenêtre à la caverne, le rocher s'étendait de tous côtés & faisait une espèce de plateforme. Dionistar & sa femme choisirent cet endroit-là pour en faire le théâtre de la sanglante tragédie qu'ils avaient résolu de jouer en présence de ceux qu'ils pourraient attirer à ce funeste spectacle. Selon leur dessein, ils portèrent sur cette plateforme tout le bois qu'ils avaient en réserve & le disposèrent en cercle, dans la pensée de se brûler au milieu du feu qu'ils y devaient allumer. Après cela, ils se tinrent un jour au milieu de ce cercle, après avoir coupé quelques buissons qui les pouvaient cacher à la vue de ceux qui passaient sur l'autre côté de la rivière, laquelle n'était pas large en cet endroit, quoiqu'elle y fût très profonde. Dès qu'ils virent paraître des gens, ils ne manquèrent pas de les appeler & de les prier de venir jusqu'au bord de l'eau vis-à-vis du lieu où ils se tenaient debout.

Trois ou quatre de ceux qui faisaient la ronde autour de ces rochers, se voyant appelés, s'y arrêtèrent, & Dionistar leur dit que c'était en vain qu'ils cherchaient à le prendre, puisque la caverne où il demeurait étant inaccessible, elle le mettrait toujours à couvert de leurs efforts tant qu'il s'opiniâtrerait à se défendre: mais qu'il croyait qu'il valait mieux entrer en traité; que pour cet effet il les priait d'avertir les prêtres de la résolution qu'il avait faite de se rendre à eux plutôt que de se voir enfermé dans son antre pendant tout le cours de sa vie.

> Dites-leur, ajouta-t-il, que j'ai des choses très importantes à leur communiquer; quand ils les auront apprises de ma bouche, je ne doute pas qu'ils ne me reçoivent en grâce, malgré les injures que je leur ai faites. Je les prie donc de venir en aussi grand nombre qu'ils pourront, afin qu'ils soient eux-mêmes témoins des choses que je veux faire en leur présence & devant tout le peuple qui les accompagnera.

Après ce discours, ceux qui l'avaient écouté ne manquèrent pas d'envoyer avertir les prêtres de cette aventure & d'appeler un plus grand nombre de leurs camarades pour garder le rivage vis-à-vis du lieu d'où Dionistar leur avait parlé.

Les prêtres, ayant reçu cette nouvelle, ne manquèrent pas d'envoyer quelques-uns de leur corps avec ordre de parler le plus doucement qu'ils pourraient à Dionistar & à sa femme, de leur dire que pourvu qu'ils fussent repentants de leurs fautes, on ne leur en remettrait pas seulement la peine mais que même on les recevrait en grâce. Ces envoyés s'acquittèrent exactement de leur commission, promirent plus qu'on ne leur demandait & firent tous leurs efforts pour persuader à Dionistar de se fier à leurs promesses & de se remettre entre leurs mains. Il fit semblant d'approuver leur conseil & leur dit que si dans deux jours il revenaient avec tous leur corps il leur dirait en présence du peuple des choses fort importantes & leur ferait connaître sa dernière résolution.

Les prêtres, suivis d'une grande multitude de gens ne manquèrent pas de s'y trouver au temps assigné, & Dionistar, les voyant tous assemblés sur le bord de la rivière vis-à-vis de sa caverne, se montra avec sa femme & l'enfant qu'elle allaitait, & leur demanda une paisible audience; l'ayant obtenue, il ouvrit la bouche pour leur parler à peu près de cette manière.

> Je m'estime heureux dans mon infortune de voir mon souhait accompli. Depuis quelques jours, j'avais un désir extrême de vous voir assemblés au lieu où vous êtes maintenant pour vous dire mes pensées avec liberté, & je conjecture par votre silence que vous me donnerez aujourd'hui la favorable attention que vous m'avez promise & dont je tâcherai de profiter pour vous faire connaître mes véritables sentiments & ma dernière résolution. J'adresse mon discours à tous ceux de cette assemblée mais principalement à vous prêtres & sacrificateurs qui gouvernez le peuple, & qui, en particulier, avez plus de sujet de me haïr que les autres, parce que je vous ai le plus outragés. Nous vous confessons ingénument, ma femme & moi, qu'elle mit le feu à votre temple & que j'assommai de ma main plusieurs de vos compagnons. Cette injure ne doit-elle pas exciter votre colère contre nous? Mais puisque nous sommes encore à couvert de l'orage, suspendez votre vengeance pour quelque temps, & quand nous aurons achevé ce discours, vous serez infailliblement vengés.
>
> Avant qu'on voulût faire violence à ma maîtresse Ahinomé, nous vivions, elle & moi, avec tous ceux de notre famille, dans le repos & la tranquillité, sans nous mêler aucunement des affaires d'autrui. Nous vous laissions gouverner le peuple à votre fantaisie, sans seulement prononcer une parole qui vous pût offenser, & nous n'attendions tous deux que l'heureux moment qui nous devait unir ensemble par le lien d'un

légitime mariage. Ce temps désiré, qui devait mettre fin à nos peines, était presque arrivé, & toutes choses étaient disposées pour l'accomplissement de nos vœux, lorsque vous vîntes volontairement troubler notre joie & tourner nos douces espérances en un furieux désespoir. Vous vîntes au nom de Stroukaras demander Ahinomé pour m'arracher ma maîtresse & pour la priver de son amant. Cela se pouvait-il faire sans une violence extrême, & peut-on s'étonner avec raison que nous ayons fait tout ce que la rage nous pouvait inspirer dans une telle occasion? Y a-t-il des gens d'honneur & de courage qui en eussent moins voulu faire & pouvez-vous justement nous en blâmer? Je sais bien que vous couvrirez votre procédé du voile de la religion & que vous me direz que, lorsqu'il s'agit d'obéir aux ordres d'un dieu, il n'y a point de raison qui ne doive céder, que la justice, l'équité, le sang, l'amitié, ni l'amour même, quelque légitime qu'il soit, ne doivent faire aucun obstacle aux ordonnances du ciel. Ce raisonnement est plausible & je ne veux point le réfuter, mais qui m'assurera qu'un ordre contraire à la raison, à la justice & à l'honneur soit un ordre du ciel? Quelle apparence y a-t-il qu'une religion qui renverse toutes les lois de la nature, celles de la droite raison, & qui brise les plus forts liens de la société, soit une religion céleste? Vous dites que Stroukaras est le fils du Soleil, qu'il est monté au ciel, qu'il y demeure avec son père, qu'il est le seul interprète de sa volonté, qu'il converse familièrement avec vous dans vos temples & dans vos bocages & que c'est de lui que vous avez la puissance de faire des signes & des miracles. Mais qui m'assurera que vous êtes sincères & que toutes ces choses sont véritables, étant si contraires à la raison naturelle & au témoignage de mille gens de bien qui ont découvert vos impostures & qui en savent toute l'histoire. Stroukaras n'était qu'un homme & vous en avez fait un dieu que vous adorez comme la Divinité suprême. Vous dites qu'il est fils du Soleil, qu'il participe à sa nature & à sa puissance & qu'il doit avoir part au culte que tous les hommes doivent à ce grand astre. Mais quelle preuve apportez-vous pour établir cette doctrine si contraire au témoignage des sens & aux lumières de la raison? Aveugles, insensés, & conducteurs d'aveugles: le Soleil qui est un dieu éternel a-t-il besoin des voies de la génération pour se perpétuer &, quand il aurait des enfants, ne les ferait-il pas semblables à lui-même, comme font tous les animaux? Si vous voulez qu'il en ait, vous feriez bien mieux de dire qu'il en fait faire à la lune, qu'elle est sa femme, que tous les mois elle devient grosse & qu'elle enfante les étoiles. Cette opinion, quoique ridicule, serait mille fois plus plausible que celle que vous avez insinuée dans l'esprit de ce peuple insensé pour le captiver selon votre caprice. Vous lui dites que Stroukaras conserve encore sa figure humaine, qu'il se joint avec les filles des hommes qu'il veut favoriser de ses grâces & qu'il les remplit d'un fruit sacré qui porte le bonheur dans les familles; vous abusez ainsi de la religion & de la crédulité des gens simples pour assouvir votre infâme luxure. Sous un

> pareil masque de piété, vous avez exercé votre barbarie contre ceux qui n'ont pas voulu recevoir vos impostures. Stroukaras, votre chef, trempa ses mains cruelles dans le sang innocent, & bannit ou fit périr la moitié de cette nation pour se rendre maître de l'autre. Vous suivez en tout ses exemples pernicieux, & vous ajoutez tous les jours de nouveaux crimes à ceux qu'il a commis. Comme je l'ai déjà dit, d'un homme mortel vous en avez fait un dieu immortel que vous adorez tous les jours, plus brutaux en cela que les brutes mêmes, qui ne rendent aucun respect religieux à leurs semblables & qui n'adorent ni les bêtes ni les hommes mêmes, quoiqu'ils soient beaucoup plus excellents qu'elles & qu'ils les maîtrisent le plus souvent. Vous faites encore bien pis, vous attribuez à votre Stroukaras des vertus que son père prétendu n'a pas. Depuis la première séparation de ses ministres, vous lui avez érigé des temples en divers lieux du pays; vous dites qu'il descend du ciel pour y rendre ses oracles, que cela se peut faire en cent lieux tout à la fois &, néanmoins, vous confessez que le Soleil ne peut occuper qu'un lieu dans le ciel. Selon votre dire, le fils est en cela plus excellent que le père & peut beaucoup plus que cet astre glorieux qui remplit le monde de sa chaleur & de sa lumière & qui donne la vie à tous les animaux...

Comme il allait poursuivre, les prêtres, auxquels ce discours ne plaisait pas & dont ils craignaient les conséquences, élevèrent un tumulte parmi le peuple & commandèrent à leurs plus zélés sectataires de percer à coups de traits cet impie harangueur qui, après avoir commis tant de crimes, osait encore raisonner contre les mystères de la religion. Ces zélotes, prompts à obéir à ce commandement, bandèrent incontinent leurs arcs pour tirer des flèches contre Dionistar & sa femme qui, voyant leur dessein, se retirèrent dans leur antre & s'y tinrent à couvert de leurs traits pour en sortir quelques moments après. Ils employèrent ce peu de temps à se couper les veines des bras & des jambes, & puis, ayant pris des tisons ardents, ils en mirent tout alentour du bûcher rond qu'ils avaient préparé, & se jetant dedans en présence de la multitude, ils leur firent voir le sang qui ruisselait de leurs veines coupées. Ce spectacle affreux appaisa le murmure du peuple, attira ses regards & son attention, & la généreuse Ahinomé, prenant ce temps comme le seul qui lui restait durant sa vie, parla aux prêtres & au peuple. Dans son discours, elle approuva tout ce qu'avait dit son mari, reprocha aux uns leur orgueil, leurs impostures & leur infâme luxure, & elle exhorta les autres à ouvrir enfin les yeux & à ne plus souffrir qu'on abusât de leur simplicité pour les rendre les instruments des vices & de l'ambition de ceux qui, sans autorité légitime, s'étaient rendus les maîtres de la nation, contre toutes les maximes anciennes & les louables coutumes de leurs ancêtres. Ensuite, elle prit son enfant, lui coupa les veines en leur présence, après quoi, elle & son mari ensemble firent mille imprécations contre leurs ennemis, & leur dirent que la mort leur semblait douce puisqu'ils mouraient unanimement ensemble comme ils avaient vécu, puisqu'ils avaient le plaisir de braver leurs tyrans, de leur reprocher leurs crimes & leurs impostures & de triompher de leur malice & de leur cruauté. Qu'ils avaient la douce consolation de n'être pas tombés entre leurs mains, & d'avoir pu si bien pourvoir à leurs affaires que leurs ennemis ne pourraient exercer leur rage que sur un peu de cendre qui resterait du corps de deux personnes qui mouraient martyrs de la raison & de la vérité.

Après cela, ils s'embrassèrent tous deux, se couchèrent doucement sur le rocher, & se tenant étroitement liés ensemble, ils sentirent couler leur vie avec leur sang & demeurèrent dans cette posture jusqu'à ce que les flammes qu'ils avaient allumées eussent réduit leurs corps en cendres.

Ce spectacle horrible & tout à fait extraordinaire fit diverses impressions dans l'esprit du peuple ; quelques-uns des plus raisonnables furent extrêmement touchés de l'action de ces deux martyrs, de la force de leurs raisons & de la fermeté avec laquelle ils avaient méprisé la mort pour ne pas renoncer à leurs véritables sentiments & pour ne pas tomber en la puissance de leurs ennemis. Les autres, moins éclairés, n'ayant pour toute règle que les préjugés de leur éducation & les sentiments de leur conducteurs, expliquèrent tout autrement cette aventure, & traitèrent Dionistar et Ahinomé d'impies obstinés dans leur erreur, quoique d'abord ils eussent été touchés à l'aspect de leur action généreuse ou plutôt héroïque. Cependant, les prêtres n'osèrent exercer aucune cruauté sur les parents des défunts, de peur de se rendre odieux à tout le monde & de ruiner tout à fait leur réputation déjà ébranlée par divers événements contraires à leurs intérêts & à leur autorité ; si bien que, depuis ce temps-là, ils se gouvernèrent avec plus de modération qu'ils n'avaient fait auparavant.

Les Prestarambes ont conservé de père en fils la mémoire de cet événement remarquable, & regardent Dionistar & Ahinomé comme deux illustres martyrs de la vérité pour laquelle leurs ancêtres se virent bannis de leur patrie, après avoir souffert les persécutions que leur avait suscitées l'ambitieux Stroukaras. Il y en a même parmi eux qui vont tous les ans visiter le rocher où ces deux personnes généreuses perdirent la vie, & le respect qu'on a pour leur mémoire rend vénérable le lieu qui a servi à leur action magnanime.

Quand Sevarias subjugua ces peuples, il trouva vingt-quatre ou vingt-cinq temples parmi eux où l'on adorait l'imposteur Stroukaras, sans en compter plusieurs autres qui subsistent encore parmi les nations voisines qu'il ne soumit pas à ses lois & qui persistent encore dans leur superstition.

Les Prestarambes qui l'avaient suivi dans ses conquêtes lui contèrent toute cette histoire qu'ils avaient apprise de père en fils, & le prièrent de faire ses efforts pour tirer d'erreur ces pauvres peuples abusés. Il leur promit d'y mettre la main le plus tôt qu'il le pourrait faire commodément, mais il leur fit comprendre en même temps que, dans un dessein de cette nature, il fallait user de beaucoup de prudence, de peur d'effaroucher ces peuples aveuglés dans leurs vaines superstitions.

Après donc qu'il les eut conquis, qu'il eut bâti le temple du Soleil, dont la magnificence leur donnait beaucoup plus d'admiration que les bocages de Stroukaras, quand il eut institué des cérémonies pompeuses accompagnées de voix & d'instruments de musique, qu'il eut été choisi par le Soleil même pour être le chef de ces peuples & l'interprète de sa volonté, & que par ses lois justes & ses actions vertueuses il se fut acquis un très grand crédit parmi eux; alors il commença de leur dire que Stroukaras n'était pas véritablement le fils du Soleil; que ce bel astre, étant un dieu éternel, n'avait pas besoin des voies de la génération pour perpétuer son espèce comme les hommes mortels; même s'il produisait des enfants, il les ferait semblables à leur père comme font tous les animaux; que ses fils seraient tout aussi grands & aussi glorieux que lui, & qu'ainsi, au lieu d'un soleil, il y en aurait plusieurs, ce qui n'était pas véritable comme ils le voyaient bien eux-mêmes.

Toutes ces raisons solides, mais encore plus la force de ses armes & de ses foudres, dont ils avaient éprouvé les funestes effets, firent beaucoup d'impression sur l'esprit des principaux d'entre eux, & leur firent en partie connaître les impostures de Stroukaras. Mais ce qui acheva de les mettre au jour et de dissiper l'erreur de ces peuples, fut le soin que prit Sevarias de surprendre les imposteurs sur le fait quand ils rendaient leurs oracles des arbres creux où ils se cachaient. Il prit donc son temps dans une fête solennelle, & entrant tout d'un coup à main armée dans les temples au moment où on y rendait les oracles, il attrapa les faux prophètes dans leurs cachettes, & les exposant à la vue du peuple, il leur fit confesser devant tous leurs tromperies & leurs impostures.

Après cela, toutes les personnes raisonnables furent entièrement désabusées, si bien que, dans toutes les terres de sa domination, on abattit les temples & les bocages de Stroukaras, & le culte religieux qu'on lui rendait publiquement y fut tout à fait aboli. Toutefois, ce ne fut pas partout car, encore aujourd'hui, les nations voisines des Sevarambes persistent dans leur idolâtrie.

Revenons maintenant à celle des Sevarambes même; elle est moins grossière & moins opposée à la raison naturelle, mais elle ne laisse pas d'être une véritable idolâtrie en ce qu'ils rendent au soleil, qui n'est qu'une créature, des respects religieux qui ne sont dûs qu'au Créateur. Or parmi eux, l'exercice public de la religion ne se fait qu'aux jours de fêtes ordinaires, qui sont les trois premiers jours de la nouvelle lune & les trois premiers après qu'elle est venue jusqu'à son plein. En ces jours, on ne fait que quelques sacrifices de parfums que les prêtres ordinaires offrent au soleil & qu'ils accompagnent de quelques hymnes, après quoi, le reste du jour se passe en jeux, en danses, & autres divertissements. Mais les fêtes solennelles sont ce qu'il y a de plus éclatant dans la religion & où elle paraît dans sa plus grande pompe. Il y en a six toutes différentes dans leurs fins & dans leurs usages, à savoir le Khodimbasion, l'Erimbasion, le Sevarision, l'Osparenibon, l'Estricasion & le Nemarokiston. Nous les décrirons toutes l'une après l'autre. On ne célèbre ces fêtes que dans les temples qu'on a bâtis dans les grandes villes, comme à Sevarinde, à Sporounde, Arkropsinde, Sporumé & quelques autres ; chacune desquelles a son ressort particulier, & le peuple de la campagne s'y assemble pour assister à une partie de la fête, après quoi chacun se va réjouir chez soi. Au temple de Sevarinde, il y a près de quatre cent prêtres qui officient, tour à tour, & dans les autres temples, il y en a plus ou moins selon la grandeur des lieux. Le vice-roi est le premier de tous ; en tant que souverain pontife, c'est lui qui offre le premier sacrifice de toutes les solennités. Le gouverneur de chaque ville où il y a un temple en fait autant, & puis les autres prêtres font le reste. Passons maintenant à la description de ces fêtes solennelles.

De la Fête du Grand Dieu, appelée Khodimbasion.

Nous avons déjà dit que Sevaristas avait institué le Khodimbasion selon l'idée de Sevarias qui en avait dit quelque chose mais qui ne s'en était pas clairement expliqué. Pour cette raison, ses successeurs n'en avaient pas osé entreprendre l'institution. Mais ce prince l'établit sans scrupule & le vit célébrer plusieurs fois avant sa mort. Il ne se fait que de sept en sept ans au commencement de chaque dirnemis, au temps que le soleil touche au signe de la balance & qu'il fait l'équinoxe du printemps qui, à notre égard, est celui de l'automne. Les cérémonies de cette grande fête durent sept nuits consécutives & se font en la manière suivante.

Dès que le soleil est couché, on ouvre le temple, qui est tout tendu de noir, & le globe lumineux avec tous les autres ornements, cachés en sorte qu'on ne les voit point du tout durant la fête. Les prêtres sont tous vêtus de noir, couvrent leurs visages d'un crêpe de la même couleur, & le vice-roi n'est distingué des autres que par une espèce de roquet blanc qu'il porte sur les épaules. Dans cet équipage, il marche vers l'autel où l'on ne voit qu'un petit globe couvert d'un crêpe noir qui en offusque la lumière & ne laisse paraître aux yeux qu'une faible lueur. Tous les sevarobastes & les prêtres qui doivent servir cette nuit, le suivent, tenant en main des flambeaux allumés. Dès qu'il entre dans le chœur, il fait une profonde révérence, & puis, en s'avançant toujours, il en fait une autre jusqu'à ce qu'il soit venu au pied de l'autel. Là, il s'arrête avec toute sa suite, qui se tient derrière lui, & quand les prêtres ont caché les flambeaux, il se couche sur des carreaux noirs, tenant le visage en bas & les deux mains jointes sur la tête. Les autres en font autant & ils se tiennent tous dans cette posture pendant l'espace de deux heures dans un silence profond. Quand ce temps est expiré, on entend la voix éclatante d'un cornet qui les avertit de se lever & de se tenir sur leurs genoux. Un prêtre prend alors un des flambeaux allumés qu'on avait caché, & le donne au vice-roi qui, le prenant à la main, se lève sur ses pieds, & s'approchant de l'autel, il y allume quelque bois aromatique qu'il y trouve tout prêt pour le sacrifice. Quand ce bois est enflammé, il y jette des gommes & des parfums (car parmi les Sevarambes on ne fait jamais de sacrifice sanglant), & puis, se mettant à genoux, il prononce à haute voix l'oraison qui suit.

Oraison du Grand Dieu.

> Khodimbas, Ospamerostas, Samotradeas, Kamedumas, Karpanemphas, Kapsimunas, Kamerostas, Perasimbas, Prostamprostamas.

Ce sont les épithètes qu'ils donnent à Dieu en leur propre langue & dont voici à peu près le sens, avec le reste de l'oraison.

> Roi des Esprits, qui comprenez tout, qui pouvez tout, qui êtes infini, éternel et immortel, invisible, incompréhensible, seul Souverain & l'Etre des Etres.
>
> Nous aveugles mortels, qui vous entrevoyons sans vous bien voir, qui vous connaissons sans bien vous connaître & qui, néanmoins, croyons vous devoir adorer: nous venons ici, au milieu des ténèbres qui nous environnent, pour vous rendre nos vœux & nos hommages. Toutes choses ici-bas nous parlent journellement de vous & nous font admirer votre grandeur & votre sagesse: ces astres innombrables que, durant la nuit, nous voyons briller sur nos têtes, nous témoignent assez par leur mouvement juste & réglé que c'est votre main toute puissante qui les

guide & qui les soutient. Mais le brillant astre du jour qui nous réchauffe & qui nous éclaire, ce divin Soleil par le ministère duquel vous nous communiquez tous les biens que nous recevons, est le miroir le plus éclatant où nous puissions contempler votre gloire & votre providence éternelle. C'est lui qui, par sa lumière céleste, développant les sombres voiles de la nuit, nous fait voir les œuvres merveilleuses de vos mains. C'est lui qui nous réchauffe & qui nous vivifie, & c'est lui enfin par qui nous recevons tous les effets de votre bénéficence divine. Aussi vous l'avez établi pour être votre lieutenant dans la partie de l'univers qu'il meut, qu'il réchauffe & qu'il éclaire de ses rayons agissants, ardents & lumineux. Vous avez soumis plusieurs vastes globes à son empire & nous sommes par votre volonté du nombre de ceux qu'il anime. Vous nous l'avez donné pour Dieu visible & glorieux, & il a voulu être notre roi propice & favorable, nous choisissant entre tous les peuples de la terre pour être ses sujets & ses vrais adorateurs. Pour cet effet, il nous a donné des lois & nous a prescrit le culte qu'il veut que nous lui rendions, & ainsi nous savons comment nous le devons servir parce qu'il nous l'a révélé. Mais vous, ô souverain Dieu des dieux, ô puissance infinie, vous êtes invisible & tout à fait incompréhensible. Toutes choses nous annoncent que vous êtes, mais rien ne peut nous expliquer votre nature, ni nous dire votre volonté, ce qui nous est un argument très clair & très sensible que vous ne voulez pas que nous vous cherchions plus loin que dans vos œuvres admirables, puisque vous n'avez pas voulu vous donner autrement à connaître à nous. Aussi toute connaissance & toute lumière n'est qu'ignorance & que ténèbres auprès de votre lumière divine & incompréhensible, & plus nous méditons pour vous connaître & moins nous devenons savants. Nous voyons des gouffres infinis entre notre faiblesse & votre puissance, & la considération de votre grandeur abîmerait nos âmes dans le néant, si vous ne nous souteniez par votre miséricorde. Nous tomberions dans un désespoir qui nous ferait perdre la raison que vous nous avez donnée, si vous ne nous disiez par elle, qu'il n'est pas possible que la créature comprenne le Créateur, ni la chose finie ce qui n'a point de bornes. Dans cet humble sentiment nous mettons le doigt à la bouche &, sans vouloir témérairement pénétrer dans les mystères profonds de votre divinité, nous nous contentons de vous adorer dans l'intérieur de nos âmes. Mais parce que les corps où vous les avez enfermés sont aussi l'ouvrage de vos mains, nous croyons qu'ils doivent comme elles avoir part au culte que nous vous rendons & montrer extérieurement aux hommes & notre respect & notre vénération intérieure. C'est pourquoi nous avons, selon nos faibles lumières, institué cette fête solennelle pour être un témoignage de l'honneur que nous vous rendons, & pour avertir de leur devoir ceux qui par ignorance ou par ingratitude, pourraient passer tout le cours de leur vie sans élever leurs pensées jusqu'à vous. Veuillez, ô bonté infinie, recevoir le sacrifice de nos cœurs & les devoirs extérieurs que nous osons vous rendre de la manière que nous avons jugé la plus décente, la plus humble & la plus respectueuse. Faites que la fumée de notre sacrifice aille jusqu'à vous, qu'elle vous sollicite de nous pardonner tous nos crimes & de répandre tous les jours sur nous vos grâces & vos faveurs divines, afin que nous puissions toujours vous adorer & vous célébrer à jamais.

Après cette oraison, on tire les flambeaux allumés qu'on avait cachés, & la musique se fait ouïr de tous les endroits du temple par plusieurs cantiques mélodieux; ensuite, le vice-roi sort du temple de la même manière qu'il y était entré, & donne lieu par sa retraite & par celle de tous ses auditeurs, à une seconde célébration, laquelle se fait par le premier sevarobaste, qui fait dans une seconde assemblée d'autre peuple, les mêmes cérémonies & la même oraison que le vice-roi avec la première congrégation. Après la seconde, il s'en fait encore une troisième & puis plusieurs autres qui se succèdent continuellement, l'une à l'autre, pendant l'espace de sept jours, jusqu'à la fin de la fête.

Durant cette solennité, il se fait en divers endroits de la ville des assemblées de savants qui parlent de la Divinité, chacun selon ses sentiments, & souvent on y fait des controverses fameuses où les beaux esprits ont de belles occasions pour faire voir au public les fruits de leurs études & la beauté de leurs génies.

Je me trouvai un jour à l'une de ces assemblées où un homme fort savant & fort éloquent, nommé Scromenas, fit un long & fort éloquent discours touchant la constitution du monde universel, la naissance de notre globe, l'origine des animaux, le progrès des sciences humaines, & touchant le culte religieux que les hommes ont établi parmi eux.

Pour le premier chef, il dit que le grand monde était éternel & infini, & qu'on le devait considérer comme matériel ou comme spirituel; que la matière & l'esprit qui l'anime étaient inséparablement unis ensemble, quoique ce fussent deux choses distinctes, comme le corps & l'âme dans les animaux. Que cet esprit avait une vertu formatrice par laquelle il opérait perpétuellement dans tous les corps en mille façons différentes, & se peignait en raccourci dans toutes les créatures; qu'il agissait avec intelligence, que tous ses ouvrages particuliers avaient un rapport merveilleux à l'idée du Grand Tout & qu'il ne faisait rien en vain, quoiqu'il semblât à notre faible raison que quelques-unes de ses productions fussent vicieuses, irrégulières & monstrueuses. Il ajouta que la vertu formatrice de cet esprit étant répandue par tous les corps, elle y agissait diversement, & qu'elle se plaisait à une admirable variété. Que selon ce principe, elle aimait à quitter des corps pour passer dans d'autres, & que cela était la cause de la destruction & de la naissance de certains composés, de la mort & de la vie; que ses ouvrages avaient des proportions différentes, puisque quelquefois elle formait des globes tout entiers, & qu'ensuite elle agissait dans chacun de ses globes & s'y peignait en raccourci de mille manières. Que dans la dissolution des corps il n'y avait que leur forme qui périt pour en prendre une nouvelle, sans qu'il se perdit rien de leur matière; que l'esprit qui l'abandonnait ne périssait point non plus, mais qu'il allait opérer dans d'autres sujets.

Ce docteur appuyait son raisonnement de l'autorité de Pythagore, de Platon & de plusieurs autres grands philosophes, tant grecs, arabes qu'indiens, qu'il disait avoir été de son opinion, du moins dans la plus grande partie. Il ajouta que le monde universel était composé d'un nombre infini de globes différents dans leur proportion, leur mouvement, leur situation, leur usage & leur fin. Qu'il y avait aussi des soleils à l'infini qui étaient comme autant de sources de vie & de lumière pour éclairer & pour animer les globes, que la providence avait placés dans l'étendue de leur sphère, & qu'ils étaient comme ses lieutenants dans la conduite du Grand Tout; que nul de ces globes n'était éternel, quoiqu'ils fussent d'une très longue durée, avec la différence du plus ou du moins selon le degré de leur excellence & de leur solidité, même que tous, sans exception, avaient eu un commencement & devaient avoir une fin comme les autres corps inférieurs. Que la providence ne souffrait la dissolution des uns & la naissance des autres que dans les divers temps qu'elle avait ordonnés, afin que le Grand Tout ne fît aucune perte & ne souffrît aucune violence; enfin, qu'il en était de même à l'égard des globes que des diverses espèces des animaux dans lesquelles on voit tous les jours périr les individus, sans que pour cela l'espèce périsse, parce qu'il en naît d'autres pour remplir la place de ceux qui meurent.

Après avoir ainsi parlé du monde universel, il tomba sur le discours de notre globe en particulier, & dit qu'il avait eu un commencement comme tous les autres & que, comme eux, il aurait une fin mais que les termes de sa durée n'étaient connus d'aucun homme mortel; que les opinions des hommes étaient partagées touchant le temps de sa naissance, les uns le faisant plus ancien & les autres plus nouveau; que les Egyptiens lui avaient donné de leur temps jusqu'à quatorze ou quinze mille ans d'antiquité; que les brahmanes des Indes orientales lui en donnaient près de trente mille, & que les Chinois comptaient quatorze ou quinze mille ans dans l'ordre de la succession de leurs rois; mais que pour lui, il ne croyait pas que notre globe fût si ancien. Qu'il trouvait la computation des Juifs plus plausible, en ce qu'elle s'accordait mieux avec les progrès des sciences & des arts & que, bien qu'il y eût sur la terre des peuples présentement aussi barbares que leurs ancêtres le pouvaient être, il y a quatre mille ans, néanmoins il ne laissait pas d'estimer cette dernière computation comme la plus probable parce qu'il semblait que les corps des animaux allaient toujours en diminuant, soit à l'égard de la stature, soit à l'égard de la force & de la santé. Il dit que cela se remarquait principalement dans les nations malignes & dissolues, comme étaient la plupart des peuples de l'Asie, de l'Europe & de l'Afrique, qui à la vérité étaient des gens fort barbares quoiqu'ils se crussent fort polis, parce qu'ils faisaient consister la politesse en des apparences extérieures, en quoi elle ne consiste point en effet; que la véritable politesse ne consiste pas dans quelques discours affectés, dans quelques modes bizarres & dans quelques simagrées extérieures; mais dans la justice, dans le bon gouvernement, dans l'innocence des mœurs, dans la tempérance & dans l'amour & la charité que les hommes doivent avoir mutuellement les uns pour les autres. Que, le plus souvent, le plus habile & le plus adroit de tous les hommes était un barbare s'il n'était juste, bienfaisant, charitable & modéré, & que les lumières de son esprit n'étaient qu'une fausse lueur qui ne servait qu'à l'éblouir & à le faire tomber dans le précipice. Que les nations mal gouvernées étaient aveugles & que la véritable gloire des princes & des magistrats consiste dans la bonne conduite & dans le bon gouvernement de leurs sujets, dans une juste distribution des récompenses & des peines.

Pour ce qui est de l'origine des animaux, Scromenas dit qu'elle était inconnue aux hommes aussi bien que le temps de la naissance des globes; que néanmoins, si l'on pouvait se fonder sur des conjectures vraisemblables, il y avait lieu de croire qu'au commencement de chaque globe, la providence avait créé un couple de tous les animaux parfaits dont elle le voulait remplir, & que de ce couple, comme d'une source, les espèces s'étaient accrues par les voies de la génération. Qu'il estimait beaucoup en cela l'opinion de Moïse & qu'il la regardait comme la plus probable & la mieux fondée en raison. Que pour les autres globes qui font partie du monde universel, comme le nôtre, personne ne savait quelle était l'économie de la nature dans ces grands corps, & qu'ainsi on n'en pouvait parler sans témérité; qu'il nous suffisait de raisonner sur les choses que nous voyons sur notre terre & d'y admirer en mille endroits les merveilles de la sagesse divine; que comme il y avait diverses espèces d'animaux dans les différents éléments & dans les divers climats de notre globe, il se pouvait faire aussi que Dieu eût peuplé les divers globes particuliers d'animaux de différentes espèces qui n'auraient rien de commun avec ceux que nous voyons parmi nous; qu'il faisait toutes choses pour sa gloire, & que ce n'était pas à nous à vouloir témérairement pénétrer dans les secrets de sa providence. Qu'entre tous les animaux qu'il avait créés ici-bas, il avait donné à l'homme de grands avantages qu'il n'avait pas voulu départir aux autres, & que ces dons & ces grâces étaient différents & dans leur mesure & dans leur espèce. Que néanmoins, l'homme était un animal mortel & périssable comme les autres, & qu'il ne devait pas s'enorgueillir de biens dont la possession est courte & incertaine. Il ajouta que c'était une haute folie en plusieurs personnes de s'imaginer que le ciel, la terre & tous les astres lumineux que nous voyons briller sur nos têtes n'aient été créés que pour l'usage particulier des hommes, comme si la providence n'avait pas de fin plus noble ni plus relevée que celle de plaire à de misérables vers de terre. Enfin, il dit sur la vanité de ces sortes de gens des choses si mortifiantes que le plus habile de nos prédicateurs n'en aurait pas pu dire davantage pour humilier un pécheur superbe qui oserait s'élever contre Dieu.

De là il passa au discours de l'origine & des progrès des sciences & des arts, sur quoi il dit des choses fort curieuses en faisant voir historiquement tout ce que les écrivains les plus célèbres de diverses nations en ont écrit. Il cita plusieurs auteurs chinois & brahmanes, comme aussi les Juifs, les Grecs & les Arabes, & fit voir que plusieurs belles connaissances qu'on avait autrefois s'étaient perdues, mais qu'il espérait qu'elles seraient rétablies avec le temps par le soin & par l'industrie des Sevarambes qui en avaient déjà rétabli quelques-unes & qui pouvaient réussir dans ce dessein beaucoup mieux qu'aucune autre nation du monde, à cause de leur excellent gouvernement & du soin qu'on prenait d'envoyer de temps en temps un nombre suffisant de personnes habiles pour voyager dans les nations les plus polies de notre continent & pour y apprendre tout ce qu'ils jugeraient digne de la curiosité de leur nation.

Il finit par un discours sur la religion & le culte qu'on doit à la Divinité suprême, & dit beaucoup de choses assez étranges qu'il n'est pas convenable de rapporter ici. Je me contenterai de dire seulement qu'il tâcha de faire voir que, naturellement, les hommes n'ont pas plus de religion que les bêtes, & que si ce n'était l'usage de la parole, ils n'auraient guère plus de lumière. Mais que, par le moyen du discours, ils s'entrecommuniquent leurs pensées, & que la plupart des sciences & des arts doivent leur origine & leur progrès à l'art de s'expliquer en parlant. Il ajouta que la religion devait sa naissance à la curiosité & à la contemplation; qu'avant que les hommes eussent établi aucun culte religieux, ils vivaient comme les bêtes, & que les méditations de quelques personnages contemplatifs qui, par la considération de l'ordre de la providence, s'étaient peu à peu élevés à la pensée d'un être suprême & indépendant, avait produit les premiers mouvements de dévotion. Qu'ensuite, des sentiments de respect & de reconnaissance avaient produit le culte extérieur qu'on avait pratiqué à l'égard de Dieu & du Soleil, son grand ministre, qui est la créature la plus glorieuse & la plus bienfaisante que nos yeux puissent découvrir. Que c'était pour cette raison que l'adoration du Soleil était la plus ancienne, la plus générale & la plus plausible de toutes les adorations, & que bien que la raison plus épurée portât l'esprit à l'idée d'un être supérieur, néanmoins ses premiers mouvements & le témoignage des sens se bornaient à l'adoration de ce grand astre. Il dit que les premières cérémonies qu'on avait instituées étaient fort simples & qu'elles n'avaient consisté pendant les premiers siècles qu'en quelques sacrifices des fruits que le Soleil mûrit pour la nourriture des hommes; que dans la suite, l'ambition & l'avarice, venant à s'y mêler, on avait farci la religion de mille cérémonies superstitieuses & ridicules qui s'étaient établies par le temps & la coutume, malgré l'évidence de la raison & de la vérité. Que ces erreurs avaient été suivies de doctrines impies, cruelles & tyranniques, par le moyen desquelles on avait tâché de captiver les esprits; que les hommes s'étant ainsi détournés du droit chemin, il ne fallait pas s'étonner s'ils passaient de plus en plus d'erreur en erreur, d'idolâtrie en idolâtrie, & s'ils s'accordaient si mal dans l'objet de leur adoration & dans la manière de leur culte religieux. Que leur aveuglement dans une matière si importante remplissait leur esprit de mille faux préjugés qui les empêchaient de voir la lumière de la vérité, quelque éclatante qu'elle fût d'elle-même. Que l'habitude qu'ils s'étaient fait dans l'erreur avait tellement corrompu les affections de leur cœur, qu'elle offusquait toutes les lumières de leur raison & ne leur permettait pas d'agir librement dans le choix du bien & du mal, du vrai & du faux. Que de là était venu ce zèle inconsidéré des peuples de tous les temps & de tous les lieux qui, pour maintenir ou pour augmenter leur parti, avaient souvent violé toutes les lois de la justice & de l'humanité, sous prétexte de soutenir leurs opinions & de rendre vénérables les idoles faibles & impuissantes dont ils avaient fait l'objet de leur adoration. Que l'opiniâtreté de ces différents partis avait souvent été cause de guerres, de massacres & enfin de la ruine de puissants empires. Que pour éviter tous ces malheurs, il était nécessaire qu'un Etat bien ordonné laissât vivre chacun dans sa liberté naturelle, puisqu'il était injuste de la violer, & que cette violence ne pouvait produire que de mauvais effets. Qu'il n'est pas au pouvoir des gens de croire tout ce qu'ils voudraient bien croire, que la foi est toujours fondée sur quelque raison précédente qui persuade le croyant &, sans laquelle, il lui est impossible d'embrasser aucune profession, quelque semblant qu'il puisse faire de l'avoir embrassée. Que tous ceux qui abandonnent la religion dans laquelle ils ont été élevés pour en choisir une autre, doivent démontrer par des preuves évidentes les motifs qui les ont portés à ce changement, & justifier par de bonnes raisons que la seule force de la vérité les a obligés à renoncer à l'erreur.

Que, sans cela, toutes ces conversions étaient feintes & tous les prosélytes des trompeurs ou des insensés qui ne savaient ce qu'ils faisaient ou qui, se proposant des avantages mondains plutôt que le salut de leur âme, couvraient leur apostasie du voile spécieux de la piété & tâchaient impudemment de tromper Dieu & les hommes. Qu'on pouvait par la force de la raison vaincre les préjugés de l'éducation & descendre de certaines religions superstitieuses à d'autres plus épurées, mais qu'il était impossible de monter & d'embrasser sincèrement des croyances contraires à la raison & au témoignage des sens. Qu'il en était en cela comme d'un arbre dont on peut bien couper & émonder les branches superflues mais auquel on ne saurait en ajouter de nouvelles. Que selon cette vérité incontestable, on pouvait sincèrement & raisonnablement abandonner toutes sortes de religions pour embrasser celle des Sevarambes comme étant la plus raisonnable & la moins chargée de superstition; & que bien que tous les partis disent la même chose pour leur propres croyances, néanmoins, tous ne pouvaient pas également les soutenir par des raisons fortes & évidentes.

Scromenas finit ainsi son discours qui dura plus d'une heure, & auquel tout le monde prêta une attention très favorable. J'eus la joie de voir qu'un païen eut en tant de choses une si bonne opinion de Moïse & de quelques croyances dont les Chrétiens font profession, quoique je n'approuvasse pas beaucoup de ce qu'il avait dit touchant la religion. Mais ma joie ne fut pas de longue durée, & elle se convertit bientôt en tristesse quand, un moment après que ce docteur eut parlé, j'entendis un de mes gens qui dit tout haut que lui & cinq ou six de ses compagnons, étant convaincus de la force du raisonnement de Scromenas, ils voulaient embrasser la religion des Sevarambes. Celui qui parla ainsi était Morton l'Anglais, esprit changeant & factieux. Il s'était préparé à me faire cet affront pour se venger de quelque châtiment que je lui avais fait souffrir avec justice, & avait de longue main obligé Scromenas à composer ce long discours pour pouvoir renoncer à la religion chrétienne avec plus d'éclat & sous une belle apparence de piété. Je m'opposai tant que je pus à ce changement, je lui représentai son devoir, à lui & à ses compagnons, avec toute la douceur imaginable, mais toutes mes raisons & mes remontrances ne purent amollir leur cœur endurci & infidèle à leur Dieu & à leur religion. Ils renoncèrent publiquement au christianisme pour embrasser la religion des Sevarambes, & tâchèrent par beaucoup de vains raisonnements de justifier leur infidélité. Je fis tous mes efforts pour les ramener & pour empêcher le mauvais effet que leur exemple pourrait produire, mais lorsque je vis qu'il n'y avait rien à espérer de leur part, je ne pus m'empêcher de m'emporter contre eux & de leur dire que c'était une malédiction de Dieu tombée sur leur tête qui leur avait ôté l'entendement; que leur opiniâtreté & celle de leurs ancêtres leur avait attiré ce malheur, & qu'il n'y avait pas lieu de s'étonner de voir que les enfants de ceux qui s'étaient élevés contre la sainte Eglise catholique, tombassent dans un sens réprouvé, & renonçassent enfin au christianisme que leur pères avaient partagé en plusieurs sectes envenimées contre la religion ancienne, catholique & romaine, hors de laquelle il n'y a point de salut. Ils se moquèrent de mes reproches comme ils avaient fait de mes exhortations, & je fus enfin contraint de me taire & de les laisser vivre à leur mode. Mais je me conservai entièrement, par la grâce de Dieu, dans la foi de l'Eglise, & j'espère y vivre & y mourir, sans que rien soit capable de me détourner de la foi de Jésus-Christ, ni de l'obéissance que tous les vrais chrétiens doivent à son vicaire.

De l'Erimbasion ou Fête du Soleil.

Cette solennité se fait tous les ans & commence au jour où le soleil touche le tropique du Cancer; ce jour, qui coïncide avec notre solstice d'été & notre plus long jour est, tout au contraire, le plus court chez les Austraux. Trois jours auparavant, on éteint tous les feux de la nation jusqu'à ce qu'on ait du feu nouveau qu'on a tiré des rayons du soleil. Cela serait fort incommode dans un pays froid au milieu de l'hiver, mais outre que Sevarambe est un pays chaud, c'est qu'on s'y prépare longtemps auparavant, si bien que l'incommodité n'en est pas grande.

Les trois premiers jours de cette fête se passent en sacrifices de parfums & en cantiques tristes & mélancoliques par lesquels ces peuples semblent regretter l'éloignement du soleil & le solliciter de revenir vers eux pour leur rendre & sa chaleur & sa lumière qui semblent les vouloir abandonner, & pour rallumer de ses nouveaux rayons les feux qui sont partout éteints. Si le soleil luit clair & sans nuages le jour suivant, le solstice, ce qui arrive le plus souvent dans ce beau climat, alors on allume à ses rayons & à l'aide de miroirs ardents, quelques matières combustibles qu'on fourre à l'un des côtés d'un grand bûcher ou brandon qui se fait dans la cour du temple. Le feu couve dans cette matière pendant quelques heures, & enfin, sur la nuit, il embrase tout le bûcher, ce qui fait une grande flamme où tout le monde vient allumer des lampes qu'on porte ensuite dans toutes les osmasies; & ainsi on recouvre du feu nouveau pour toute cette année, au lieu de celui de la précédente qu'on avait éteint partout. Mais s'il arrive qu'il pleuve ou que le soleil soit couvert de nuages, alors le commun peuple, croyant qu'il soit en courroux, lui offre des sacrifices & lui chante des cantiques lugubres. Ils les continuent jusqu'à ce que cet astre, dissipant les nuages, paraisse avec tout son éclat & soit assez fort pour rallumer tous leurs feux éteints. Ils lui rendent alors des actions de grâces, & l'on fait partout des réjouissances publiques avec des jeux & des spectacles de diverses sortes, jusqu'à la fin de la fête qui ne dure ordinairement que cinq jours. Je serais trop long si je voulais rapporter ici toutes les cérémonies de cette solennité, c'est pourquoi j'ai mieux aimé en parler succinctement & dire en peu de paroles ce qu'elle a de plus remarquable.

Du Sevarision.

Le Sevarision est une autre grande solennité qu'on observe tous les ans à la mémoire de l'arrivée de Sevarias & de ses Parsis à la terre australe. Le vice-roi & tous les officiers s'y trouvent avec leurs habits les plus éclatants. Ils offrent des sacrifices de parfums au Soleil, & le remercient de la grâce qu'il fit autrefois à leurs ancêtres de leur envoyer Sevarias, armé de ses foudres, pour vaincre ses ennemis, pour les tirer de leur ignorance grossière & de leur idolâtrie brutale ; de leur donner ses lois & de les choisir pour son peuple pour rendre leur nation la plus heureuse du monde. Ils passent ensuite aux éloges de Sevarias & de ses successeurs ; ils représentent les batailles qu'il remporta sur les Stroukarambes, & parlent des lois & des beaux préceptes que ce prince leur laissa avant de mourir ; ils louent sa bonté, sa prudence & toutes ses vertus. Ensuite, ils passent aux louanges de ses successeurs, & prient enfin le Soleil de leur donner toujours des vice-rois qui tâchent d'imiter & même, s'il est possible, de surpasser leurs devanciers en vertu & en bonheur. Cette fête ne dure que quatre jours qui se passent tous en réjouissances, sans le mélange de rien de triste ou de lugubre.

De l'Osparenibon ou solennité du mariage.

L'Osparenibon est une autre fête solennelle qu'on célèbre quatre fois l'an, de trois en trois mois. Sevarias l'institua de son temps & la vit célébrer pendant tout le reste de sa vie. Je ne m'arrêterai pas à la décrire ici, l'ayant déjà fait ailleurs, selon la manière que je la vis à Sporounde qui est la même que celle de Sevarinde, avec cette seule différence qu'à cause de la grandeur de Sevarinde & de son ressort, elle y dure cinq jours, tandis qu'elle n'en dure que trois dans les autres villes. La pompe de Sevarinde est aussi plus grande que celle des autres lieux ; si bien que tout s'y fait avec beaucoup plus d'éclat & de magnificence, surtout quand le vice-roi épouse quelque femme, ce que j'ai vu faire deux fois. Alors la fête a quelque spectacle & des cérémonies particulières en l'honneur du premier magistrat, & tous les grands officiers de l'Etat sont obligés d'y assister, ce qui cause un merveilleux concours de peuple à Sevarinde. Il y a cette différence entre le souverain & ses sujets qu'il choisit lui-même la femme qu'il veut épouser, au lieu que les autres hommes sont choisis par leurs femmes. Pour tout le reste, il y a peu ou point de différence entre lui & les gens du commun en ce qui regarde les cérémonies du mariage.

Du Stricasion.

Le Stricasion ou adoption des enfants se fait aussi de trois en trois mois & ne dure que trois jours. Dès que les enfants ont atteint l'âge de sept ans & que la fête est venue, les pères & les mères les mènent au temple & font savoir à un prêtre commis pour cela le jour de leur naissance. Ce prêtre les met tous en ordre selon leur âge & en porte la liste au stricasiontas ou surintendant des écoles qui est un grand officier dans l'Etat & du corps des sevarobastes. Celui-ci les appelle tous par leur nom, selon le temps de leur naissance, & les mène vers l'autel où il leur fait faire la révérence trois fois au voile noir, deux fois au globe lumineux & une fois à la patrie. Ensuite, il les mène vers le vice-roi ou celui des sevarobastes qui le représente; & lui dit au nom des pères & des mères des enfants qu'ils les viennent consacrer au Soleil & à la patrie. Là-dessus, le vice-roi descend de son trône & offre un sacrifice de parfums au Soleil, le priant de recevoir au nombre de ses enfants & de ses sujets cette tendre jeunesse qu'on lui consacre; de leur accorder sa faveur & sa protection afin qu'ils se servent à l'avenir comme ont fait ceux qui les ont mis au monde; qu'ils le reconnaissent comme le père commun de tous les hommes & comme leur Dieu & leur roi en particulier.

Après cette prière, on fait avancer les pères & les mères qui, prenant leurs enfants par les cheveux & leur tournant le visage vers l'autel, après les avoir baisés au front, coupent avec des ciseaux les cheveux qu'ils tiennent de la main gauche puis, frappant l'enfant doucement sur la tête, ils lui disent *Erimbas Prosta Phantoi*, c'est-à-dire, que le Soleil soit ton père & ta mère. On les mène ensuite en des lieux destinés pour leur raser la tête, après quoi on les ramène au temple où l'on chante des hymnes à leur sujet, & c'est tout ce qui se fait le premier jour.

Le jour suivant, on leur oint la tête d'une huile aromatique, le troisième, on les lave & on leur donne des robes jaunes & enfin, après quelques sacrifices, cérémonies & réjouissances on les distribue en diverses osmasies pour y être instruits & élevés.

Du Nemarokiston.

Le Nemarokiston ou fête des prémices est mobile & commence au printemps dès qu'on a des fruits mûrs qu'on offre au Soleil en reconnaissance de la nourriture qu'il donne aux hommes & à tous les animaux, en faisant fructifier la terre & mûrissant tout ce qu'elle produit. Le vice-roi ou son lieutenant offre ces premiers fruits en sacrifice & les fait brûler sur l'autel devant tout le peuple durant trois jours consécutifs durant lesquels on voit plusieurs danses & autres réjouissances publiques. Après cela, on offre de tous les fruits ceux qui mûrissent les premiers pendant six ou sept mois, à mesure qu'on en peut avoir; mais cela se fait par les prêtres seulement à diverses reprises, & le peuple ne s'y trouve pas, à moins que cela arrive aux fêtes lunaires qui sont, comme j'ai déjà dit, les trois premiers jours de la nouvelle lune & les trois premiers après son plein.

Ce sont là toutes les fêtes & solennités qu'observent les Sevarambes &, pendant lesquelles, ils se réjouissent & se reposent de leur travail, & ainsi, mêlant le labeur, la joie & le repos successivement, l'un à l'autre, la vie leur paraît douce & agréable, & n'est pas accompagnée de soins, d'ennuis & de chagrins, comme elle est parmi nous. Cela fait qu'ils la passent heureusement & vivent longtemps en santé dans l'usage modéré des biens & des plaisirs, dont l'abus est toujours funeste à ceux qui vivent dans l'intempérance & la fainéantise. J'ai souvent assisté à la célébration de toutes ces fêtes, plus par un motif de curiosité que par aucun zèle de religion, m'étant toujours confirmé dans la catholique, nonobstant l'exemple de quelques-uns des nôtres, qui embrassèrent le culte du Soleil & abandonnèrent malheureusement le christianisme, soit par faiblesse ou par complaisance, quoiqu'il n'y eût nulle nécessité, & qu'il nous fût permis de prier Dieu à notre mode dans notre osmasie, sans aucun empêchement: car les Sevarambes ont pour principe & maxime fondamentale de n'user d'aucune violence en matière de religion, mais d'attirer les hommes à leur culte par le seul exemple & par la seule persuasion, estimant que chacun doit être libre dans ses sentiments, & que la force peut bien faire des hypocrites mais non pas de véritables convertis. Nous assistions souvent aux assemblées des Giovannites parce qu'ils sont chrétiens, mais plusieurs des nôtres aimaient mieux prier Dieu à part que de se mêler parmi des chrétiens qui ne reconnaissent pas la nature divine de Jésus-Christ. Des chrétiens qui prétendent prouver par les écritures & par la raison qui, en ces matières, est un mauvais juge, que le fils de Dieu n'était qu'un ange avant qu'il prît la chair humaine dans le sein de la sainte Vierge. Des chrétiens qui disent que Jésus-Christ n'est Dieu que par assomption ou par association à l'empire du monde, à la manière des empereurs romains qui s'associaient un collègue au gouvernement de leurs Etats & qui le revêtaient de la puissance & de la majesté impériale, comme si elle leur eût été naturelle. C'est ainsi que ces pauvres hérétiques s'abusent dans leurs vains raisonnements, qu'ils se servent d'exemples humains dans les choses divines, & qu'ils tâchent par leurs comparaisons grossières d'éluder les plus sacrés mystères de la religion catholique & vraiment orthodoxe.

Voilà ce que nous avons cru devoir rapporter de la religion des Sevarambes, de leurs fêtes solennelles & de leurs principales cérémonies en quoi consiste leur culte religieux, sans nous amuser à un détail trop recherché qui serait plus ennuyeux qu'utile & agréable.

Maintenant, nous dirons quelque chose du langage de ces peuples, sans aussi nous étendre sur ce sujet, notre dessein n'étant pas d'en faire une grammaire, mais seulement un petit tableau raccourci qui puisse montrer l'excellence & les avantages qu'il a sur toutes les autres langues, soit de l'Asie ou de l'Europe.

De la langue des Sevarambes.

La politesse des mœurs produit ordinairement celles des langues, & surtout quand elles ont des fondements naturels sur lesquels on puisse facilement bâtir sans en changer le premier modèle quand il est une fois bien établi. C'est ce que Sevarias comprit fort bien au commencement de son règne car, prévoyant que par ses lois il rendrait les mœurs de ses peuples fort douces & fort réglées, il crut qu'il leur faudrait une langue conforme à leur génie & par le moyen de laquelle ils pussent facilement exprimer au dehors leurs sentiments & leurs pensées intérieures, d'une manière aussi polie que leurs coutumes. Il était fort savant aux langues, il en possédait plusieurs & connaissait parfaitement leurs beautés & leurs défauts; si bien que, dans le dessein d'en composer une très parfaite, il tira de toutes celles qu'il savait ce qu'elles avaient de beau & d'utile, & en rejeta ce qu'elles avaient d'incommode & de vicieux. Non qu'il en emprunta des mots, car ce n'est pas ce que je veux dire; mais il en tira des idées & des notions qu'il tâcha d'imiter & d'introduire dans la sienne, les accommodant à celle des Stroukarambes, qu'il avait apprise & dont il fit le fondement de celle qu'il introduisit parmi ses sujets.

Il en retint tous les mots, toutes les phrases & tous les idiomes qu'il trouva bons & raisonnables, & il se contenta d'en adoucir la rudesse, d'en retrancher la superfluité & d'y ajouter ce qu'il y manquait. Ces additions furent fort grandes car, comme les Stroukarambes étaient avant lui des peuples grossiers, ils n'avaient pas beaucoup de termes, parce qu'ils n'avaient que peu de notions, & ainsi leur langue était fort bornée, quoique d'ailleurs elle fût fort douce & méthodique & capable d'accroissement & de politesse.

Sevarias fit faire un inventaire de tous les mots qu'elle contenait, & les fit disposer en ordre alphabétique, comme les dictionnaires. Ensuite, il en remarqua les phrases & les idiomes, & puis il en retrancha ce qu'il y trouva d'inutile & y ajouta ce qu'il crut y être nécessaire, soit dans les sons simples ou dans les composés, soit dans les dictions, ou soit enfin dans la syntaxe ou arrangement des mots & des sentences. Avant lui, les Austraux ignoraient tout à fait l'art d'écrire, & n'admiraient pas moins que les Américains l'usage des lettres & des écrits, ce qui ne servit pas peu au Parsis pour les persuader que le Soleil leur enseignait tous les arts qu'ils avaient portés de notre continent, & qu'il se communiquait à eux d'une manière toute particulière.

Sevarias inventa des caractères pour peindre tous les sons qu'il trouva dans leur langue & tous ceux qu'il y introduisit. Il leur apprit à écrire par colonnes, commençant par le haut de la page & tirant en bas de la gauche à la droite en bas, à la manière de plusieurs peuples de l'Orient. Il distingua, comme nous, les lettres en voyelles & en consonnes, après avoir inventé quarante figures qui expriment presque tous les sons de la parole vocale & qui ne laissent pas d'être toutes distinctes les unes des autres. Il inventa plusieurs mots qu'il voulut être de l'usage commun, où cette variété de sons se remarque clairement, afin que les enfants apprissent de bonne heure à former toutes sortes d'articulations & à rendre leur langue voluble & capable de prononcer tous les mots, sans peine & sans difficulté. Aussi cela est cause que les Sevarambes d'aujourd'hui apprennent facilement à prononcer les dictions de toutes les langues qu'ils étudient, & qu'ils en viennent aisément à bout. Ils ont dix voyelles & trente consonnes toutes distinctes, d'où procède dans leur langue une merveilleuse variété de sons qui la rendent la plus agréable du monde. Ils ont accommodé ces sons à la nature des choses qu'ils veulent exprimer, & chacun d'eux a son usage & son caractère particulier. Les uns ont un air de dignité & de gravité, les autres sont doux & mignons. Il y en a qui servent à exprimer les choses basses & méprisables, & d'autres les grandes & relevées, selon leur position, leur arrangement & leur quantité.

Dans leur alphabet, ils ont suivi l'ordre de la nature, commençant par les voyelles gutturales, puis venant aux palatales & finissant par les labiales. Après les voyelles viennent les consonnes qui sont trente en nombre & qu'ils divisent en primitives & en dérivées. Ils subdivisent encore les dérivées en sèches & en mouillées, & à l'égard de l'organe qui a le plus de part dans leur prononciation, ils les distinguent toutes en gutturales, palatales, nasales, gingivales, dentales & en labiales.

La première figure qu'ils mettent après les voyelles est une marque d'aspiration qui vaut autant que l'esprit rude des Grecs ou que notre h aspirée. Ensuite viennent les consonnes gutturales, les palatales, les dentales & puis les autres, descendant toujours vers les labiales, selon l'ordre de la nature.

De ce grand nombre de sons simples, ils composent leurs syllabes qui se font par le mélange des voyelles & des consonnes, en quoi ils ont fort étudié la nature des choses; ils tâchent de l'exprimer par des sons conformes, & ne se servent jamais de syllabes longues & dures pour exprimer des choses douces & petites, ni de syllabes courtes & mignardes pour représenter des choses grandes, fortes ou rudes, comme font la plupart des autres nations qui n'ont presque point d'égard à cela, quoique l'observation de ces règles fasse la plus grande beauté d'une langue. Ils ont plus de trente diphtongues ou triphtongues toutes distinctes, qui font aussi une grande variété de sons & qui servent souvent pour la distinction des cas dans les noms & des temps dans les verbes. La plupart de leurs mots finissent par des voyelles ou des consonnes faciles, & lorsqu'on en voit de rudes, ce n'est que pour exprimer quelque rudesse dans la chose signifiée, & cela se fait souvent tout exprès & surtout dans les pièces d'éloquence. Ils ont trois caractères pour chaque voyelle, afin d'en marquer la quantité, & ils les divisent toutes en ouvertes, en directes & en fermées, pour montrer la nature des accents qu'on y doit poser. Jamais ils ne mettent le circonflexe que sur les lettres longues & ouvertes, ni le grave que sur celles qui se prononcent en fermant la bouche & qui suppriment ou abaissent la voix. L'accent aigu se met indifféremment sur toutes, selon la nature du mot. Ils ont des marques pour les divers tons & les différentes inflexions de la voix, comme nous en avons pour l'interrogation & pour l'admiration: mais ils vont bien plus loin; car ils ont des notes pour presque tous les tons qu'on donne à la voix dans la prononciation. Les unes servent pour exprimer la joie, les autres la douleur, la colère, le doute, l'assurance & presque toutes les autres passions. Leurs dictions sont la plupart disyllabes & trisyllabes quand elles sont simples mais, dans la composition, elle sont plus longues, quoique beaucoup moins ennuyeuses que les grecques qui souvent excèdent les règles de la médiocrité & qui sont d'une longueur incommode. Sevarias inventa plusieurs adverbes de temps, de lieu, de qualité, & plusieurs prépositions qui, se joignant aux noms & aux verbes, en expriment merveilleusement bien les différences & les propriétés. La déclinaison des noms se fait par la différence des terminaisons de chaque cas à la manière des Latins, ou par le moyen de certains articles prépositifs, comme nous faisons, ou par tous les deux ensemble: mais alors, cela est emphatique & on ne se sert de cette manière de décliner que pour exprimer fortement quelque chose.

Les genres des noms sont trois, le masculin, le féminin & le commun. La terminaison *a* est propre au masculin, *e* au féminin & *o* au commun. Dans les augmentatifs, on affecte la lettre *ou* qui, le plus souvent, signifie dédain & mépris &, dans les diminutifs, on affecte la lettre *u* qui, aussi, signifie mépris & dédain, mais *é* & *i* signifient gentillesse & mignardise; ainsi, pour désigner un homme dans le terme ordinaire, ils disent *amba*; si c'est un grand homme vénérable, ils disent *ambas*, mais si c'est un grand vilain, ils disent *ambou* & *ambous*, quand c'est un vilain insigne. Dans la diminution, ils disent *ambu* s'ils veulent signifier un petit malotru, mais s'ils veulent un joli petit homme, ils disent *ambé*, & quand il est insigne en bien ou en mal, ils y ajoutent la lettre *s*, ce qui fait *ambus* & *ambés*. De même, ils appellent une femme *embé*, dans le terme ordinaire &, selon les diverses significations que nous venons d'expliquer, ils l'appelleront *embés*, *embeou*, *embeous*, *embeu*, *embeus*, *embi* & *embis*. Ces diverses terminaisons servent aussi à exprimer la haine, la colère, le mépris, l'amour, l'estime & le respect, selon l'usage qu'on en veut faire.

Les nombres sont deux, le singulier & le pluriel qui, ordinairement, est distingué du singulier par l'addition de la lettre *i* ou *n*. Ainsi, *amba* fait au pluriel, *ambai*, *embe* fait, *embei* &, dans le commun, *ero*, lumière, fait *eron*, lumières. Mais quand on veut exprimer le mâle & la femelle, tous deux en un mot, ou qu'on doute du sexe de quelque animal, alors on dit *amboi*, qui signifie l'homme & la femme, ou *phantoi*, le père & la mère, car *phanta* veut dire père, & *phenté* mère. Dans les verbes, ils observent aussi trois genres qui font voir le sexe de celui ou de celle qui parle, & ces verbes s'augmentent ou se diminuent comme les noms.

Ainsi, pour signifier aimer, ils disent, à l'infinitif, *ermanai*, quand c'est un homme qui aime; si c'est une femme, ils disent *ermanéi*, & si ce n'est ni mâle ni femelle, ou si c'est tous les deux ensemble, ils disent *ermanói*. Dans tous les temps & les personnes, ils observent aussi cette différence, & ont toujours égard au genre de la chose qui parle ou qui agit.

Par exemple, un homme qui dit qu'il aime, dit *ermanâ*, une femme, *ermané* & une chose neutre ou commune dit *ermanô*, ce qu'on pourra voir dans toutes les personnes du temps présent de l'indicatif dans l'exemple suivant.

Au masculin.

E'rmana J'aime	Ermânach Tu aimes	Ermânas Il aime.
E'rmanân Nous aimons	Ermân'chi Vous aimez	Ermân'si Ils aiment.

Au féminin.

E'rmanê J'aime	Ermânech Tu aimes	Ermânes Elle aime.
Ermanen Nous aimons	Ermênchi Vous aimez	Ermênsi Elles aiment.

Au commun.

E'rmano J'aime	Ermânoch Tu aimes	Ermânos Il ou elle aime.
Ermanon Nous aimons	Ermôn'chi Vous aimez	Ermân'si Ils ou elles aiment.

Ils observent cette différence de genres par les terminaisons dans tous les temps & les modes des verbes, & se servent aussi de la diminution & de l'augmentation, comme dans les noms. Ainsi, *ermanoüi* signifie aimer grossièrement, *ermanui*, aimer peu & mal, *ermanei*, aimer un peu mais joliment, et *ermane*, encore plus mignonnement. Mais pour aimer beaucoup et noblement, ils disent *ermanâssai*.

Pour signifier un amateur ou celui qui aime, ils ajoutent *da*, *de* ou *do* à l'infinitif. Ainsi, ils diront pour un homme qui aime, *ermanaida*; pour une femme, *ermaneide* &, pour le genre commun, *ermanoido*. Par l'addition d'une de trois syllabes, on forme aussi des participes dans tous les temps de l'indicatif. Ainsi, *ermanada* que, par abbréviation, ils écrivent *erman'da*, signifie une personne qui aime présentement.

Ermancha & *ermansa* sont de la seconde & de la troisième personne &, au pluriel, on dit *ermandi*, *ermanchi* & *ermansi*. Au féminin, on change l'*a* final en *e* &, au commun, en *o*; ainsi, l'on dit *ermandé*, *ermanché ermansé*, qui font leur pluriel en *ei*; les neutres en *o*, font le leur en *on*, *ermando*, *ermandòn*, & ainsi des autres.

Ils n'ont qu'une conjugaison ainsi variée par genres, par modes, par temps, par personnes & par participes, mais dans cette seule conjugaison, ils ont plus de variété de terminaisons que nous n'avons dans toutes les nôtres, & dans toute cette langue il ne se trouve pas un seul verbe irrégulier, ce qui la rend fort aisée & fort facile à ceux qui veulent l'apprendre. Le nom verbal qui signifie l'action du verbe se forme de l'infinitif par l'addition de la syllabe *psa*, *psé* ou *pso*: ainsi, *ermanaipsa* signifie l'amour ou l'acte d'aimer d'un homme, ermaneipse, celui d'une femme, & *ermanoipso* est du neutre ou du commun aux deux sexes.

Tous les verbes actifs se peuvent changer en passifs en y préfixant la préposition *ex* si le verbe commence par une consonne. Comme *salbrontai*, commander: si vous ajoutez *ex* vous ferez *exalbrontai*, être commandé; *ermanai*, aimer; *exermanai*, être aimé, & ainsi des autres, ce qui change la signification active en passive, dans tous les modes, dans tous les temps des verbes & dans tout ce qui en dérive. Presque tous les verbes neutres reçoivent la préposition *dro*, & surtout quand ils ne sont pas de plusieurs syllabes. Ainsi, *stamai*, qui signifie être, fait, le plus souvent, *drostamai* qui veut aussi dire être, exister.

Tous les verbes transitifs reçoivent la préposition *di* ou *dis*, comme *discatai*, courir; *disotirai*, voler rapidement; *dinuserai*, courir vite; mais ces prépositions signifient un mouvement rapide au contraire de *dro* qui signifie un mouvement lent & tardif; comme *drocambai*, venir lentement; *drocatai*, courir lentement; *drosembai*, parler lentement; mais *disemibai* veut dire parler vite. Ils ont plus de cent prépositions qui signifient ainsi la diverse manière d'agir, & qui contiennent plus de sens dans un mot que nous n'en pouvons exprimer dans une ligne entière. La langue grecque, toute belle qu'elle est, n'approche pas de celle-ci en énergie ni en douceur, & ne représente pas la moitié si bien, le mouvement des choses, ni leurs diverses manières & propriétés: ce que je pourrais aisément faire voir si je voulais m'étendre sur ce sujet & faire une grammaire de cette langue, comme peut-être je ferai quelque jour, si j'en ai le loisir & la commodité.

Ils ont des verbes *imitatifs*, des *inchoatifs*, de ceux qu'on appelle *remitentia* & *intendentia*, & ils sont tous marqués par des prépositions qui leur sont propres, & par le mouvement lent, rapide ou modéré des syllabes dont ils sont composés. Cela fait que cette langue est la plus propre du monde pour la poésie métrique. Ce qui la rend aussi fort commode pour les poètes & les orateurs est qu'elle a beaucoup de termes synonymes dans les notions communes, si bien que, pour dire une même chose, on a souvent cinq ou six mots différents, les uns longs, les autres courts & les autres d'une longueur médiocre. Les uns sont composés de longues syllabes, les autres de brèves, & chacun a son mouvement différent. Leurs poèmes sont tous en vers métriques, comme les poèmes grecs & latins qu'ils ont imités; mais leurs vers sont beaucoup plus beaux & plus capables d'émouvoir les passions. Ils les adaptent toujours au sujet qu'ils traitent, & se moquent des poètes qui disent des bagatelles en vers héroïques & en termes ampoulés, & qui fatiguent l'oreille avec leurs hexamètres perpétuels. Je voulus une fois dans une compagnie de beaux esprits parler de nos vers rimés & les comparer aux vers métriques pour voir ce qu'ils en diraient, mais ils traitèrent cela de ridicule & de barbare, disant que les rimes ne faisaient que gêner le bon sens & la raison, & qu'elles ne produisaient rien qui put émouvoir les passions, ni donner de la grâce & du mouvement aux vers. En effet, je ne trouve rien de plus ridicule que les rimes, quoique de grandes nations, d'ailleurs assez polies, en soient si entêtées que d'en faire leurs délices, comme les petits esprits font les leurs des pointes & des équivoques. Il me semble que ces vers rimés font un certain carillon à peu près semblable aux clochettes qu'on pend à la cage ronde d'un écureuil qui les fait sonner en se roulant dans sa prison, & qui, se répondant les unes aux autres, rendent une mélodie qui n'est agréable qu'à l'écureuil ou aux enfants qui passent. Car qui est l'homme raisonnable qui voudrait s'y amuser ou l'écouter plus d'une fois? Nos rimes, à mon avis, ne sont pas plus agréables dans les vers, & je ne les trouve pas moins grossières que les clochettes dont je viens de parler, qui du moins ont cela de commode que, si elles ne plaisent pas aux gens d'esprit, elles ne choquent pas le bon sens & la raison, comme font les rimes dans presque tous les poèmes où l'on s'en sert. Car qu'y a-t-il de plus ridicule que de faire parler en rime, comme on fait dans diverses comédies, une harengère, un savetier, un paysan, un petit enfant, & telles autres personnes?

Est-il rien de plus absurde que de vendre, d'acheter, de plaider, de prêcher, de boire, de manger, de se battre, de faire son testament & de mourir en rimant? Et ce qui est encore plus ridicule que tout cela est de vouloir que, sur le théâtre, dans un changement de scène, celui qui était absent & qui n'avait nullement ouï les dernières paroles qu'on avait dit avant qu'il arrivât, rime avec le dernier vers qu'on a prononcé, comme s'il l'avait ouï & qu'on lui eut donné le temps de chercher une rime pour y répondre. Certainement, tout homme de bon sens qui fera réflexion sur ces absurdités ne pourra qu'il n'admire l'aveuglement de mille beaux esprits, qui se laissent entraîner à l'estime sotte & vulgaire que l'on fait des rimes, & qui ne dise avec moi que c'était avec beaucoup de raison que les Sevarambes à qui j'en parlai les traitèrent d'invention grossière & barbare. On pourra dire que dans les vers métriques on représente toutes sortes de gens & de caractères aussi bien que dans les vers rimés qui même ne sont pas si difficiles à composer; à quoi je réponds que, pourvu qu'on sache varier le genre de vers selon la nature du sujet qu'on traite, il est difficile de remarquer que ce soient des vers métriques, & on les prend plutôt pour une prose harmonieuse qui émeut & qui touche les passions que pour un vain arrangement de mots qui ne font que choquer les oreilles délicates, comme font les vers rimés avec leurs chutes & leurs retours, sans force & sans mouvement. Aussi, l'on ne voit guère que nos poèmes fassent beaucoup d'effet sur le cœur, & si quelquefois ils en font, cela ne vient que de la beauté des pensées & de l'élégance des expressions, & non pas du mouvement des pieds. Au contraire, j'ai vu des poèmes à Sevarinde qui, quoique fort médiocres pour ce qui est de l'esprit, ne laissaient pas de sembler merveilleux quand ils étaient récités ou chantés. J'y ai ouï chanter une ode sur les victoires que Sevarias obtint sur les Stroukarambes, qui est à la vérité pleine d'esprit & de belles pensées, mais qui n'a pas la moitié tant de force quand on la lit tacitement que quand on l'entend réciter ou chanter. Alors elle ravit & transporte l'âme, & touche si bien les passions qu'on n'est pas maître de soi-même. On y représente si bien le combat, le bruit des foudres de Sevarias, l'étonnement des barbares, les cris & les hurlements des mourants & des blessés & la fuite des vaincus, qu'il semble qu'on voie une bataille réelle. Mais ce qu'il y a de plus admirable, c'est que le seul mouvement des pieds sans les paroles, avec les notes de la musique sur lesquelles on les chante, produisent dans le cœur presque tous les mouvements qu'y produit le poème entier. C'est une chose ordinaire aux musiciens de ce pays-là de faire des effets tout différents dans un même chant. Quelquefois, ils excitent la joie, la colère, la haine, le mépris & même la fureur &, incontinent après, ils calment ces passions & leur font succéder la pitié, l'amour, la tristesse, la crainte, la douceur & enfin le sommeil: & tout cela vient principalement de la vertu des vers métriques. Je crois qu'on n'aura pas de peine à croire cette vérité, puisqu'autrefois les Grecs faisaient tout cela, bien que leur langue n'y fût pas de beaucoup si propre que celle des Sevarambes qui ont enchéri sur eux & sur tous ceux qui les ont précédés.

Dans les langues grossières, comme sont celles qu'on parle aujourd'hui en Europe & presque partout ailleurs, on a une certaine manière scrupuleuse d'arranger les mots en mettant le nominatif devant le verbe & l'accusatif après, & de là dépend souvent le sens des phrases & des sentences, parce qu'on n'a pas une distinction claire & nette dans les déclinaisons & dans les conjugaisons. Au commencement, les Grecs & les Latins en usaient de même, parce que leurs langues étaient grossières comme le sont encore aujourd'hui celles de la plupart des nations mais, ensuite, comme ils se polirent, ils changèrent la collocation de leurs mots & la rendirent plus libre & dans les vers & dans la prose, bien que cela portât quelque obscurité dans le discours, à cause de la ressemblance de quelques-uns de leurs cas dans les rimes & de quelques personnes des temps dans les modes des verbes. Néanmoins, ils préférèrent la douceur & la cadence à la clarté de l'oraison, & consultèrent plutôt l'oreille que les règles de la grammaire naturelle. Les Sevarambes en font autant, mais c'est avec beaucoup plus de succès, car ils arrangent leurs mots comme il leur plaît, sans pourtant apporter de l'obscurité dans leurs ouvrages, parce que dans leur langue tous les cas des noms & les personnes des verbes ont des terminaisons différentes & ne font point d'équivoque, comme dans le grec & le latin, ce qui la rend très claire & très facile. Ils ont même plus de cas & plus de modes que ces nations anciennes, & leur langage est beaucoup plus distinct, non seulement à cause des termes qui dérivent les uns des autres, & des prépositions qui marquent précisément & sans confusion les diverses actions & les qualités des choses.

Toutes ces raisons, & le soin qu'ils prennent tous d'apprendre les principes de la grammaire, font qu'ils parlent mieux & s'expriment plus nettement qu'aucune nation du monde ; l'on peut donc conclure qu'ils nous passent autant en beauté de langage qu'en innocence & en politesse de mœurs, & qu'ils sont, à la religion près, les plus heureux peuples de la terre. Mais outre les avantages naturels de leur langue sur celles des autres nations, les beaux esprits qui l'ont cultivée ont extrêmement contribué à son embellissement ; notons surtout un poète, auquel à cause de son grand génie ils ont donné le nom de Khodamias, c'est-à-dire, esprit divin. C'est lui qui a composé la belle ode dont nous avons déjà parlé & qui, tant par cet ouvrage incomparable que par plusieurs autres pièces excellentes, s'est acquis parmi les Sevarambes une réputation égale à celle qu'Homère & Virgile s'acquirent autrefois parmi les Grecs & les Romains. Son style est pur, clair & naturel ; ses pensées justes & spirituelles, & le mouvement de ses vers si merveilleux qu'il est impossible de les entendre et de ne pas sentir la passion qu'il veut émouvoir. On peut dire de lui qu'il était véritablement né poète puisque, dès sa plus tendre jeunesse, il faisait des vers qui surprenaient les meilleurs esprits de son temps. A l'âge de vingt ans, il fit une pièce de théâtre qui fut admirée de toute la nation & qui ne lui acquit pas seulement la réputation de grand génie, mais qui lui fit aussi remporter sur ses rivaux une victoire signalée, suivie de la possession d'une belle personne qu'il aimait éperdument. Je pense que le récit de cette aventure ne sera pas désagréable au lecteur, puisqu'elle est assez singulière & assez charmante pour mériter son attention.

HISTOIRE DE BALSIMÉ.

Sous le règne de Sevarkhemas, il y avait à Sevarinde une jeune fille, nommée Balsimé, qui par sa beauté se faisait admirer de tous ceux qui la connaissaient. Elle avait toutes les grâces que la nature peut donner à une femme. Avec la beauté du corps, elle possédait toutes celles de l'âme & de l'esprit, & il semblait que le ciel ne l'eût formée que pour faire voir en elle son chef d'œuvre le plus achevé. Si la naissance eût pu ajouter quelque chose à tous ces grands avantages dans un pays où l'on n'en fait point de cas, Balsimé aurait autant surpassé toutes les filles de Sevarinde par la noblesse de son extraction qu'elle les surpassait en mérite & en beauté, car elle était du sang de Sevarias, du côté de sa mère, & avant qu'elle eût atteint sa dix-huitième année, son père fut élevé à la charge de vice-roi du Soleil, sous le nom de Sevarokimpsas lequel, sur ses vieux ans, résigna l'empire à Sevarminas, aujourd'hui régnant. Bien que l'élévation de ce prince donnât un nouveau lustre à toute sa famille, néanmoins elle arrêta tout court la fortune de Balsimé qui, avec tant de charmes, n'aurait pas manqué d'être donnée au vice-roi, s'il n'eut pas été son père. Elle se vit donc privée pour jamais de l'espérance de monter sur le trône, & réduite à la nécessité de se contenter d'un sujet. Il est vrai que si d'un côté la fortune de son père fut un obstacle à la sienne, de l'autre elle lui procura une autre espèce de bonheur qui fut cause du grand éclat que son mérite & ses aventures firent & font encore aujourd'hui parmi les Sevarambes qui représentent souvent sur le théâtre les amours de cette belle personne avec leur Khodamias.

Avant que ce poète eût par ses ouvrages mérité ce nom glorieux, il s'appelait Franoscar. Il était né dans Sevarinde & dans la même osmasie où Balsimé avait commencé de voir le jour; si bien qu'ils s'étaient vus dès leur plus tendre enfance, & quoique l'amour n'eût point encore de part à leurs jeux & à leur familiarité, néanmoins on remarqua que Franoscar, avant l'âge de sept ans, avait un penchant naturel pour la petite Balsimé qui n'avait que deux ans de moins que lui. L'absence ni l'éloignement ne purent changer cette inclination; après son stricasion, & qu'il eut été mis dans une autre osmasie que celle où il était né, pour y être élevé parmi les autres jeunes garçons de son âge, toutes les fois qu'il lui était permis d'aller rendre ses respects à son père & à sa mère, il ne manquait pas de visiter Balsimé & de lui apporter quelque présent de fleurs ou de fruits. Il y avait dans une autre osmasie un jeune garçon, nommé Nefrida, qui était à peu près de son âge. Ce Nefrida avait, comme Franoscar, de l'inclination pour Balsimé avec laquelle on le faisait souvent chanter; car il avait une voix admirable & elle l'avait presque aussi bonne que lui. Il était mieux fait de sa personne que Franoscar quoique ni l'un ni l'autre n'eussent rien d'extraordinaire dans leur mine & qu'ils fussent tous deux d'une taille assez médiocre. Mais dans leur tendre enfance, Nefrida semblait être le plus aimable des deux, à cause des charmes de sa voix qui lui attiraient l'amour de toute son osmasie. Dès qu'il eut atteint l'âge de sept ans, il fut adopté par l'Etat, comme tous les autres enfants mais, à cause des avantages de sa voix, il fut élevé parmi ceux qui étaient destinés à chanter au temple du Soleil les hymnes qu'on fait à la louange de ce bel astre.

Balsimé changea comme lui d'osmasie quand son stricasion fut arrivé, si bien qu'ils ne se voyaient que rarement, & Nefrida, n'ayant pas pour elle une aussi forte inclination qu'avait Franoscar, il ne s'empressait pas tant pour lui aller rendre visite & pour lui apporter des présents. Les premières années de leur enfance se passèrent ainsi innocemment sans que l'amour se mit de la partie; mais quand Balsimé fut parvenue à sa quatorzième année & que sa beauté qui croissait tous les jours l'eut fait admirer de tout le monde, mille cœurs commencèrent à soupirer pour elle, & Franoscar & Nefrida ne furent pas seuls à la rechercher. Néanmoins, personne n'osa se déclarer ouvertement jusqu'à ce qu'elle eût quinze ans accomplis, parce qu'avant cet âge, on ne permet pas aux filles d'écouter les déclarations d'amour, ni aux garçons de leur en faire; mais malgré la sévérité des lois, l'amoureux Franoscar crut qu'il ne fallait pas perdre de temps, ni souffrir qu'un autre se déclarât avant lui. Pour cet effet, il songea aux moyens de parler de sa passion à sa belle maîtresse de la meilleure grâce qu'il pourrait, pour prévenir tous ses rivaux & s'établir dans son cœur avant qu'aucun autre; sachant bien que les premières impressions sont ordinairement les plus fortes, & que l'honneur de se dire le premier de ses amants lui donnerait un grand avantage sur tous ses concurrents. Il avait remarqué depuis longtemps qu'avec une beauté merveilleuse & des sentiments généreux, Balsimé avait l'esprit délicat & qu'elle aimait fort la politesse; & comme ces qualités sont d'elles-mêmes fort aimables, elles avaient autant contribué à l'estime & à l'amour qu'il avait pour elle que tous les autres charmes de sa personne. Il avait même prévu qu'il l'emporterait sur ses rivaux par le moyen de ses discours polis & de ses beaux ouvrages, & cette considération fit qu'il s'attacha avec beaucoup plus d'application qu'il n'aurait peut-être fait à l'étude des belles lettres. Mais quand il sut que sa charmante maîtresse avait une passion extrême pour la belle poésie, qu'elle y avait du naturel & que même elle se mêlait quelquefois de faire des vers, il ne douta plus de la victoire, & il s'appliqua seulement aux moyens de la remporter avec éclat.

C'est la coutume des jeunes gens de toute la nation des Sevarambes de faire souvent des assemblées publiques pour le divertissement, & surtout aux jours qu'on célèbre l'osparenibon ou solennité du mariage. On s'y exerce à divers jeux & principalement à la danse, parce qu'elle est plus propre aux desseins galants qu'aucun autre exercice & que, contribuant beaucoup à la santé & à la bonne disposition du corps, les lois ne l'ont pas seulement permise, mais l'ont même recommandée. On y tient donc souvent le bal, soit dans les champs d'autour des villes, soit dans les grandes salles des osmasies destinées à cet usage. C'est là qu'on fait souvent des assemblées de toutes sortes de gens, mais surtout des filles & des garçons à marier qui peuvent ouvertement y parler d'amour, & ceux qui s'en acquittent le mieux sont ordinairement les plus loués, parce que ces assemblées se font plus pour cela que pour aucun autre dessein. Si quelque jeune amant a le don de bien danser ou de bien chanter ou s'il a l'esprit de composer quelque bel ouvrage à la louange de sa maîtresse, il le peut faire paraître dans ces occasions ; & bien que cette liberté donne souvent de la jalousie aux intéressés, ils n'oseraient la témoigner publiquement parce qu'on y agit sans malice & avec une franchise & une simplicité qu'on ne voit nulle part ailleurs.

Franoscar avait un cousin qui, ayant passé sa dix-huitième année, se trouvait souvent dans ces assemblées pour y faire une maîtresse & tâcher d'acquérir les bonnes grâces de celle qu'il trouverait la plus à son gré. Il était bien fait de sa personne, il avait de la franchise & du courage autant que tout autre, mais fort médiocrement de l'esprit. C'était là le partage du parent de Franoscar, c'est pourquoi il l'employait quelquefois pour faire des vers & des chansons à la louange des filles dont il voulait acquérir les bonnes grâces ; mais cela ne lui réussissait pas. Car bien que ces vers fussent fort jolis, qu'on fît semblant de croire qu'ils étaient de sa façon & qu'on prit plaisir à les lui faire réciter, néanmoins, personne ne le croyait assez habile pour les avoir composés, parce que ses discours n'en soutenait nullement le caractère. On fit longtemps des recherches pour en découvrir le véritable auteur, mais ce fut en vain ; car Franoscar se cachait si bien & tenait le commerce qu'il avait avec son cousin si secret, qu'on ne put jamais s'en apercevoir. Comme il était fort jeune & que les marques qu'il avait données de son esprit n'avaient guère paru qu'à ses précepteurs, on ne pensa jamais qu'il fut l'auteur de tous ces petits ouvrages où brillait une pointe & une netteté d'esprit qu'on ne pouvait jamais attribuer à son cousin, quoiqu'il s'en fît honneur & se vantât de les avoir faits.

Un jour de solennité, & dans une osmasie où se devaient trouver beaucoup de jeunes gens, & entre autres la sœur aînée de Balsimé, Franoscar donna le portrait en vers de cette jeune beauté à son cousin pour le lire devant la compagnie quand il verrait l'occasion favorable. Celui-ci prit assez bien son temps & lut cet ouvrage devant l'assemblée avec un succès merveilleux. Tout ce qu'il avait fait voir auparavant n'était rien en comparaison de ce portrait. On y voyait briller tant d'esprit & de politesse, & la charmante Balsimé y était si naïvement dépeinte, sous le nom de Labsinemis, que ceux qui la connaissaient s'écrièrent tous à la fois, c'est la vive peinture de la jeune Balsimé. Cet ouvrage fut admiré de tout le monde, & l'on tâcha plus que jamais d'en découvrir le véritable auteur, mais on ne put réussir dans cette recherche. La charmante personne qui était l'original de ce portrait ne manqua pas d'être avertie de ce qui s'était passé dans cette assemblée, & comme elle était fort sensible à la gloire, elle se sentit agréablement flattée de celle que lui avait procurée cette aventure. Elle souhaita passionnément de connaître l'auteur d'un ouvrage qui faisait si publiquement éclater les charmes de sa beauté avant même qu'elle fût parvenue à sa perfection. Franoscar, qui ne manquait pas d'espions, sut en peu de temps tout ce qui se passait dans son âme, & voyant que l'occasion était telle qu'il avait souhaitée, il lui envoya dans un bouquet de fleurs un ouvrage en vers qui représentait si bien l'état de son cœur & de sa passion, et lui déclarait son amour en des termes si tendres & des paroles si touchantes que la jeune Balsimé ne put s'empêcher d'en être touchée & de concevoir une estime toute particulière pour un amant qui lui faisait sa déclaration d'une manière si délicate & si glorieuse pour elle. Mais parce qu'elle n'était pas d'un âge à recevoir ses soins, elle se contenta de savoir qu'il l'aimait & qu'il était le véritable auteur de son portrait en vers, sans qu'elle le déclarât à personne & sans même témoigner à Franoscar qu'elle en eut aucune connaissance.

Cependant, Nefrida, son autre amant, se sentit touché d'une espèce de jalousie de voir qu'un autre que lui eut si publiquement obligé Balsimé & fait voir l'estime & la passion qu'il avait pour elle avant qu'il lui fût permis de se déclarer. Il vit par cette conduite qu'il avait un rival redoutable & qui, selon toutes les apparences, lui disputerait fortement le cœur du bel objet qui les enflammait tous les deux. Mais comme ce rival ne paraissait pas, & qu'il s'imagina que personne n'était si avant que lui dans l'estime de Balsimé, à cause de leur longue familiarité, il se flatta de cet espoir qu'elle ne lui préférerait personne quand il lui aurait dit ouvertement la tendre passion qu'il avait pour elle. Et pour faire voir qu'il prenait beaucoup de part à sa gloire & qu'il n'avait point de plus forte envie que celle d'y contribuer de toute sa puissance, il mit le portrait que son rival avait fait d'elle en musique & le chanta d'une manière si ravissante, dans une assemblée où l'on se disputait de la gloire de bien chanter, qu'il gagna hautement le prix qu'on y destinait au vainqueur. Après cette victoire, où les musiciens les plus fameux de Sevarinde furent vaincus par ce jeune homme, il fut porté sur un char de triomphe, de l'amphithéâtre au temple du Soleil auquel, quand il eut offert un sacrifice de parfums, selon la coutume, il se fit porter à l'osmasie où demeurait Balsimé, & mit à ses pieds les prix qu'il avait gagnés pour lui témoigner publiquement & son estime & son amour. Ce sacrifice éclatant remplit toute la ville, & dans peu de temps, toute la nation de la renommée de Balsimé; tout le monde y parlait de son bonheur & de sa beauté, & avant sa quinzième année, elle effaçait déjà toutes les belles de son temps. Le vice-roi même la voulut voir, tout âgé qu'il était, & souhaita vraisemblablement d'être plus jeune pour la pouvoir posséder.

Peu de temps après, elle entra dans sa quinzième année & se vit dans la liberté de souffrir tous ceux qui lui rendraient des soins & de choisir entre eux celui qui se rendrait le plus digne de son estime. Franoscar & Nefrida, comme ses premiers amants, crurent que personne ne pouvait raisonnablement leur disputer le cœur de leur belle maîtresse, mais ils se trompèrent tous deux dans leurs conjectures; car, après avoir vu rejeter un grand nombre de prétendants, enfin il en vint un qui pensa les perdre tous deux. C'était un jeune homme, le mieux fait de sa personne qu'il y eut dans toute la nation & qui, par les avantages du corps, semblait être le seul digne de l'incomparable Balsimé. Dès le moment qu'il parut à ses yeux, elle fut surprise de sa bonne mine, & ne put s'empêcher de l'aimer; si bien que, dans un instant, il fit plus de progrès dans son jeune cœur que les deux autres n'en avaient fait dans deux années de recherche & de service. Ils s'en aperçurent bientôt, l'un et l'autre, & ce fut alors que le poète & le musicien commencèrent à sentir les épines d'un amour dont ils n'avaient encore vu que les roses. Cela fit qu'ils s'unirent fortement, tous deux, pour ruiner leur rival, mais tant que leur maîtresse ne le connut que de vue, tous leurs efforts furent inutiles. Pendant quelque temps, elle ne songeait qu'à lui, elle ne parlait que de lui, & rien ne lui plaisait que lui; & voyant qu'il ne s'empressait pas assez pour lui rendre des soins, elle en soupira, elle en gémit, & si la pudeur ne l'eut retenue, elle l'aurait été trouver elle-même pour lui découvrir son amour. Tels furent les commencements de sa passion, à laquelle son nouvel amant ne répondait que froidement, ce qui la mettait au désespoir & lui fit d'abord croire qu'il aimait ailleurs, ou qu'il ne l'estimait pas assez. Dans cette pensée, elle fit tous ses efforts pour découvrir ses intrigues mais, après une exacte recherche, elle reconnut enfin que ce bel homme, qu'elle & plusieurs autres filles aimaient éperdument, n'était qu'un beau corps sans âme, qui aimait toutes celles qui lui témoignaient de l'amitié, & qui était toujours pour la dernière qui lui parlait. Balsimé, qui faisait beaucoup de cas de l'esprit & qui en avait infiniment, fut extrêmement mortifiée quand elle connut que son nouvel amant en avait si peu, & cette connaissance contribua beaucoup à modérer l'ardeur qu'elle avait pour lui; mais elle ne fut pas capable d'effacer de son âme toutes les impressions que sa bonne mine y avait faites.

Dans cet état, elle se voyait également partagée entre ses trois amants; l'un la captivait par sa bonne mine, l'autre par les charmes de sa voix, & le troisième par la douceur de ses paroles pleines d'esprit et & politesse. Quelquefois, les plaisirs qu'elle prenait avec tous les trois se succédaient l'un à l'autre; il arrivait qu'après qu'elle avait satisfait ses yeux sur le visage du premier, elle se laissait ravir l'oreille aux divins concerts du second, & enfin, lorsqu'elle commençait à se lasser de ces deux, elle soupirait pour la conversation ingénieuse de Franoscar en quoi elle trouvait des charmes dont son esprit ne se lassait jamais. Elle était d'autant plus sensible à ces plaisirs qu'elle unissait en sa personne les trois grands avantages qui les rendaient considérables, & ce n'était pas sans chagrin qu'elle voyait partagées en trois hommes différents les qualités qu'elle aurait bien voulu trouver en un seul amant.

Cependant, le vice-roi, venant à mourir, toute la nation fut occupée au choix d'un successeur, & le sort étant tombé sur le sevarobaste Kimpsas, père de Balsimé, il se vit élevé sur le trône du Soleil & fut nommé Sevarokimpsas. Cette haute dignité donna un nouvel éclat à toute sa famille &, dans un autre pays que dans Sevarambe, elle aurait pu détruire les espérances des trois amants de Balsimé; mais quoique cette élection inspirât à nos trois amants un nouveau respect pour leur maîtresse, bien loin de les éloigner du doux espoir de la posséder, elle les délivrait de la crainte que la mort du dernier vice-roi leur avait donné; car, ne sachant pas qui lui devait succéder, ils avaient eu, tous trois, & surtout l'amoureux Franoscar, une juste appréhension que le nouveau lieutenant du Soleil, usant de son droit & de son autorité, ne leur ravit pour jamais le bel objet de leur amour. Mais quand ils virent que le père de Balsimé devait régner, toutes leurs craintes se dissipèrent de ce côté-là, & ils n'eurent plus rien à craindre que l'irrésolution de leur aimable maîtresse.

Franoscar & Nefrida, quoique rivaux, se connaissant depuis leur enfance, ayant tous deux du mérite, & s'étant vus presque ruinés par le troisième amant de Balsimé, s'étaient fortement unis, & vivaient dans une étroite amitié, sans se porter aucune envie; chacun des deux souhaitait de voir heureux son ami par la jouissance de sa maîtresse, s'il ne la pouvait posséder lui-même. Ils agisssaient tous deux de concert en diverses rencontres, & lorsque le poète avait composé quelque bel ouvrage, le musicien ne manquait pas d'y ajouter les charmes de la musique. Et comme ils étaient tous les deux, chacun dans son art, les plus excellents de toute la nation, ils remportaient toujours les prix destinés au plus habile poète & au plus excellent musicien. Cela flattait agréablement la belle Balsimé, dont les louanges & les éloges volaient de toutes parts avec éclat dans les beaux ouvrages de ces deux génies extraordinaires. Ils convinrent, tous deux, d'en composer un à la louange du nouveau vice-roi, & d'acquérir par là son estime & sa faveur, ce qu'ils firent d'une manière fort éclatante : car comme dans ces occasions, tous ceux qui excellent dans les belles lettres & dans les beaux arts, ont accoutumé de se surmonter eux-mêmes, pour s'acquérir l'estime du souverain & de toute la nation, & pour gagner par quelque beau chef-d'œuvre la récompense qu'on donne au mérite, ces deux illustres rivaux vainquirent hautement tous ceux qui osèrent leur disputer le prix de la gloire. Franoscar mit en beaux vers l'oraison du Soleil que Sevarias avait autrefois faite en prose, & Nefrida la chanta si mélodieusement que tous ceux qui l'ouïrent en furent ravis. Ils ajoutèrent à cette oraison l'éloge du nouveau vice-roi, & le louèrent de si bonne grâce qu'ils acquirent, l'un & l'autre, & son estime & sa faveur. Après cela, ils furent menés de l'amphithéâtre au temple, sur un char de triomphe, & quand ils eurent, selon la coutume, offert au Soleil un sacrifice de parfums, ils se firent porter chez Balsimé, & tous deux lui offrirent les prix qu'ils avaient remportés.

Ces témoignages éclatants de leur passion la flattaient agréablement, & lui inspirant quelque mépris pour son autre amant, qu'elle voyait vivre sans gloire, la faisaient pencher peu à peu vers ces deux-ci, bien que, de temps en temps, la bonne mine du premier fît le principal objet de ses désirs. Elle flotta de cette manière sans pouvoir se déterminer, jusqu'au temps ordonné par les lois pour se déclarer en faveur d'un seul amant à l'exclusion de tous les autres. Franoscar & Nefrida, qui regardaient ce jour comme celui qui devait décider de leur bonne ou mauvaise fortune, s'unirent plus fortement que jamais, pour faire exclure leur rival & pour faire déclarer l'irrésolue Balsimé en faveur du poète ou du musicien ; Franoscar composa dans cette vue un poème qu'il appela le prix du mérite, & par la faveur de ses amis, il obtint un ordre du vice-roi pour faire représenter cette pièce par les personnes intéressées. Balsimé devait être la récompense du vainqueur & devait elle-même juger du mérite des acteurs. Toute la pièce roulait sur les avantages de la beauté, sur les charmes de la musique & sur la gloire de la poésie & du bel esprit. Les trois amants y jouèrent chacun son rôle, & Franoscar leur fournit de bonne foi tout ce qu'on pouvait dire, à l'avantage de leur sujet. Le premier, qui était aussi bien fait qu'un jeune homme le puisse être, parla avant les deux autres, & dit de si belle choses à sa maîtresse que s'il eut eu le don de les prononcer de bonne grâce, par les gestes & par le ton de la voix, on croit qu'il aurait emporté, dès la première attaque, un cœur qui était déjà tout disposé à le choisir; mais comme il avait peu d'esprit, il dit les choses d'une manière si fade & si peu animée, qu'elles perdirent toute leur force dans sa bouche, & donnèrent à son juge le désir d'écouter son second amant. Celui-ci, prenant ce temps favorable, chanta devant sa maîtresse avec tant de grâce, & fit si bien éclater les avantages de son art par ses paroles, par ses gestes & par les charmes de sa voix, qu'il effaça de l'esprit de Balsimé presque toutes les impressions que son rival y avait faites.

Au musicien succéda le poète qui dit des choses si spirituelles à la louange de la poésie, qu'il ravit tous les assistants. Il fit ensuite un discours à sa maîtresse pour lui représenter son amour, sa constance & sa fidélité, & lui peignit si bien la grandeur de sa passion, que se laissant enfin toucher par ses prières & persuader par ses raisons, & voyant que le vice-roi et tout le peuple faisait des acclamations en faveur de Franoscar, elle lui donna la main en signe de préférence. Ensuite, elle monta avec lui sur le char de triomphe, alla de l'amphithéâtre au temple, d'où, après qu'ils eurent fait leur sacrifice à l'astre de la lumière, ils se firent porter par tous les principaux endroits de la ville, où de tous côtés ils entendirent les acclamations & les applaudissements du peuple.

Peu de temps après, le jour de leur osparenibon étant arrivé, ils furent tous deux unis par les liens d'un légitime mariage. Ensuite, Fransocar, après avoir gagné pendant dix ans tous les prix de la poésie, composa la belle ode, dont nous avons parlé, à la louange de Sevarias, & mérita par cet ouvrage incomparable le nom glorieux de Khodamias, c'est-à-dire, esprit divin; il monta dans la suite, de degré en degré, jusqu'à la dignité de sevarobaste, & quand la belle Balsimé eut perdu le premier éclat de sa jeunesse & de sa beauté & les charmes de sa voix, elle reconnut mieux que jamais que les avantages de l'esprit étant plus solides & plus durables que ceux du corps, ils méritent aussi de leur être préférés.

Voilà l'histoire des amours du poète Khodamias, si fameux parmi les Sevarambes, & de la belle Balsimé, dont la mémoire ne se perdra jamais, & qui vraisemblablement passera de père en fils dans toute la postérité, tant que la langue des Sevarambes & le prix du mérite fait par Franoscar dureront. On représente cette pièce de cinq en cinq ans, & je l'ai vue moi-même représentée deux fois avec un plaisir extrême.

Après avoir rendu compte de ce que j'ai jugé le plus digne de remarque dans cette heureuse nation, il ne me reste qu'à dire quelque chose de la manière dont nous vécûmes dans notre osmasie pendant tout le temps que je demeurai à Sevarinde, & des moyens dont je me servis ensuite pour quitter ce pays & pour passer en Asie. J'ai déjà dit qu'on nous avait logés tous ensemble dans une osmasie, & qu'on m'en avait fait osmasionte, que la plupart de mes gens étaient employés aux bâtiments, que quelques-uns avaient des offices dans le logis qui les occupaient, & qu'ainsi chacun travaillait à des heures réglées dans l'emploi qu'on lui avait donné. Nous avions aussi des femmes esclaves, car pour les libres, il ne nous était pas permis d'en avoir, excepté celles que nous avions amenées de Hollande. Nous eûmes plusieurs enfants d'elles & nous les élevâmes jusqu'à l'âge de sept ans; après quoi, par une grâce spéciale, ils furent adoptés de l'Etat comme ceux des Sevarambes.

Mais cela ne se fit pas sans difficulté. Sevarminas assembla son conseil sur cette matière, & la chose fut débattue de part & d'autre. Les uns disaient que nous étions étrangers & une génération maligne; que nous étions petits de stature & d'une faible constitution, & qu'il n'était nullement convenable de nous mêler avec les Sevarambes de peur que ce mélange de notre sang avec le leur n'y apportât du changement & de la corruption. Ceux qui étaient pour nous disaient au contraire que, bien que nous fussions étrangers, nos enfants ne l'étaient pas, puisqu'ils étaient nés dans le pays & sous la protection des lois; & que ce serait faire une injustice à ces pauvres innocents & les priver de leur droit naturel que de les séparer des autres. Ils ajoutaient que nos mœurs avaient été passablement bonnes, depuis que nous avions vécu parmi eux, & que nous nous étions fort bien accommodés aux coutumes du pays; que véritablement nous étions faibles & petits mais que la plupart de nos enfants, étant nés dans Sevarinde de mères fortes & robustes, ils semblaient déjà promettre qu'ils deviendraient un jour grands, puissants & vigoureux comme elles. On disait d'ailleurs que, puisqu'ils étaient élevés parmi les jeunes gens de la ville, il y avait lieu d'espérer qu'ils recevraient, comme eux, les mœurs & les habitudes honnêtes du pays. Qu'on avait heureusement fait cette expérience avec les Parsis, lors même que l'Etat était encore tout nouveau & peu assuré, quoiqu'ils fussent plus considérables que nous en nombre & en autorité. Qu'ainsi il n'y avait rien à craindre du côté de nos enfants ni de notre sang, parce que la plupart des hommes n'étaient méchants qu'à cause du mauvais gouvernement de leur pays & des mauvais exemples qu'ils y voyaient dès leur enfance. Sermodas plaida fortement notre cause & enfin la gagna; si bien que nos enfants furent reçus & adoptés par l'Etat, comme les autres, sans aucune différence.

Il est presque incroyable combien la constitution de nos corps changea dans trois ou quatre ans de temps, soit par la sobriété, par l'exercice modéré, par les divertissements que nous mêlions à notre travail ou soit enfin par le peu de souci que nous avions des choses de la vie. Nos hommes & nos femmes rajeunirent presque tous & devinrent beaucoup plus forts & plus vigoureux qu'ils n'étaient auparavant. Quelques unes de nos Hollandaises, qui n'avaient jamais pu avoir des enfants en Hollande, devinrent fertiles à Sevarinde. Nous vivions sans chagrin & sans souci, & ne songions qu'à nous divertir quand nous avions fini notre travail. La danse, la musique, la promenade, les spectacles publics que nous voyons de temps en temps, & tous les autres divertissements qui sont en fort grand nombre en ce pays-là, nous occupaient agréablement & rendaient joyeux & sociables les plus mélancoliques d'entre nous. Au commencement, nous eûmes presque tous la fièvre, & même quelques-uns en moururent, mais après cela, nous nous portâmes le mieux du monde, & il semblait que cette maladie eût consumé toutes les mauvaises humeurs de notre corps.

Nous conversions familièrement avec les Sevarindiens ; au commencement, ils ne pouvaient se tenir de rire quand ils voyaient quelques petites gens que nous avions parmi nous, & quand ils leur entendaient prononcer leur langue hollandaise, qu'ils comparaient au langage des chats & des chiens. Ils nous faisaient plusieurs questions touchant notre continent, nous demandaient si notre pays était aussi beau que le leur, si les hommes & les femmes y étaient tous bâtis comme nous, à quoi ils ajoutaient plusieurs autres questions de cette nature. Après cela, ils exaltaient les lois & les coutumes que Sevarias leur avait laissées, & concluaient que toutes les autres nations étaient misérables & aveugles auprès de la leur ; en quoi ils avaient sans doute raison. Ils nous traitaient avec beaucoup de douceur, & pour moi, j'étais fort civilement reçu parmi les plus grands, & conversais familièrement avec eux. J'étais même quelquefois introduit chez le vice-roi avec qui j'ai eu trois ou quatre conversations, ce qui me faisait beaucoup considérer & me donnait entrée chez tous les magistrats. Quelquefois, j'allais à la chasse avec eux & y menais quelques-uns de mes gens, & entre autres, Van de Nuits, qui s'étant malheureusement trouvé devant un ours qu'on avait blessé, fut déchiré par cet animal furieux avant de pouvoir être secouru. Cet accident nous causa une grande affliction à tous, & principalement à moi qui l'aimais beaucoup & qui le regardais comme le plus fidèle de tous mes amis & le plus digne de mon amitié. Il laissa deux femmes & cinq enfants qui, j'espère, sont encore en vie.

Il y avait un certain sevarobaste, nommé Calsimas, qui me prit en amitié & qui me faisait souvent aller chez lui où il me faisait même manger à sa table. Il avait voyagé en Perse, dans les Indes & dans la Chine, mais il n'avait jamais été vers l'occident de notre continent ; & comme il était fort curieux d'en savoir des nouvelles, & moi, plus capable de lui en dire que pas un de notre compagnie, il se plaisait fort à s'entretenir avec moi, & me contait à son tour ce qu'il avait remarqué dans ses voyages & les aventures qu'il avait eues. Quelquefois, il nous venait voir à notre osmasie, & souvent il me menait à la campagne pour prendre le divertissement de la chasse, de la pêche & des autres plaisirs des champs. Cette familiarité fréquente me fit acquérir son amitié, de sorte que j'étais un de ses plus grands favoris.

Ce fut aussi par son moyen que j'obtins permission de retourner en Europe, ce qui nous avait déjà été refusé. Car après avoir demeuré près de quinze ans dans ce pays-là, un violent désir de revoir ma patrie s'empara de mon cœur, malgré toute ma raison. J'y résistai un fort long temps mais, voyant qu'on allait envoyer un vaisseau en Perse, où l'un des enfants de Calsimas devait s'embarquer, je ne pus plus arrêter l'impétuosité de mes désirs, & je ne songeai qu'aux moyens de les satisfaire. Le conflit qu'il y avait eu longtemps entre mon cœur & ma raison avait fait impression sur mon corps ; j'en avais maigri, & mon humeur, auparavant assez gaie, était devenue sombre & mélancolique. Calsimas s'en aperçut & m'en demanda la cause. Je tâchai quelque temps de la lui cacher mais, enfin, je fus contraint de la lui dire ingénument sur la promesse qu'il me fit de me servir dans mon dessein. Quand il sut le sujet de mon chagrin, il tâcha de l'adoucir par plusieurs bonnes raisons : mais ayant appris que je m'en étais objecté de semblables à moi-même, sans pouvoir vaincre ma passion, & que mon esprit s'opposait vainement aux mouvements de mon cœur, il me promit de faire pour moi ce qu'il pourrait afin d'obtenir du Conseil la liberté de m'en retourner, sous promesse de revenir avec la femme & les enfants que j'avais laissés en Hollande, comme je lui faisais accroire, pour avoir un juste prétexte de revenir en Europe. Il est bien vrai que c'était mon véritable dessein & que, depuis je suis en Asie, je sens croître en moi le désir de retourner à Sevarinde pour y passer le reste de mes jours quand j'aurai satisfait au violent désir que j'ai de revoir ma patrie & d'y prendre avec moi une personne qui m'est fort chère, si je la trouve encore en vie. Et mon désir est d'autant plus juste & raisonnable, qu'outre les avantages de ce pays, j'y ai laissé trois femmes & seize enfants qui, j'espère, vivent tous encore, & que je n'aurais pas laissés pour un moment, si l'envie de joindre à leur nombre le premier fruit de mes amours ne m'y eut fortement sollicité.

Cependant Calsimas, voyant les apprêts qu'on faisait pour envoyer des gens en Perse, & sachant que la passion de faire ce voyage s'augmentait tous les jours en moi, fit tous ses efforts pour obtenir du vice-roi la permission que je demandais. Il y trouva beaucoup de difficultés, & la chose n'aurait jamais réussi, comme il me fit comprendre depuis, si on l'eut mise en délibération dans le Conseil. Mais il para ce coup & sut si bien toucher le cœur de Sevarminas, qu'à sa prière, & par un mouvement de pitié qu'il eut pour moi, il me permit de m'embarquer secrètement avec le fils de Calsimas & des compagnons, après m'avoir fait promettre de revenir, & de ne point parler de leur nation aux peuples de notre continent.

Dans le même temps que nous devions partir, il y avait des vaisseaux prêts pour aller faire de nouvelles découvertes dans la mer intérieure, dont nous avons déjà parlé. Je fis accroire à mes gens que je voulais aller faire un voyage dans cette mer par pure curiosité, & laissant mon lieutenant Devèze à ma place, je pris congé d'eux, non sans beaucoup de larmes & de soupirs. Mes femmes s'opposèrent tant qu'elles purent à mon dessein mais, voyant que j'étais inébranlable, elle se consolèrent dans l'espérance de mon retour.

Je partis donc de Sevarinde l'an 1671, & avant de passer les montagnes, j'allai voir le vallon de Stroukaras dont j'ai déjà fait la description. Ensuite, ayant repassé les montagnes par où nous étions venus, j'arrivai à Sporounde avec ma compagnie où j'avais pour principal ami le fils de Calsimas, nommé Bakinda, jeune homme d'environ trente ans, fort sage & fort prudent.

A Sporounde, je vis quelques-unes de mes anciennes connaissances, comme Carchida qui s'appelait alors Carchidas, à cause de la nouvelle dignité de derosmasiontas qu'il avait acquise dans Sporounde. Albicormas était mort deux ans auparavant, & après avoir résigné son gouvernement au sevarobaste Galokimbas, que le vice-roi avait envoyé pour gouverner à sa place. Benoscar demeurait encore dans les îles & avait l'emploi qu'avait Carchida lorsque nous y passâmes la première fois.

Quand nous eûmes demeuré quelques jours à Sporounde, nous descendîmes par eau jusqu'au lac de Sporaskompso où nous trouvâmes un vaisseau d'environ trois cents tonneaux qui nous attendait. Nous y montâmes, moi vingt-cinquième, outre l'équipage, & notre navire fut remorqué par trois galiotes jusqu'à la mer; car il faisait un si grand calme que nous ne pouvions nous servir de nos voiles. Nous ne sortîmes pas par la baie où Maurice était entré mais par un autre canal tirant sur l'orient qui mène tout droit du lac à la mer. L'océan était fort calme quand nous y entrâmes, & nos galiotes furent obligés de nous remorquer plus de vingt lieues en mer avant que nous puissions trouver du vent. J'appris qu'elle était toujours calme dans cette saison, pendant un mois ou deux, mais que tout le reste de l'année elle était pleine d'orages & de tempêtes tout le long de ces côtes. Deux jours après le départ de nos galiotes, il se leva un petit vent de sud-ouest qui enfla doucement nos voiles & qui, se rafraîchissant peu à peu, nous poussa vers la haute mer sans aucune violence, quoiqu'avec assez de force & de vitesse, durant l'espace de cinq jours. Au sixième, il cessa de souffler & nous fûmes obligés de prendre un autre vent de côté qui nous poussa pendant sept ou huit jours vers le lieu où nous tendions. Alors nous nous servîmes encore d'un autre vent, & ainsi, changeant de temps en temps, nous arrivâmes enfin sur les côtes de la Perse, soixante-huit jours après notre départ de Sporounde.

Là, nos voyageurs se distribuèrent de deux en deux, & prirent tous des routes diverses, après être convenus du temps de leur retour. Par bonheur, Bakinda & son camarade, nommé Foniscar, après avoir changé de nom & pris des noms persans, tirèrent du côté d'occident, & je les accompagnai jusqu'à Ispahan, capitale de la Perse. Après y avoir demeuré quelque temps avec eux, je leur demandai congé pour faire mon voyage d'Europe. Je l'obtins sans peine, si bien que, profitant de l'occasion de la caravane, je me mis en chemin pour continuer mon voyage. Je vis en passant toutes les villes qui étaient sur notre route, dont je ne parlerai point ici parce que, plusieurs en ayant fait la description depuis longtemps, elles sont connues de tous les curieux.

Pour donc abréger un discours qui pourrait être ennuyeux, je me contenterai de dire qu'enfin j'arrivai à la ville de Smyrne, en bonne santé, où j'espère m'embarquer bientôt dans la flotte de Hollande qui doit partir au premier jour.

*

* *

Voilà ce que nous avons tiré des mémoires du capitaine Siden que nous avons mis dans le meilleur ordre qu'il nous a été possible, sans y rien ajouter que ce qui était nécessaire pour lier les matières & leur donner une forme d'histoire que l'on put lire sans peine dans un livre entier & non pas en fragments comme nous les avons trouvés. Il y a quelque lieu de croire que l'auteur était incertain s'il la publierait ou non, parce que ces papiers étaient plus écrits en forme de mémoires pour son usage particulier, que pour un usage public. Et cela paraît d'autant plus qu'il n'y a pas spécifié toutes choses comme une histoire le demanderait, & qu'il a abrégé certains endroits où il semble qu'il aurait dû s'étendre davantage, & passé sous silence plusieurs choses qu'il aurait fallu décrire dans une histoire exacte & complète. Il promet même, en certains endroits, d'expliquer des choses dont il ne parle plus ensuite, comme des épithètes du soleil & quelques autres matières. Néanmoins, il en dit assez pour en faire un corps d'histoire tel que nous le donnons au public.

Nous espérons que le lecteur en sera content, puisque c'est tout ce que nous lui avons pu donner, & que peut-être il y trouvera du plaisir & de l'utilité.

FIN

INDEX DES NOMS DE PERSONNES

TABLE DES MATIÈRES

Achevé d'imprimer en 2001
à Genève (Suisse)

THE STOP! NO SMOKING PROGRAMME

Your Complete Guide to Stopping Smoking **Successfully**

By Nicola Willis

5 7 9 10 8 6 4

First published in the United Kingdom in 2000 by Vermilion
an imprint of Ebury Press
Random House
20 Vauxhall Bridge Road
London SW1V 2SA

The Random House Group Ltd Reg. No. 954009
www.randomhouse.co.uk

A CIP catalogue record for this book
is available from the British Library

ISBN 9780091947910

Design & make up by Roger Walker
Typeset in ITC Veljovic and Quay Sans

The Random House Group Limited supports The F… Stewardship Council (FSC®), the leading intern… forest c… organisation. Our books carrying the FSC lab… certified paper. FSC is the only forest certific… by the leading environmental organis… Our paper procu… www.ran…

Printed ar… Britain by Clays Ltd, St Ives PLC